Über dieses Buch

Diese Korrespondenz hat vielfache Bedeutung, ist mehr als nur ein wichtiger Beitrag zur Lebens- und Werkgeschichte Thomas Manns, mehr als die Dokumentation der Beziehungen zwischen einem großen Autor und seinem Verleger. Sie erhellt Zustände und Situationen des deutschen Exils in den Jahren der national-sozialistischen Herrschaft und danach: die physische Gefahr, die materiellen Probleme, die geistige und moralische Bedrängnis, das Abenteuer in der Fremde deutschsprachige Bücher herauszu-bringen. Die meisten Briefe erfüllt Unruhe. Es sind Briefe der Wanderung. Die Hauptetappen Thomas Manns: München – Zürich (Küsnacht) – Princeton – Pacific Palisades – Zürich (Erlen-bach und Kilchberg). Die Stationen Gottfried Bermann Fischers: Berlin, der alte S. Fischer Verlag – Wien, dann Stockholm (Ber-mann-Fischer Verlag) – New York – Amsterdam – Frankfurt, der neu errichtete S. Fischer Verlag. Die Werke des Schriftstellers sind Wegmale: von den Geschichten Jakobs bis zur Schiller-Rede.

Der oft erregte, oft erregende Briefwechsel handelt von den Schick-salen der Bücher – und derer, die sie machten. Er verhehlt nicht Irritationen, Meinungsverschiedenheiten, Krisen; immer aber löst sich die Spannung in Vertrauen und Freundschaft. Diese Edition ergänzt gleichermaßen die Thomas-Mann-Literatur und Gottfried Bermann Fischers Autobiographie »Bedroht Bewahrt« (Fischer Taschenbuch 1169). Peter de Mendelssohn, der Verfasser von »S. Fischer und sein Verlag« und des im Entstehen begriffenen Werks »Der Zauberer. Das Leben des deutschen Schriftstellers Thomas Mann«, hat ihn mit profunder Sach- und Menschen-kenntnis herausgegeben.

THOMAS MANN
BRIEFWECHSEL
MIT SEINEM VERLEGER
GOTTFRIED BERMANN FISCHER
1932—1955

Herausgegeben

von Peter de Mendelssohn

FISCHER TASCHENBUCH VERLAG

Fischer Taschenbuch Verlag
Februar 1975
Ungekürzte Ausgabe
Umschlagentwurf: Rainer Winter
Fischer Taschenbuch Verlag GmbH, Frankfurt am Main
Lizenzausgabe mit freundlicher Genehmigung
des S. Fischer Verlages GmbH, Frankfurt am Main
© 1973 by S. Fischer Verlag GmbH, Frankfurt am Main
Gesamtherstellung: Ebner, Ulm
Printed in Germany
ISBN 3 436 02039 7

GOTTFRIED BERMANN FISCHER

VORWORT

Briefe können ein zuverlässigeres und eindringlicheres Bild einer vergangenen Epoche vermitteln, als es nachträgliche Geschichtsschreibung vermag. Jedenfalls schaffen sie einen Zugang zum Verständnis der Mentalität der Zeitgenossen, ihrer Beziehungen zueinander, ihrer Ansichten und ihrer Irrtümer in der Beurteilung der politischen und kulturellen Vorgänge ihrer Zeit und der daraus resultierenden Folgen.

Sie sind ad hoc, aus aktueller Motivation, oft aus momentaner Emotion heraus geschrieben und nur mit der Absicht, den Empfänger zu informieren und zu überzeugen, um Rat zu suchen und zu geben und Meinungen auszutauschen, ohne Rücksicht auf endgültige Formulierung und ohne den Gedanken an spätere Publikation.

So verhält es sich mit dem vorliegenden Briefwechsel.

Die Korrespondenz zwischen einem Autor und seinem Verleger ist an sich kaum von allgemeinem Interesse. In diesem speziellen Fall jedoch dürfte sie durch die Person des Autors, mit dem und von dem sie geführt wurde, und durch die außerordentlichen Zeitumstände, durch die sie hervorgerufen wurde, über das rein Persönliche hinaus einen gewissen Beitrag zur Zeitgeschichte liefern.

Meine Bemühungen waren darauf gerichtet, den Verlag nach der Machtübernahme Hitlers zusammenzuhalten, bis unsere Auswanderung und seine Verbringung nach dem Ausland sich ermöglichen lassen würden. Mein Optimismus in dieser Hinsicht, der von Thomas Mann nicht ganz geteilt wurde, hat sich schließlich doch bewährt. Er war nicht ganz einfach durchzuhalten. Die ständige Bedrohung durch die Nazis auf der einen Seite und die Angriffe der bereits Emigrierten auf der anderen, die die Gründe nicht kannten, aus denen ich die Auswanderung nur langsam betreiben konnte, brachten mich oft zur Verzweiflung. Aber trotz aller Divergenzen standen mir die Autorenfreunde zur Seite.

Ende 1935 erhielt ich nach zähen Verhandlungen mit den Nazibehörden die Genehmigung, mit dem in Deutschland unerwünschten Teil des Verlages das Land zu verlassen. Mit mir nehmen konnte ich die Werke der verfemten Autoren. Zu ihnen gehörten diejenigen von Thomas Mann, Hugo von Hofmannsthal, Arthur Schnitzler, Alfred Döblin, Jakob Wassermann, Carl Zuckmayer, Annette Kolb, Mechthilde Lichnowsky und vielen anderen, die ich in meinen ersten Emigrationsverlag, den Bermann-Fischer Verlag, Wien (1936–1938), und später, nach der Besetzung Österreichs, in den gleichnamigen zweiten Emigrationsverlag in Stockholm (1938–1948) einbringen und dort weiterhin veröffentlichen konnte. Hier kamen noch die Werke von Franz Werfel und Stefan Zweig hinzu.

Das Verlagsarchiv, das die Briefe der Autoren an S. Fischer und an mich enthielt, verblieb in Deutschland, wo es im Jahre 1945 im Keller des Verlagshauses in Flammen aufging. Daß mein Briefwechsel mit Thomas Mann aus den Jahren 1932 bis 1938 dennoch nahezu vollständig erhalten ist, ist mehreren glücklichen Umständen zu verdanken. Die von Thomas Mann an mich gerichteten Briefe dieser Jahre hatte ich zwar bei meiner Auswanderung aus Berlin im Jahre 1936 an mich genommen und sie so vor der Vernichtung bewahrt. Ich hatte es aber verabsäumt, die Kopien *meiner* Briefe an Thomas Mann ebenfalls mit mir zu nehmen, und ich verabsäumte es wiederum bei meiner Flucht aus Wien im Frühjahr 1938. Daß ihr Inhalt später einmal von Interesse sein könnte, kam mir damals nicht in den Sinn. Bei meiner überstürzten Abreise aus Wien wären aber auch die zahlreichen Sammelmappen, die Thomas Manns Briefe an mich enthielten, beinahe in Verlust geraten. Da ich keinen Platz im spärlichen Fluchtgepäck meiner Familie für sie hatte, blieb mir nichts anderes übrig, als sie einem getreuen jungen Mitarbeiter mit dem Auftrag zu übergeben, sie für mich aufzubewahren oder sie, wenn ihr Besitz ihn in Gefahr bringen sollte, zu vernichten.

Sein glücklicher Einfall, sie nach meiner Niederlassung in Schweden einfach als Paket an meine Stockholmer Adresse zu senden, schien mir im Trubel unserer Flucht undenkbar. Aber das Paket kam ungefährdet bei mir an. Walter Großmann, jener junge Mann, dem die Rettung dieser Briefe zu danken ist, ist jetzt Professor an der University of Massachusetts, Boston.

Bei der Zusammenstellung dieses Briefbandes fehlten so meine Gegenbriefe an Thomas Mann aus den Jahren 1932–1938 fast vollständig. Ich hatte mich mit ihrem Verlust bereits abgefunden, als kurz vor Drucklegung – der Umbruch lag bereits vor, Anmerkungen und Kommentar waren bereits fertiggestellt –, das Thomas Mann-Archiv in Zürich, das bisher nur 13 meiner an Thomas Mann gerichteten Briefe in der dort aufbewahrten Briefsammlung gefunden hatte, von Frau Emmie Oprecht, der Witwe des Verlegers Emil Oprecht (Zürich) – beide nahe Freunde der Familie Mann –, eine Kiste mit mehreren hundert Briefen erhielt, die in der Münchner Zeit Thomas Manns und während seines Zürcher Exils an ihn gerichtet waren, darunter zahlreiche Briefe Heinrich Manns und 26 meiner Briefe aus den Jahren 1933–1936. Thomas Mann hatte im Jahre 1938 diese Briefe bei seiner Abreise nach den Vereinigten Staaten in eine Kiste verpackt, die bei den Aufräumungsarbeiten seines Küsnachter Hauses Frau Oprecht auffiel. Sie ließ sie auf dem Estrich ihres Hauses unterbringen und verständigte Thomas Mann, der darüber am 16. 8. 1944 an Bruno Walter schrieb: »Diese Papiere ruhen irgendwo wohlverwahrt in einer Kiste auf Oprechts Speicher in Zürich.« Als Erika Mann im Jahre 1960 an die Herausgabe der Briefe Thomas Manns ging, suchte sie vergeblich nach dem verlorenen Schatz. Erst jetzt wurde er gefunden, nicht auf dem Estrich, wo er sich ursprünglich befand, sondern in einem vom Verlag Oprecht gemieteten Keller des Nachbarhauses, wo er während des Krieges untergebracht und dann vergessen worden war.

Da ich vom März 1938 an den gegenseitigen Briefwechsel mit mehr Sorgfalt gesammelt hatte, kann nun durch die Aufnahme dieser verloren geglaubten Briefe, deren Fehlen eine kaum auszufüllende Lücke für das Verständnis der damaligen dramatischen Vorgänge bedeutet hätte, eine nahezu vollständige Korrespondenz vorgelegt werden.

Ein Charakteristikum des S. Fischer Verlages von seinen Anfängen im Jahre 1886 an war das enge freundschaftliche Verhältnis zwischen dem Verleger und seinen Autoren. Peter de Mendelssohn spricht in seinem Buch »S. Fischer und sein Verlag« (S. Fischer Verlag, 1970) mit Recht von einer »Verlagsfamilie«. S. Fischer war in gleichem Maße der Verwalter und der Berater seiner Autoren auf wirtschaftlichem Gebiet, wie er es auf dem literarischen und dem allgemein menschlichen war. Eine strenge Abgrenzung bestand nicht. Ich hatte noch das Glück, diese Tradition, zusammen mit meiner Frau, der Tochter S. Fischers, fortsetzen zu können. Die vorliegenden Briefe können naturgemäß nur ein Teilbild von unseren freundschaftlich-geschäftlichen Beziehungen zu Thomas Mann geben. Es müßte durch eine Darstellung unserer häufigen persönlichen Begegnungen ergänzt werden. Das Zusammensein mit Thomas Mann bot eine sprudelnde Quelle von köstlichen Geschichten. Er war ein Geschichtenerzähler par excellence, und es war vor allem die komische Seite seiner Figuren, die er mit Gusto darbot und so lebendig in Sprache und Gestik darstellte, wie es einem großen Schauspieler nicht besser hätte gelingen können. Dabei amüsierte er sich nicht weniger als seine Zuhörer über die absonderlichen Geister, die er rief. Übertroffen wurden diese gelegentlichen bei Tisch oder während eines Spazierganges gelieferten – ja man möchte sagen – Schaustellungen, durch seine Vorlesungen aus seinen gerade in Arbeit befindlichen Novellen oder Romanen. Er liebte es, seine Familie und seine Freunde von Zeit zu Zeit um sich zu sammeln, um ihnen ein vollendetes Kapitel vorzulesen und ihre Reaktion und ihr Urteil zu vernehmen. Er nahm diese Äußerungen sehr ernst und fühlte sich sichtlich angetan und befriedigt, wenn er Begeisterung und Zustimmung unter seinen keineswegs unkritischen Zuhörern fand.

Es machte mir bei solchen Gelegenheiten jedesmal einen besonderen Eindruck, daß Thomas Mann von den von ihm geschaffenen Gestalten in der der Lesung folgenden Diskussion durchaus wie von existierenden, lebenden Menschen sprach. Daß sie es für ihn waren, eröffnet einen Blick in seine schöpferische Arbeit und gibt den Schlüssel zu der Wirkung, die sie auf den Leser ausüben und die sie unvergeßlich macht. Von besonderer Meisterschaft aber waren seine öffentlichen Vorlesungen. Nach einer seiner letzten in den Münchner Kammerspielen fragte ihn der Intendant Hans Schweikart, ob er ihn nicht engagieren könne: so viel Vorhänge wie er hätte noch keine seiner Inszenierungen gehabt.

Unser Verhältnis zueinander war durch den großen Altersunterschied bestimmt. Von meiner Seite war es durch den Respekt vor dem Älteren, Weltberühmten beeinflußt, von seiner Seite mir, dem viel Jüngeren gegenüber, von seiner Kritik, die manches Mal in großer Schärfe zum Ausdruck kam. Daß sich dabei in unserem der Unsicherheit und ständiger Bedrohung ausgesetzten Leben so manche Ungerechtigkeit einschlich und so manche erregte Verteidigung dagegen stattfand, ist nicht verwunderlich. Aber durch fünfundzwanzig Jahre hindurch bestand zwischen uns ein Vertrauens- und Freundschaftsverhältnis, das trotz aller manchmal auftretenden Meinungsverschiedenheiten nicht gestört wurde und sich noch heute gegenüber seiner von mir verehrten Frau erhalten hat, deren Briefe an mich aus diesen Jahren ein unentbehrlicher Bestandteil des Briefwechsels sind. Für ihre Genehmigung, ihn zu veröffentlichen, spreche ich ihr meinen Dank aus.

Desgleichen danke ich Peter de Mendelssohn, der durch sein Studium der Verlagsgeschichte eine eingehende Kenntnis der Vorgänge in den hier im Blickfeld stehenden Jahren besitzt, für seinen Kommentar zu diesen Briefen, der zu ihrem vollen Verständnis notwendig ist, sowie dem Leiter des Thomas Mann-Archivs in Zürich, Herrn Professor Dr. Hans Wysling, der Bibliothekarin des Archivs Fräulein Marianne Fischer und der Sekretärin des Archivs Fräulein Rosemarie Hintermann, die mir zur Auffindung meiner verloren geglaubten Briefe an Thomas Mann verhalfen.

Camaiore, Januar 1973 *Gottfried Bermann Fischer*

VORBEMERKUNGEN DES HERAUSGEBERS

Thomas Mann hatte zeitlebens nur einen einzigen deutschen Verleger. Die deutschen Originalausgaben aller seiner Bücher und Schriften sowie alle deutschen Gesamtausgaben seiner Werke erschienen ohne Ausnahme oder Unterbrechung bis zum Jahr 1935 im Verlag von S. Fischer in Berlin und danach in den von den Erben S. Fischers gegründeten und geleiteten Nachfolge-Verlagen und nahmen von dort ihren Weg in die Welt.

In der Verlagsgeschichte überhaupt und in der deutschen Verlagsgeschichte ganz besonders ist dies ein seltenes Vorkommnis. Weitaus häufiger war und ist es, daß ein junger Schriftsteller zu Beginn sich mit seinen Erstlingswerken dem ersten besten Verlag anvertraut, der willens ist, sich seiner anzunehmen, und erst nachdem die Anfangsschritte getan sind, die endgültige verlegerische Heimstätte findet, die seiner persönlichen Eigenart entspricht, seiner Arbeitsweise gemäß ist, seinem Schaffen zu gebührender Wirkung zu verhelfen vermag und, nicht zuletzt, ihn in kongeniale literarische Gesellschaft einfügt. Aber selbst dann ist durchaus nicht immer alles endgültig unter Dach und Fach und auf alle Zeit gut besorgt und aufgehoben. Man braucht nicht weit zu blicken, um zu sehen, von wievielen Fährnissen die Arbeitsgemeinschaft eines Autors mit seinem Verleger bedroht ist, wieviele verschiedenartige Umstände ein solches, für die Lebens- und Schaffensdauer gemeintes Verhältnis allmählich zerrütten oder plötzlich zerbrechen können. Gerade das deutsche Verlagswesen ist seit der Jahrhundertwende infolge der periodischen schweren Erschütterungen politischer, wirtschaftlicher und sozialer Art hierfür besonders anfällig gewesen.

Aber auch in ruhigen und gesicherten Zeiten leben Verleger und Verlage nicht ewig, und Autoren verstummen vor der Zeit. Mancher Autor hat seinen Verlag in mehr als einem Sinn überlebt und mußte mitten im – zuweilen auf lange Sicht geplanten – Schaffen umziehen, weil Lebensschicksal oder Zeitläufte ihm die verlegerische Behausung kündigten. Manchem Verleger hat der Tod einen Autor, der Großes verhieß, ent-

rissen, als er eben zu reicher Blüte ansetzte und alle gehabte
Mühe sich lohnen sollte. Nicht nur Schaffenskraft und Schaf-
fensfreude eines Schriftstellers können unvermutet versiegen;
man weiß auch von Verlegern, die bankrott gingen, an ihrem
Beruf die Lust verloren und entmutigt ihren Laden zusperrten
oder ihn in andere Hände übergehen ließen, in welche ein
Autor von sich aus sich nicht begeben hätte.

Nicht nur Schriftsteller, auch Verlage verändern, indes sie auf
ihrem Weg fortschreiten, ihre inneren und äußeren Wesens-
züge, und was lange Zeit schöner Gleichklang war, kann
ohne Verschulden des einen oder anderen zu unschönem Miß-
klang werden, der keinen freut. Durchaus nicht zuletzt betreiben beide, Autor und Verleger, ein jeder auf seine Weise
ein Geschäft, das geistige Werte in materielle umsetzt, und
Absatz und Umsatz dieses Geschäftes müssen beiden ihren
Lebensunterhalt erbringen. Beide sind von geistigen und wirtschaftlichen Konjunkturen und einem Publikum mit veränder-
lichen Neigungen und Bedürfnissen abhängig, das ihnen nicht
unter allen Umständen die Treue hält und auf das sie nur in
engen Grenzen einen bestimmenden Einfluß auszuüben vermögen. Was Wunder, wenn der Ertrag ihrer gemeinschaftlichen Arbeit dann und wann den einen oder anderen Partner
nicht oder nicht mehr zufriedenstellt und andere Möglichkeiten
sich anbieten, deren Jahresabschlüsse sich günstiger ausnehmen?

Es wäre erstaunlich, wenn es nicht so wäre, und Verleger wie
Autor sind in diesem Bezug von jeher Kummer gewohnt.
Goethe gibt ein anschauliches Beispiel. Seine frühen Werke,
die seinen ersten Ruhm begründeten, kamen bei den verschiedensten Buchhändlern heraus. 1786 schien der Siebenund-
dreißigjährige in dem Buchhändler Georg Joachim Göschen,
der erst im Vorjahr in Leipzig seinen Verlag gegründet hatte,
seinen endgültigen Betreuer gefunden zu haben. Aber Göschens
achtbändige Goethe-Ausgabe war ein buchhändlerischer Mißerfolg, und schon nach sieben Jahren, 1793, wechselte Goethe
zu Cotta über, bei dem er nun lebenslänglich beheimatet blieb.
Allein selbst dieses Verhältnis war nicht so unerschütterlich
fest gegründet, wie es scheinen mochte. Als Goethe 1826 seine
Gesamtausgabe letzter Hand vorbereitete, zog er unbekümmert
um Cotta bei vielen anderen Verlegern Erkundigungen ein und

überließ Cotta die Gesamtausgabe nur, weil dieser das höchste Honorar bot.

Ein anderes, näher liegendes Beispiel ist Theodor Fontane, der mit seinen ersten Werken bei fünf verschiedenen Verlagen erschien, bis er 1861 den Berliner Verleger Wilhelm Hertz fand, der ihn achtundzwanzig Jahre lang veröffentlichte. Aber sogar während dieser langen Verbindung mußte Fontane sich zwischenhin mit mehreren seiner großen Romane zu anderen Verlegern begeben, und seine letzten zehn Schaffensjahre wurden vom Verlag seines Sohnes Friedrich Fontane betreut, der auch die erste Gesamtausgabe veranstaltete, die bald darauf an Thomas Manns Verleger S. Fischer überging. Viele Beispiele lassen sich nennen für bedeutende Schriftsteller, die ihr Lebtag keine feste verlegerische Behausung fanden. Ein solcher war Robert Musil, der sich zuzeiten in ein so kompliziertes Schachspiel mit seinen Verlegern verstrickte, daß er sich selber mattsetzte und nicht wußte, ob er überhaupt einen Verleger hatte. Und Heinrich Mann, der gleichzeitig mit seinem jüngeren Bruder begann und dessen ähnlich umfangreiches Schaffen sich über dieselbe Zeitspanne erstreckte, erschien nacheinander bei fünfzehn verschiedenen deutschen Verlagen, nur bei S. Fischer nicht, bei dem er wohl am besten versorgt gewesen wäre. Als Thomas Mann ihm 1900 schrieb: »Wie gut du aufgehoben bist und wie hell dein Stern zu leuchten beginnt!« ahnte er nicht, daß dieses Wort weit mehr für ihn selber als für den Bruder galt.

Daß ein großer Schriftsteller mit einem großen und vielgestaltigen Werk während seines ganzen Lebens und Schaffens, über mehr als ein halbes Jahrhundert hinweg, unwandelbar und ununterbrochen unter demselben verlegerischen Dach beheimatet bleibt – man sieht, es kommt höchst selten vor, und möchte folglich meinen, ein solches Treueverhältnis bedürfe ganz ungewöhnlicher Voraussetzungen des Gleichklangs zwischen Autor und Verleger. Solche Voraussetzungen bestanden natürlich, aber sie waren gerade im Verlag S. Fischer weniger ungewöhnlich als anderwärts. Fischers ganzes verlegerisches Streben war von Anbeginn darauf gerichtet, »lebenslängliche« Autoren um sich zu sammeln, deren gesamtes Schaffen er betreuen und zu gegebener Zeit in einer geschlossenen Gesamtausgabe vorlegen konnte, und Thomas Mann war keineswegs der einzige, der sein Leben lang dieser »Verlagsfamilie« verbunden blieb. Gerhart Hauptmann, Arthur Schnitzler, Hugo von Hofmannsthal, Jakob Wassermann, Peter Altenberg, Hermann Hesse waren andere – und durchaus nicht immer gleichklingende –, die vom Erstlingswerk bis zur Gesamtausgabe unter Fischers Verlagssignet erschienen. Sie alle hatte der Verleger um die Jahrhundertwende um sich versammelt, und sie alle schritten den ganzen Lebensweg mit ihm; sie wußten sich nicht nur ihm, sondern mehr oder weniger lebhaft auch untereinander verbunden, und als er starb und seine Erben das Haus übernahmen, wohnte ihrer aller Werk noch unter seinem Dach.

Aber auch unter ihnen steht Thomas Mann für sich. Altenberg, Hofmannsthal, Schnitzler und Wassermann starben vor ihrem Verleger. Als der Verlag sich ins Exil rettete, ging ihr Werk mit; aber nur die Gesamtausgaben Hofmannsthals und Schnitzlers kehrten mit dem Verlag später nach Deutschland zurück und wurden neu und erweitert unter dem alten Wahrzeichen wieder aufgebaut; Altenberg und Wassermann war ein solches Wiederaufleben nicht beschieden. Gerhart Hauptmann und Hermann Hesse waren zur Zeit der Trennung beim Nachfolge-Verlag in Berlin verblieben und fanden nach dem Zweiten Weltkrieg aus unterschiedlichen Gründen nicht zu dem wiedererrichteten Stammhaus zurück, von dem sie ausgegangen waren. Einzig Thomas Mann teilte das Schicksal seines Verlags auch in dieser Zeit mit seinem Leben und seinem Werk über unsägliche Wirren, Umwälzungen und Zerreißproben hinweg, durch Hangen und Bangen und ein Exil nach dem anderen, bis zu seinem Lebensende. Und auch das Nachgelassene, vor allem sein mehrbändiges, von seiner Tochter Erika herausgegebenes Briefwerk, das seinem Gesamtwerk aufs engste zugehörig ist, erschien und erscheint weiter unter demselben deutschen Verlagssignet, unter dem er begann.

So ist es nur gehörig, daß dieser Reihe nun auch der Briefwechsel Thomas Manns mit seinem Verleger Gottfried Bermann Fischer hinzugefügt wird. Er gibt über die zwei letzten Jahrzehnte dieses insgesamt neunundfünfzigjährigen Zusammenwirkens Auskunft. Die drei ersten Jahrzehnte lassen sich in entsprechender Weise nicht dokumentarisch belegen. Der Briefwechsel Thomas Manns mit S. Fischer, seinen literarischen Beratern Moritz Heimann und Oskar Loerke und der Redaktion der »Neuen Rundschau« muß sehr umfangreich und, nach den wenigen erhaltenen Stücken zu urteilen, auf einzigartige Weise fesselnd und aufschlußreich gewesen sein. Aber dieser, die Jahre 1897–1934 umfassende Briefwechsel ist bis auf vereinzelte, in den wenigsten Fällen zusammenhängende Stücke verloren. Die im Archiv des S. Fischer Verlags in Berlin verwahrten Teile der Korrespondenz waren während der nationalsozialistischen Zeit in Deutschland geblieben und gingen zugrunde, als das Verlagshaus bei Kriegsende abbrannte. Frau Hedwig Fischer, die Witwe des Verlegers, hatte nur wenige an sie und ihren Gatten gerichtete Briefe Thomas Manns aus diesen ersten dreißig Jahren, die sich in ihrem Privatbesitz befanden, retten können. Die im Besitz Thomas Manns befindlichen Teile des Briefwechsels wurden, soweit Thomas Mann sie aufgehoben hatte, dem Münchner Rechtsanwalt Dr. Valentin Heins zu treuen Händen übergeben, als Thomas Mann Deutschland verließ, fielen aber, nach des Rechtsanwalts Aussage, mitsamt vielen Manuskripten unter nicht völlig geklärten Umständen während des Krieges einem Bombenangriff zum Opfer. Einige wenige Stücke aus der Frühzeit, darunter auch einige Verlagsverträge, befanden sich unter den Papieren, die Golo Mann 1933 aus dem bereits überwachten Münchner Haus retten konnte; sie blieben in Thomas Manns Gewahrsam während der Exilszeit und fanden nach seinem Tod ihren Weg ins Thomas Mann-Archiv der Eidgenössischen Technischen Hochschule in Zürich. Die von Frau Hedwig Fischer geretteten Briefe befinden sich im Briefarchiv von Dr. Gottfried Bermann Fischer in Camaiore.

Es ist beabsichtigt, die aus dieser doppelten Verheerung übriggebliebenen wenigen Stücke aus der Zeit 1897–1934 im Rahmen einer größeren Briefsammlung, »S. Fischer und seine Autoren / Briefwechsel 1886–1934«, die in Vorbereitung ist, zu veröffentlichen. Dieser Briefband ist als eine ergänzende Dokumentation zu meiner 1970 erschienenen Chronik des Hauses, »S. Fischer und sein Verlag«, gedacht, und einiges aus dem Briefwechsel zwischen Thomas Mann und S. Fischer ist in dieser Monographie bereits mitgeteilt. Sie enthält überdies mehrere größere Abschnitte, die sich so eingehend, wie die Unterlagen es erlaubten, mit Thomas Mann und seinem deutschen Verleger und den ersten dreißig Jahren ihres Zusammenwirkens beschäftigen. Auf sie darf hier verwiesen werden. Da jedoch eine Kenntnis jener umfangreichen Darstellung nicht vorausgesetzt wird, andererseits aber, wie es nicht anders sein kann, die ersten dreißig Jahre mit den letzten zwanzig in einem innigen Zusammenhang stehen und beständig, blitzartig aufhellend, in sie hineinleuchten, kurzum, da die Zäsur zwischen den beiden Zeitabschnitten eine künstliche, von den Zeitläuften gewaltsam geschaffene und keine organische und natürliche ist, scheinen ein kurzer Abriß dieser vorangegangenen Wegstrecke und ein Wort über Thomas Manns Verhältnis zum Gründer des Verlags am Platz.

Thomas Mann war, wie er in seinem Nachruf auf S. Fischer erzählt, ein elfjähriges Kind, als Fischer in Berlin 1886 seinen Verlag gründete. »Zehn Jahre später war es der Traum jedes jungen Literaten, ein Buch bei S. Fischer zu haben, und meiner auch.« Der Traum erfüllte sich dem Zweiundzwanzigjährigen. Anfang 1897 sandte er auf gut Glück die Novelle »Der kleine Herr Friedemann« an Oscar Bie, den Redakteur von Fischers Monatsschrift »Neue deutsche Rundschau«; die Novelle gefiel und wurde angenommen, und zugleich kam Bies Aufforderung, »alles zu schicken, was ich geschrieben hätte. Das war natürlich ein großes Glück für den Beginner.« Denn so gab es keinen mühsamen Umweg über andere Verlage, keine Ablehnungen, Rücksendungen, Vertröstungen; alle diese Schwierigkeiten des »Beginners« blieben Thomas Mann erspart. Der Novellenband »Der kleine Herr Friedemann« erschien im Frühjahr 1898. »Ich will«, schrieb Fischer seinem jungen Autor »für Ihre Produktion gern wirken, natürlich unter der Voraussetzung, daß Sie mir alle Ihre Produkte zum Verlag übergeben.« So geschah es. Denn, so schrieb Thomas Mann später, »von dem, den er an sich zog, erhoffte er mehr als ein oder das andere mehr oder weniger gelungene Buch, er erhoffte von ihm eine Entwicklung, ein gestaltetes Leben, eine ›Gesamtausgabe‹«.

Das nächste »Produkt« war der Roman »Buddenbrooks«, der im Oktober 1901 erschien und nach anfänglichem Zögern rasch zu dem größten Erfolg aufstieg, den der Verlag bis dahin erlebt hatte. Bereits vor Erscheinen des Romans, vermutlich in der letzten Augustwoche 1900, hatten Autor und Verleger ein-

ander in München kennengelernt. Mit dieser Begegnung begann eine lebenslängliche persönliche, menschliche Verbundenheit, die im Lauf der Jahrzehnte zu einer echten, auf wechselseitiges Vertrauen gegründeten Freundschaft wurde. Am Ende der Tage schrieb Thomas Mann: »Eine heitere Herzlichkeit bestand zwischen uns, wie ich sie sonst selten im Verhältnis zu Menschen erfahren habe, und kaum je kam es zu oberflächlichen Trübungen und Verstimmungen. Unsere Charaktere paßten zu einander, und ich habe immer gefühlt, daß ich der geborene Autor für ihn und er mein geborener Verleger war.«
S. Fischer war gleich Thomas Mann, der sein Lebtag kaum ein halbes Dutzend Duzfreunde hatte, ein im Grunde scheuer, schüchterner, zurückhaltender, empfindlicher und leicht verletzlicher Mensch, dem es schwerfiel, ungehemmt aus sich herauszugehen und auch nur den Nächsten vorbehaltlos die Wärme und Dringlichkeit seines Gefühls zu enthüllen. Thomas Mann vermochte diese Schwelle zuweilen mit seinen histrionischen Gaben zu überspringen; das war Fischer, wenngleich er einen vorzüglichen verschmitzten Humor besaß, nicht gegeben. Die Worte, die er für Anteilnahme und Bewunderung, aber auch für Mißbilligung und Kummer fand, waren karg und muteten zuweilen fast unpersönlich-konventionell an. Unter den vielen Autoren des Verlags, mit denen ihn zeitlebens herzliche Freundschaft verband, wissen wir gleichfalls kaum ein halbes Dutzend, mit denen er die brüderliche Anrede tauschte. Zwischen ihm und Thomas Mann blieb es zeitlebens bei »Lieber Herr Mann« und »Lieber Herr Fischer«.
Hingegen Hedwig Fischer, die Verlegersgattin! Sie war elf Jahre jünger als er und die eigentliche, feste Mitte der »Verlagsfamilie«, die den menschlichen Zusammenhalt, die Unzerreißbarkeit des persönlichen Gewebes verbürgte. Sie war eine Frauengestalt aus der Welt der Berliner Romantik, eine schwärmerische Natur, von reger, geradezu emsiger Mitteilsamkeit, überströmend in der Bekundung ihrer Bewunderung und Anteilnahme, emphatisch gutgläubig zuweilen bis zur Naivität; aber auch dezidiert kritisch in den wenigen Fällen, in denen mangelnde Aufgeschlossenheit, kärglich ausstrahlende Wärme, wie sie es zu verspüren vermeinte, sie zu Distanz, wenn nicht zu Mißbilligung verhielten. Ironie, Selbstironie gar, waren ihr so fremd wie sie Fischer gemäß waren; sie stimmten sie

nicht heiter wie ihn und erschwerten, ja verwehrten ihr den Zugang zu anderen, deren Selbstmitteilung dieser Selbstverschlüsselung bedurfte.

Der »ironische Deutsche«, wie er mit Thomas Mann auftrat, war nicht nur im Fischer-Garten, sondern allenthalben auf der literarischen Flur, ein seltenes, wenig bekanntes Gewächs, und nicht nur Hedwig Fischer fragte sich, ob es wohl ganz gesund sein könne und nicht vielleicht ein wenig giftig sei. Sie wurde ihr Lebtag aus ihm nicht völlig klug, und wenn sie ihn zuweilen mehr oder weniger insgeheim mißbilligte, so war es wohl, weil sie sich insgeheim ein wenig vor ihm fürchtete. Sie schätzte den Mann, der er war, sie bewunderte, was er schuf, sie hatte ihn auf der Höhe des Lebens sogar recht herzlich gern und war in Kummerzeiten dankbar für seine ernste, stützende Treue – es ist im vorliegenden Briefwechsel an vielen Stellen zu spüren. Aber daß sie an ihm gehangen und seine Welt geliebt hätte, so wie sie an Hauptmann und seiner Welt hing – das konnte nicht sein.

Zwischen Fischer und Thomas Mann hingegen bestand, ungeachtet eines Altersunterschieds von sechzehn Jahren, eine Affinität, anfänglich wohl nur geahnt, die sich beiden im Lauf der Zeit immer deutlicher und, im rechten Sinn des Wortes, unmißverständlicher bekundete. Weit über die sachliche Verbundenheit hinaus, bekannte Thomas Mann, habe er »menschlich an ihm gehangen, wie er, das weiß ich, an mir. Nicht zufällig haben wir zu einander gefunden, ich bin mir dessen vollkommen bewußt, sondern nach dem Willen und den Gesetzen des Lebens – ich spreche hier von dem Verleger und dem Autor. Aber auch menschlich bestand zwischen uns, bei aller Verschiedenheit der Existenzform, der Herkunft und selbst der Jahre, eine gewisse Verwandtschaft der Lebensstimmung, der Schicksalsmischung, die keinem von uns entging. Wir hatten Sinn, der eine für das Leben des anderen – das ist es ja wohl, was man Freundschaft nennt.«

Dies alles war mit einiger Weitläufigkeit auszuführen, um das eigentümliche Spannungsfeld aufzuzeigen, in das der junge Thomas Mann mit dem gewaltigen, auch in diesem Verlag noch nie erlebten Erfolg seines ersten Romans eintrat. Denn ein Spannungsfeld war es ja, jede Familie ist eines, und gar eine Verlagsfamilie, in der sachliche und persönliche, geschäft-

XVIII

liche und literarische Spannungen durchaus nicht immer gleichlaufen und sich selten mit demselben, allen Zwecken gleicherweise dienlichen Handgriff entschärfen lassen. Fischer wußte, daß er dagegen nicht gefeit war. Nicht jedermann verstand sich mit jedermann zu allen Zeiten aufs beste und herzlichste, wie Hedwig Fischer es sich wünschte. Es gab schwere sachliche und persönliche Zerwürfnisse mit Hauptmann, zeitweise ernsten Kummer mit Wassermann, kränkenden Ärger mit Alfred Kerr, mißtrauische Entfremdung mit Schnitzler, nervöse Zappeleien mit Hermann Hesse, bündigen Krach mit Alfred Döblin und Untunlichkeiten, immer wieder, mit diesem und jenem. Mit Thomas Mann gab es im Lauf von drei Jahrzehnten nicht mehr als drei ernste Meinungsverschiedenheiten, die im Grunde Mißverständnisse waren, und in jedem dieser Fälle beschlossen Verleger und Autor, wenn sich ihre Auffassungen nicht unter einen Hut bringen ließen, nicht weiter darüber zu reden und die Sache »auf sich beruhen zu lassen«. Dies war zur Zeit, da der vorliegende Briefwechsel beginnt, zur stillschweigenden Übereinkunft, zur Tradition geworden und wirkte auch unter den neuen Vorzeichen nach Fischers Tod fort. Thomas Mann fügte sich ohne Überschwang mit selbstverständlicher Wohlerzogenheit in die Verlagsfamilie ein und stand mit vielen, ja fast allen bedeutenden Autoren des Verlags in freundschaftlichem Einvernehmen. Er kannte Wassermann, der um dieselbe Zeit wie er zu Fischer kam, bereits aus der gemeinsamen Münchner Anfängerzeit in Langens »Simplicissimus«-Redaktion und hielt ihm zeitlebens treue, wenngleich nicht unkritische Freundschaft. Er lernte Hermann Hesse 1904 durch Fischer kennen und fühlte sich ihm zeitlebens sehr nahe. Arthur Schnitzler, dessen Kunst ihn fesselte, traf er erstmals 1908 in Wien, und zur selben Zeit Hofmannsthal, den er sehr gern hatte und sehr gut verstand. Nun aber Hauptmann!

Die Geschichte von Thomas Manns fünfzigjähriger stetiger Beziehung zu seinem Verleger ist zugleich die kuriose Mär seines fünfzigjährigen unsteten, zuzeiten brüderlich guten, zuzeiten herzlich unguten Verhältnisses zu Gerhart Hauptmann, das erst nach Hauptmanns Tod seine Klärung und Verklärung fand. Auch hierüber hat dieser Briefwechsel einiges zu berichten. Damals, 1903, als Thomas Mann bei Fischer in Berlin Gerhart Hauptmann kennenlernte – der Novellenband »Tristan« war gerade erschienen und die neue, einbändige »Buddenbrooks«-Ausgabe setzte eben zu ihrem Siegeslauf an – und auch noch lange danach konnte keine Rede davon sein, daß irgendein anderer in der Verlagsfamilie, auch wenn ein noch nicht dagewesener Erfolg wie »Buddenbrooks« ihn auf ungeahnte Höhe trug, Hauptmann seine Vorrangstellung unter Fischers Autoren streitig machte. Dennoch brachte der Geist der Zeit es mit sich, daß allmählich die Gewichte sich verschoben, bis sie am Ende sich ganz und gar verlagert hatten. Wie sehr, wurde klar, als Thomas Mann siebzehn Jahre nach Hauptmann als zweiter deutscher Autor des S. Fischer Verlags den Literatur-Nobelpreis erhielt.

Läßt man einmal, um des Argumentes willen, die eigentümlich deutsche Antinomie »Dichter – Schriftsteller« gelten – Fischer war sie eine natürlich gegebene Selbstverständlichkeit, während Thomas Mann nichts von ihr hielt –, so kann man sagen, daß die Spannung zwischen Hauptmann und Thomas Mann recht eigentlich die weit übers Persönliche hinausgehende, dieser Antinomie innewohnende Spannung war. Neben den »ersten Dichter des Verlags«, wie Fischer Hauptmann nannte, war der »erste Schriftsteller des Verlags« getreten, und die Zeitläufte, welche Maß und Gewicht deutscher geistiger Repräsentanz bestimmten, übertrugen diese Repräsentanz vom Dichter Gerhart Hauptmann auf den Schriftsteller Thomas Mann. So kann man sagen, und in einem spezifisch deutschen geistespolitischen Sinn, von dem S. Fischer im Alter einen gewissen Begriff hatte, trifft es zu. Fischer nahm in seinem letzten Lebensjahrzehnt »instinktklug« die Verschiebung der Gewichte wahr. Seine Nachfolger, Tochter und Schwiegersohn, erfuhren mit Bestimmtheit, daß sie in lebenskritischer Stunde nicht in Hauptmann, sondern in Thomas Mann den Repräsentanten besäßen, der den Fortbestand des Hauses im Geiste seines Gründers verbürgte, als er erklärte: »Wo ich bin, ist die deutsche Kultur.« Der Ausspruch, von Heinrich Mann mitgeteilt, ist nicht verbürgt, aber wahr.

Dies vorausgeschickt, ist der weitere Ablauf zu notieren. Es dauerte lange bis zum nächsten Werk. In jener Zeit, in welcher Bücher viel langlebiger waren als sie es heute sind und mit dem Erscheinen eines neuen Werkes auch alle früheren Bücher eines Autors immer wieder neues Interesse fanden, war ein

Schriftsteller, der mit zuverlässiger Regelmäßigkeit, wenn nicht alljährlich, so doch jedes zweite oder dritte Jahr ein neues Werk dem Verleger übergeben konnte, diesem Verleger eine rechte Herzensfreude. Solche Autoren waren Hauptmann, Schnitzler, Hesse, Wassermann; Thomas Mann hingegen nicht. Er arbeitete stetig und beharrlich, aber seinem Verleger mußte es langsam, allzu langsam erscheinen. Acht Jahre vergingen zwischen »Buddenbrooks« und dem Erscheinen von »Königliche Hoheit«, neun Jahre gar, bis danach das nächste größere Werk, die »Betrachtungen eines Unpolitischen«, gedruckt werden konnte, abermals nahezu sieben bis zum »Zauberberg« im Herbst 1924. So langsam, Schritt für Schritt wie mit »Buddenbrooks« ging es mit allen Hauptwerken – auch der kurze »Tod in Venedig«, 1913 erschienen, machte keine Ausnahme –, und der Verleger gewöhnte sich an diese merkwürdige Gesetzmäßigkeit des Schaffens, die von der Arbeitsweise der meisten anderen seiner Autoren so verschieden war. Bei Hauptmann blieben unzählige begonnene, halb und sogar ganz vollendete Arbeiten auf der Strecke und in der Schublade, und die, welche er zum Druck gab, waren häufig noch nicht »fertig« und machten dem Verlag viel Arbeit; Wassermann arbeitete häufig an zwei oder drei Romanen gleichzeitig und zog das bereits Abgelieferte oft zu neuerlicher Überarbeitung sogar aus der Druckerei noch einmal zurück; aber bei beiden, wie auch bei Schnitzler und Hesse, kam doch mehr oder weniger Jahre um Jahr etwas Fertiges zum Vorschein. Der Verleger konnte mit ihnen rechnen, in jedem Sinn des Wortes.

Thomas Mann hingegen, wie er selber sein Lebtag kopfschüttelnd eingestand, verrechnete sich immer wieder, nicht nur damals, sondern auch später, mit den »Joseph«-Romanen, mit »Lotte in Weimar«, mit »Doktor Faustus«, wie die Briefe in diesem Buch aus seinen zwei letzten Schaffensjahrzehnten bezeugen. Nicht, daß er Begonnenes, Halbvollendetes liegen ließ und aus dem Arbeits- und Schaffensgang endgültig ausschied; das tat er nicht, und deshalb ist im Unterschied zu dem Manuskriptberg, den Hauptmann hinterließ, von ihm kein Nachlaß vorhanden. Wir wissen nur von einer größeren Arbeit, dem umfangreich geplanten Essay »Geist und Kunst« aus dem Jahr 1909, den er, wiewohl er ziemlich weit gediehen war, als verfehlt beiseite legte und nie vollendete. Ansonsten schrieb er sein Lebtag immer alles fertig, und wenn Jahre und Jahrzehnte vergingen, wie beim »Zauberberg«, beim »Felix Krull«, bei »Joseph und seine Brüder«, ehe er das Unterbrochene wieder aufnahm. Als er starb, war alles fertig und noch nichts Neues begonnen.

Wohl aber wuchsen alle seine großen erzählerischen Werke stets und unweigerlich weit über den ihnen ursprünglich zugedachten Umfang hinaus und nahmen schon aus diesem Grund viel mehr Zeit in Anspruch als vorausgesehen. »Der Zauberberg« hatte ein Gegenstück zum »Tod in Venedig« werden sollen, »Joseph« war als Flügel eines Triptychons von Erzählungen, nicht als Roman-Tetralogie geplant, »Lotte in Weimar« war ursprünglich als »Goethe-Novelle« gedacht. Der vorliegende Briefwechsel gibt vielfältigen Einblick in die Arbeitsgesetze dieser Werkstatt, die sich im Lauf eines halben Jahrhunderts nicht änderten. Hinzu kam, daß Thomas Mann stets – auch hierfür sind viele Beispiele zu sehen – kleinere erzählerische Arbeiten zwischen die größeren und in sie hineinschob und auch die Arbeit an ihnen noch unterbrach, um Essays, Vorträge, Rezensionen, »Huldigungen und Kränze« und vielerlei publizistische Miszellen einzuschalten, die Tag, Stunde und Gelegenheit ihm abverlangten – Aufforderungen und Verpflichtungen, denen er sich selten und dann ungern entzog. Diese Arbeiten erschienen natürlich in den Tageszeitungen und Zeitschriften, die sie erbeten hatten, und nur hin und wieder konnte Fischer etwas für die »Neue Rundschau« bekommen. Freilich wußte er, daß zu guter Letzt sich alles oder doch das meiste bei ihm einfinden würde, wenn nämlich diese verstreute Vielfältigkeit schließlich zu einem Essayband gesammelt wurde. Inzwischen hieß es geduldig warten, und Fischer wartete. Es ist kein Brief von ihm erhalten, in dem er Thomas Mann um Fertigstellung eines längst angekündigten Werkes gedrängt oder gemahnt hätte.

Thomas Manns Beiträge zur »Neuen Rundschau« während dieser Zeit waren nicht allzu zahlreich. In den ersten Jahren waren es vor allem Novellen und danach der geschlossene Vorabdruck von »Königliche Hoheit« und »Der Tod in Venedig«; während des Ersten Weltkrieges brachte die Zeitschrift den Aufsatz »Gedanken im Kriege« und einige Kapitel aus »Betrachtungen eines Unpolitischen«, nach dem Krieg als Wichtigstes die Rede »Von deutscher Republik« zu Hauptmanns sechzigstem Geburtstag, zwei Kapitel aus dem »Zauberberg« und die Novelle »Unordnung und frühes Leid«.

Der erste Essayband war »Rede und Antwort«, der 1922 erschien, und er war zugleich der erste Band der ersten Gesamtausgabe, der »Gesammelten Werke in Einzelausgaben«. Dies hieß, daß alle bisher erschienenen Werke in einheitlicher Ausstattung, aber ohne Numerierung der einzelnen Bände, neu gedruckt wurden und alle künftigen Werke sich im selben Gewand anschließen konnten. Fischer legte die ersten sieben Bände zusammen, aber einzeln käuflich, 1922 vor; 1924 kam der zweibändige »Zauberberg« und 1925 der zweite Essayband »Bemühungen« hinzu, so daß zu Thomas Manns fünfzigstem Geburtstag eine zehnbändige Gesamtausgabe existierte. Insgesamt erreichte sie vierzehn Bände. Dann machten die Zeitläufte ihre Fortführung unmöglich, und eine neue, anders ausgestattete Gesamtausgabe konnte erst 1939 in Stockholm mit »Lotte in Weimar« in Angriff genommen werden. Von diesen Umständen und Schwierigkeiten berichtet dieser Briefband ausführlich.

Bald nach dem Ersten Weltkrieg gelang es Thomas Mann durch Fischers Vermittlung, auch außerhalb Deutschlands, vor allem in England und Amerika festen Fuß zu fassen. Eine schwedische Ausgabe von »Buddenbrooks« war schon 1904 im Stockholmer Verlag Bonnier herausgekommen, der sich in der Folge, wenngleich mit einigen Unterbrechungen, jahrzehntelang der Werke Thomas Manns annahm und während der beiden letzten Jahrzehnte, wie dieser Briefband zeigt, für den Fortbestand nicht nur der deutschen Ausgaben der Werke Thomas Manns, sondern seines deutschen Verlages überhaupt von entscheidender Bedeutung war. In den meisten Ländern wurde Thomas Mann erstmals mit »Königliche Hoheit« übersetzt, so auch in England und den Vereinigten Staaten, wo 1916 als erstes Buch Thomas Manns eine englische Übersetzung seines zweiten Romans erschien. Bald nach Kriegsende schloß der junge, unternehmungsfreudige und sehr erfolgreiche amerikanische Verleger Alfred A. Knopf in New York einen Generalvertrag über das Werk Thomas Manns und fand in Helen Lowe-Porter eine ständige Übersetzerin, die sich die Übertragung Thomas Manns zu einer Lebensaufgabe machte. Knopf gab ihre Übersetzungen an den Londoner Verlag Martin Secker (später Sekker and Warburg) weiter, der damit zum lebenslänglichen englischen Verleger Thomas Manns wurde. Knopf und Secker brachten als erstes 1924, von Helen Lowe-Porter übersetzt, »Buddenbrooks« heraus, danach eine neue, bessere Übersetzung von »Königliche Hoheit« und 1927 den englischen »Zauberberg«. Dieses Buch setzte Thomas Mann endgültig in der anglo-amerikanischen Welt durch, und diese beiden Verleger, vor allem aber Alfred A. Knopf wurden während der Jahre, von denen dieser Briefband erzählt, für Thomas Mann zu einer unentbehrlichen Stütze.

Im »Zauberberg«-Jahr 1925 begab sich eine bedeutsame Veränderung in der Verlagsfamilie, die für Thomas Mann von lebenswichtiger Bedeutung wurde. Fischer, inzwischen in den hohen Sechzigern, war seit dem Tod seines einzigen Sohnes in zunehmendem Maße um seine Nachfolge besorgt und hatte während der ersten Nachkriegsjahre immer wieder nach Möglichkeiten Ausschau gehalten, sein Werk zu gegebener Zeit jüngeren Händen anzuvertrauen, die es in seinem Geiste fortführen konnten. Er hatte den Verlag 1922 notgedrungen in eine Aktiengesellschaft umgewandelt, deren einziger Aktieninhaber freilich er selber war, und hatte mit mehreren jüngeren, ihm befreundeten Verlegern, Bruno Cassirer, Ernst Rowohlt und vor allem Kurt Wolff Verhandlungen über einen eventuellen Zusammenschluß geführt. Sie alle erschienen seinem Instinkt jedoch nicht als die »richtige Lösung« des Nachfolgeproblems, und er war immer im letzten Augenblick wieder vor ihnen zurückgeschreckt. Jetzt bot sich unverhofft eine Lösung, die ihm richtig schien.

In der ersten Septemberwoche 1925 erhielt Thomas Mann, gleich allen Autoren des Verlags, eine schön gestochene Karte, auf welcher Herr und Frau S. Fischer sich beehrten, die Verlobung ihrer Tochter Brigitte mit Herrn Dr. med. Gottfried Bermann mitzuteilen. Thomas Mann wurde auch zur Hochzeit nach Berlin eingeladen, konnte aber wegen bereits eingegangener Verpflichtungen nicht kommen. Gottfried Bermann Fischer hat diese Geschichte in seinen Lebenserinnerungen, »Bedroht – Bewahrt«, geschildert, und wir können sie sehr kurz rekapitulieren. Fischers ältere Tochter Brigitte, genannt Tutti, war knapp zwanzig Jahre alt, im selben Jahr geboren wie Thomas

Manns älteste Tochter Erika, und Thomas Mann, der sich häufig mit Fischers zum gemeinsamen Sommeraufenthalt traf oder, wenn er nach Berlin kam, in ihrem Grunewaldhaus ein gern gesehener Logierbesuch war, kannte sie seit frühester Zeit; er hatte sie, woran er sie später, in diesem Briefwechsel, erinnert, schon als Kind auf den Knien geschaukelt und war ihr von Herzen zugetan. Es sei ihm, schrieb er am 11. Januar 1926 an Hedwig Fischer, ein »wirklicher Kummer«, daß er zur Hochzeit nicht kommen könne: »Wenn ich nach dem Gefühl der alten Anhänglichkeit, die ich für Ihr Haus empfinde, handeln dürfte, so wäre das wahrhaftig schöner für mich. Tutti kenne ich von Kindheit an und den jungen Bräutigam habe ich bei meinem letzten Berliner Aufenthalt aufrichtig schätzen gelernt. Nichts hätte mir lieber sein können, als meine Anwesenheit bei dieser schönen, ernsten, glücklichen Gelegenheit, und die Worte, die ich hätte sprechen können, wären mir wahrhaft von Herzen gekommen.«

Fischer hatte den achtundzwanzigjährigen Arzt, der seine Tochter heiraten wollte und hoffte, in einigen Jahren sich an der Universität Berlin habilitieren zu können, bewogen, die Chirurgie aufzugeben und auf den Verlegerberuf umzusatteln, ein Entschluß, der Gottfried Bermann nicht leichtfiel und der zu einem viel späteren Zeitpunkt, wie dieser Briefwechsel zeigt, in einer kritischen Auseinandersetzung zwischen Thomas Mann und ihm eine schmerzliche Rolle spielte. Gottfried Bermann trat am 1. Oktober 1925 in den S. Fischer Verlag ein, und die Hochzeit fand am 14. Februar 1926 statt. Der Schwiegersohn arbeitete sich sehr rasch ein und wurde 1928 zum Geschäftsführer bestellt; in den folgenden Jahren ging die Geschäftskorrespondenz des Verlags mit Thomas Mann allmählich in seine Hände über. Fischer hatte von Anfang an den Wunsch, daß sein Name in der Familie seines Erben und Nachfolgers irgendwie erhalten bleiben möge. Bermann folgte diesem Wunsch, indem er seinem eigenen Namen den der Familie seiner Frau anfügte; die Unterschrift »Dr. Bermann Fischer« findet sich schon bald nach seinem Eintritt in den Verlag auf seinen Briefen.

1929 war ein großes Jahr in der Geschichte des S. Fischer Verlags und seines Autors Thomas Mann. In diesem Jahr feierte der Gründer des Verlags seinen siebzigsten Geburtstag, und

Thomas Mann schrieb ihm einen Glückwunsch: »Es glaube doch niemand, daß sich ein Werk wie das dieses großen Verlegers aufbauen läßt nur mit Hilfe des guten Glücks! Ich kenne die tiefe seelische Klugheit dieses Mannes, seinen untrüglichen Instinkt für Werte, sein Wissen um das Notwendige. Ich kenne auch seine Getriebenheit, die produktive Unruhe, die ihn gewiß bis zu seinem letzten Augenblick nicht verlassen wird... Während der Zusammenarbeit eines Menschenalters hat sich die Anhänglichkeit an den Mann fest in mir verwurzelt, ja ich kann und will von Glück sagen, daß ich einem Verleger verbunden bin, den ich wahrhaft achte und dem ich wahrhaft vertraue.« 1929 brachte des weiteren die bahnbrechende verlegerische Leistung der billigen Sonderausgaben zum »Warenhauspreis« von 2,85 M., die Gottfried Bermann gegen das anfängliche hartnäckige Sträuben seines Schwiegervaters durchsetzte und die den ersten Band dieses Typs, »Buddenbrooks«, binnen weniger Monate zu einer Auflage von einer Million Exemplare und mehr hinaufschnellen ließ. 1929 brachte schließlich, mitten in diesen Triumph-Taumel hinein, den Literatur-Nobelpreis für Thomas Mann.

Fischer kränkelte um diese Zeit bereits, zunehmende Schwerhörigkeit quälte ihn und machte ihm den Umgang mit Menschen schwer, körperliche und geistige Leistungsfähigkeit ließen zusehends nach, und er mußte sich mehr und mehr von den Geschäften des Verlags zurückziehen. Er kam nur noch vormittags auf ein paar Stunden ins Verlagshaus, und von 1931 ab lag die Leitung des Verlags nunmehr ausschließlich in den Händen Bermann Fischers, wenngleich auch in diesen letzten Jahren der alte Herr darauf bestand, die Korrespondenz mit seinen großen Autoren und lebenslänglichen Freunden, mit Hauptmann, Schnitzler, Wassermann und Thomas Mann, weiter selbst zu führen. Aber die sachliche Geschäftskorrespondenz mit diesen alten Freunden, die Verhandlungen über Verträge, Tantiemen, Abrechnungen, Termine, Herstellung und Ausstattung ihrer Bücher, besorgte auch in diesen letzten Jahren Bermann Fischer.

Thomas Mann war seit Ende 1925 mit einem neuen Werk beschäftigt, der »Joseph-Novelle«, die mit zahlreichen Unterbrechungen während dieser Jahre zu einem gewaltigen Werk anschwoll. Ende Oktober 1930 hatte er den ersten Band »Die

Geschichten Jaakobs«, im Juni 1932 den zweiten »Der junge Joseph« abgeschlossen. Aber der Verlag hatte bisher von dem Werk nur die wenigen, vereinzelten Bruchstücke kennengelernt, die Thomas Mann in der »Neuen Rundschau« und anderwärts veröffentlicht hatte. Thomas Mann hatte eifersüchtig an seinem Manuskript festgehalten und es bisher nicht aus der Hand gegeben. Auch nach Abschluß des zweiten Bandes sandte er einstweilen nur den ersten nach Berlin. Anfang Juli 1932, auf der Durchreise nach seinem Sommerhaus in Nidden in Berlin, brachte er auch den zweiten Band mit. Inzwischen arbeitete er am dritten Band. In einem Brief an Ida Herz vom 26. August 1932 aus Nidden heißt es:

»Ich bin ein gutes Stück weiter mit dem 3. Band des ›Joseph‹ gekommen, und wäre nicht die Politik gewesen, so wär's gewiß noch mehr und besser geworden. Das Haus Fischer ist sehr erfüllt von den fertigen beiden Bänden und hätte gern gleich mit der Veröffentlichung begonnen. Aber ich will's auf einmal hinstellen, und es ist auch jetzt die Stunde nicht...«

Zu diesem Zeitpunkt setzt der vorliegende Briefwechsel ein.

Die Zeitspanne vom Spätsommer 1932 bis zum Juli 1955, über die dieser Briefwechsel zwischen Thomas Mann und Gottfried Bermann Fischer sich erstreckt, gliedert sich ganz von selbst in sieben große Abschnitte, die jeweils eine bestimmte, von den Ereignissen abgegrenzte Phase im Leben und Schicksal des Autors und seines Verlegers umfassen. Was zum Verständnis der äußeren, zum Teil verwickelten, zum Teil sprunghaften Ereignisse und Zusammenhänge, unter denen diese Briefe geschrieben wurden, erforderlich ist, habe ich mich in den Anmerkungen im einzelnen zu erläutern bemüht. An dieser Stelle will ich kurz den äußeren und inneren Sinn dieser von mir vorgenommenen Gliederung darlegen.

Der erste Abschnitt, *Ungewisses Schicksal* überschrieben, umfaßt die Zeit vom Spätsommer 1932 bis Anfang Oktober 1935. Seine Schauplätze sind München, Südfrankreich, Zürich und Berlin. Beim nationalsozialistischen Umsturz am 30. Januar 1933 befanden sich beide, Thomas Mann und Bermann Fischer, in Deutschland. Thomas Mann reiste am 11. Februar zu Vorträgen nach Amsterdam, Brüssel und Paris und anschließend zur Erholung nach Arosa und beschloß angesichts der Vorgänge in München und der gegen ihn gerichteten Maßnahmen einstweilen nicht zurückzukehren. Er verbrachte die Sommermonate 1933 in Südfrankreich und übersiedelte im September in die Schweiz. Im Mai 1934 trat er seine erste, kurze Amerikareise an, im Juni 1935 die zweite. Bermann Fischer befand sich während dieser ganzen Zeit in Deutschland und bemühte sich, den S. Fischer Verlag, solange es notwendig war, in seinem ungewissen Schicksal gegen die Angriffe des Hitlerregimes zu halten. Seine Hoffnung und Absicht, den Verlag sogleich 1933 ins Ausland zu verlegen, wo in Amsterdam zwei bedeutende Exilverlage, Querido und Allert de Lange, entstanden waren, scheiterte an der Weigerung des alten S. Fischer, an Auswanderung auch nur zu denken. Da S. Fischer alleiniger Inhaber des Verlags war, konnte Bermann Fischer ohne seine Zustimmung keine Verfügungen über das Schicksal des Verlages treffen. S. Fischer starb am 15. Oktober 1934, und der Aktienbesitz ging auf seine Witwe, Frau Hedwig Fischer, als Alleinerbin über. Auch sie wollte, in Verkennung der sich stetig verschärfenden Lage und der dem Verlag drohenden Gefahren, von einer Auswanderung nichts wissen. Bermann Fischer war während dieser ganzen Zeit in beständigem Kontakt mit Thomas Mann, suchte ihn in Südfrankreich und in der Schweiz auf und beriet sich mit ihm. Thomas Mann dachte keinen Augenblick an eine Rückkehr nach Hitler-Deutschland, wollte aber so lange wie irgend möglich die Verbindung mit seiner deutschen Leserschaft aufrechterhalten. Die beiden ersten Bände der »Joseph«-Tetralogie erschienen folglich noch 1933 und 1934 in Deutschland. Thomas Mann rechnete jedoch damit, daß früher oder später seine Bücher in Deutschland verboten und er selber ausgebürgert werden würde. Bermann Fischer gelang indessen im Lauf des Jahres 1935 eine Vereinbarung mit dem Propagandaministerium, die den Verkauf der dem Regime erwünschten Teile des Verlags und die Verbringung der unerwünschten oder inzwischen verbotenen Autoren ins Ausland ermöglichte, und es gelang Bermann Fischer schließlich auch, Frau Hedwig Fischers Zustimmung zu dieser Regelung zu erhalten. Der verkaufte Teil des Verlags, zu dem das Werk Hauptmanns und Hesses gehörte, blieb unter Leitung Peter Suhrkamps in Berlin. Bermann Fischers, mit Thomas Manns tatkräftiger Unterstützung unternommener Versuch, den ausgewanderten Teil des Verlags, dessen bedeutendster Autor Thomas Mann war, in der Schweiz neu zu konstituieren, scheiterte am Widerstand der schweizerischen Verleger-Vereinigung, auf deren Empfehlung hin die schweizerischen Behörden das Gesuch um Niederlassungserlaubnis abschlugen. Bermann Fischer wandte sich daraufhin nach Wien, wo er im April 1936 den Bermann-Fischer Verlag ins Leben rief. Damit war die Zeit der Ungewißheit vorüber. Autor und Verleger befanden sich nun beide im Exil und waren in dieser neuen Schicksalsgemeinschaft mehr denn je aufeinander angewiesen. Thomas Mann wurde im Jahr 1935 sechzig Jahre alt; sein deutscher Verleger war nicht mehr, wie einst, sechzehn Jahre älter, sondern zweiundzwanzig Jahre jünger als er.

Der zweite Abschnitt umfaßt die erste gemeinsame Exilszeit vom Mai 1936 bis Juni 1938, während derer Thomas Mann in der Schweiz lebte und sein deutscher Verleger seinen Sitz in Wien hatte: *Erstes Exil*. Auch in dieser Zeit war der persönliche Kontakt eng; Thomas Mann kam mehrfach nach Wien, sein Verleger besuchte ihn in Zürich, und sie konnten ungehindert korrespondieren. Der dritte »Joseph«-Roman, »Joseph in Ägypten«, erschien im Spätherbst 1936 im Bermann-Fischer Verlag in Wien, gelangte aber nicht mehr nach Deutschland, da Thomas Mann am 2. Dezember 1936 ausgebürgert wurde und seine Bücher in Deutschland verboten wurden. Im April 1937 unternahm Thomas Mann seine dritte Amerikareise, im Februar 1938 die vierte, auf der er beschloß, ganz nach den Vereinigten Staaten zu übersiedeln, wo die Universität Princeton ihm eine Gastprofessur angeboten hatte. Er kehrte erst Anfang Juli in die Schweiz zurück, um seinen Haushalt in Küsnacht bei Zürich aufzulösen. Während dieses vierten Amerika-Aufenthaltes erfolgte die deutsche Besetzung Österreichs. Der Wiener Bermann-Fischer Verlag wurde geschlossen, seine großen Bücherbestände wurden beschlagnahmt, darunter auch das gesamte Werk Thomas Manns. Bermann Fischer und seine Familie konnten im letzten Augenblick nach Italien entkommen. Thomas Mann hatte zwar noch einen deutschen Verleger, aber keinen deutschen Verlag mehr.

Der dritte Abschnitt umfaßt die gemeinsame Exilszeit von Mitte 1938 bis Mitte 1940, während derer Thomas Mann in Princeton lebte und Bermann Fischer den mit Hilfe des Verlags Bonnier in Schweden neu errichteten Bermann-Fischer Verlag in Stockholm leitete: *Zweites Exil*. In dieser Zeit sahen Autor und Verleger sich nur zweimal, und zwar während Thomas Manns Europareise im Sommer 1939, das erste Mal Mitte August 1939 in Noordwijk in Holland, das zweite Mal Anfang September in Stockholm, von wo Thomas Mann infolge des Kriegsausbruchs überstürzt nach den Vereinigten Staaten zurückreiste. »Lotte in Weimar«, Ende Oktober beendet, erschien vor Jahresende 1939 im Stockholmer Bermann-Fischer Verlag. Mit dieser Ausgabe sollte der Wiederaufbau der in Wien verlorengegangenen alten Gesamtausgabe der Werke Thomas Manns beginnen, aber der Zweite Weltkrieg verhinderte einstweilen die Fortführung dieser »Stockholmer Gesamtausgabe«. Die Herstellung von »Lotte in Weimar« war schon unter großen Schwierigkeiten bewerkstelligt worden; die Verbindung zwischen Autor und Verleger, zwischen Stockholm und Princeton wurde immer komplizierter, Briefe und Manuskriptsendungen brauchten oft Wochen und gar Monate, wenn sie nicht überhaupt verlorengingen, häufig war die Verständigung überhaupt nur durch Telegramme möglich. Das Absatzgebiet für deutsche Bücher war praktisch auf Holland und die Schweiz zusammengeschrumpft, und Thomas Manns Einkünfte aus den deutschen Originalausgaben seiner Bücher schrumpften zu sehr geringen Beträgen zusammen, deren Überweisung immer schwieriger und langwieriger wurde. Thomas Manns Briefe aus dieser und der folgenden Zeit zeigen, daß er ohne seinen amerikanischen Verleger Alfred A. Knopf und den beträchtlichen Erfolg seiner amerikanischen Ausgaben überhaupt nicht hätte existieren können. Im April 1940 wurde Bermann Fischer auf Grund einer Denunziation wegen antinationalsozialistischer Betätigung verhaftet und anschließend aus Schweden ausgewiesen. Er gelangte Ende Juni 1940 mit seiner Familie nach den Vereinigten Staaten und leitete nun den in Stockholm fortbestehenden Verlag von New York aus. Kurze Zeit lang lebten Autor und Verleger jetzt in dichter Nähe, sahen einander häufig und konnten sich telefonisch verständigen. Es war folglich nicht viel Briefwechsel nötig.

Der vierte Abschnitt umfaßt die gemeinsame Exilszeit bis zum Ende des Zweiten Weltkriegs: *Drittes Exil*. Während dieser Zeit lebte Thomas Mann in Kalifornien, wohin er im Frühjahr

1941 übersiedelt war, während sein deutscher Verleger sich in New York, sein deutscher Verlag in Stockholm befand. Dies war die große Zeit des Druckfehlerteufels. Der Stockholmer Verlag konnte seine Bücher nicht mehr in zuverlässigen Druckereien in der Schweiz und Holland drucken, sondern mußte sie in Schweden herstellen, wo es keine der deutschen Sprache mächtige Setzer gab, und obwohl man sich in Stockholm die größte Mühe gab, kamen sehr fehlerhafte Ausgaben seiner Bücher heraus – »Joseph der Ernährer« und »Die vertauschten Köpfe« erschienen in dieser Zeit –, und außerdem wurde es praktisch unmöglich, diese Bücher von Schweden nach den Vereinigten Staaten zu verschiffen, wo sie imerhin ein gewisser Absatz erwartete. Aus diesem Grund veranstaltete Bermann Fischer von einigen Büchern Thomas Manns in New York photomechanische Nachdrucke oder besondere, in einer New Yorker Druckerei hergestellte Neudrucke.

Der fünfte Abschnitt ist *Wartezeit* überschrieben, weil er die Zeitspanne vom Kriegsende bis Anfang 1947 umfaßt, in der beide, Autor und Verleger, darauf warteten, wenn nicht selber, so doch mit ihren Büchern nach Deutschland zurückkehren zu können. Thomas Mann lebte weiter in Pacific Palisades in Kalifornien; Bermann Fischer ließ zu Thomas Manns siebzigstem Geburtstag im Juni 1945 die »Neue Rundschau« in Stockholm wiederaufleben, die hinfort als Vierteljahresschrift erschien, und nahm von New York aus die ersten Kontakte mit Deutschland auf. Bermann Fischer konnte endlich Anfang Februar 1946 seine seit Juli 1945 geplante erste Europareise antreten. Er konnte in Stockholm nach dem rechten sehen, aber die Einreise nach dem militärisch besetzten Deutschland blieb ihm als Zivilisten noch verwehrt. Er war jedoch mit Suhrkamp in Berlin in Verbindung, der inzwischen von den Besatzungsbehörden eine Verlagslizenz erhalten hatte und im Oktober 1946 als erste Lizenzausgabe des Stockholmer Verlags »Lotte in Weimar« in Deutschland herausbringen konnte.

Der sechste Abschnitt berichtet über die *Erste Rückkehr* Bermann Fischers nach Deutschland und Thomas Manns erste Reisen nach dem Krieg nach Europa. Er hatte nach schwerer Krankheit im Frühsommer 1946 seinen neuen Roman »Doktor Faustus« Ende Januar 1947 beendet und trat Ende April seine erste Europareise an. Er weilte von Juni bis August 1947 in der Schweiz, wo inzwischen die deutsche Ausgabe von »Doktor Faustus« gedruckt wurde, reiste aber nicht nach Deutschland. Bermann Fischer reiste um dieselbe Zeit zum zweiten Mal nach Europa, und diesmal nach Deutschland, nach Frankfurt und Berlin, wo er mit Suhrkamp zusammentraf und die künftige Zusammenarbeit vereinbarte. Es erwies sich, daß der Wiederaufbau des Verlags in Europa Bermann Fischers mehr oder weniger ständige Anwesenheit in Stockholm, Amsterdam und Frankfurt erforderte, und er weilte in den folgenden Jahren nur noch zu kurzen Aufenthalten in den Vereinigten Staaten, so daß Autor und Verleger, der eine in Kalifornien, der andere in Frankfurt, jetzt zumeist wieder durch Tausende von Meilen voneinander getrennt waren. Doch trafen sie sich jetzt zumindest einmal im Jahr in Europa. Thomas Mann reiste im Sommer 1949 zum zweiten Mal nach Europa, besuchte diesmal auch Deutschland und sah zum ersten Mal nach sechzehn Jahren München wieder. Von Mai bis August 1950 hielt er sich zum dritten Mal in Europa, diesmal hauptsächlich in der Schweiz auf, und im April 1951 erwog er zum ersten Mal ernstlich eine endgültige Rückkehr. Zu diesem Zeitpunkt hatten sich auch seine deutschen Verlagsverhältnisse geklärt. Die Zusammenarbeit zwischen Bermann Fischer und Suhrkamp hatte sich nicht in der von den Erben S. Fischers erwarteten Weise entwickelt, es hatte sich eine langwierige Auseinandersetzung ergeben, über die Bermann Fischer Thomas Mann aus Frankfurt sehr ausführlich berichtete, und im April 1950 erfolgte mit einer Vergleichsvereinbarung die Trennung und die Wiedererrichtung des S. Fischer Verlags in Frankfurt am Main unter der Leitung Gottfried Bermann Fischers und seiner Frau, die das Erbe zum größten Teil durch die Wirren der Zeit gerettet hatten und mit Thomas Mann als ihrem größten und berühmtesten Autor an der Spitze den neuen S. Fischer Verlag rasch auf große Höhe führten.

Im siebenten und letzten Abschnitt, *Zweite Rückkehr* überschrieben, finden sich Autor und Verleger endlich und endgültig wieder nahe beieinander im deutschen Sprachraum, in Frankfurt und Zürich, und nicht weiter voneinander entfernt, als sie es vordem in Berlin und München gewesen waren. Thomas Mann flog am 29. Juni 1952 von New York ab und kehrte nicht mehr nach Amerika zurück. Während seiner letzten drei

Lebensjahre trafen Bermann Fischers und er einander häufig, in Erlenbach und Kilchberg sowie bei Thomas Manns Besuchen in Deutschland. Im September 1954 erschien im S. Fischer Verlag Thomas Manns letztes großes Werk: »Bekenntnisse des Hochstaplers Felix Krull. Der Memoiren Erster Teil«, das ihm an seinem Lebensabend noch einmal einen großen Erfolg brachte. Zu seinem achtzigsten Geburtstag konnte ihm sein Verleger, der nun auch kein junger Mann mehr war, sondern sich den sechzig näherte, in Zürich noch ein festliches Abendessen geben, zu dem er alle erreichbaren gemeinsamen Freunde versammelt hatte. Während dieser letzten Monate brauchten nicht viele Briefe gewechselt zu werden; es war nach vielen Stürmen, beispiellosen Zerreißproben, schwersten Erschütterungen, von denen dieser Briefwechsel berichtet, zuletzt alles in guter, altvertrauter, friedlicher Ordnung. Es mag verwundern, daß dieser letzte Abschnitt nicht mit einem Beileidstelegramm schließt. Bermann Fischer weilte mit seiner Familie in Italien, als Thomas Mann am 12. August 1955 in Zürich starb. Frau Katia Mann benachrichtigte ihn telefonisch, und er nahm mit seiner Frau das nächste Flugzeug nach der Schweiz.

Der Briefwechsel zwischen Thomas Mann und Gottfried Bermann Fischer umfaßt, soweit er im Briefarchiv Dr. Bermann Fischers in Camaiore erhalten und aufbewahrt ist, rund 650 einzelne Stücke, darunter zahlreiche Postkarten und Telegramme. Aus diesem Bestand habe ich für die Zwecke der Veröffentlichung außer einer Anzahl inhaltlich belangloser Grußpostkarten und den zahlreichen Tantieme-Abrechnungen und Überweisungs-Verständigungen zwei Komplexe langwieriger Korrespondenz ausgeschieden, die sich mit urheberrechtlichen Auseinandersetzungen mit einem amerikanischen Agenten und einem spanischen Verleger und Übersetzer befassen und in jeder Hinsicht unerheblich sind. Ihre Aufnahme in diesen Band hätte einen gänzlich ungebührlichen Raum beansprucht; ich habe mich darauf beschränkt, ihre Zusammenhänge in den Anmerkungen kurz zu erläutern. Zu den Beständen im Besitz von Dr. Bermann Fischer habe ich noch eine kleine Anzahl von Briefen hinzugefügt, die sich im Thomas Mann-Archiv der Eidgenössischen Technischen Hochschule in Zürich fanden und in Dr. Bermann Fischers Konvoluten fehlten. Außerdem eingefügt habe ich eine Anzahl von Briefen von und an Katia Mann, Golo Mann, Brigitte Bermann Fischer und Hedwig Fischer, die der Vervollständigung des Zusammenhangs dienen und im Gesamtbild dieses Briefwechsels ihren Platz beanspruchen. Einige Briefe habe ich im Einverständnis mit Frau Katia Mann und Dr. Gottfried Bermann Fischer um Unerhebliches oder Belangloses oder weil sie Wiederholungen enthielten, leicht gekürzt. Diese Kürzungen sind durch drei Punkte in eckigen Klammern angegeben. Eine kleine Anzahl der Briefe Thomas Manns ist bereits in der von Erika Mann herausgegebenen dreibändigen Briefsammlung sowie, zum Teil gekürzt, in Gottfried Bermann Fischers Autobiographie »Bedroht – Bewahrt« enthalten. Diese Stücke sind in den vorliegenden Band in vollem Wortlaut nochmals aufgenommen. Da sich aus den Kopien der Briefe Gottfried Bermann Fischers nicht mehr mit Sicherheit feststellen läßt, wann er sie mit seinem, auf Wunsch seines Schwiegervaters angenommenen Doppelnamen Bermann Fischer zeichnete – zumal Thomas Mann aus alter Gewohnheit bei seiner Anrede »Lieber Dr. Bermann« blieb –, wurde um der Einheitlichkeit willen durchgehend als Unterschrift der Briefe Dr. Gottfried Bermann Fischers sein legalisierter Doppelname verwendet.

Ich habe mich bemüht, in den Anmerkungen die Zusammenhänge, soweit sie noch feststellbar waren, durch Befragung der Beteiligten und aus eigener Kenntnis wiederherzustellen, und nur wenige Briefstellen mußten ungeklärt bleiben. Neben Frau Katia Mann und Brigitte und Gottfried Bermann Fischer haben mir hierbei das Thomas Mann-Archiv in Zürich und sein Leiter Hans Wysling, Fritz Landshoff, Hermann Kesten, Richard Friedenthal, Friedrich Walter, Rudolf Hirsch und Peter Stahlberger mit Auskünften geholfen. Des weiteren habe ich mich bei meinen Anmerkungen gestützt auf Erika Manns Anmerkungen zu den von ihr herausgegebenen drei Briefbänden, auf die von Hans Bürgin und Hans-Otto Mayer zusammengestellte Chronik von Thomas Manns Leben, auf die Bibliographie »Das Werk Thomas Manns« von Hans Bürgin, auf die Bibliographie der Rezensionen »Fifty Years of Thomas Mann Studies. A Bibliography of Criticism« von Klaus W. Jonas und Ilsedore B. Jonas, auf den Anmerkungsteil von Klaus Schröters

Dokumentensammlung »Thomas Mann im Urteil seiner Zeit«, auf das von Victor Otto Stomps angelegte Namensregister zu den Tagebüchern Oskar Loerkes und den Anmerkungsteil von Reinhard Tgahrt zu seiner Ausgabe von Oskar Loerkes Literarischen Aufsätzen; außerdem konnte ich der Bio-Bibliographie »Deutsche Exil-Literatur 1933–1945« von Wilhelm Sternfeld und Eva Tiedemann, dem Ausstellungskatalog »Exil-Literatur 1933–1945« der Deutschen Bibliothek Frankfurt, der Dokumentation »Literatur und Dichtung im Dritten Reich« von Joseph Wulf und der Untersuchung »Die deutschsprachige Emigration in Schweden nach 1933. Ihre Geschichte und kulturelle Leistung« von Helmut Müssener Hinweise und Auskünfte entnehmen.

Schließlich will ich nicht verhehlen, daß die Veröffentlichung dieses Briefwechsels mehr als eineinhalb Jahrzehnte nach Thomas Manns Tod auf meine Anregung und mein beharrliches Drängen zurückgeht. Ich halte ihn für einen ungewöhnlichen, ja einzigartigen Briefwechsel, wie es aus unserer Zeit wohl keinen zweiten gibt. Er ist eine literarhistorische Belegsammlung, die für jeden, der sich mit dem Leben und Werk Thomas Manns beschäftigt, unentbehrlich ist. Er ist darüber hinaus ein kulturhistorisches Dokument, das in der noch längst nicht ausreichend erforschten und bekannten Geschichte der deutschen Exil-Literatur einen bedeutsamen Platz hat. Er ist endlich, so meine ich, ein sehr eindrucksvolles menschliches Dokument. Er ist gewiß keine fröhliche Lektüre, denn er handelt von keiner frohgemuten Zeit, sondern von einer grausamen, willkürlichen, kopflosen und zerstörungswütigen, von Zweifel, Bedenken, Zaudern und Gewissenskonflikt; aber auch von Mut, Standhaftigkeit, Zukunftsglauben und hohem opferwilligen Verantwortungsbewußtsein. Kurzum, er erzählt ohne Vertuschung oder Beschönigung, »wie es wirklich war«.

Ich danke Frau Katia Mann und Gottfried Bermann Fischer, daß sie sich dieser Auffassung nicht verschlossen und mir diesen Briefwechsel zur Herausgabe anvertraut haben.

München, Januar 1973   *Peter de Mendelssohn*

BRIEFWECHSEL

UNGEWISSES SCHICKSAL
München – Zürich – Berlin
1932–1935

Berlin W 57, Bülowstr. 90
[undatiert; vermutlich Spätsommer 1932]
Lieber, verehrter Herr Professor!
Sie haben uns eine große Freude damit gemacht, daß Sie uns
wieder etwas aus dem »Joseph« kennenlernen ließen; und nicht
nur das, Sie haben unsere große Begeisterung, unsere große
Verehrung für Ihr neues Werk aufs neue entfacht.
Diese wenigen Seiten, diese kurzen Szenen, welche Fülle und
Weisheit enthalten sie, lebensvollste und verbundenste. Voller
gerührter Erschütterung verfolgt man dieses Spiel zwischen
Vater und Sohn. Es gehört zum Schönsten, was es in deutscher
Sprache gibt.
Wie lange müssen wir noch warten, bis Sie uns die ganze Fülle
genießen lassen?
In Verehrung   *Ihr Bermann Fischer*

[Postkarte]   Worpswede, d. 11. VIII. 32
Wir haben eben Ihren Artikel im »B. T.« gelesen und finden
ihn prachtvoll, mutig und richtig.
Es grüßen verehrungsvoll

> *Dr. Bermann Fischer*
> *Tutti*
> *Manfred Hausmann*
> *Irmgard Hausmann*
> *Erich K. Schargorodski*
> *Ellida von Alten*
> *L. Buchholz*
> *Walter Müller*
> *B. Müller-Vogeler*
> *Kurt Heuser*

Lieber, verehrter Herr Professor!

[...]

Ihren Leitartikel im »Berliner Tageblatt« las ich, als ich bei Manfred Hausmann war, einigen Leuten, die gerade dort zusammensaßen, vor. Man war erregt vor innerer Zustimmung, und obgleich nicht alle aus dem gleichen Gesinnungslager stammten, gab es nur eine Stimme: endlich einmal ein hartes mutiges Wort zu all diesem Kriechen, Sichverstecken, Konzessionen-Machen und Überlaufen.

Es ist schauderhaft, zu sehen, wer alles bei den flüchtenden Opportunisten ist, Herr Kleiber, eingetragenes Mitglied der NSDAP, Leo von König: wählt Hitler, und welches Schauspiel oder vielmehr welches Hörspiel bot uns Herr Flesch, dem alle Schlangenwindungen nichts genützt haben.

Wie kann es ein Halten geben, wenn diese Leute ihre Gesinnungslosigkeit so dekuvrieren und solches Beispiel geben. Ihre Worte werden nützen, dieses Halt wird nicht vergessen sein.

In den letzten Tagen unseres Ferienaufenthaltes las ich – leider durch eine kurze Berliner Reise unterbrochen – jeden Abend Tutti aus dem »Joseph« vor. Ich will das Ganze erst zu Ende lesen, bevor ich Ihnen ausführlicher über meinen Eindruck schreibe. Heute nur so viel, daß uns jeder Abend verloren scheint, der uns nicht zum »Joseph« kommen läßt, und wir mit Abschiedsschmerz dem Ende des Manuskriptes entgegensehen.

Leider werden wir Sie am 4. September nicht in Berlin sehen können, da wir gerade an diesem Tage in Breslau bei der Hauptmann-Feier sein müssen.

Ich wünsche Ihnen noch recht gute Tage in Nidden, die hoffentlich ebenso vom Wetter begünstigt sind wie unsere Ruhezeit, und grüße Sie herzlichst und ergeben.   *Bermann Fischer*

Nidden, Kur. Nehrung
Haus Thomas Mann
Den 23. VIII. 32

Lieber Doktor Bermann:

Für Ihren freundlichen Brief vom 19. möchte ich Sie doch nicht unbedankt lassen. Sie haben mir nicht nur über die »Berliner-

4

Tageblatt«-Äußerung, die aus wirklicher Qual und Empörung kam und aus einem Gefühl der Scham über das allgemeine geduckte Schweigen, sondern auch über das, was vom »Joseph« fertig vorliegt, so viel Stärkendes und Wohltuendes gesagt, daß ich Ihnen aufrichtig dafür verbunden bin. Ich habe hier bei fast immer leuchtend schönem Wetter, unter dem Eindruck der freundlichen Aufnahme, die die beiden ersten Bände im Hause Fischer gefunden haben, ganz munter an dem dritten fortgeschrieben. Das Buch hat das Andante-Tempo in sich und überhaupt seine eignen etwas seltsamen Gesetze, die auf Schritt und Tritt respektiert sein wollen; aber da ich es so weit geführt habe und, bei allen möglichen Einwendungen, doch, wie es scheint, nicht ohne Glück, so wird es schon fertig werden. Es ist ja jetzt doch stark auf dem Weg dazu.

Betrüblich war uns die Nachricht, daß wir Sie am 4. September in Berlin nicht vorfinden werden. Wir haben das Datum der Breslauer Festlichkeit nicht gekannt, sonst hätten wir uns anders eingerichtet. Daß ein Vertreter Ihres Hauses zugegen sein muß, ist klar. Aber werden auch Ihre Schwiegereltern mitreisen? Herr Fischer schrieb mir nämlich, daß er, wenn wir zurückkommen, etwas Geschäftliches mit mir zu besprechen habe; so hoffe ich doch, daß ich ihn und Frau Fischer am 4. werde sehen können.

Richten Sie Tutti unsere herzlichen Grüße aus und seien Sie selbst vielmals gegrüßt von Ihrem ergebenen

Thomas Mann

München 27, den 18. IX. 32
Poschingerstr. 1

Lieber Doktor Bermann:

Gleichzeitig mit diesen Zeilen geht ein Dramen-Manuskript, betitelt »Königsmark«, an Sie ab, das von einem Willy Schütz in Bamberg stammt. Der junge Autor ist mir bereits von früher her bekannt, er hat mir mehrmals nicht untalentierte Kleinigkeiten geschickt. Dieses Stück nun zu lesen, bin ich ganz außerstande, aber ich habe ihm zugesagt, es auf seinen dringenden Wunsch dem S. Fischer-Verlag zuzuschicken und um wohlwollende Prüfung zu bitten. Für nicht unbegabt halte ich wie gesagt den jungen Verfasser, und das ist auch die Meinung des ehemaligen Reinhardt-Dramaturgen Dr. Horch, der das Stück gelesen und ebenfalls dafür eintreten zu wollen erklärt hat.

Reisiger hat uns geschrieben, wie schön es nach Ihren Erzählungen in Breslau gewesen sein muß. Die Reden, die Hauptmann zu Gunsten der Freiheit und des Volkes gehalten hat, muß man ihm hoch anrechnen, finde ich; aber er sitzt dann freilich immer gleich wieder mit allen möglichen Aristokraten und Generälen zusammen. Ihre Schwiegereltern haben doch gewiß gut getan, nach Breslau zu fahren. Es müssen schöne und für heutige Zeiten besonders wohltuende Eindrücke gewesen sein.

Was ist das nur immer wieder mit Herrn Fischers geschäftlichen Vorschlägen, von denen nun wieder neulich Kayser andeutungsweise sprach? Wir warten noch immer darauf und vergehen nachgerade vor ängstlicher Neugier.

Herzlich   *Ihr Thomas Mann*

                                      Berlin W 57, Bülowstr. 90
                                      den 15. 10. 32

Lieber hochverehrter Herr Professor!

Die Dünndruck-Ausgabe vom »Zauberberg« ist nahezu vergriffen. Wir werden nur noch wenige Wochen damit reichen. Damit ist die Frage der Herabsetzung des Preises der zweibändigen Ausgabe akut geworden, um so mehr als im Januar 33 die Buch-Gemeinschaft mit ihrer Ausgabe herauskommt. Wir würden eine Herabsetzung auf 12.– RM vorschlagen, was einem Honorar von RM 1.60, unter Zugrundelegung eines Broschurpreises von RM 8.–, entsprechen würde (wobei der gleiche Honorarsatz von 20 %, wie bei der Dünndruckausgabe, in Anwendung käme).

Die Vorräte der zweibändigen Ausgabe betragen rund 3200 Exemplare und sind durch Honorarvorauszahlung mit ca. 12.800 RM belastet. Bei der neuen Honorarberechnung würde das Honorar für die Vorräte insgesamt ca. RM 5120.– betragen, so daß ein ungedeckter Honorarrest von ca. RM 7680 verbleiben würde. Wir würden vorschlagen, diesen Honorarrest auf das Honorar der neuen »Zauberberg«-Ausgabe, die wir nach Vergriffensein der zweibändigen Ausgabe veranstalten wollen, zu verrechnen.

Da wir sehr schnell mit der Preisherabsetzungsanzeige für die zweibändige Ausgabe herauskommen müssen, bitten wir Sie, zu unsern Vorschlägen möglichst bald Stellung zu nehmen. Mit ergebenstem Gruß

Bermann Fischer

München 27, den 17. X. 32.
Poschingerstr. 1

Lieber Doktor Bermann:
Ihrem Wunsch entsprechend beantworte ich Ihren Brief vom 15. Oktober umgehend. Mit einer Herabsetzung des Preises für die zweibändige »Zauberberg«-Ausgabe von 21 auf 12 Mark bin ich einverstanden, dagegen nicht mit der für mich dabei errechneten Tantième. Meiner Ansicht nach muß bei einer solchen Preisherabsetzung der Einbandpreis genau in demselben Verhältnis gesenkt werden, wie der Gesamtpreis. Ferner sehe ich keinen Anlaß, meine Tantième, die bei der zweibändigen Ausgabe 25 % beträgt, auf 20 % zu verringern. Es liegt ja ohnehin in dieser nachträglichen Umrechnung eines vor beinahe zwei Jahren bezahlten Honorars auf Grund des neu festgesetzten Preises für den Autor eine gewisse Härte, weil erstens das Geld damals tatsächlich einen geringeren Wert repräsentierte als heute und weil zweitens das volle Honorar zu einem außerordentlich hohen Satz versteuert werden mußte. Ich bin aber trotzdem damit einverstanden, nur muß die Herabsetzung der Herabsetzung des Ladenpreises auch wirklich entsprechen. Wenn dieser von 21 RM auf 12 gesenkt wird, so entspricht dem eine Festsetzung meiner Tantième, die laut Abrechnung vom April 32 pro Exemplar 4 Mark betrug, auf 2,285 RM. Dementsprechend wäre das Honorar für die noch vorhandenen 3200 Exemplare mit 7312 Mark anzusetzen und es verbliebe ein ungedeckter Rest von 5488 Mark, der Ihrem Vorschlag gemäß auf die neu zu veranstaltende »Zauberberg«-Ausgabe verrechnet werden könnte. Ich hoffe, daß Sie bei nochmaliger Prüfung der Angelegenheit diese Ausführungen als berechtigt anerkennen werden. Es widerspräche doch wirklich jeder Billigkeit, wenn der Preis des Buches um knapp 43.% hinunterginge, meine Tantième dagegen um 60 %, wie Sie es vorschlugen. Es läßt sich im Falle einer neuen Ausgabe gewiß

über eine Herabsetzung der Tantième reden, nicht aber bei der Umrechnung längst bezahlter Beträge.

Mit bestem Gruß   *Ihr Thomas Mann*

Berlin W 57, Bülowstr. 90
den 22. Oktober 1932

Lieber, sehr verehrter Herr Professor!

Besten Dank für Ihren Brief vom 17. 10., in dem Sie uns Ihr Einverständnis zu der Herabsetzung des Preises für die zweibändige Ausgabe des »Zauberberg« von 18.90 RM auf 12.– RM erklären. Wir zeigen nunmehr also die Preisherabsetzung im »Börsenblatt« an.

Was die Tantiemenberechnung anbelangt, so haben Sie übersehen, daß wir bereits die Einbandspanne von 5.– RM auf 4.– RM herabgesetzt haben (8.–/12.– gegenüber 16.–/21.–). Die Senkung des Honorars beträgt nicht 60 %, wie Sie schreiben, sondern nur 55 %, denn der Preis der zweibändigen »Zauberberg«-Ausgabe betrug ja nach der Notverordnung nur 18.90 RM gebunden, 14.40 RM broschiert, infolgedessen betrug das Honorar 3.60 RM. Die Senkung des Preises beträgt 44,4 %.

Wenn aber, wie Sie vorschlagen, das Honorar prozentual entsprechend (nämlich ebenfalls um 44,4 %) gesenkt würde, so daß auf die noch vorhandenen 3200 Exemplare ein Honorar von RM 7117.– zu verrechnen wäre, so würde tatsächlich Ihr Honorar 27,7 %, vom broschierten Exemplar von 8.– RM errechnet, betragen, es würde also der originelle Fall eintreten, daß der prozentuale Honorarsatz bei einer Preissenkung von 44,4 % um 2,7 % steigen würde.

Dieser Vorschlag einer der Preissenkung prozentual entsprechenden Honorarsenkung geht von einer falschen Voraussetzung aus, er berücksichtigt nämlich nicht, daß das für die Herstellung und die sonstigen Unkosten investierte Kapital sich durch die Preisherabsetzung nicht verringert und infolgedessen nur zwei Möglichkeiten bestehen, um trotz des verringerten Preises das investierte Kapital hereinzubringen, nämlich 1.) die Verringerung des Verlagsgewinns und 2.) die Verringerung des Honorars. Es wäre deshalb richtiger, wenn Sie Ihre Honorarverminderung der Schmälerung unseres Gewinnes ge-

gegenüberstellen. Die Schmälerung des Verlagsgewinnes ist erheblich größer als 55 %, wir erlösen tatsächlich bei dem niedrigen Verkaufspreis von 12.— RM nur die reinen Herstellungskosten und die Verlagsunkosten und nehmen einen nahezu hundertprozentigen Verlust des normalen Gewinnes in Kauf. Wenn Sie zu der vorgeschlagenen Honorarherabsetzung Ihre Zustimmung nicht geben, so bedeutet das für uns einen Verlust eines Teils des investierten Kapitals, da wir die andere Möglichkeit, nämlich die Einschränkung des Verlagsgewinnes, bereits erschöpft haben. Sie sehen also, daß uns die Preisherabsetzung viel härter trifft als Sie, zumal ja diese Herabsetzung letzten Endes deshalb von uns gemacht wird, um durch sie einen schnellen Verkauf der in den letzten Jahren nur äußerst spärlich gehenden zweibändigen Ausgabe zu ermöglichen. So schaffen wir Platz für eine billigere neue Ausgabe, die auch deshalb notwendig wird, weil im Januar die Deutsche Buchgemeinschaft mit ihrer billigen Ausgabe herauskommt. Vergleichsweise darf ich auf das Honorar hinweisen, das die Deutsche Buchgemeinschaft für ihre zweibändige Ausgabe mit Ihrem Einverständnis bezahlt.

Auch bei einem Honorar von 25 % vom broschierten Exemplar der herabgesetzten Ausgabe würden wir noch nicht einmal die aufgewandten Kosten hereinbringen, sondern einen Verlust von etwa 30 Pfg. am Exemplar haben.

Ich hoffe, sehr verehrter Herr Professor, daß Sie bei Nachprüfung der vorstehenden Angaben sich von der Richtigkeit meiner Ausführungen überzeugen werden, und bitte Sie, unter diesem Gesichtspunkt noch einmal unseren Vorschlag zu prüfen.

Mit herzlichen und ergebenen Grüßen   *Ihr Bermann Fischer*

München 27, 29. X. 32
Poschingerstr. 1

Lieber Doktor Bermann:

Ich hätte gerne weitere Diskussionen vermieden, aber, so leid es mir tut, auch nach Lektüre Ihres Briefes vom 22. Oktober ist es mir unmöglich, mich Ihrem Standpunkt anzuschließen. Zunächst möchte ich einmal auf die prinzipielle Seite der Angelegenheit eingehen, was ich neulich, da ich sehr eilig unmittelbar vor meiner Abreise nach Wien schrieb, nicht getan habe: ich meine die Frage, wie weit solche nachträglichen Umrechnungen längst bezahlter Honorare (im meinem Fall handelt es sich um Beträge, die vor anderthalb Jahren und noch früher zur Auszahlung kamen) überhaupt berechtigt sind. Die Rechtslage scheint mir zum Mindesten ungeklärt. Gesetzt zum Beispiel, es handele sich um einen Autor, der, wie das ja vorkommt, nur mit einem Buch bei Ihnen vertreten ist, von dem Neuauflagen in absehbarer Zeit nicht zu erwarten sind: würden Sie da bei der Preisherabsetzung den ungedeckten Teil des Honorars bar von ihm zurückverlangen? Glauben Sie, daß Sie mit einer solchen Forderung durchkämen, ja würden Sie auch nur den Versuch unternehmen? Und liegt nicht unter allen Umständen eine gewisse Unbilligkeit darin, daß der Autor Beträge, über die er längst verfügt hat, die er voll versteuert, verausgabt oder in Werten angelegt hat, die heute bestimmt mindestens ebenso gefallen sind, wie der in den Händen des Verlages befindliche Gegenwert, – daß er also diese Beträge heute zurückzahlen, beziehungsweise in einer Zeit, wo er ohnehin fast nichts verdient, seine künftigen Einnahmen damit belasten muß? Abnorme wirtschaftliche Zeiten, wie die gegenwärtige, bringen eben Unzuträglichkeiten mit sich, die es tatsächlich unmöglich machen, in solchen Fällen allen Teilen gerecht zu werden. In der Inflation bekam der Autor bei den vierteljährigen Abrechnungen vollständig entwertetes Geld in die Hand (ich habe damals ausschließlich von ein paar ausländischen Zeitungshonoraren gelebt), jetzt tritt der umgekehrte Fall ein, daß das bereits bezahlte Buch dem Verleger entwertet wird. Jeder, der heute in Deutschland vor längerer Zeit hergestellte Waare in der Hand hat, seien es nun Häuser, Automobile, Schreibmaschinen, seidene Strümpfe oder was immer, ist gezwungen sie mit Verlust, oft weit unter dem Herstellungspreis, wegzugeben. Leider ist das nun auch bei den Büchern so. Aber Sie können unmöglich Ihrem Buchbinder erklären, die vor zwei Jahren gelieferten Einbände seien für die heutigen Verhältnisse um so und so viel zu teuer und er müsse Ihnen dafür eine entsprechende Menge von Bänden gratis binden. Sie können keinen bei der Herstellung Beteiligten nachträglich zur Deckung des Schadens heranziehen. – Sie sehen, ich war durchaus nicht, wie Sie annahmen, von der falschen Voraussetzung ausgegangen, daß gleichzeitig mit der Preisherabsetzung auch die investierten Unkosten sich verringerten. Ja, ich sah sogar die Lage noch wesentlich schlimmer an, als sie nach Ihrer eigenen Angabe zu sein scheint, denn ich dachte bestimmt, daß bei der Herabsetzung des Verkaufspreises um 42,8 % nicht nur eine annähernd hundertprozentige Verminderung des Verlagsgewinnes, sondern sogar schon ein erheblicher Verlust am investierten Kapital eintreten müsse. Ja, ich hatte offen gesagt Ihren Schaden für so groß gehalten, daß dem gegenüber die paar Tausend Mark, die Sie durch Herabsetzung des Honorars hereinbringen können, gar keine Rolle spielten.

Trotz dieser prinzipiellen Bedenken habe ich mich ja nun aber schon in meinem vorigen Brief mit einer prozentualen Reduzierung meines Honorars einverstanden erklärt. Die sachlichen Einwände aber, die Sie gegen die von mir errechnete Tantième erheben, kann ich leider nicht gelten lassen. Sie schreiben, ich hätte offenbar übersehen, daß ja auch der Einband von 5 auf 4 Mark herabgesetzt sei, und stelle die originelle Forderung, bei einem so stark herabgesetzten Preis nun eine Tantième von 27 % zu bekommen. Ich hatte aber durchaus die Herabsetzung des Einbandpreises nicht übersehen, sondern nur beanstandet, daß sie nur 20 % beträgt, während der Buchpreis um 42,8 % herabgesetzt ist. Sie wissen, daß mir das Prinzip des willkürlich angesetzten, honorarfreien Einbandes seit jeher ein Dorn im Auge war, weil dieser Betrag, der notorisch ein Vielfaches der tatsächlichen Einbandunkosten ausmacht, die ganze Berechnung undurchsichtig und die prozentuale Beteiligung des Autors bis zu einem gewissen Grade illusorisch macht. Da es sich ja aber um einen rein fiktiven Betrag handelt, so ist doch klar, daß zwischen dem gebundenen und dem, tatsächlich ja überhaupt nicht existierenden, ungebundenen Exemplar immer das gleiche Verhältnis bestehen muß; und wenn bei einem Ladenpreis von 21 Mark für den Einband 5 Mark angemessen waren, so muß bei einer Herabsetzung auf zwölf Mark auch der Einbandpreis entsprechend herabgesetzt werden. Es hat darum nach meiner Ansicht gar keinen Sinn, den Einband separat zu behandeln, sondern die Frage stellt sich doch einfach so: Wenn der Autor bei einem Verkaufspreis von 21 Mark 4 bekam, wieviel erhält er bei einem Verkaufspreis von 12 Mark? Eine

Dreisatzaufgabe, die Ihnen jeder Quintaner in wenigen Minuten lösen wird. Oder, wenn Ihnen das sympathischer ist, können wir auch von dem Notverordnungspreise ausgehen, und statt vier Mark 3,60, statt 21 dann allerdings auch 19,90 einsetzen, immer kommen wir auf dasselbe Resultat von 2,285 M.

Im Übrigen ist ja leider die ganze Frage eine nahezu akademische, denn bei dem überaus langsamen Tempo, in dem meine Bücher zur Zeit verkauft werden, liegt eine Neuausgabe des »Zauberberges« noch in fast unabsehbarer Ferne, und es ist im Grunde weder für Sie noch für mich von ausschlaggebender Bedeutung, ob wir diese Ausgabe mit 5000 oder mit 7000 Mark belasten. Es ist mir gewiß eine sehr unangenehme Vorstellung, daß Sie meine Bücher mit erheblichen Verlusten verkaufen, aber ich muß mir eben sagen, daß dies ein gewissermaßen elementares Unglück ist, das zusammen mit Ihnen so ziemlich sämtliche deutschen Geschäftsleute trifft, und darf mich außerdem mit dem Gedanken trösten, daß schließlich durch drei Jahrzehnte die Dinge umgekehrt lagen und daß auch einige Hoffnung besteht, daß ich Ihrem Verlage in Zukunft noch Nutzen bringe.

Ihr ergebener   *Thomas Mann*

Berlin W 57, Bülowstr. 90
den 4. November 1932

Hochverehrter Herr Professor!
Es läßt sich vieles für Ihre Argumentation, aber auch für die unsere anführen. Wenn Sie der Überzeugung sind, daß unsere Argumentation falsch ist, so fügen wir uns und wollen den von Ihnen vorgeschlagenen Verrechnungsmodus in Anwendung bringen. Somit würden wir, ganz unabhängig von der bisherigen Honorarerrechnung, für die 3200 vorrätigen Exemplare der zweibändigen Ausgabe ein Honorar von 7312.— RM auf die bereits gezahlten 12.800.— RM in Anrechnung bringen, den Rest von RM 5.488.— auf das Honorar der neu zu veranstaltenden einbändigen »Zauberberg«-Ausgabe. Da durch die Preisherabsetzung die alte zweibändige anstelle der Dünndruck-Ausgabe tritt, kann man annehmen, daß die geplante neue einbändige Ausgabe schon in kürzerer Frist notwendig

sein wird. Wir würden es jedenfalls für richtig halten, sie unabhängig von dem dann noch vorhandenen Lagerbestand schon im Frühjahr herauszubringen.

Mit ergebensten Grüßen   S. FISCHER VERLAG A.-G.
Bermann Fischer

Berlin, den 9. III. 33

Lieber, verehrter Herr Professor,
ich höre, daß Sie schon so rasch Ihre Kur abbrechen wollen. Ich halte das vom ärztlichen Standpunkt aus für *vollständig* verkehrt und würde die Kur erst dann als beendet betrachten, wenn sich Ihr Zustand mit Sicherheit übersehen läßt. Alles andere halte ich für nicht unbedenklich, da eine so empfindliche Natur wie die Ihre im jetzigen Augenblick der Behandlung noch unerwarteten Attacken ausgesetzt sein kann. Eine derartige Gefährdung Ihrer Gesundheit muß, wenn es irgend möglich ist, vermieden werden.

Uns geht es gut. Unsere Frühjahrspläne werden unverändert durchgeführt.

Ich wünsche Ihnen und Ihrer Gattin weiterhin gute Erholung und hoffe bald wieder von Ihnen, insbesondere über Ihre weiteren Pläne, zu hören.

Mit herzlichen Grüßen, auch von meiner Frau
Ihr Bermann Fischer

Reaktionen irgendwelcher Art auf die in Ihrem letzten Brief erwähnten Dinge habe ich nicht gesehen. Jedoch wird Sie beiliegender Ausschnitt interessieren.

Berlin W 57, Bülowstr. 90
Den 14. März 1933.

Lieber, sehr verehrter Herr Professor!
Herzlichen Dank für die gute Note. Ich freue mich, daß Sie meinen Vorschlag befolgen. Sie werden inzwischen ja wohl gelesen haben, welche Freundlichkeiten man einigen Ihrer Mitbürger erwiesen hat. Es ist zu hoffen, daß sich diese Dinge nicht fortsetzen, besonders nach den Verlautbarungen der obersten Behörden. Jedenfalls ist nach der mehrmaligen Ver-

öffentlichung dieser Verordnungen eine merkliche Beruhigung allerseits eingetreten. Die Zeit, um grundsätzliche Beschlüsse zu fassen, scheint mir im Augenblick noch nicht gekommen zu sein. Es ist alles noch zu sehr im Werden, und gerade in Bezug auf Ihre Dinge läßt sich sehr wenig prophezeien. Es kann viel günstiger liegen, als man im Augenblick glaubt. Man darf nicht vergessen, daß die wirklich zu Ihnen Gehörigen heute genauso zu Ihnen stehen wie früher und daß sie durch die Ereignisse, mögen sie da oder dort stehen, in ihrem Verhältnis zu Ihnen kaum betroffen sind. Allzu großer Pessimismus ist also nicht am Platze.

Die Umgestaltung ins Private wird allerdings notwendigerweise vollzogen werden müssen, da ohne die nötige Panzerung eine in jene anderen Gebiete ausgreifende Betätigung heute nicht denkbar ist. Um so stärker und tiefer wird, wie ich fest überzeugt bin, das Bedürfnis werden, Sie zu vernehmen und die Wirkung, die Sie ausüben.

Ich hoffe sehr, daß bald die Möglichkeit besteht, über alle diese Dinge zu sprechen.

Nun noch eine kleine geschäftliche Angelegenheit. Unsere Auslandsabteilung hat auf Grund Ihres Briefes vom 4. März die Verhandlungen mit Skandinavien aufgenommen. Auf Grund dieser Verhandlungen haben wir von Gyldendal ein Angebot für den »Joseph« bekommen, und zwar eine Vorauszahlung von 1000.— RM auf eine Tantieme von 8 % für die ersten 3000 Exemplare, von 10 % für alle weiteren Exemplare. Gyldendal ist, wie Sie wohl wissen, dem Verlag Pios vorzuziehen. Wenn Sie trotzdem den Verlag Pios vorziehen sollten, müßten wir natürlich Gyldendal abschreiben und würden uns darauf berufen, daß die Firma Pios den »Zauberberg« schon gebracht hat. Bitte geben Sie mir Bescheid, ob wir Gyldendal absagen sollen.

Wegen der Umbruchkorrektur des Wagner-Aufsatzes hat Ihnen Herr Suhrkamp inzwischen geschrieben. Ich bedaure, daß es nicht möglich ist, Ihnen die Umbruchkorrektur zu schicken. Sie können sich denken, daß wir einige Umstände mit dem letzten Heft hatten, die alles auf den Kopf stellten.

Mit herzlichsten Grüßen, auch von Tutti, an Sie und Ihre Gattin   *Ihr Bermann Fischer*

Rapallo, d. 16. April 1933

Lieber, verehrter Herr Professor,
da wir für die Zahlung unserer Autorenhonorare die allgemeine Devisenerlaubnis haben, können wir Ihnen fällige Honorarbeträge oder aus dem Ausland eingehende Honorare auch nach Lugano auszahlen. Ich nehme an, daß Sie in Unkenntnis dieser Tatsache vor einigen Tagen Frau Rosenbaum anwiesen, die monatlichen Raten von 1000.– R.M. nach München zu überweisen. Ich habe die Zahlung noch zurückhalten lassen, um noch einmal von Ihnen zu hören, ob es Ihnen lieber wäre, das Geld nach Lugano zu bekommen. Falls wir bis Mittwoch nicht darüber sprechen können, bitte ich um Nachricht hierher.

Ihrem Wunsch, die Auslandseinnahmen direkt vom Ausland an Sie schicken zu lassen, würden wir gern nachkommen. Ich muß Sie aber darauf aufmerksam machen, daß Sie gegen die deutsche Devisengesetzgebung verstoßen, wenn Sie ohne besondere Genehmigung Ihres zuständigen Landesfinanzamtes über ein dadurch entstehendes Auslandsguthaben verfügen. Bei einer Rückkehr nach Deutschland könnte dieser Verstoß gegen die Devisenverordnung sehr unangenehme Folgen haben. Ich kann Ihnen diese Bedenken natürlich nicht verschweigen.

Es tritt also der merkwürdige Fall ein, daß *wir* Ihnen zwar die deutschen und ausländischen Honorare überweisen dürfen (u. zw. auf Grund unserer allgemeinen Erlaubnis), Sie sich aber eines Devisenvergehens schuldig machen, wenn Sie Auslandszahlungen direkt im Ausland empfangen und im Ausland verbrauchen.

Auf alle Fälle werde ich diese Frage, die mir nicht zweifelhaft erscheint, in Berlin unseren Devisensachverständigen vorlegen, damit etwa noch bestehende Unsicherheiten beseitigt werden. (Selbstverständlich unter strengster Diskretion.)

Solange wir die Genehmigung haben – und ich hoffe, daß man uns keine Schwierigkeiten macht –, scheint es mir im Augenblick also besser zu sein, wenn es beim alten bleibt. Ändert sich etwas, so werden Sie sofort verständigt.

Wir können hoffentlich Mittwoch über diese Fragen sprechen. Über die Situation in Deutschland kann ich jetzt, da ich schon 14 Tage draußen bin, natürlich nichts mehr sagen. Man emp-

findet die Lage von hier aus noch um vieles trostloser, als wenn man drin ist. Sie können sich also denken, mit welchen Gefühlen ich die Rückreise antrete. Dabei habe ich aus dem Verlag gute Nachrichten. – Das Schlimmste ist der Umfall vieler, die man für fest hielt, die Gehässigkeit und Gemeinheit, die unter dem Namen Nat.Rev. zu Tage tritt, die bew. Verleugnung des Geistes und jenes Deutschlands, das wir lieben. Es ist schwer, in dieses Gefängnis zurückzugehen. Aber ich habe das Gefühl, daß es sein muß, solange es irgendwie geht. –
Seien Sie vielmals gegrüßt und auf baldiges Wiedersehen
Ihr Bermann Fischer

S. und Hedwig Fischer an TM [Telegramm]

[Rapallo, 22. 4. 1933]
Erfuhren erst heute von empörender Münchener Kundgebung Beglückt durch temperamentvolle Züricher Antwort Versichern Sie erneut unserer Liebe und Verehrung

Fischers

Berlin W 57, Bülowstr. 90
Den 8. Mai 1933.
Lieber, sehr verehrter Herr Professor!
Ich habe einige Tage gebraucht, um mich hier wieder einigermaßen zurechtzufinden, und stecke, wie Sie sich denken können, bis über die Ohren in Arbeit. In welchem Stadium der Entwicklung wir uns eigentlich befinden, kann man nicht übersehen. Äußerlich ist es ein wenig ruhiger geworden, aber man kann nicht über 24 Stunden hinaus disponieren. Speziell im Buchhandel ist die Situation noch recht unübersichtlich, da große Unsicherheit darüber besteht, bis zu welchem Grade die veröffentlichten Boykottlisten verbindlich sind. Allerdings sind wir praktisch durch diese Listen, die lediglich für die Volksbüchereien und Leihbibliotheken herausgegeben sind, nicht in Mitleidenschaft gezogen, da die dort genannten Bücher im Buchhandel weiter vertrieben werden dürfen. Ihr Werk ist mit Ausnahme der beiden Broschüren, wie Sie ja wissen, nicht betroffen.

In der Wagner-Angelegenheit hat Herr Suhrkamp auf seinen Brief einige Antworten erhalten, die ich Ihnen in Abschrift beilege. Der offene Brief von Hausegger ist inzwischen in den »Münchner Neuesten Nachrichten« erschienen und wird von Herrn Suhrkamp beantwortet werden. Es gibt aber über die ganze Angelegenheit in unserer Umgebung nur eine Stimme. Über das Münchener Verhalten ist hier überhaupt nichts bekannt.

Einige Schwierigkeiten ergeben sich wider mein Erwarten in der Honorarfrage. Wundern Sie sich also bitte nicht, wenn ich mein Versprechen bisher noch nicht gehalten habe. Die Schwierigkeiten beziehen sich aber nicht speziell auf Ihre Person, sondern entstehen durch eine allgemeine Veränderung in der Genehmigung, die unsere Möglichkeiten etwas einschränkt. Ich habe heute eine klärende Rücksprache mit der zuständigen Stelle, die noch bestehende Unklarheiten aufklären wird. Sollte sich dabei endgültig herausstellen, daß die Zusendung ohne weiteres nicht möglich ist, so werde ich die Genehmigung beantragen. Ich hoffe, daß der Antrag durchgehen wird. Ich bitte also noch um etwas Geduld.

Was die Vervielfältigung des »Joseph« anbelangt, so scheint es mir ratsam zu sein, gleich mit dem Satz zu beginnen. Bevor wir das aber tun, müssen wir uns über die Form des Buches ganz klar sein. Ich möchte Sie deshalb bitten, mir noch einmal mitzuteilen, welches Ihrer Schätzung nach der Umfang des gesamten Manuskriptes sein wird. Wir sind uns nicht darüber klar, ob der dritte Teil den gleichen Umfang haben wird wie die beiden ersten. Ich würde dann eine einbändige Ausgabe, wie wir in Lugano schon besprachen, für das empfehlenswerteste halten und ein Format vorschlagen, das etwa der neuen Gesamtausgabe des »Dramatischen Werkes« von Hauptmann entspricht, so daß sich ein ziemlich starker bibelartiger Band ergeben würde. Wenn wir uns über alle diese Fragen vollkommen im klaren sind, kann der Satz sofort in Angriff genommen werden, und wir könnten in kurzer Zeit bereits die Fahnen an die ausländischen Verleger verschicken.

Bei uns zu Haus ist es zwar durch die Abwesenheit der Kinder etwas fremd, immerhin aber durch die Anwesenheit vieler Freunde (Manfred Hausmann ist gerade bei uns, Pierre, Golo, Fräulein Roos usw.) recht lebendig. Wir haben einen kleinen

Hotelbetrieb sozusagen eröffnet. Von Fischers haben wir gute Nachrichten.

Ich hoffe Ihnen schon in 2–3 Tagen über die schwebenden Fragen alles Nötige mitteilen zu können, und grüße Sie und Ihre Frau, sowie Klaus, Erika und die beiden Kleinen herzlichst als   *Ihr Bermann Fischer*

Berlin, d. 9. Mai 1933.

Lieber, sehr verehrter Herr Professor!

Nach meiner Rückkehr stellt sich mir die Lage etwas anders dar, als ich sie in der Schweiz sah.

Zunächst einmal ist es nicht zulässig, daß wir Ihnen die fälligen Honorare ins Ausland überweisen. Unsere Devisengenehmigung gilt neuerdings nur für Ausländer. Für eine Zahlung an Sie bedürfen wir also einer besonderen Genehmigung. Wenn wir eine solche beantragen, müssen wir darauf gefaßt sein, eine Ablehnung zu erfahren, die weiterreichende unangenehme Folgen haben könnte.

Anläßlich dieser Erwägungen habe ich zusammen mit Golo und einem sehr bedeutenden juristischen Berater den ganzen Komplex noch einmal durchdacht und die verschiedenen Argumente gegeneinander abgewogen. Gegen das schon jetzt endgültige Verbleiben im Ausland sprechen folgende Dinge:

1) Drohende Diffamierung, die bei bekannter Aufmachung auch auf das Ausland übergreifen könnte, besonders wenn

2) das Ausland auf die Dauer seine ablehnende Haltung nicht beibehält. Infolge derartiger Umstände böte

3) Basel keine absolute Sicherheit, besonders wenn man die politische Entwicklung in der Schweiz noch dazu in Rechnung zieht.

4) Ungewißheit und Gefahren für die weitere Verbreitung Ihres Werkes in Deutschland.

5) Die Unmöglichkeit der materiellen Ausnutzung des deutschen Büchermarktes, für den der ausländische nur einen geringen Ersatz bietet. Dabei ist zu bedenken, daß bei der Vertragslage möglicherweise das neue Buch auch in einem ausländ. Verlag nicht in deutscher Sprache erscheinen dürfte. Wir könnten gegen unseren Willen gezwungen werden, unsere Rechte wahrzunehmen, da eine Übertragung der Rechte, auch

eine unfreiwillige, eine Verletzung der Devisengesetze, z. mindesten eine Beihilfe zu einer solchen darstellen würde.

6) Die Wirkung einer Diffamierung auf Ihre Leser und Anhänger und vor allem auf Sie selbst.

7) Und schließlich gibt die Tatsache, daß Ihr Paß abgelaufen ist, nach einer gewissen Zeit die gesetzliche Handhabe, Ihren gesamten Besitz zu beschlagnahmen.

Alle diese Gründe legen uns den Gedanken nahe, uns durch eine geeignete Persönlichkeit direkt an Dr. Goebbels zu wenden, um durch ihn die nötigen Garantien für einen Aufenthalt in *Berlin* und die Bereinigung der Paß- und Visaangelegenheiten und alles andere zu erreichen.

Ein solcher Schritt gäbe Ihnen die Gewißheit, alles versucht zu haben, würde Ihnen aber andererseits die Möglichkeit, Ihren Wohnsitz nach kurzem Aufenthalt in Berlin wieder, und zwar nun ganz legal, ins Ausland zu verlegen, wohl nicht abschneiden.

Wir glauben um so mehr, daß dieser Schritt Erfolg haben könnte, weil, wenigstens im Augenblick, Bemühungen zur Wiederaufrichtung rechtlicher Verhältnisse deutlich spürbar sind. Hinzu kommt, daß Ihr Name auf keiner der Boykottlisten steht und beispielshalber das »B. T.« ein paarmal ausgesprochen freundliche Worte für Sie gebracht hat.

Wir möchten einen so wichtigen Schritt nicht ohne Ihre ausdrückliche Zustimmung unternehmen. Ich bitte Sie deshalb, mir recht bald darüber zu schreiben. Es genügt die Mitteilung, daß Sie mit unserem Vorschlag einverstanden sind oder nicht. Mit herzlichen und ergebenen Grüßen

Ihr Bermann Fischer

Lugano, Villa Castagnola,
den 8. Juni 33

Lieber, verehrter Herr Professor.

Soeben bekomme ich Ihren Brief, der sich mit dem meinem gekreuzt hat. Ich habe auf die meisten Ihrer Fragen in ihm schon geantwortet. Die Folgen eines Erscheinens Ihres »Joseph« in Amerika vor der deutschen Ausgabe wären niederschmetternd nicht nur für Sie, auch für uns und alle, die in Liebe und Verehrung an Ihnen hängen und nun glauben müssen – und man wird diesen Glauben stärken –, Sie hätten sie verlassen. Denken Sie bei Ihrem Entschluß an diese Menschen, die auf Ihr Werk warten. So kampflos die Position zu räumen würde Ihnen von Ihren Freunden niemals verziehen werden, von Ihren Feinden mit Hohnlachen begrüßt. Wollen Sie uns das antun?

Ihr Buch kann heute in Deutschland ungestört erscheinen. Kommt es zuerst in Amerika heraus, so wird es in Deutschland, das ist gewiß, stillschweigend boykottiert werden. Sie haben dann den Anlaß geliefert.

Die wirtschaftlichen Erwägungen Knopfs haben wir ja vor einem Jahr auch angestellt. Sie gelten heute für uns genauso wie für Knopf. Vielleicht sollte man sich also doch angesichts der gleichen Lage im Ausland noch jetzt für ein sukzessives Erscheinen auch in Deutschland entschließen. Wenn Sie Ihr Placet für Amerika geben, dann tun Sie es auch für Deutschland, und wir erscheinen gleichzeitig jetzt mit dem ersten Band. Es wäre nicht falsch, es zu tun.

Den Neugründungen in Frankreich, Holland etc. stehe ich mit größter Skepsis gegenüber. Diese Verlage haben Ihre Berechtigung, soweit sie reine Emigrantenverlage sind. Emil Ludwig, Feuchtwanger, Remarque, Tucholsky, Kerr können in Deutschland nicht erscheinen, und es ist begrüßenswert, wenn sie dadurch eine neue Verlagsmöglichkeit für das deutschsprechende Ausland bekommen. Für Autoren, die in anderer Lage sind, bedeutet das Erscheinen dort den Verzicht auf den deutschen Markt, sie werden boykottiert werden.

Den Verlagsplan von Frau Antonina Luchaire kenne ich seit einem Jahr schon. Ich habe damals alle Möglichkeiten einer Art deutscher Tauchnitzedition erwogen, halte ihn aber für nicht durchführbar. (Frau Antonina L. ist identisch mit Frau Antonina Vallentin) [...]

Sie benutzt eine vermeintliche Konjunktur um Ihren Namen für diese Idee vorzuspannen, für die sie bis jetzt vergeblich geworben hat. Die Gründe für die Undurchführbarkeit des Planes sind folgende: das Auslandsdeutschtum ist schwer erfaßbar und zu einem besonders hohen Prozentsatz an Literatur uninteressiert. Von den Emigranten der letzten Monate ist eine wesentliche Steigerung der Absatzmöglichkeiten nicht zu erwarten. Andererseits würde das Geschäft des deutschen Exportbuchhandels völlig lahmgelegt werden und der Absatz der deutschen Ausgaben innerhalb Deutschlands in einem noch gar nicht zu übersehenden Maße gestört werden, da es kein Mittel gibt, um die Einfuhr dieser deutschen Tauchnitzedition nach Deutschland zu verhindern. (Bei der englischen Tauchnitzedition liegen die Dinge anders, da sich England durch eine Einfuhrsperre gegen diese Bücher geschützt hat und wie aus folgendem hervorgeht). Der Buchhandel des deutschsprechenden Auslandes wie Schweiz, Tschechoslowakei, Österreich, Ungarn, Teile von Polen etc., der zum überwiegenden Teil vom deutschen Buch lebt, wäre ruiniert. Der gesamte Buchexport aus Deutschland, der jetzt cirka 20 bis 25 % des Gesamtumsatzes ausmacht, würde in Fortfall kommen. Neben dem Buchhandel hätte den größten Schaden der Autor selbst. Denn diese billigen Tauchnitzausgaben müßten den 10- bis 20-fachen Umsatz des bisherigen Auslandsumsatzes erreichen, um dem Autor auch nur annähernd die gleiche Honorareinnahme zu bringen, die er beim bisherigen Auslandsvertrieb zum Originalpreis erreicht hatte. Das erscheint ausgeschlossen.

Die Ansicht Gallimards, daß es zu derartigen Ausgaben der Zustimmung des deutschen Verlages nicht bedürfte, ist falsch. Das Verlagsrecht an der deutschsprachigen Ausgabe besitzt auf Grund der Berner Konvention gegenüber dem Auslande ausschließlich der deutsche Verleger. Aus den oben genannten Gründen kann er die Rechte zu derartigen Zwecken nicht freigeben, da seine Interessen auf das schwerste getroffen werden und der Plan für Autor und Buchhandel ruinös wäre.

Daß in Paris dem S. Fischer Verlag immer wieder schlechte Prognosen gestellt werden, ist mir bekannt. Wir kämpfen um unsere Stellung, haben sie bisher gehalten und werden sie halten, solange es geht. Bis jetzt besteht keinerlei Anlaß, an der Möglichkeit daran zu verzweifeln. Die Pariser Redereien allerdings erleichtern uns die Situation nicht, fallen vielmehr unseren Bemühungen in den Rücken, zumal sie fast immer auf das leichtfertigste mit geschäftlichen Spekulationen verbunden sind, die unseren Autoren und uns schwersten Schaden zufügen können. Die Überlegungen, die ein deutscher Autor in dieser Hinsicht anzustellen hat, sind ungemein einfach.

1) Wenn er in einem deutschen Verlag noch erscheinen kann, so muß er es unter allen Umständen tun. Er kann dabei nicht

verlieren, sondern nur gewinnen. Wird sein Buch nach Erscheinen doch verboten, so hat er auch nichts verloren, denn

2) wenn er von vornherein in einem ausländischen Verlag erscheint, hat er infolge des dann einsetzenden Boykotts den deutschen Markt von vornherein verloren.

Für den Fall eines solchen Verbotes haben wir Vorsorge getroffen, daß das Werk im deutschsprachigen Auslande weiter erscheinen kann. Aus diesen Erwägungen ergibt sich alles.

Die Pariser Behauptungen, daß der S. F. V. Ihren Roman nicht wird bringen können, ist völlig aus der Luft gegriffen und widerspricht der Wahrheit. Ich bitte Sie dringend, diesen Gerüchten und durchsichtigen Spekulationen keinen Glauben zu schenken und sich ganz klar darüber zu sein, daß Sie bei einem Eingehen auf derartige Vorschläge nur verlieren können.

Ich bitte Sie, sehr verehrter Herr Professor, meine Ausführungen, die aus einer recht genauen Kenntnis der Materie und der Umstände kommen, sehr ernsthaft zu überlegen und sie nach Möglichkeit zu beherzigen. Vor allem bitte ich Sie, von dem vorzeitigen Erscheinen des »Joseph« in Amerika Abstand zu nehmen, entweder dadurch, daß Sie die Amerikaner auf die Fertigstellung des Gesamtwerkes genauso wie uns warten lassen, oder aber daß Sie auch uns die Erlaubnis geben, den ersten Band oder die beiden ersten Bände schon im Herbst herauszubringen. Eine Veröffentlichung der Wagner-Rede in deutscher Sprache in einem ausländischen Verlage würde als Provokation empfunden werden. Ich würde es für richtig halten, eine endgültige Entscheidung dieser Frage bis zum Herbst hinauszuschieben.

Mit herzlichsten Grüßen   *Ihr Bermann Fischer*

P. S. Ich erhielt heute von der Eidgen. Bank, Zürich, Coupons von deutschen Wertpapieren in Höhe von 2029.– RM. Was soll mit diesen Coupons geschehen? Ich bin bis Samstag hier und erwarte Ihre Antwort in Berlin. Es wäre vielleicht wünschenswert, wenn wir Samstag abend noch telephonieren könnten. Ich werde auf alle Fälle Ihren Anruf Samstag abend ab 8 Uhr erwarten (Lugano 22 90), bin aber auch gern bereit Sie anzurufen, wenn Sie mir Zeit und Telephonnummer telegraphisch angeben.

Lieber, sehr verehrter Herr Professor!

Sie waren so freundlich, uns die letzte Entscheidung über die Frage, ob wir nur den ersten Band oder den ersten und zweiten Band Ihres neuen Werkes jetzt herausbringen sollen, zu überlassen. Wir haben uns diese Frage nochmals sehr eingehend überlegt und sind alle zu der Überzeugung gelangt, daß, wenn schon auf die gleichzeitige Veröffentlichung des Gesamtwerkes verzichtet werden soll, die Veröffentlichung des ersten Bandes in diesem Herbst, des zweiten Bandes im darauffolgenden Frühjahr und evtl. des dritten Bandes im Herbst 1934 das richtige ist. Bei dieser Entscheidung lassen wir uns in erster Linie von wirtschaftlichen Erwägungen leiten. Aber auch aus rein technischen Gründen ist es empfehlenswert, so zu handeln. Wollten wir die beiden ersten Bände jetzt herausbringen, so wäre ein Preis von RM 15.– bis RM 16.– notwendig, ein Preis, der den Käuferkreis um einen erheblichen Prozentsatz herabmindern würde. Der erste Band, der im Herbst erscheinen soll, würde dagegen RM 5.50 broschiert, RM 8.– gebunden kosten, eine auch unter den heutigen Umständen für ein neues Werk von Ihnen erschwingliche Summe. Man würde dem Sortiment mitteilen, daß man unter Berücksichtigung der besonders schwierigen wirtschaftlichen Lage Ihr dreibändiges Werk in drei Lieferungen oder in drei Teilen herausbringt, und würde es so in die Lage versetzen, sich bei Lieferung des ersten Bandes Bestellungen auf den zweiten und dritten Band schon im vorhinein zu sichern. Propagandistisch läßt sich diese Methode der Herausgabe gut auswerten. Wir glauben, daß wir mit dieser Methode auf dem richtigen Wege sind.

Es geht gleichzeitig mit diesem Briefe die Abschrift der ersten Hälfte des ersten Bandes an Sie ab. Da wir recht bald mit dem Satz beginnen wollen, liegt uns viel daran, die Streichungen, die Sie vorhaben, sehr bald kennenzulernen. Herr Loerke wird Ihnen darüber noch eingehend schreiben. Wir waren uns ja bei unserem Telefongespräch schon darüber einig, daß diese Frage unter Berücksichtigung der Tatsache, daß der erste Band nun allein erscheint, einer besonderen Behandlung bedarf. Darüber, daß wir das Vorwort in einer anderen Schrift bringen, besteht wohl auch Einigkeit zwischen uns. Über alle weiteren Fragen

werde ich Ihnen in den nächsten Tagen ausführlich schreiben. Es wäre uns sehr lieb, wenn Sie uns Ihr prinzipielles Einverständnis zu der Lösung recht bald übermitteln würden.
Mit herzlichen und ergebenen Grüßen   *Ihr Bermann Fischer*

Sanary den 30. VI. 33
»La Tranquille«

Lieber Dr. Bermann,
ich hoffe, Sie haben gute Heimkehr gehabt.
Von meiner kleinen Grippe bin ich gestern wieder aufgestanden. Sie war wohl fällig nach den Zerstreuungen dieser Monate. Leider ist andauernd heftiger Mistral, der mir garnicht gut tut. Er gilt für ganz ungewöhnlich und stellt eine Art von schlechtem Wetter dar.
Leider habe ich vergessen, folgendes mit Ihnen zu besprechen. Der Baseler Verlag »Gute Schriften« möchte gern in seine Serie populärer Bücher zu 50 Rappen meinen »so wundervollen« »Mario und der Zauberer« aufnehmen. Die Autoren sind: Gotthelf, Keller, Meyer, Spitteler, Federer, Mörike, Hesse, Lagerlöf, Nexö, Storm, Strauß, Schaffner, Ramuz. Die Umgebung wäre also fein-volkstümlich, und wenn der Verlag etwas mehr bezahlt als die 300 Schweizer Franken, die er anbietet, so hätte ich wohl Lust. Die Auflage beträgt in der Regel 1500, und »der Vertrieb geschieht zur Hauptsache nicht durch den Buchhandel«. Geben Sie Ihre Einwilligung?
Zu meinem Befremden bekomme ich eben von Knopf einen Brief des Inhalts, die Lowe arbeite zu langsam, als daß an ein Erscheinen des 1. Bandes auf englisch diesen Herbst zu denken sei. Hoffentlich werde es Frühjahr 34 möglich sein, sonst Herbst übers Jahr. Was sagen Sie dazu? Er war es doch, der die ganze Publikationsbewegung jetzt in Gang gebracht hat, und nun stellt sich heraus, daß gerade er noch Jahr und Tag braucht. Die anderen auswärtigen Verleger, resp. ihre Übersetzer, würden es wohl bis zum Herbst zwingen, denn sie legen großes Gewicht auf möglichst gleichzeitiges Erscheinen. Allerdings habe ich den Eindruck, daß es für die Übersetzer eine tour de force wäre, und sehr gewissenhaft würden sie kaum arbeiten können.
Wir müssen uns nun überlegen, ob wir angesichts des ameri-

kanischen Versagens an dem Termin Herbst 33 festhalten wollen. Sagen Sie mir, bitte, Ihre Meinung darüber.
Herzliche Grüße Ihnen Allen.   *T. M.*

Sanary-sur-Mer. 19. [= 9.] VII. 33
»La Tranquille«

Lieber Doktor Bermann:
Ihren freundlichen Brief vom 3. Juli habe ich erhalten und danke Ihnen vielmals für Ihre Nachrichten. Ich möchte Ihnen heute noch, was ich bisher, glaube ich, versäumt habe, auch im Namen meiner Frau unsere Dankbarkeit dafür aussprechen, daß Sie unseren Wunsch erfüllten und vor der weiten Reise zu uns nicht zurückschreckten. Wenn Sie, wie Sie schreiben, etwas niedergedrückt nachhause zurückgekehrt sind, so hat das hoffentlich mit dem Aufenthalt bei uns nichts Besonderes zu tun. Ich habe mir nachträglich etwas Vorwürfe gemacht, weil ich mich, wobei vielleicht schon mein keimendes Unwohlsein mitspielte, über die »Rundschau« einigermaßen hart geäußert habe. Es war vielleicht ungerecht von mir, aber noch ungerechter wäre es jedenfalls, über das neue Heft Ähnliches zu sagen, denn ich finde es sehr glücklich komponiert und habe mit Genugtuung die Freiheit und den Mut darin festgestellt, deren eine solche Zeitschrift nicht entbehren kann.
Lassen Sie mich nun auf Ihren Brief zurückkommen. Was Knopf betrifft, so hat er sich, finde ich, reichlich konfus benommen, und nachdem er die ganze Veröffentlichungsbewegung hervorgerufen und gewissermaßen erzwungen hat, nun aber sich so weit zurückzieht, kann man auf ihn und die Saumseligkeit der Mrs. Lowe jetzt keine Rücksicht nehmen. Es soll mir also recht sein, wenn Sie an dem Gedanken der Publikation im Herbst festhalten. Die anderen ausländischen Verleger sollen sehen, ob sie fertig werden oder nicht.
Fayard hat sich durch die mutige Herausgabe meiner großen Romane um mich verdient gemacht, und einen plausiblen Grund, mich jetzt von ihm zurückzuziehen, habe ich eigentlich nicht. Ich habe ihm den »Joseph« angeboten und er hat sein prinzipielles Interesse geäußert, wenn er auch freilich den ersten Band erst zu sehen wünscht. Es könnte ja sein, daß er ihn befremdet und ihm keinen Erfolg verspricht, und darum

25

habe ich nichts dagegen, das Buch gleichzeitig auch der Librairie Plon anzubieten. Senden Sie also doch bitte auch ein Exemplar an Plon und schreiben Sie ihm, wie die Dinge liegen, das heißt, daß ich Fayard ein gewisses Vorrecht einräumen muß, daß aber er nach ihm in erster Linie in Betracht kommen soll. Sollten Sie allerdings Schwerwiegendes über Fayard's Solidität gehört haben, so wäre das natürlich bedenklich. Bisher habe ich keine schlechten Erfahrungen mit ihm gemacht, Sie müßten mir da schon Positives mitteilen.

Ihr Bedenken gegen die Buchausgabe des »Wagner« bei Fayard kommt zu spät. Das kleine Buch ist mit einer sehr hübschen Einleitung bereits erschienen und teilweise besprochen. Eine Aufregung, wie im Falle vom »Wälsungenblut« kann das aber doch wohl kaum verursachen. Zwar hätte ich persönlich, wie Sie wissen, vorgezogen, wenn auch die deutsche Buchausgabe im Frühjahr herausgekommen wäre, aber der erste Erscheinungsort war ja schließlich doch die »Neue Rundschau«, und so kann man nicht behaupten, daß dem deutschen Publikum etwas vorenthalten worden wäre. Der französischen Buchausgabe den Text des mündlichen Vortrags unterzulegen, wäre ganz unmöglich gewesen: das hätte überhaupt kein Buch ergeben; der Vortrag bildete ja nur einen Auszug aus der umfassenden, für den Druck bestimmten Studie, und nachträgliche »Milderungen« sind meiner Erfahrung nach auch höchstens schädlich. Übrigens erhielt ich vor wenigen Tagen ein Angebot der Firma Rascher und Co. in Zürich wegen der deutschen Buchausgabe des »Wagner«. Ich werde der Firma aber antworten, daß bei Ihnen nach wie vor die Absicht bestehe, das Buch herauszubringen.

Ihre Beantwortung meiner Anfrage in Sachen des Baseler Verlages ist mir nicht ganz verständlich und entspringt offenbar einem Mißverständnis. Es handelt sich ja nur *nicht* um eine »bibliophile« Ausgabe, sondern im Gegenteil um eine ganz populäre 50 Rappen-Ausgabe, die spezifisch schweizerisch sein, kaum in den Buchhandel kommen und Ihrer Ausgabe also auf keinen Fall Konkurrenz machen würde. Sie sagen aber zugleich nein und ja. Denn Ihr Anerbieten, dem Verlag rohe Bogen der Erzählung zur Verwendung für seine Reihe zu überlassen, bedeutet doch wieder ein Einverständnis mit dieser Schweizer Ausgabe. Bitte, erklären Sie sich über diesen Punkt doch noch einmal deutlicher, damit ich nach Basel klare Antwort geben kann.

Hans Pfitzner ist, wie Sie vielleicht gesehn haben, in der »Frankfurter Zeitung« auf den Fall Wagner zurückgekommen. Es scheint, die Geschichte will nicht recht in Vergessenheit geraten. Eine Unruhe scheint zurückgeblieben zu sein, und mich selbst beschäftigt sie nachhaltig genug, daß ich augenblicklich eine Erwiderung auf den Pfitzner'schen Artikel abfasse, der ziemlich eingehend sein wird. Ich habe ja seit meinem kurzen Brief an die Zeitungen aus Lugano in der Sache geschwiegen, und mir scheint, das Wort ist nun wieder einmal an mir. Ich hoffe, daß die »Frankfurter Zeitung« meine Antwort bringen wird. Wenn nicht, so würde ich sie vielleicht der »Neuen Rundschau« anbieten, bevor ich damit ins Ausland gehe.

Nehmen Sie unsere herzlichen Wünsche für Sie, die Ihren und den Verlag!   \   *Ihr Thomas Mann*

Berlin, d. 17. Juli 1933.

Lieber, verehrter Herr Professor!

Zur Ergänzung meiner etwas dunklen Andeutungen am Schluß meines letzten Briefes halte ich es für notwendig, noch einiges zu sagen.

Das neue Gesetz sieht vor, daß Deutsche, die das Deutsche Reich verlassen haben und auf Aufforderung nicht zurückkehren, ihrer Staatsbürgerrechte verlustig gehen. Ihr Vermögen wird beschlagnahmt. – Es ist wohl zu befürchten, daß eine derartige Aufforderung auch an Sie ergehen wird. Wenn Sie damit rechnen, jemals wieder nach Deutschland zurückzukehren, scheint es uns notwendig, der bevorstehenden Aufforderung zuvorzukommen. Später werden Verhandlungen bestimmt aussichtslos sein.

Da nichts gegen Sie vorliegt, von Regierungsseite auch nichts gegen Sie unternommen wurde (die Polizeiaktion in München ist eine örtliche Maßnahme, die offenbar von der Regierung nicht einmal gebilligt wird), setzen Sie die Regierung gewissermaßen erst ins Recht, wenn Sie fernbleiben. Denn Sie bieten ihr durch Ihr Fernbleiben die Handhabe zu Maßnahmen gegen Sie, da man hier daraus schließen wird, daß Sie sich endgültig gegen Deutschland entschieden haben.

Das Risiko der Rückkehr scheint uns nicht sehr groß zu sein, besonders wenn Sie nicht nach München, sondern nach Berlin kommen. Es besteht eigentlich nur in der Paßfrage, die in persönlicher Verhandlung sicherlich zu lösen sein wird. Darüber herrscht hier nur eine Meinung. Wir sind überzeugt, daß man Ihnen die Lösung dieser Frage erleichtern wird, wenn Sie durch Ihre Rückkehr Ihre Verbundenheit mit Deutschland – wenn auch nicht mit dem anderen – dokumentieren.

Garantien irgendwelcher Art werden nicht zu erhalten sein, weil voraussichtlich die zuständigen Stellen irgendeinen Grund für Befürchtungen nicht anerkennen würden. Daß solche Garantien bis heute nicht verlangt werden, spricht nur für Sie. (Allerdings müßten gewisse Maßnahmen, die Golo getroffen hat, rückgängig gemacht werden. Sie könnten ja vorübergehend auf exterritorialem Boden hier sichergestellt werden.) Für Verhandlungen scheint uns allerdings jetzt auch keine Zeit mehr zu sein. Die Angelegenheit läßt sich auch durch weitere Beratungen nicht mehr klären. Sie ist nur noch eine Sache des persönlichen Entschlusses. Der Einsatz Ihrer Person ist das einzige, was zu einer Klärung führen kann, Ihnen alle Sympathien zuträgt, allen Gerüchten die Spitze abbricht und Ihnen selbst die innere Ruhe wiedergeben wird.

Aus der Emigrantenatmosphäre lassen sich die Dinge nicht richtig beurteilen, das haben wir jetzt wieder erfahren. Da eine erzwungene dauernde Emigration für Sie kaum erträglich wäre, bleibt nur dieser eine Weg. Wir stehen Ihnen ganz zur Verfügung, würden Sie gern an der Grenze erwarten, wenn Sie es wollen und würden uns alle, Fischers einbegriffen, *sehr* freuen, wenn Sie unsere Gäste sein wollten. Überlegen Sie nicht lange.

Man steht allen diesen Dingen hier viel ruhiger gegenüber, als man es je im Ausland kann.

Es grüßt Sie und die Ihren herzlichst   *Ihr Bermann Fischer*

Durch eine Correspondenz wird hier die Nachricht verbreitet, daß Sie sich unter den Mitarbeitern einer deutschfeindlichen, antifaschistischen Zeitung, die in Amsterdam unter dem Namen »Freie Presse«, erscheint, befänden. Ein rasches Dementi ist notwendig. (»Frankfurter Zeitung«; Conti-Correspondenz ev. durch mich.)

Lieber Doktor Bermann:

Bestens bestätige ich den Empfang Ihres Briefes vom 15. Juli.

Meine Antwort in der Wagner-Angelegenheit habe ich nicht erst an die »Frankfurter Zeitung« geschickt, weil mir ihr Gesicht immer mehr den Eindruck macht, daß so etwas nicht mehr für sie ist. Die »Rundschau« aber könnte es bringen meiner Überzeugung nach, und es wäre gut und eine Art von Sieg, wenn dieser Ton einmal wieder laut würde. Allerdings dürfte *nichts* mehr geändert werden und der Aufsatz müßte noch ins August-Heft kommen, da es sonst zu spät dafür würde.

Die Anfrage der »Vossischen Zeitung« ist ja interessant als Symptom, muß aber doch als gegenstandslos angesehen werden. Doktor Krell wird das selbst bald gesehen haben, nach einigem Blättern in dem Manuskript. Der Roman eignet sich sicher nicht für einen solchen Vorabdruck, wenigstens in großen Teilen nicht. Die »Vossische Zeitung« ist auch keinesfalls der Ort dafür, und ich würde weniger an einen propagandistischen Vorteil, als an eine Abschwächung der Wirkung glauben.

Ich habe in diesen Tagen die erhaltenen Korrekturen, schon eine ganze Menge, besorgt und lasse sie Ihnen wieder zugehen. Sie enthalten auch die weiteren Titel-Einfügungen. Was den Titel des ganzen Bandes betrifft, der Ihnen in seiner jetzigen Form nicht günstig scheint, so bin ich gern bereit, ihn zu modifizieren; nur scheint mir der einfache Name »Jaakob« als Band-Titel nicht geeignet. Er hätte in diesem Falle mehr den Charakter eines Kapitel-Titels, wie zum Beispiel eines »Rahel« heißt und eines »Jaakob und Esau«. »Jaakobs Geschichten« in zwei Worten gefällt mir auch nicht besonders, aber das Wort »Geschichten« möchte ich doch nicht fallen lassen; die Bezeichnung des Ganzen als »Roman« wird ja auf dem Titelblatt nicht fehlen, und so meine ich, daß der Band-Titel »Die Geschichten Jaakobs« nichts Irreführendes haben kann. Wenn es Ihnen recht ist, lassen wir es dabei. Es ist nun einmal die sachlich zutreffendste Bezeichnung für diesen Band, der die Vätergeschichte und speziell die Geschichte des Vaters Jaakob ausbreitet.

Ich vermisse beim Korrekturlesen sehr das Original-Manuskript, in dem nachzulesen, was ich eigentlich geschrieben habe, öfters Anlaß und sogar die Notwendigkeit besteht. Es wird Ihnen in meinem Auftrag dieser Tage aus München zugehen, und ich bitte Sie, es recht bald versichert an Freund René weiterzusenden.

Der Verlag schrieb mir neulich, es sei zu informatorischen Zwecken eine kurze Charakteristik des »Joseph«-Romanes unter besonderer Betonung des zuerst erscheinenden Bandes erwünscht. Es würde mir recht sauer werden, das abzufassen, und ich wäre sehr dankbar, wenn Herr Loerke, der ja die beiden ersten Bände kennt und weiß, daß der dritte einfach die Fortsetzung, die Laufbahn Josephs in Ägypten behandelt, eine solche Notiz redigieren würde. Bitten Sie ihn doch in meinem Namen darum. Als Anhalt lege ich einige Worte bei, die ich schon vor Jahren über den Plan geschrieben.

Was schließlich die oft erörterte Frage betrifft, und die neue Bestimmung, so kann nach allem, was geschehen, und wie alles liegt, an der Frage und der Antwort auf diese durch die Bestimmung nichts mehr geändert werden. Sie machen mich auf die weitgehenden Konsequenzen aufmerksam, die ich in den Kauf zu nehmen hätte, wenn ich nicht im Sinne des Briefes von S. handelte; an die mindestens ebenso weit gehenden Konsequenzen, mit denen im gegenteiligen Fall zu rechnen wäre, denken Sie weniger, ich aber um so mehr. Um so genauer wir uns auf dem Laufenden halten, desto weniger ist uns die erste Eventualität überhaupt denkbar. Weiter kann ich nichts sagen.

Herzlich   *Ihr T. M.*

Sanary-sur-Mer (Var)
»La Tranquille« 31. VII. 33

Lieber Doktor Bermann:

Auf Ihren freundlichen Brief vom 17. Juli brauche ich sachlich nicht weiter einzugehen, weil das schon in meinem Brief an Herrn Fischer von neulich geschehen ist. Aber aufrichtig danken möchte ich Ihnen doch noch für Ihr gutes Zureden und Ihre guten Absichten. Meine Entscheidungen und Beschlüsse kennen Sie nun und andeutungsweise auch ihre Gründe, die ich wohl eines Tages öffentlich ausführlicher werde darlegen müssen. Dieser Augenblick steht aber noch nicht unmittelbar bevor. Seien Sie mir nicht böse darum, daß Ihre Worte bei mir nicht fruchten konnten: man kann in einem solchen Fall nur nach seinem eigenen Gefühl handeln, und ich glaube, der Tag wird kommen, wo Sie die Richtigkeit dieses Gefühles anerkennen werden.

Ich wollte heute noch sagen, daß ich das Manuskript des »Joseph«, das Ihnen aus München zugegangen ist (ist es Ihnen zugegangen? Ich hätte gerne Nachricht darüber) jetzt nicht mehr unmittelbar benötige. Es kamen beim Korrekturenlesen des ersten Bandes ein paar Momente, wo ich das Bedürfnis danach hatte, aber es ist nun auch so gegangen, und bis zur Drucklegung des zweiten Bandes brauche ich es nicht. Bitte verwahren Sie das Manuskript gut bei sich.

Ich bin nicht wenig neugierig, wie sich unter den obwaltenden Umständen und denen, die sich erst noch herausstellen werden, das Schicksal unseres ersten Bandes gestalten wird. So lange dieses Schicksal in der Schwebe ist, denke ich natürlich nicht daran, die deutsche Buchausgabe des Wagner-Essays zu veranstalten. Sie haben bisher noch grundsätzlich an der Absicht festgehalten, diese Ausgabe zu bringen. Ob es aber je dazu kommen kann, scheint mir oft zweifelhaft, und ich möchte Ihnen doch nahe legen, mir den kleinen Band für eine andere Verwendung frei zu geben, nicht für sogleich, wie ich schon betonte, aber für einen geeigneten Zeitpunkt, der für Sie vielleicht niemals kommen wird. Ich schrieb Ihnen schon, daß Rascher in Zürich sich dafür interessiert, und auch sonst gibt es ja mancherlei Möglichkeiten. Ich bin schließlich darauf angewiesen, aus meinen Arbeiten Nutzen zu ziehen, und auch aus geistigen Gründen hätte es auf die Dauer keinen Sinn, es bei dem »Rundschau«-Vorabdruck sein Bewenden haben zu lassen. Sagen Sie mir also doch, ob Sie nicht in der Voraussicht, daß Ihre eigenen Umstände unverändert bleiben, auf dieses Objekt lieber verzichten wollen!

Meine Frau läßt bitten, daß baldmöglichst an Fräulein Maria Kurz, Poschingerstr. 1 in München tausend Mark überwiesen werden möchten. Ferner fragt sie an, ob nochmalige Einsendung der Dokumente zweckmäßig wäre.

Mit herzlichen Grüßen von uns allen an Sie und Ihr Haus

Ihr Thomas Mann

Berlin W 57, Bülowstr. 90
3. August 1933.
Lieber, sehr verehrter Herr Professor!

Das Manuskript des »Joseph«-Romans ist gestern bei uns eingegangen und sofort als versicherte Wertsendung an Sie weitergesandt worden. Ich wollte es Ihnen gerade heute bestätigen, als Ihr Brief eintraf. Bitte bestätigen Sie mir den Eingang des Manuskripts.

Wegen des Wagner-Essays habe ich soeben noch einmal mit Herrn Fischer gesprochen. Wollen wir nicht die endgültige Entscheidung dieser Frage bis nach Erscheinen des ersten Bandes aufschieben? Es läßt sich im Augenblick alles so schwer übersehen, und es wäre doch denkbar, daß wir nach dem Erscheinen des Romans gerne an die Herausgabe des Wagner-Essays gehen würden. Sollte das nicht der Fall sein, so werden wir Ihnen selbstverständlich keine Schwierigkeiten machen, obgleich auch dann noch die Frage offenbleibt, ob ein Erscheinen in einem ausländischen Verlag im Interesse des Romans empfehlenswert erscheint.

Der Bitte Ihrer Frau haben wir sogleich entsprochen.

Die Rücksendung der kleinen Bücher scheint mir im Augenblick nicht viel Zweck zu haben.

Für Ihre freundlichen Worte am Anfang Ihres Briefes danke ich Ihnen sehr herzlich. Sie wissen, aus welchen Gefühlen heraus ich Ihnen geschrieben habe und Ihnen schreiben mußte. Wenn Sie sich anders entschlossen haben, so bin ich zwar recht traurig darüber, aber ich war mir immer darüber klar, daß Sie sich immer nur nach Ihrem eigenen Gefühl entscheiden können und dürfen. Am allerwenigsten wage ich zu entscheiden, was das richtige ist. Beide Möglichkeiten lassen sich nur gefühlsmäßig beurteilen. Wir sind alle sehr glücklich darüber, daß Sie sich wohlfühlen und uns die nicht ganz freiwillige Entscheidung in der Zeitschriftenfrage nicht verübelt haben. Seien Sie und die Ihren vielmals gegrüßt von

Ihrem Bermann Fischer

Grunewald, Erdenerstr. 8
18. Aug. 33

Verehrter lieber Herr Professor!
Schon lange wollte ich Ihnen schreiben und Ihnen sagen, wie
sehr wir, trotz des für uns betrübenden Entschlusses, Ihren
letzten Brief bewundert haben. Es ist immer ein schöner Anblick und tut dem Schwächeren wohl, Charakterfestigkeit und
männliche Reife feststellen zu dürfen und sich daran aufzu-
richten. Wenn wir auch nicht in allem Ihrer Meinung sind, so
verstehen und begreifen wir Ihre Argumente, wenigstens vorläufig. Hoffentlich werden die Zeitläufte helfen vieles zu mildern und dadurch auch Ihre Entschlüsse und Ideen zu beeinflussen.
Ich habe gerade den »Jaakob« noch einmal beendet; wieder
mit großer Freude, wenn auch etwas zaghaft unter dem völlig
veränderten Vorzeichen, das einen, besonders im Hinblick auf
die Wirkung bei dem Leser unwillkürlich beeinflußt. Sie werden verstehen, daß meine durch Nicht-Arier-Paragraphen
sicherlich gesteigerte Empfindlichkeit sich an einigen Stellen
verletzlich zeigt, die für die Urväter des H. A. nicht gerade
schmeichelhaft oder vorteilhaft sind. Ich kann mir gar kein
Bild machen, wie dieses große Werk jetzt wirken wird, ob man
seine Macht auf die Gemüter spüren, seine Schönheiten genügend würdigen wird. Und ich gestehe, daß ich darüber ein
wenig bange und zaghaft bin, in der Furcht, das große Werk
könnte zur unrechten Zeit kommen und noch unvollständig
nicht die seinem Wert gebührende Aufnahme finden; was doch
nach den großen Hoffnungen, die mit Recht darauf gesetzt
werden, nach der langen Zeit des Schaffens an dem Werke sehr
beklagenswert wäre. Aber vielleicht bin ich zu zaghaft. Wenn
der Leser sich an den schwierigen ersten Einführungskapiteln
hindurchliest zu den wohl für die Meisten zugänglichen großen
Schönheiten der Rahel-Begegnung, der ganzen Rahel-Geschich-
te, der Hochzeit, der Geburt Jehosephs, des wunderbaren
Todes-Kapitels, dieses rührenden Verlöschens, so wird er wohl
auch den köstlichen »Erdenkloß« mit seinen zweifelhaften
Geschäften in den Kauf nehmen und die Dina-Geschichte! Ein
starkes Stück!
Allerdings das Bücherverkaufen liegt ganz darnieder, hoffen

wir, daß beim Einsetzen des Herbstes im Hinblick auf Weihnachten sich das bessert; vielleicht gelingt es auch dem »Segensmanne« wieder Segen zu bringen.

Hoffentlich haben Sie weiter einen schönen, nicht zu heißen Sommer im Kreise der Ihren u. der St. Cyr- u. Sanary-Freunde, wovon uns das »Cusinchen« berichten soll, wenn sie erfrischt und erholt zurückkehrt. Hat mein Neffe für Saul die Laute, oder vielmehr das Cello – geschlagen?

Wir haben den stillen Sommer zu Hause genossen, jetzt herbstelt es schon etwas sehr früh; aber die Berliner Sommerlüfte sind uns alten Leuten doch nicht so sehr bekömmlich offenbar; denn Kinder und Umgebung behaupten, wir hätten schon wieder Auffrischung u. stärkere Lüfte nötig. Ich denke aber, wir warten, wenn möglich, auf den wirklichen Eintritt des Herbstes; mein Mann, der schon wieder mit Chatarrhen beginnt, sollte eigentlich im 74. Lebensjahre die schlechte Jahreszeit im Süden verbringen, der ihn u. sein Ohr doch sehr schützt.

Trotz abnehmenden Gehörs u. auch sonstiger Kräfte, ist er täglich im Bureau u. wälzt Pläne, ob sie ausführbar sind, ist eine andere Sache.

B's sind tüchtig und fleißig u. unterstützen uns u. die Kleinen sorgen für Freude u. Sonnenschein.

Viele Grüße Ihrer l. Frau, die ich beneide – sagen Sie ihr das – um die wohlverdienten Worte, die Sie ihr u. ihrem segensreichen Tun widmeten.

Grüße Ihnen besonders, den Kindern u. den gemeinsamen Freunden.

Ihre Hedwig Fischer

Sanary den 19. VIII. 33

Lieber Dr. Bermann,

besten Dank für Ihre freundlichen Zeilen vom 15ten. Eben habe ich die Revision der umbrochenen Bogen abgeschlossen und war von Rahels Tod wieder gerührt wie beim Schreiben. Es ist doch manches Schöne und Merkwürdige in dem Band, z. B. der Segensbetrug und Jaakobs Hochzeit. Dies Kapitel las ich neulich abends im Garten vor: etwa 20 Personen hörten zu, und die kleine Terrasse vor meinem Zimmer diente als Podium. Man schien sehr angetan. Auch das gefürchtete

»essayistische« Vorspiel ist in seiner Art nicht so übel. Den
dunklen Punkt bilden eigentlich die späteren Teile des Ersten
Kapitels. Aber ich wußte es nicht mehr zu verbessern.
Habent sua fata – Ich fürchte die Fata dieses Libells werden
recht bewegt sein, und manchmal staune ich über die – scheinbare – Ruhe und Zuversicht, mit der Sie ihnen entgegensehen.
Ruhe, nun ja. Aber Zuversicht? Zuweilen frage ich mich: Was
denkt er sich eigentlich? Aber dann tue ich auch wieder, als
ginge alles normal und stelle z. B. Überlegungen an in Sachen
der Ausstattung, des Einbandes, wegen dessen ich Sie interpel-
lieren wollte. Soll es einfach bei der äußeren Eingliederung in
die »Gesamtausgabe« bleiben, die ja eigentlich nur in ihrer
10bändigen, bezifferten Gestalt eine solche ist, außerdem aber
noch als offene Reihe existiert? Im Gespräch haben wir für
diesen Roman eine besondere Form erwogen, allerdings nur
für den Fall der Veröffentlichung des Ganzen auf einmal; aber
auch jetzt noch sage ich mir, daß es fast schade wäre, die
dekorativen Möglichkeiten, die das Objekt bietet, ungenutzt
zu lassen. Sie haben nicht an eine Extra-Ausstattung gedacht?
Für einen Zeichner von Phantasie und Sinn fürs Symbol hätte
eine solche gewiß ihre Reize. Allein schon mit hebräischer
Schrift wäre manches anzufangen – יוֹסֵף , so ungefähr sieht der
Name Joseph aus, und יעקב , das ist »Jaakob«, ungeschickt
geschrieben. Ich fürchte nur, es sieht gleich nach koscherem
Restaurant aus. Trotzdem überlegen Sie sich die Frage vielleicht einmal grundsätzlich und sagen mir, ob auch Sie geneigt
sind, von Leier und Bogen einmal abzuweichen.
Hat Herr Loerke die Abfassung des Propaganda-Resumées
freundlichst übernommen?
Viele Grüße!   *Ihr T. M.*

TM an GBF   [Sanary-sur-Mer
                                               undatiert; vermutlich
                                               24. August 1933]

[Kurierbrief; ohne Anrede]
Erst vor ein paar Tagen habe ich Ihnen geschrieben – recht
überflüssiger Weise eigentlich, denn die Frage, die ich erörterte
war wohl im Voraus gelöst, für den Fall nämlich, daß die
Hauptfrage: Lassen wir den Band jetzt in Deutschland erschei-

nen oder nicht? ihre positive Lösung findet. Sie scheint sie gefunden zu haben; aber soll es dabei bleiben? Ich will die Gelegenheit benutzen, Sie noch einmal, im letzten Augenblick, mit allem Ernst auf die Unvernünftigkeit, ja Unsinnigkeit des Unternehmens hinzuweisen. Gestern habe ich der Cousine den Gedankenkomplex entwickelt und sie um Übermittlung gebeten. Heute morgen, in der Stunde, die mir die Nachricht von der Beschlagnahme unseres Münchner Hauses brachte, scheint mir der mündliche Auftrag zu leger, und [ich] will auch noch schreiben.

Überlegen Sie alles noch einmal, und Sie müssen finden, daß es fast illusorisch wäre, in diesem Augenblick mit diesem Buch, nämlich dem ersten Bande, hervorzutreten. Frau Fischer, deren so freundschaftlich empfundener Brief mir viel zu denken gab, wenn auch nur Dinge, die ich selbst oft gedacht, hat ganz recht: Als Judenbuch, wenn auch von einem »Arier«, gerade weil von einem »Arier«, ist der Roman eine Herausforderung. Auf der anderen Seite ermöglicht seine Ironie sogar eine antisemitische Ausbeutung. Das ist die erste Schiefheit, aber es ist die geringste, obgleich sie zu dem Grauen beiträgt, mit dem man der »Presse« entgegensehen muß – sie wird in zwei, drei günstigsten Fällen gewunden, in der großen Mehrzahl der Fälle giftgeschwollen und für das Buch vielleicht ruinös sein – ein noch lange nicht abgeschlossenes Werk! Genau den Augenblick suchen wir uns für die Publikation, wo in Deutschland die Mine springt, mein Außenbleiben bekannt wird, die Konfiskation meines Gutes, meine Ausfluchung, vielleicht Verurteilung – man weiß, vielleicht im Stil der Wagner-Aktion mit Pauken und Trompeten – erfolgt. Es ist Wahnsinn. Läßt man Ihnen die Veröffentlichung überhaupt durchgehen und kauft das Publikum den Band der Kritik zum Trotz, die ihn aber sehr wohl zu Tode hetzen kann – wie wollen Sie mich honorieren? Das Geld wird Ihnen weggenommen werden, und Sie können doch nicht zweimal zahlen! Haben Sie den Beginn der Veröffentlichung nicht immer nur gewünscht unter der Voraussetzung, daß ich zurückkehren würde? Da ich das nicht kann (ich könnte es nicht, auch wenn ich wollte, ich habe es jetzt schwarz auf weiß), – wie wollen Sie auf dem Vorhaben bestehen?

Frau Fischer hat ganz recht mir ihrer Sorge, »das große Werk könnte zur unrechten Zeit kommen und, *noch unvollständig*, nicht die seinem Wert gebührende Aufnahme finden; was doch nach den großen Hoffnungen, die mit Recht darauf gesetzt werden, und nach der langen Zeit des Schaffens an dem Werke, sehr beklagenswert wäre.« So schreibt sie. Sie wissen, daß ich die stückweise Veröffentlichung im Grunde nie gewollt habe. Noch heute wäre es mir das Liebste, wenn ich Frist bekäme, das Ganze erst fertig zu machen, um es *als Ganzes* übersehen und über seine Erscheinungsform entscheiden zu können. Aber ich will so weit nicht gehen: Die Übersetzungs-Verleger haben Anzahlungen gemacht, sie wollen mit dem Bande herauskommen, zum Teil mit größter Überzeugung (der ungarische Übersetzer schrieb mir neulich einen begeisterten Brief); und es wird ja auch recht schön und erfreulich sein, wenn gerade jetzt der Einleitungsband eines großen, von der Zeit unberührten Werkes von mir erscheint – aber *draußen* erscheint, wo er zwar nur auf eine beschränktere Publizität, dafür aber auf Wohlwollen, freie Empfänglichkeit rechnen kann, während *drinnen* in ihm das Ganze, wovon er ein Teil ist, Gefahr liefe verschimpfiert und zertreten zu werden.

Mit einem Worte: *überlassen Sie das Buch Querido* – Sie geben es damit ja nur gewissermaßen, nicht ganz und nicht für immer, eigentlich nur dem Namen nach aus der Hand! Bei ihm könnte das Erscheinen ein schönes, freundliches Ereignis sein, während es heute in Deutschland ein düsteres, fragwürdiges und widersinniges wäre.

Bitte, überlegen Sie alles noch einmal im letzten Augenblick! Ich vermute fast, daß Ihnen, was ich Ihnen da sagte, nur allzu vertraut ist, und daß es nur dieses Anstoßes von meiner Seite bedarf, um Sie zu dem Entschlusse zu bringen, den ich einzig gutheißen könnte.

Berlin W 57, Bülowstr. 90
Den 25. August 1933.

Lieber, sehr verehrter Herr Professor!
Ich danke Ihnen herzlich für Ihren Brief vom 19. 8., Sie haben offenbar in den Fahnen übersehen, daß die Ausstattung des Schutzumschlages Herrn Walser übertragen wurde. Wir sind

uns bewußt, daß wir damit ein Experiment machen. Ob wir die Zeichnung von Walser verwenden werden, hängt davon ab, wie sie ihm gelingt. Da ja Illustrationen zu dem Thema existieren, die nicht zu übertreffen sind, haben wir vorgesehen, falls Walser versagen sollte, eine Rembrandtsche Handzeichnung auf den Schutzumschlag zu nehmen, etwa dieses wundervolle Blatt von »Jaakobs Traum« oder von der »Opferung Isaaks«. Ich gebe zu, daß diese Idee nicht sehr originell ist, aber es zeigt sich, daß es unter den in Erwägung zu ziehenden Zeichnern keinen gibt, der fähig wäre, eine Ihrem Werk adäquate zeichnerische Ausstattung zu schaffen.

Wenn die Walserschen Skizzen eintreffen (man weiß leider bei ihm nie, ob er rechtzeitig fertig wird), werden wir Ihnen, wenn die zeitliche Möglichkeit besteht, die Skizzen zeigen.

Was den Einband anbetrifft, so muß folgendes erwogen werden: Ist mehr Rücksicht zu nehmen auf die Besitzer der zehnbändigen Ausgabe, die großen Wert darauf legen werden, Ihr neues Werk in den Bestand der Gesamtausgabe aufzunehmen, oder steht die propagandistische Wirkung des Einbandes im Vordergrund, unabhängig von den Wünschen des Kerns Ihrer Leser. Ich glaube, daß wir uns unter den heutigen Umständen nach den Wünschen der Gesamtausgaben-Besitzer richten müssen und daß es deshalb ratsam erscheint, den Einband der Gesamtausgabe zu wählen. Die propagandistische Wirkung wird durch die Ausführung des Schutzumschlages, der ja zunächst sichtbar wird, erreicht werden. Auf die hebräische Schrift, wenn auch nur als dekoratives Element, möchten wir aus nicht allzu fern liegenden Gründen doch lieber verzichten.

Über die voraussichtliche fata des Libells kann ich heute zwar nicht viel mehr, aber etwas mehr aussagen. Die Reisenden sind seit einigen Tagen unterwegs. Es zeigt sich, wenn man aus den wenigen Firmenbesuchen, die bisher gemacht wurden, schon einen Schluß ziehen will, daß die Vorbestellungen als recht gut zu bezeichnen sind und daß der Buchhandel mit einer gewissen Sympathie an die Sache herangeht. Wir haben heute, nach etwa acht Reisetagen, in denen ca. 40 Buchhandlungen besucht wurden, bereits 1400 Vorbestellungen. Von einer Ablehnung durch das Sortiment kann also keine Rede sein. Nur ist, besonders in der Provinz, eine gewisse Unsicherheit bemerkbar.

Eine andere Frage ist es, wie die Kritik reagieren wird, und ob insbesondere die Kritik der Zeitungen wie »B. T.«, »Voss«, »Frankfurter Zeitung« etc. den Mut finden wird, sich voll und ganz einzusetzen. Aber auch hier scheint mir z. B. die gewisse Bereitwilligkeit der »Vossischen Zeitung«, Teile des Romans abzudrucken, darauf hinzuweisen, daß man zum mindesten den besten Willen hat. Wieweit nun ganz von oben her freundlich oder feindlich Stellung genommen werden wird, entzieht sich unserer Kenntnis, und wir haben es auch für richtig gehalten, keine diesbezüglichen Anfragen dorthin zu richten.

Wenn ich alle diese Ergebnisse und Überlegungen zusammenfasse, könnte man sagen, daß viele Argumente dafür sprechen, das Buch jetzt herauszugeben, diejenigen Argumente aber, die dagegen sprechen, auch im Frühjahr noch bestehen werden und wahrscheinlich auch im nächsten Herbst, daß also ein Verschieben des Buches ziemlich sinnlos wäre.

Es ist also wohl richtig, die Libelle fliegen zu lassen.

Ich mache mir insgeheim etwas Vorwürfe, daß ich Ihnen nichts mehr über Ihr Buch geschrieben habe. Ich schrieb Ihnen vor fast einem Jahr unmittelbar nach dem ersten Eindruck. Aber ich muß Ihnen nun, anknüpfend an Ihre Bemerkung von dem gefürchteten essayistischen Vorspiel, sagen, daß ich gerade dieses Vorspiel besonders liebe und damals eine kleine Betrachtung darüber verfaßt habe, die eigentlich für Sie bestimmt war. Ich habe sie nach der ersten Lektüre niedergeschrieben. Sie empfinden vielleicht ein wenig den tiefen Eindruck, den sie hinterlassen hat. Ich lese den ersten Teil jetzt wieder in den Bogen und habe das Gefühl, ein klassisches Werk zu lesen, vor dessen Vollendung jede Kritik verstummen muß.

Mit sehr herzlichen Grüßen an Sie und Ihre Familie

Ihr Bermann Fischer

Anlage: 1 Broschüre, die Sie in ihrer allgemeinen Haltung interessieren wird.

[Beilage]

Das Vorspiel in seiner unergründlichen Vielschichtigkeit verstrickt den Leser in ein magisches Netz, in das er immer tiefer hineingerät, je mehr er sich bemüht, jeden Sinn des wie die Geschichte selbst verschlungen – gewunden – unergründlich Geformten zu enträtseln. Die majestätische Urgröße der Zeit wird wie unter Nebelschleiern der Vergangenheiten erahnbar; zugleich zusammengezogen in das menschlich Erfaßbare wird sie, durch Josephs kindlich weise Augen gesehen, wiederum ganz nahe gebracht, daß man zu ihr in ein Verhältnis gerät, etwa wie ein Kind, das mit einem riesengroßen, gutmütigen Bernhardiner furchtlos spielt. Ein tiefes Weltgefühl strömt aus dieser Dichtung von der Unendlichkeit und Endlichkeit der Zeit, von der Größe und Kleinheit des Menschengeschlechts, von der ununterbrochenen Kette der Überlieferungen und dem immer gleichen Kampf der Seele.

Wie sich dann aus diesem magischen Netz die eigentliche Erzählung in ihrer malerischen Ruhe entwirrt, ist hinreißend. Wie ein Maler setzt Thomas Mann Zug für Zug die Gestalten und Landschaften aneinander, bis sich alles, oft überraschend, zu einer geschlossenen Kompostition zusammenfügt. So entsteht das lebensvolle Bild einer vergangenen Epoche, angefüllt mit den uns vertrauten Gestalten, die uns in ihrer Menschlichkeit ganz nahe kommen, weil sie durchschaubar werden in ihren Schwächen und ihrer Größe. Und trotzdem verlieren sie nichts von dem Geheimnisvollen ihrer mythischen Existenz. Denn immer wieder kehrt, als Motiv, das schon im Vorspiel angeklungen war, die Fragwürdigkeit aller Geschichtsforschung und aller Erkenntnis wieder und umgibt Gestalten und Landschaft mit dem Schimmer des Ewigen.

Dieses: die scheinbare Realität, die immer wieder ins irreal Unfaßbare entgleitet, gibt dem Werk den eigentümlichen Klang, der es, bald deutlicher, bald ganz verschwindend vor einer in den Vordergrund tretenden Schilderung, einer Gestalt, einem erregenden Vorgang, begleitet. In der Vollendung dieses Doppelspiels liegt, neben dem Reichtum der Sprache, die schöpferisch ist, wie noch in keinem Werke Thomas Manns, seine besondere Bedeutung als Kunstwerk wie im geschichtsphilosophischen Sinn.

Lieber Herr Professor!

Die Einwände, die Kusinchen heute überbrachte, haben wir natürlich alle schon selbst erhoben und durchdacht. Sie erledigen sich durch die eine Tatsache, daß nämlich Knopf – Secker – Jespersen etc. noch in diesem Herbst resp. im kommenden Frühjahr mit dem Werk herauskommen. Geschieht das, ohne daß das Werk hier erscheint, so gibt es auf alle Fälle einen Eklat. Die Gegenkritik wird um nichts weniger scharf sein, im Gegenteil, sie wird noch um einige Argumente reicher losziehen, und die Wohlwollenden und Objektiven können sich nicht mehr zu Worte melden, denn Sie hätten ihnen den Boden unter den Füßen weggezogen. Sie selbst aber machen damit einen endgültigen Schritt, der Ihnen nicht verziehen wird und die vielleicht jetzt mögliche, wenn auch nur äußere Lösung (Kapitalfluchtsteuer) ganz unmöglich macht.

Wenn künstlerische Bedenken bestehen, eine derartige Begründung scheint uns die einzig stichhaltige zu sein, dann müßten Sie sich konsequenterweise entschließen, das Erscheinen im Ausland ebenfalls vorläufig zurückzustellen. Wenn das Buch bei Querido erschiene, wäre überhaupt alles aus, Ihre Hoffnung, daß es dort ein »schönes freundliches Ereignis« wäre, ist ganz irrig. Querido als Verleger so vieler Ausgebürgerter kommt nicht mehr in Frage. Ihr ganzes Werk wäre mit einem Schlag durch einen solchen Schritt hier unmöglich gemacht.

In diesem Zusammenhang ist erwähnenswert, daß wir in den letzten Wochen verkauft haben:

700 »Buddenbrooks«	(letzte Woche	362)	
5000 »Tonio Kröger«	"	"	124
70 »Erzählende Schriften«	"	"	27
90 »Zauberberg«, 2 Bände	"	"	17

Wollen Sie das alles durch einen solchen Schritt zerstören? Denken Sie doch an Ihre deutschen Leser hier. Es kommt noch hinzu, daß wir mit den Propaganda-Vorbereitungen soweit gediehen sind, daß ein Rückzug bereits auffällig wäre und nicht ohne gewisses Aufsehen.

Durch die neuerlich erfolgte Bezifferung der Steuerforderung scheint mir der erste Schritt zu der vorher erwähnten äußeren Lösung getan, der schließlich auch dazu führen wird, daß wir Ihnen die Honorare ganz regulär auszahlen können, da sie durch die Erledigung der Steuerangelegenheit Auslandsdeutscher geworden wären und die Verhältnisse völlig klar liegen würden. Es ist anzunehmen, daß Heins durch Verhandlungen zu einer erträglichen Summe gelangen kann.

Daß wir alle geschäftlichen Gründe hinter Ihre künstlerischen Bedenken zurückstellen, ist selbstverständlich. Wir sind uns durchaus bewußt, welche außergeschäftlichen Risiken bestehen, aber diese müssen gerade bei der Bedeutung Ihrer Person und Ihres Werkes getragen werden, wenn Sie selbst das Erscheinen im Ausland zulassen. Da die Entscheidungen darüber bereits gefallen sind und wir, wie gesagt, bisher ganz gute Erfahrungen gemacht haben, soweit man die in meinem letzten Brief erwähnten schon bewerten will, sollte es, wie wir meinen, nun auch bei dem einmal gefaßten Entschluß bleiben.

Mit herzlichen Grüßen   *Ihr Bermann Fischer*

Sanary, den 31. VIII. 33

Lieber Dr. Bermann,

von den beiden Briefen, für die ich Ihnen zu danken habe, hat der erste mich tief gerührt durch die weit über's geschäftlich-verlegerische hinausgehende, warm verständnisvolle Anteilnahme an meiner Arbeit, die er — unmittelbar und in der Beilage — bekundet, und die auch der Ablehnung meiner auf dem Kurierwege vorgebrachten Argumente eine tiefere ideelle Berechtigung verleiht. Gut also, ich werde Ihnen keine Schwierigkeiten mehr machen, werde nichts mehr sagen und die Dinge gehen lassen wie sie wollen und können. Möchten sie erträglich gehen für alle Beteiligten! Heute gilt das Wort: »Wie man's macht, ist es falsch.« Wenn man nun aber bis dahin ein »Segensmann« und gewohnt war, daß es richtig war wie man's machte, so ist diese neue Lage anfangs etwas verwirrend. Aber man gewöhnt sich daran.

An den Schutzumschlag hatte ich garnicht gedacht. Er bietet ja alle Möglichkeiten, an die ich dachte, und ist die Lösung der Frage. Ich bin neugierig, was Walser leisten wird. Versagt er, so wäre ein Rembrandt-Bild mir hochwillkommen, denn mehr als einmal habe ich gerade bei diesem Bande an Rembrandt denken müssen.

Eine ganz besondere Freude haben Sie mir mit der Broschüre von Barth gemacht. Was für ein *braver* Mann! Ist ihm denn nichts geschehen? Wie ist das möglich? Und in München ist das erschienen! Erstaunlich! Ich habe außer den Ihren noch viele Striche an den Rand gesetzt. Wenn je das Predigerwort »erbaulich« am Platze war, so hier. Alles ist natürlich unter dem theologischen Gesichtspunkt, von einem Gottesmann, gesagt und gemeint; aber alles ist übertragbar ins allgemein Geistige, auch auf die Kunst, und man hat das Gefühl, der Verfasser habe gegen solche Übertragung und solches Symbolischnehmen nichts einzuwenden.

Für die Besorgung der Bücher danken wir auch noch bestens. Ich freue mich besonders über die schöne Poe-Ausgabe. Ich hatte plötzlich einen starken Appetit bekommen, ihn wieder zu lesen.

Viele Grüße Ihnen Allen.   *Ihr T. M.*

Berlin W 57, Bülowstr. 90
Den 19. September 1933

Lieber, verehrter Herr Professor!
Für Ihre Offenheit in Ihrem letzten Brief bin ich Ihnen herzlich dankbar. Ich bewundere Ihre Haltung und bin überzeugt, daß sie die richtige und Ihnen gemäße ist. Glauben Sie mir, daß man es Ihnen dankt und danken wird.

Ich kann Ihnen versichern, daß unsere Lage, in die wir durch die unverantwortliche Haltung des »Sammlung«-Herausgebers gebracht worden sind, um nichts weniger »widerwärtig« ist als die Ihre. An den Gefühlen mit denen wir darangehen mußten, bei Ihnen und den anderen Autoren zu intervenieren, darf bei Ihnen kein Zweifel sein. Es ist furchtbar für uns draußen vielleicht den Eindruck zu erwecken, als hätten wir umgeschaltet. Ein widersinniger Gedanke. – Wir halten eine Position, die zu halten uns wert und wichtig erscheint; wie lange das möglich sein wird, kann kein Mensch beurteilen und voraussagen. Jedenfalls sehen wir eine wichtigere und wirkungsvollere Aufgabe denn je darin, Ihrem Werk zu dienen.

Man mag draußen die allgemeine Situation besser beurteilen und klarer übersehen können, die verheerende, ganz und gar negative Wirkung dieser leider ganz unfundierten Artikel jedoch, wie sie in der ersten Nummer der »Sammlung« zu finden sind, sehen *wir* besser, sehen, wie eine Position nach der anderen durch derartige Dinge gefällt wird und bekommen es zu spüren.

Einzig und allein das Werk und die Leistung sind es, die hier überzeugen und wirken können. Die öffentliche Polemik wirkt nur, wenn sie nicht von den Emigranten und vor allem nicht von Juden kommt. Diese aber sollten sich von diesen Dingen fernhalten, damit sie nicht jedem Hetzblatt und jedem Hetzer hier die Möglichkeit geben, immer wieder neue Schmutzkübel über uns auszuschütten. – Deshalb kann ich nichts Schimpfliches und nichts Klägliches darin finden, wenn Sie von dieser Sache, für die Sie Ihren Namen unter bestimmten Voraussetzungen gegeben haben, abrücken, wenn sich diese Voraussetzungen als falsch erweisen.

Es war eine grandiose Kurzsichtigkeit von K., seine Aufgaben auf einem Gebiet zu suchen, für das er nicht zuständig und nicht berufen ist. Er hat damit den ursprünglich begrüßenswerten Plan von vornherein diskreditiert. Ich hoffe, daß der Schaden, den er angerichtet hat, nicht größer wird als bisher. Die Zeitschrift wurde von der Geheimen Staatspolizei dem Propagandaministerium und dem Innenministerium vorgelegt. Dort ist noch nichts entschieden worden. Ich weiß aber, daß man sie im Auge behält, und vor scharfen Maßnahmen gegen die Mitarbeiter nicht zurückschrecken wird.

Dies alles zum Verständnis unserer Lage. Ich kenne die Ihre in dieser Sache und weiß sehr wohl, in welche Schwierigkeiten ich Sie durch meine Forderung brachte. Aber es steht zu viel auf dem Spiel. Ich muß etwas in der Hand haben, um das Schlimmste zu verhüten. Bis jetzt habe ich das Material nicht benutzt, und ich werde es auch nicht benutzen, wenn ich nicht durch die Umstände gezwungen werde. Sie können sich darauf verlassen, daß ich keinen unnötigen Gebrauch davon machen werde. Ich bin mir voll bewußt, wie unangenehm ein unvorsichtiger Schritt für Sie, aber auch für uns außerhalb Deutschlands wirken kann.

Da Sie, wie ich aus Ihrem Brief ersehe, Ihre Namen aus der

Mitarbeiterliste zurückgezogen haben, kann man hoffen, daß
die Angelegenheit überhaupt erledigt ist.

Wir freuen uns, Sie bald in größerer Nähe zu wissen und hoffen Sie bald in Zürich sehen zu können. Fischers werden im
Laufe des Oktober dort durchkommen.

Mit herzlichen Grüßen von mir und meiner Frau an Sie alle

Ihr Bermann Fischer

P.S. Der Roman erscheint am 5. Oktober, die Walserskizze
schien uns sehr gelungen.

Dürfen wir das »Bunte Kleid« im Almanach nachdrucken?

Zürich, den 26. ix. 33

Lieber Dr. Bermann,

ich habe lange nichts von Ihnen gehört, sehe aber ein, daß
mein letzter Brief eigentlich keiner Antwort bedurfte. Ich hoffe,
daß bei Ihnen die Stimmung trotz einiger Zwischenfälle, von
denen ich hörte, leidlich zuversichtlich ist, und daß meine Rückäußerung auf Geheimr. Saengers Telegramm Sie nicht ganz
unbefriedigt gelassen hat. Meine Spannung, wie wohl unsere
Angelegenheiten verlaufen werden, ist natürlich groß.

Heute habe ich Ihnen von folgender, mir sehr wichtiger Sache
Mitteilung zu machen. Die Schweizerische *Büchergilde*, deren
Abonnenten-Publikum sich aus etwa 24 000 ausschließlich
schweizerischen Kleinbürgern und gehobenen Arbeitern zu-
sammensetzt, möchte die »Geschichten Jaakobs« unter ihre
diesjährigen Verlagswerke aufnehmen. Sie hat vor, 6–8000
Exemplare, natürlich ausschließlich für ihre Mitglieder bestimmt, davon zu drucken, und die auf mich entfallende Ho-
norarantièmе würde etwa 4 bis 5000 frs. betragen, eine Summe, die einen erheblichen Teil meines Jahreseinkommens ausmacht und auf die ich unter den heutigen Umständen nicht
verzichten kann. Ich habe dem Vorschlag der Büchergilde zugestimmt, vorbehaltlich Ihrer Einwilligung, auf die ich aber
mit größter Bestimmtheit rechne. Es steht absolut fest, daß
nicht ein einziges Mitglied dieser geschlossen schweizerischen
Klein-Leute-Vereinigung als Käufer Ihrer Ausgabe des Romans
in Betracht kommt, und eine Schädigung Ihrer Interessen ist
also vollkommen ausgeschlossen. Andererseits wissen Sie, daß

45

ich bedeutende Angebote, die mir für das Buch von ausländischen Verlagen gemacht wurden, aus altem Zugehörigkeitsgefühl und damit der Roman in Deutschland erscheine, ausgeschlagen habe, was wohl auch eines Entgegenkommens – gefahrlos wie es ist – von Ihrer Seite wert ist. Verzeihen Sie den Hinweis, er ist wohl überflüssig. Und ebenso überflüssig ist es, noch einmal meine so gründlich veränderten Verhältnisse zu betonen, in denen eine Summe Geldes, wie die hier angebotene, schwer ins Gewicht fällt, – sie macht weit mehr als die Halbjahrsmiete aus, die wir für das Haus in Küsnacht zu zahlen haben.

Die Büchergilde würde den Band am liebsten, nach ihrer Gewohnheit, selber drucken. Es käme aber auch, wenn Sie das vorziehen, eine käufliche Erwerbung der losen Bogen von Ihnen in Betracht, wobei aber, bei den knappen Kalkulationsmöglichkeiten des Verlages, Voraussetzung wäre, daß Sie keine hohe Forderung stellen, sondern sich mit dem Selbstkostenpreis begnügen. Mir persönlich wäre dieser Modus ganz sympathisch. Es wären dann einfach 6–8000 Exemplare der Bücher gleich in festen Händen.

Die Sache ist dringlich, und so bitte ich Sie, lieber Dr. Bermann, mir Ihre Zustimmung baldigst zukommen zu lassen. Auch wäre ich für die Übersendung eines vollständigen Exemplars der Aushängebogen dankbar. An Gallimard ist hoffentlich ein solches schon abgegangen. Da wir morgen in das Haus überzusiedeln denken, adressieren Sie, bitte, Ihre Antwort schon: Küsnacht bei Zürich, Schiedhaldenstraße 33.

Die besten Grüße

Ihres Thomas Mann

Küsnacht b. Zürich, den 28. ix. 33
Schiedhaldenstr. 33

Lieber Dr. Bermann,

Ihren Brief vom 19. habe ich gestern bei unserem Einzuge hier richtig erhalten. Wir haben ihn aufmerksam gelesen, stimmen nicht ganz überein, wissen aber Ihren Standpunkt zu würdigen.

Ich schreibe heute wegen einer ärgerlichen Sache, die mir gerade vorgekommen ist. Am 10. September ist, wie ich höre, in

den »New York Times« ein Interview erschienen, das ein Herr
David Ewen in Sanary mit mir gehabt haben will und das ich
schon, mit dem größten Erstaunen, in einer New Yorker jüdischen Monatsschrift gelesen hatte. Ich habe beiden Blättern erklärt, daß es sich um eine Fälschung handelt und bitte auch Sie
für alle Fälle von dieser Tatsache Kenntnis zu nehmen. Ewen,
Musikschriftsteller seiner Angabe nach, hat sich als Verehrer
meiner Arbeit bei mir eingeführt, den es einzig danach ver-
langte, mir einmal die Hand zu drücken. Mit keinem Wort hat
er die Absicht einer publizistischen Ausbeutung unserer Begegnung angedeutet. Auch hat das Gespräch, das er zum Besten
gibt, gar keine Berührungspunkte mit dem wirklich geführten.
Alles, was er mich über das deutsche Regime, den Boykott,
den Zionismus etc. sagen läßt, ist frei erfunden. Er entwickelt
einfach seine eigenen Meinungen und legt sie mir in den
Mund, – wobei ich es ganz kann dahingestellt sein lassen, wie
weit ich mit ihnen übereinstimme. Jedenfalls handelt es sich
um einen höchst unanständigen Mißbrauch freundlich gewähr-
ter Gastfreundschaft. Ich habe das, wie gesagt, den Blättern
mitgeteilt und ermächtige auch Sie, nötigen Falles davon Gebrauch zu machen.
Mit den besten Grüßen   *Ihr Thomas Mann*

P. S. Lassen Sie, bitte, ein Rezensionsexemplar der »Jaakobs-
geschichten« an Herrn Dr. Heinrich Wiegand, Lerici (Spezia),
Italien, gehen. Er hat sehr schön über den Wagner-Aufsatz
geschrieben und ist ein wertvoller Freund.

                              Küsnacht den 2. x. 33
Lieber Dr. Bermann,
Ihren Brief vom 30. erhielt ich heute und sage gleich Dank für
Ihr Entgegenkommen in Sachen der Büchergilde. Ich habe diese
angewiesen, sich sofort mit Ihnen in Verbindung zu setzen
und hoffe auf ein positives Ergebnis.
Das Schreiben des Verlages vom 21. ix. mit dem Prospekt habe
ich schon richtig erhalten und nur, wahrscheinlich infolge der
Arbeitsstockung durch unsere Übersiedelung, die Bestätigung
versäumt. Ich habe, was etwas komisch klingt, gegen den An-
kündigungstext garnichts zu erinnern, und auch den erweiter-

ten Text in der »Rundschau«-Anzeige fand ich sehr schön und solenn.

Nun liegt mir auch die Umschlagzeichnung vor, und sie hat meinen vollen Beifall. Ich finde, sie ist sehr feinfühlig dem Geiste des Buches angepaßt, und auch das Dekorativ-Symbolisch-Unbestimmte der Szene zieht mich an: Man weiß nicht, ist es Abraham mit dem kleinen Isaak oder der seine Geschichten erzählende Jaakob, – jedenfalls ist allgemeine Stimmung darin.

Auf eine friedliche Bereinigung unserer Angelegenheiten in M. besteht nach unseren neuesten Nachrichten nur sehr geringe, wenn überhaupt noch irgend eine Aussicht. Die Zahlungen, zu denen wir bereit sind, werden *verhindert* – einfach weil man sie dem Gläubiger nicht gönnt und selber das Ganze haben will. Es gibt Dinge, auf die man [von] sich aus garnicht käme.

Natürlich wäre es gut, sich wieder einmal zu sprechen – in jeder Hinsicht, und selbst wenn die Lizenz-Affaire keinen zwingenden Anlaß zu der Reise geben sollte, kommen Sie hoffentlich bald einmal durch.

Bestens

Ihr T. M.

Bitte, schicken Sie an A. W. Sythoff in Leiden, Vonjastraat 1, ein Exemplar der rohen Bogen! Ich werde mit der Firma korrespondieren.

Zürich-Küsnacht, 9. x. 33
Schiedhaldenstr. 33

Lieber Doktor Bermann:

Heute kam aus Leipzig in zwei Exemplaren das Buch, überraschend stattlich seinem Umfang nach durch das schöne starke Papier; und die Umschlagzeichnung, die ich Ihnen schon neulich lobte, macht jetzt, da sie eigentlich erst zu ihrer Funktion gelangt ist, einen noch stärkeren Eindruck auf mich; das Monumentale und Geisterhaft-Verwitterte kommt nun noch stärker heraus und wird gewiß eine anziehende Wirkung tun. Ich halte diesen ersten Teil des Werkes, an dem ich so lange trage, nicht ohne eine gewisse Erschütterung in Händen, und meine Neugier, wie er aufgenommen werden wird, ist begreiflicher Weise stärker als wohl in allen früheren Fällen. Möge Ihr relativer Optimismus recht behalten! Als ein ermutigendes Zeichen möchte ich die Besprechung von Franz Horch betrachten, die ich heute gerade in der »Neuen Freien Presse« las.

Nun muß ich auf die Angelegenheit der Büchergilde zurückkommen. Der Verlag teilt mir seine tiefe Enttäuschung mit über das Maß von Entgegenkommen, das Sie in Ihrer Antwort an den Tag gelegt haben. Die Forderung von einer Mark fünfzig pro Exemplar der rohen Bogen ist völlig unannehmbar für ihn. Er selbst macht sich anheischig, das Exemplar für neunzig Rappen herzustellen, wobei er doch den Satz bezahlen müßte, der bei Ihnen vorhanden ist, und, wie er von vorneherein erklärte, wäre es ihm weitaus am liebsten, wenn Sie ihm die Herstellung überließen. Das Äußerste aber, was er bezahlen könnte, wäre einen Franken pro Exemplar, an einer höheren Forderung Ihrerseits müßte die Sache scheitern. Dem gegenüber brauche ich ja nicht zu wiederholen, was ich in meinem ersten Brief gesagt habe und was Ihnen gegen mich persönlich das Entgegenkommen einflößte, über das ich mich dankbar gefreut habe. Sie werden es nun nicht illusorisch werden lassen durch unerfüllbare Forderungen. Da, wie ich schon ausführlich auseinandersetzte, Ihnen kein Schaden aus der Sache entsteht, mir aber ein beträchtlicher Nutzen, so wäre es doch das Einfachste und Natürlichste, wenn die Büchergilde in diesem Falle, wie sie es im Allgemeinen zu halten pflegt, die Herstellung selbst übernähme. Die Sache ist unterdessen sehr dringlich geworden, und ich bitte Sie herzlich, mir oder der Büchergilde so schnell wie möglich Ihre Entscheidung, ich meine, Ihre Zustimmung, zukommen zu lassen.

Mit den besten Grüßen   *Ihr Thomas Mann*

Lassen Sie mir doch, bitte, die beiden Bände der »Gesammelten Novellen« in Leinen zugehen und zwei Exemplare von »Goethe und Tolstoi«. Für alle Fälle gebe ich Ihnen meine Telephonnummer an: Zürich, 911 107.

Küsnacht/Zürich den 19. x. 33

Lieber Dr. Bermann,
ein Leser macht mich auf beifolgende Druckfehler in den »Jaakobsgeschichten« aufmerksam. Ich habe verglichen, er

49

hat in allen Punkten recht, und es wäre sehr gut, wenn für die Neuauflage die Fehler noch richtig gestellt werden könnten.

Die »Gesammelten Novellen«, Bd. I und II, brauche ich, wie gesagt, und ein Exemplar von »Goethe und Tolstoi«.

Meine Schwiegermutter schreibt, daß sie die Buchhandlung Jaffé, Briennerstraße, aufgesucht und nach meinen Buche gefragt habe. Die Antwort war, *daß es nicht verkauft werden dürfe*. Heimlich sei es dennoch ein paar mal geschehen, aber man müsse sehr vorsichtig dabei zu Werke gehen.

Ich teile dies mit, weil Sie schrieben, auch in München sei das Buch immerhin ausgestellt. Könnte man gegen das inoffizielle Verbot nicht etwas thun? Wie ist es diesmal mit dem Annoncenweg? Ist er beschreitbar? Die Tatsache, daß in 7 Tagen an 10 000 Exemplare verkauft waren, würde recht dekorativ wirken. Aber vielleicht würde man des Himmels Blitze damit herausfordern.

Die besten Grüße   *Ihres Thomas Mann*

Küsnacht-Zürich den 7. XI. 33

Lieber Dr. Bermann,

die Besprechungen schicke ich Ihnen nach Durchsicht mit vielem Dank zurück. Es sind gewiß nur die gut gemeinten; aber auch von denen hat man nicht viel.

Eine las ich gestern, die mich durch ihre Wärme und Überzeugtheit und durch glückliche Formulierungen ihres Lobes ergriffen hat: Die von Paul Eisner in der Prager »Welt im Wort«. Ich schicke sie Ihnen mit, weil Sie Freude daran haben werden und sie vielleicht für Propagandazwecke benutzen können. Ich bitte aber um Rücksendung.

Es freut mich, zu hören, daß der Verkauf des Buches gut weitergeht. Der Erfolg des »Zauberbergs« war mir immer ein Wunder. Diesmal wird der fünfte Teil dieses Erfolges ein fast noch größeres Wunder sein. Es muß mich vorläufig hinwegtrösten über die schmerzliche Verwirrung, die ich durch den »Rettungsakt« in vielen nicht gering zu achtenden Herzen angerichtet habe.

Bestens   *Ihr Thomas Mann*

Lieber Doktor Bermann:

Die Sache mit Stybel ist schon erledigt. Ich habe mit dieser Firma wegen des »Joseph« abgeschlossen und eine bescheidene Anzahlung erhalten.

Für die letzten beiden Kritiken danke ich bestens und lege sie wieder bei. Der Aufsatz im Düsseldorfer »Mittag« ist natürlich etwas Besonderes, er ist gescheit geschrieben, zeigt große Vertrautheit mit intimeren Äußerungen von mir und kommt entschieden aus einer erfreulich verbundenen Gesinnung. Was mich etwas verstimmt hat, ist die Unterstellung des Artikels, als sei das Buch ein ausgesprochener Mißerfolg. Auch Ihnen hat das ja mißfallen. Sie haben mir gewiß die Kritiken mit schonender Auswahl geschickt, trotzdem kann das Bild, das ich mir danach von der Aufnahme gemacht habe, nicht ganz falsch sein, zu schweigen von den Schweizer, Wiener, Prager und französischen Besprechungen. Vom Publikum spricht der Autor überhaupt nicht, und doch ist es ja nichts Neues und war schon vor der politischen Umwälzung so, daß die eigentlichen rezeptiven, kritischen und erkenntnisfähigen Kräfte von der bestallten Kritik auf das höhere geistige Publikum übergegangen sind. Das beweist mir der Niveau-Unterschied zwischen Briefen, die ich bekomme, und dem, was ich gedruckt lese. Der Verfasser hat gewiß bei seiner erfreulichen Polemik auch Herrn Diebold im Auge, aber, wie ich Ihnen vielleicht schon schrieb, hat Diebold seinerzeit über den »Zauberberg« genau mit der Enttäuschung und hartstirnigen Widerspenstigkeit geschrieben, wie über den »Joseph«. Das hat ihn aber nicht gehindert, in seinem Artikel über das »Olympia des Geistes« den »Zauberberg« unter die Aktiva der abgelaufenen Epoche zu rechnen. Da nun die gegenwärtige Epoche solche Aktiva noch besser brauchen kann, so ist sehr möglich, daß man den »Joseph« in einigen Jahren zu den ihren rechnen wird.

Auch Ihre Mitteilung in Sachen Reichsverband habe ich bekommen. Ich bin zufrieden, daß damit die Sache vorläufig erledigt ist. Im Übrigen werde ich nach Ihren Weisungen handeln.

Schließlich bestätige ich den Empfang der Abrechnung; was

mir daran nicht ganz klar ist, können Sie mir ja mündlich erläutern. Auch von der Bank habe ich bereits eine Anzeige erhalten.

Mit herzlichen Grüßen   *Ihr Thomas Mann*

Darf ich noch um möglichst baldige Sendung von zehn weiteren Exemplaren des »Jaakob« bitten.

Ich füge Ihren beiden Ausschnitten noch einen aus der Baseler »National-Zeitung« hinzu, die schon ausführlich referiert hatte und nur noch die Äußerung aus dem Publikum bringt.

Zürich-Küsnacht, 12. XI. 33.
Schiedhaldenstraße 33

Lieber Doktor Bermann:

Vielen Dank für die Übersendung der »Illustrierten Bücher-Zeitung«. Solche Dokumente aus der Heimat haben immer etwas recht Unheimliches für mich, und nur mit scheuen Augen blicke ich hinein. Der gewisse Passus in dem Aufsatz von Grimm mag ja unter den heutigen Verhältnissen schon etwas Starkgeistiges haben, aber schließlich gehört ja zur Anerkennung der guten alten »Buddenbrooks« nicht viel geistige und moralische Zivilkourage mehr, besonders, wenn man die Anerkennung durch Ablehnung des Sprachlichen und damit doch etwas sehr Wesentlichen einschränkt. Immerhin, der Mann scheint nicht von den Bösesten zu sein, es gibt schlimmere Typen. Was mag es für eine Art Schriftsteller sein, der die Viechereien in die sogenannte »Literarische Welt« gesetzt hat? Aber wahr ist, daß ich mir viel mehr von dieser Art erwartet hatte und doch eigentlich von der Haltung der inländischen Presse angenehm überrascht sein muß.

In den letzten Tagen habe ich hier zweimal auf Einladung der Zürcher Studentenschaft aus dem zweiten Band des »Joseph« vorgelesen. Der erste Abend war so überfüllt, daß ich den Vortrag wiederholen mußte. Ich war ergriffen von dem demonstrativ freundschaftlichen und aufnahmewilligen Verhalten des Publikums, das mir jedes Mal am Anfang und Schluß des Abend[s] nicht genug seine Sympathie bezeigen konnte. So wird man doch entschädigt für manches Bittere.

Die Besprechung von Kuno Fiedler, die der »Bücherzeitung«

beilag, schicke ich Ihnen zurück, weil Sie sie vielleicht noch brauchen können. Meinerseits würde ich die Eisner'sche Besprechung aus der »Welt im Wort« für meine kleine Sammlung zurückerbitten.

Erfreulich und interessant war mir eine umfangreiche Studie über den »Zauberberg«, die mir kürzlich vom Verfasser, Hermann J. Weigand, Professor an der Yale-University, zugeschickt wurde. Es ist ein Buch von 200 Seiten, das den Roman mit erstaunlicher Akribie, Umsicht und Eindringlichkeit durchanalysiert, und daß es erscheinen konnte, ist doch ein merkwürdiger Beweis für die Stellung, die der Roman in Amerika einnimmt. Wenn Sie einmal hier sind, muß ich Ihnen das Buch zeigen. Wir müssen uns dann auch über den Erscheinungstermin des zweiten Bandes »Joseph« unterhalten, ich werde zuweilen danach gefragt, auch von den ausländischen Verlegern.

Viele Grüße von Haus zu Haus!
Ihr ergebener   *Thomas Mann*

Ich möchte bei dieser Gelegenheit noch ein paar Bücherwünsche anbringen. Erstens hätte ich gerne die Essaysammlung »Was ist der Mensch« von Theodor *Haecker*, erschienen bei Hegner, über die ich Gutes gelesen habe. Zweitens brauche ich notwendig ein gutes, nicht garzu umfangreiches *»Konversationslexikon«*. Wenn ich sage »gut«, so meine ich eines, über das man sich nicht ärgern muß, Sie verstehen schon. Sie können mich gewiß beraten und mir das Nachschlagewerk zu günstigen Bedingungen verschaffen.

                                    Berlin W 57, Bülowstr. 90
                                    Den 14. November 1933.
Lieber, sehr verehrter Herr Professor!
Ich habe mit großer Freude schon vor Ihrem letzten Brief von dem großen Erfolg gehört, den Sie mit einer Vorlesung aus dem zweiten Band hatten. Ich kann mir denken, wie wohltuend Sie eine solche Demonstration – denn eine solche ist es ja gleichzeitig wohl auch – berührt. Aber glauben Sie mir, verehrter Herr Professor, daß die Menge der begeisterten Zuhörer und die Intensität des Beifalls hier nicht geringer wäre,

wenn man sich auch darüber klar sein muß, daß er nur unhörbar zum Ausdruck kommen kann, weil die anderen Stimmen, auf die es in diesem Zusammenhang nicht ankommt, lauter sein können. Das drückt sich sehr deutlich in dem Absatz Ihres Buches aus. Ich habe festgestellt, in welchem Verhältnis der Auslandsabsatz zum Inlandsabsatz steht. Während bei der ersten Auslieferung Ihres Buches das deutschsprachige Ausland mit rund 50 % am Absatz beteiligt war, beträgt jetzt der *Gesamt*-Auslandsabsatz 35 % des Gesamtverkaufs, und der Anteil des Auslandes sinkt zusehends, d. h. daß der Prozentsatz des Inlandes weiter steigt. Der Prozentsatz von 35 % ist als die Höchstziffer des Normalen zu betrachten. Im Durchschnitt beträgt die Beteiligung des Auslandsabsatzes am Gesamtabsatz zwischen 10 und 20 %. Bei Werken wie dem Ihren bewegte sich diese Ziffer normalerweise zwischen 30 und 35 %. Es hat sich also in Wirklichkeit nichts geändert, und vergleichsweise zeigt es sich, daß der Absatz des »Zauberbergs« im entsprechenden Zeitraum nicht größer gewesen ist.*

Die Expektorationen der »Literarischen Welt« sollten Sie kalt lassen. Einer sehr großen Leserschaft erfreut sich dieses Blatt nicht; es spielt praktisch gar keine Rolle. Viel wichtiger ist die Gesinnung, die aus den Zeilen von Grimm spricht. Dabei spielt die literarische Kritik keine Rolle. Er steht mit seiner Ansicht, wie ich weiß, nicht allein. Bei allen Differenzen, die bestehen mögen, setzen sich Leute wie Fechter und ein ganzer Kreis von jungen Münchener Schriftstellern, wie Britting, Alverdes, Penzoldt und viele andere aus innerster Überzeugung für Sie ein. Ich glaube, daß sie es in nächster Zeit auch sichtbar tun werden. Glauben Sie ja nicht, daß gewisse Dinge widerspruchslos hingenommen werden. In dieser Beziehung regt sich so manches.

Seien Sie also nicht zu bitter. Die Zahl der Herzen, die hier für Sie schlägt, ist sicherlich größer, als Sie glauben, und es kommt auch bald der Tag, wo Sie sie vernehmen werden.

Die verlangten Bücher habe ich bestellt. Das Konversationslexikon, das wohl am besten für Sie in Frage kommt, ist der »Kleine Meyer«, abgeschlossen 1930, in 3 Bänden zum Laden-

---

* Der Absatz betrug *bis Februar 1925* 20 000 Exemplare, dann druckte der Verlag die 3. Neuauflage von *5000!* Exemplaren.

preis von RM 30.–. Wir bekommen es natürlich mit Verleger-
rabatt von ca. 40 %. Es gibt dazu einen 4. Atlasband, der das
Kartenmaterial enthält und RM 20.– extra kostet. Falls Sie auch
diesen Band wünschen, schreiben Sie mir bitte noch einmal.
Die Besprechung von Paul Eisner schicke ich Ihnen gleichzeitig wieder zurück. Sie haben übrigens versäumt, Ihr Exemplar Ihrem vorletzten Brief beizulegen. Ich habe aber Dupli-
kate hier.
Über den Erscheinungstermin des 2. Bandes haben wir bereits
reifliche Überlegungen angestellt, sind aber noch zu keinem
Resultat gekommen, da wir Ihre Meinung noch hören wollen.
Ich selbst bin dafür, ihn noch im Frühjahr herauszubringen,
glaube aber, daß die letzte Entscheidung über den Termin erst
nach dem Abschluß des sogenannten Weihnachtsgeschäftes gefällt werden kann.* Bis dahin haben wir uns gesehen und bis
zu diesem Zeitpunkt werden hoffentlich auch die anderen Fragen einigermaßen geklärt sein.
Mit herzlichsten Grüßen von uns allen

Ihr Bermann Fischer

S. Fischer an TM   [Berlin-]Grunewald
                                       Erdenerstr. 8
                                       15. November 1933
Lieber und verehrter Herr Professor Mann!
Ich bin Ihnen seit langer Zeit ein Lebenszeichen schuldig. Von
Woche zu Woche habe ich es verschoben, und nun da ich am
Schreibtisch sitze werde ich gewahr, daß ein Stück Leben ver-
flossen ist, das ich nicht wieder einholen kann.
Was sich seither begeben hat, ist Schicksal, und was wir noch
zu gewärtigen haben, ist nicht übersehbar.
Ich muß mich damit abfinden, daß wir auf unsern Anteil ein
Anrecht haben. Daß Ihr Anteil größer sein wird, entspricht
dem Recht der Tatsachen. Inzwischen hat Ihr Jaakob das Licht
der Welt erblickt. Ich bin nicht kräftig und gesund genug, um
soviel gute Laune aufzubringen, als es dieses Ereignis ver-

---

* Ich meine, daß man das Erscheinen des 2. Bandes dann aufschieben sollte, wenn der Absatz des 1. im Frühjahr noch stark
anhält.

diente, aber andererseits doch wieder ermutigt genug, um das beste von der Wirkung der Dichtung zu erwarten. Ihr Buch hat einen starken Anlauf genommen. Wir drucken das fünfzehnte bis zwanzigste Tausend. So wie die Dinge liegen, kann man mit dem bisherigen Verlauf zufrieden sein. Seien Sie herzlichst gegrüßt und mit allen guten Wünschen begleitet auf dem Weg, den Sie noch vor sich haben Ihr sehr ergebener

S. Fischer

Herzliche Grüße für Frau Katia.

Brigitte Bermann Fischer an TM

Grunewald 26. November [1933]

Sehr verehrter lieber Herr Professor,
es ist das erste Mal, daß ich es wage, Ihnen allein und ganz nur aus eigenem Antrieb zu schreiben. Ich möchte Ihnen nämlich Dank sagen für das Glücksempfinden, das ich in mir trage, seit ich die »Geschichten Jaakobs« nun als ganzes und fertiges Buch wieder und wieder gelesen habe. Ich sehe in dem zeitlichen Zusammentreffen dieses Werkes mit dem heutigen Verfall aller inneren Bindungen eine göttliche Fügung. In dem Augenblick, da selbst die Kirche wankt, geben Sie dem Menschen eine neue Religiosität, eine ganz unkirchliche vielleicht, aber eine den ganzen Menschen umfassende, die ihn neu an Vergangenheit und Zukunft bindet. Ich weiß außer mir manchen jungen Menschen, der in den Sumpf der heutigen Zeit hineingerissen, in Ihrem Werk eine neue und reine Kraft findet, an die er sich halten kann.
Und es sind noch viele andere Glücksmomente in Ihrem Werk, für die zu danken es gilt und die mir im Gedächtnis wie aus rembrandtschem Dunkel golden aufleuchten, aber über all diese herrlichen Einzelerlebnisse lassen Sie mich schweigen in Ehrfurcht und für das Ganze danken!

Ihre Brigitte Bermann Fischer

Küsnacht den 26. XI. 33

Lieber Dr. Bermann,
die Besprechung des »Jaakob« aus den »Nouvelles Littéraires« möchte ich Ihnen doch gleich schicken, – ich möchte sie man-

chen Leuten schicken, so wohl hat sie mir getan. Was der Verfasser — ich vermute, es ist Edmond Jaloux, man hat den Namen leider weggeschnitten — auf so knappem Raum über das Buch zu sagen weiß, bewährt den ganzen Vorsprung der kritischen Kultur Frankreichs vor der deutschen. Ich sage das nicht wegen solcher Wendungen wie »un des sommets de la littérature européenne moderne«, die darin vorkommen, obgleich sie mich natürlich ergreifen nach all der stockigen Widerspenstigkeit, Halb- und Dreiviertelablehnung, die ich bei uns erfahre; sondern mich freut die wirkliche Erkenntnis, die darin ist, der Sinn für die Mehrschichtigkeit des Buches, das *empfindliche* und gescheite Lob.

Es freut mich auch für Sie, um Ihres Glaubens willen, von dem Sie mir so rührende Beweise gaben. Auch damit, daß dieser »Roman« des äußeren Erfolges weniger sicher ist, als der vorige, hat der Franzose natürlich recht. Und doch bin ich neugierig, wie es seit dem letzten Bericht in dieser Beziehung steht: Hat es beim ersten Neugier-Anlauf sein Bewenden gehabt, oder hält das Weihnachtsgeschäft den Verkauf in Gang? –

Herr Suhrkamp schrieb mir neulich, das Manuskript des *zweiten* Bandes sei nicht vollständig im Hause. Das kann doch nicht sein. Sie und Tutti und auch Herr Loerke haben doch damals den Band bis zu Ende (Jaakobs Jammer um Joseph) gelesen. Vielleicht ist das Manuskript in Ihrer Wohnung oder in der Erdenerstraße.

Aus München hörten wir eben wieder einmal einiges noch oder weder Hoffnungsvolle über den Stand unserer Angelegenheiten. Man hält bei einer gewissen Etappe, die eigentlich die logisch Folgende ohne Weiteres nach sich ziehen sollte. Aber freilich, Logik . . .

Und Ihr Besuch? Ich vermute, daß die jetzt heraufziehende Weihnachtszeit Sie dort immer unabkömmlicher macht. Auch würde ich es verstehen, wenn Sie gewisse Entscheidungen abzuwarten wünschten.

Der Ausschnitt läßt sich vielleicht zu Propaganda-Citaten benutzen. Ich erbitte ihn zurück.

Herzliche Grüße!   *Ihr T. M.*

Lieber Herr Dr. Bermann,
die holländische Ausgabe ist noch frei. Ich bitte Sie, die Verhandlungen mit dem Zuid-Hollandschen Verlag zu führen.
Für Ihre Nachrichten vom 29. XI. danke ich vielmals. Sie sind
ja erfreulich. Auch aus München höre ich, daß das Buch dort
jetzt überall ausliegt, manchmal sogar »partienweise«. Man
scheint also ein Herz gefaßt zu haben.
Die Kunde von der Aufhebung des Arrestbeschlusses haben
wir ungefähr mit soviel Dankbarkeit zur Kenntnis genommen wie das deutsche Volk die Räumung des Rheinlandes.
Daß die Aufhebung sich noch nicht auf Haus und Inventar
erstreckt, muß wohl seine staatspolitischen Gründe haben.
Unsere Bankadresse haben wir Ihnen angegeben. Die Zeiten
bleiben ungewiß; es steht nicht in Menschenmacht, weiterer
Zwischenfällen mit Sicherheit vorzubeugen. Darum wären wir
Ihnen dankbar, wenn Sie über das Fällige hinausgehen und
gleich die bisher gedruckten Exemplare honorieren würden.
Wenn sich das Manuskript bei Ihnen nicht findet, schicke ich
Herrn Suhrkamp die betreffenden Blätter aus meiner Abschrift.
Es ist die erste, blaue. Von der bei Ihnen hergestellten gelben
habe ich gerade den Schluß auch nicht.
Recht sehnsüchtig erwarte ich das Konversationslexikon! Ha-
ben Sie es bestellt?
Am 6. fahre ich zu einem Vortrag nach Lausanne. Die Haupt-
tournee durch die Schweiz folgt Anfang Februar. Soll ich Ihnen
die Orte nennen? Mir ist, als ob Ihre Herren mich einmal auf-
gefordert hätten, sie von Vorträgen zu benachrichtigen.
Viele Grüße Ihnen und den Ihren!   *Ihr Thomas Mann*

Berlin, den 6. Dezember 1933
Sehr verehrter Herr Professor!
Sie erhielten ein Rundschreiben von uns, das wir an sämtliche
Autoren geschickt haben. Ich möchte Sie bitten, ohne Sie selbst-
verständlich in Ihrem freien Entschluß beeinflussen zu wollen,
an die in dem Rundschreiben angegebene Adresse etwa folgen-
des Schreiben zu richten: »Ihrer in der Presse veröffentlichten
Aufforderung entsprechend melde ich mich hiermit.«
Diese Meldung ist, da der betreffende Verband Zwangsorgani-

sation ist, unumgänglich. Wir nehmen an, daß nach Erledigung dieser Formalität weitere Erklärungen nicht notwendig sein werden.

Mit besten Grüßen Ihr sehr ergebener

Dr. Bermann Fischer

PS. In der Überweisungssache bitte ich noch um etwas Geduld, da noch eine Formalität zu erledigen ist, die eine Verzögerung hervorruft.

Auf der Rückseite dieses Briefes hat Thomas Mann handschriftlich notiert:
Entsprechend der durch die Presse ergangenen Aufforderung und in Bestätigung meiner Zugehörigkeit zum deutschen Schrifttum vollziehe ich hiermit die vorgeschriebene Anmeldung.

Küsnacht-Zch. den 18. XII. 33

Lieber Dr. Bermann,
ich hätte nicht gedacht, daß der 2. Band so bald aktuell werden würde, es überrascht mich, an einen wie nahen Erscheinungstermin Sie denken. Meiner Vorstellung nach sollte der 1. länger allein bleiben und sich auswirken. Ich glaube, Sie hatten mir diese Idee suggeriert. Meinen Sie nun, daß man das Interesse des Publikums warm halten und gleich den 2ten darauf setzen soll? Ich weiß nicht, ob ich es ganz gut heißen soll; meine Sorge ist, daß dann die Pause zwischen dem II. und III. allzu groß werden möchte, dessen Abschluß doch noch in weitem, weitem Felde steht: Gerade ist Joseph in Potiphars Haus eingezogen, so weit bin ich, und was bleibt noch alles auszuführen!

Das ist nun aber gerade die Sache, die meinen Einwand vielleicht hinfällig macht, an und für sich aber recht schlimm ist. Es würde nichts nützen, die Augen vor der Tatsache zu verschließen, daß »Joseph in Ägypten« heute schon 260 Manuskriptseiten umfaßt. Wie hoch der Band unter diesen Umständen *im Ganzen* es bringen wird, ist eine beklemmende Frage, über die ich mich dadurch zu trösten angefangen habe, daß ich mir eine nochmalige Teilung, ein Erscheinen des 3. Bandes in zwei Teilen vorstelle, wodurch eine dritte Pause und für mich Zeit gewonnen würde.

Wir müssen über die schwierige Frage uns mündlich unterhalten. Da es aber immer gut ist, in Bereitschaft zu sein, bin ich ganz damit einverstanden, daß man jedenfalls mit dem Satz des II. Bandes beginnt. Wohin der Schlußteil der vorhandenen Abschriften gekommen ist, wissen die Götter. Sie haben das Manuskript doch damals zu Ende gelesen, und ich habe Ihnen niemals einen Teil davon wieder abgefordert. Aber auch bei den beiden Exemplaren, die ich von der bei Ihnen hergestellten Abschrift besitze, fehlt der Schluß – ich kann es mir nicht erklären. Der »Rundschau« habe ich für den Vorabdruck im Januarheft schon [die] Original-Handschrift geschickt. Ihnen schicke ich nun mein einziges komplettes Maschinen-Exemplar mit der Bitte, die Ihnen fehlenden Teile rasch danach abtippen zu lassen und es mir womöglich schon bei Ihrem Besuche wieder mitzubringen. Ende Januar brauche ich es nämlich für Vorlesungen, und es ist ungewiß, ob man dann mit dem Satz schon so weit sein wird, daß ich aus Fahnen oder Bogen lesen kann.

Das 25. Tausend freut mich. Ist eigentlich die Druckfehler-Liste berücksichtigt worden, die ich einmal sandte? Heute lege ich die Liste der Schweizer Städte bei, die ich von Ende Januar bis Mitte Februar »bereisen« werde.

Herzliche Grüße, gute Weihnachtswünsche und auf Wiedersehn!   *Ihr Thomas Mann*

Küsnacht/Zch. den 23. XII. 33

Lieber Dr. Bermann,

die Aufnahme-Papiere des »Reichsverbandes Deutscher Schriftsteller« sind nun doch – entgegen Ihrer Information und Erklärung, die Sache sei erledigt – noch gekommen, mit dem Bemerken, man habe Abschrift meines Schreibens an den Präsidenten der Schrifttumskammer erhalten, aber alle Mitglieder des ehemaligen S. V. S., auch die Ehrenmitglieder, müßten den Fragebogen ausfüllen.

Ich teile Ihnen das eilig mit, weil mir die Lage ernst scheint. Hoffentlich finden Sie einen Ausweg. Ich tue weiter nichts in der Sache.

Auf Wiedersehen bald   *Ihr T. M.*

Lieber Doktor Bermann:

Den beifolgenden Brief, den ich auf der gerade absolvierten Vortragsreise aus Princeton erhielt, möchte ich Ihnen doch nicht vorenthalten. Es ist einer der menschlich anziehendsten und liebenswürdigsten, die ich je bekommen habe, und wenn Sie ihn lesen, werden Sie, glaube ich, das Vergnügen verstehen, das mir sein Inhalt gemacht hat. Ich dachte bei den guten und warmen Worten dieses in weiter Ferne lebenden Menschen an eine Rede des Herrn Johst, die ich neulich zu lesen bekam und die er im Nationalen Deutschen PEN-Club an einen Schweizer Gast gerichtet hat. Er sprach darin von dem Nachteil, in dem sich die deutsch gesinnten Schriftsteller gegenüber den Feuchtwangern und den verschiedenen »Männern« der deutschen Literatur befänden, die sich auf Propaganda so ausgezeichnet verständen. Was für eine sonderbar minderwertige Erklärung von Erfolgen und Wirkungen, zu denen man es selbst dank angeborener Mittelmäßigkeit nun einmal nicht bringt! Man sollte denken, auf Propaganda verständen die Sieger Deutschlands sich besser als wir Geschlagenen und Vertriebenen. Und jedenfalls habe ich den Gedanken der Propaganda mit meinem Leben und meiner Arbeit nie auch nur in Beziehung gebracht, noch mir vorzustellen gewußt, wie dergleichen etwa zu betreiben sei. Sind solche Briefe, wie der, den ich Ihnen hier schicke, ein Ergebnis der Propaganda oder eine natürliche Wirkung auf die Herzen und Geister von Menschen?

Vielleicht sieht es nach Propagandasucht aus, aber ich bin auf den Gedanken gekommen, ob man diesen Brief nicht in Deutschland veröffentlichen könnte, wofür allerdings höchstens Ihre Verlagskorrespondenz in Frage käme. Sie werden das Gefühl verstehen, das mir den Wunsch erweckt, der Brief möchte unter den heutigen Umständen in Deutschland gelesen werden: es ist natürlich nur ein Vorschlag; scheint er Ihnen nicht gut und statthaft, so verwerfen Sie ihn.

Bonnier hat sich soeben für die schwedische Ausgabe der »Jaakobs-Geschichten« entschlossen, was mir eine Freude war.

Wir haben von einer *holländischen* Ausgabe von Ihnen nichts weiter gehört, und ich muß also annehmen, daß sich die Verhandlungen von damals zerschlagen haben. Bitte, teilen Sie mir bald möglichst mit, um welche Firma es sich damals handelte. Ich möchte die Unterbringung in Holland jetzt einem Agenten übergeben, Herrn Barthold Fles, Literary Agent, Amsterdam, Candida Building, der mich neulich besuchte und mir einen zuverlässigen Eindruck machte. Er muß natürlich wissen, welche Verlage bereits abgelehnt haben. Ferner bitte ich Sie, Herrn Fles ein Exemplar der »Jaakobsgeschichten«, eines von »Königliche Hoheit« und zwei von »Herr und Hund« schicken zu lassen.

Am 26. des Monats fahren meine Frau und ich auf vierzehn Tage nach Arosa. In dieser Zeit sind wir also nicht hier, falls Sie etwa in die Gegend kommen.

Die Bogenkorrekturen des »Jungen Joseph« habe ich erledigt und die Bogen sind heute druckfertig nach Berlin abgegangen. Ein Kapitel, das schleppend wirkte, ist weggefallen, und ich habe nun doch den Eindruck, daß der zweite Band gegen den ersten nicht wesentlich abfallen wird. Hoffen wir das Beste! Viele Grüße von uns zu Ihnen.

Ihr Thomas Mann

19. II. 34 Küsnacht

Lieber Doktor Bermann:

Pios und Jespersen haben sich auch bei mir beklagt und bei mir wohl mit mehr Recht als bei Ihnen, da ich selbständig abgeschlossen hatte und also die Sache im Auge hätte behalten müssen. Es ist für die Firma natürlich unangenehm, daß ein größerer Abstand zwischen der dänischen und der deutschen Ausgabe entsteht, weil viele dänische Leser sich mit der deutschen Ausgabe eindecken werden. In diesem Sinne habe ich dem Verlag mein Bedauern ausgesprochen und ihm versichert, daß es beim dritten Band besser gehen soll. Auch ich habe ihm die Aushängebogen in Aussicht gestellt, und schon in meinem letzten Brief bat ich Sie ja, mir diese, sobald sie nur da sind, in acht Exemplaren zu schicken, damit ich sie an die Übersetzer verteile. Ich denke, wir lassen es bei diesem Modus, da ich die Liste der Änderungen jedesmal beilegen will, die gegen das Maschinenmanuskript getroffen worden sind.

Wegen der schwedischen und holländischen Übersetzung schrieb ich Ihnen ebenfalls in dem Brief, der sich mit dem Ihren kreuzte. Aus einleuchtenden Gründen ist es mein Wunsch, nach wie vor mit den ausländischen Verlagen zu verhandeln und abzurechnen. Natürlich halte ich Sie, wie bisher, über die Abschlüsse auf dem Laufenden.

Die Nachrichten, V. betreffend, haben natürlich wieder einmal hier Sensation gemacht. Wird es noch einmal und dann wohl endgültig blinder Lärm gewesen sein? Oder soll die Tugend endlich belohnt werden? Ich meine damit vor allem die von V.

Montag fahren wir nach Arosa und erhoffen uns Erholung. Meine Reise war recht strapaziös, und auch meine Frau kann es brauchen. E. hat Ihre Kinder getroffen und war hell begeistert von ihnen, namentlich vom kleinen Herrn Fischer.

Herzlichst

Ihr Thomas Mann

Berlin W 57, Bülowstr. 90
1. März 1934

Lieber, sehr verehrter Herr Professor!

Ich benutze die Gelegenheit einer Reise meines Bruders, um Ihnen über die Vorgänge in Ihrer Angelegenheit zu berichten.

Sie haben von Rechtsanwalt Heins inzwischen wohl alle Einzelheiten über die Vorgänge hier erfahren. Unmittelbaren Anstoß zu dem Ausbürgerungsantrag, der, wie wir wußten, schon lange auf dem Programm der P. P., München stand, gab nach unseren absolut zuverlässigen Informationen das Interview, das in entstellter Form im »Intransigeant« veröffentlicht worden ist. Inzwischen ist der Antrag, wie wir aus der gleichen Quelle erfahren haben, abgelehnt worden. Die Ablehnung ist von großer Bedeutung für Ihre Angelegenheit, weil damit der P. P. in München auch die letzte Grundlage für ihre Maßnahmen entzogen ist. Sowie wir hier festgestellt haben, daß die Ablehnung des Antrages auf dem Instanzenwege der Münchener Polizei bekannt geworden ist, wird Rechtsanwalt Heins, auf dieser Entscheidung fußend, gegen die Beschlagnahme vorgehen.

Ich würde es für eine wesentliche Unterstützung dieser Bemühungen halten, wenn Sie sich inzwischen einen Paß besorgten. Wie ich gerade von Heins erfahre, hat die Münchener Polizeidirektion beim Finanzamt angefragt, ob dort gegen die Ausstellung eines Passes für Sie etwas vorliegt. Ich schließe daraus, daß Sie die Ausstellung eines Passes beantragt haben. Da ich Ihnen gerade vorschlagen wollte, sich um einen Paß zu bemühen, hatte ich mich beim Auswärtigen Amt erkundigt, an wen Sie sich am besten zu diesem Zwecke wenden sollten. Man nannte uns Herrn Generalkonsul Windel, Zürich, den Sie wohl kennen und durch den Sie die Paß-Angelegenheit wohl schon betreiben. Ich bitte Sie, mich auf dem laufenden zu halten, damit wir – wenn sich irgendwelche Schwierigkeiten ergeben sollten – hier beim A. A. intervenieren können.

Ich habe den Eindruck, daß nunmehr nach der Ablehnung des Ausbürgerungsantrages ein Stimmungsumschwung eingetreten ist, der hoffentlich zu einer endgültigen Klärung der Angelegenheiten in München führt.

Ich wäre Ihnen dankbar, wenn Sie mich recht bald über die Paß-Sache orientieren würden.

Mit herzlichen Grüßen   *Ihr Bermann Fischer*

Neues Waldhotel, Arosa
6. III. 34

Lieber Dr. Bermann:

Brief und Botschaft sind mir richtig geworden. Beide klangen mir natürlich angenehm und hoffnungsvoll ins Ohr, und entgegen der fortdauernden Skepsis meiner Frau halte ich persönlich einen anderen Ausgang als einen positiven nach diesen Ergebnissen, wenn es irgend mit rechten und rechtlichen Dingen zugeht, für das einzig Mögliche. Ich wünsche mir nichts Besseres, als mit der Heimat schiedlich-friedlich auseinander zu kommen, und es befriedigt mich, daß man in Berlin diesen Wunsch gewissermaßen zu teilen scheint. Etwas betrüblich freilich wird es immer bleiben, daß gerade die Stadt, in der ich sozusagen mein Leben verbracht habe, mich bis zuletzt mit der zähesten Feindseligkeit verfolgt.

Die Paß-Angelegenheit scheint mir durchaus abhängig von der größeren allgemeinen und wird sich mit ihr lösen oder nicht lösen. Sie sind recht berichtet, daß wir einen neuen Schritt in dieser speziellen Sache schon getan haben und zwar auf Anraten des Zürcher Generalkonsuls. Wir haben einfach ein neues

Gesuch bei der Münchner Polizei eingereicht, mit dem Hinweis darauf, daß finanzamtliche Gründe gegen die Neuausstellung, wenn sie bestanden hätten, jetzt nach Regelung der Reichsfluchtsteuer jedenfalls nicht mehr vorhanden sein könnten. Eine Antwort an uns und, so viel ich weiß, an das Konsulat, ist bis jetzt, nach ca drei Wochen, noch nicht erfolgt. Ich denke, wir warten jetzt die Münchner und Berliner allgemeinen Ergebnisse ab, bevor wir, im günstigen Falle, weitere Schritte (wie der Konsul meinte, beim Reichsinnenministerium) tun.

Soviel von diesen persönlichen Dingen. Ob wohl der 15. März als Erscheinungstermin des »Jungen Joseph« wird eingehalten werden können? Ich wundere mich nämlich, daß ich die für die ausländischen Verleger so dringend benötigten Aushängebogen noch nicht erhalten habe. Ich will nur hoffen, daß Korrodi die seinen, die ich neulich telegraphisch bestellte, bekommen hat. Es wäre schade, wenn der von ihm gewünschte Vorabdruck nicht zustande käme. Ich konnte ihm von hier aus kein Manuskript schicken.

Wir sind hier zusammen mit Ferdinand Lion, den ich als feinen Kunstkritiker schätze, und der von der Lektüre des »Jaakob«, die ihn gerade beschäftigt, außerordentlich erfüllt ist. Er hat vor, über das Buch noch zu schreiben. Verschiedene sehr interessante Korrespondenzen mit allerlei internationalen Gelehrten, Alttestamentlern, Mythologen und Religions-Historikern hat mir das Buch eingetragen, so zum Beispiel mit einem Ungarn namens Kerényi, der mich auf ein Buch aufmerksam gemacht hat, das ich gern durch den Verlag beziehen möchte. Es heißt: »Die Götter Griechenlands« von Walter F. Otto (Bonn, 1929). Seien Sie doch so freundlich, es mit dem Buchhändler-Rabatt für mich zu kaufen.

Haben Sie sich den Vorschlag wegen der Prämie noch einmal durch den Kopf gehen lassen?

Herzliche Grüße und auf Wiedersehen hoffentlich bald einmal! *Ihr Thomas Mann*

Arosa 12. III. 34

Lieber Doktor Bermann,

beifolgendes Dokument ist heute eingetroffen als Antwort auf das ebenfalls im Wortlaut beiliegende, vor etwa vier Wochen

65

an die Münchner Polizei gerichtete Gesuch. Sie sehen: eine bündige Zurückweisung ohne Begründung, die ja auch schwierig gewesen wäre. Wir wissen ja, daß die Münchner Polizei-Direktion zunächst eine Rückfrage ans Finanzamt gerichtet hat, die, wie die Dinge liegen, nur günstig beantwortet worden sein kann. Dann wird eine weitere Rückfrage an die Politische Polizei erfolgt sein, die das negative Resultat gezeitigt hat.

Was nun? Der Generalkonsul in Zürich meinte ja, wir sollten nach diesem Versuch, von dem er sich wohl von vorneherein nichts versprochen hat, uns an das Reichsinnenministerium wenden. Es fragt sich nun, ob wir diesen Schritt gleich anschließen oder damit warten, bis das Münchner Endergebnis vorliegt; wann das der Fall sein wird, ist freilich nicht abzusehen. Ich hörte jedenfalls gern Ihre Meinung, und vielleicht können Sie in Berlin Fühler ausstrecken, um zu erfahren, wie wir es am besten halten. Ich kann noch immer nicht auf den Glauben verzichten, daß den Maßgebenden der Widersinn klar zu machen sein muß, der darin liegt, mir den Paß zu verweigern, wenn man doch anderseits mich nicht ausbürgern will, und angesichts der Tatsache, daß ich meine Reichsfluchtsteuer erlegt habe und als legaler Auslandsdeutscher in der Schweiz lebe.

Wir bleiben nur noch bis Ende der Woche (16. oder 17.) hier. Mit herzlichen Grüßen

Ihr Thomas Mann

Küsnacht – 25. IV. 33 [= 25. 3. 1934]

Lieber Doktor Bermann:

Ich möchte den Empfang der Abrechnung und der Überweisung mit vielem Dank bestätigen. Auch die Exemplare des »Jungen Joseph« sind eingetroffen, ich fand sie gestern bei unserer Rückkehr von Basel, wo ich wieder einmal zur großen Freude des Publikums den Wagner-Vortrag gehalten habe, hier vor. Die Umschlagzeichnung finde ich wieder außerordentlich schön und bitte Sie, Herrn Walser meinen Glückwunsch und meinen Dank auszudrücken. Die Zeichnung scheint mir, wie die letzte, in ihrer Mischung aus Ornament und szenischer Illustration ungewöhnlich wirksam. – Ich möchte vorläufig um Zusendung von zehn weiteren Exemplaren bitten.

Einen Brief lege ich bei, den Sie vielleicht berücksichtigen; die Kölner literarische Gesellschaft Ariadne hat die »Jaakobs-Geschichten« seinerzeit erhalten und bittet nun auch um die Fortsetzung.

Doktor H. hat in der Paß-Angelegenheit, wie er mir schreibt, Protest eingelegt, glaubt aber selbst nicht an einen Erfolg, so lange die große Frage nicht geregelt ist. Übrigens befindet er sich schon wieder einmal in euphorischem Hoffnungszustand, wie schon so oft. Unter uns gesagt habe ich oftmals Zweifel, ob nicht doch die Sache unter Umständen mit geeigneteren Mitteln schneller zum Erfolg hätte geführt werden können.

Ihre Schwiegereltern haben wir neulich telephonisch gesprochen. Wir hoffen, sie auf der Rückreise zu sehen.

Herzlich   *Ihr Thomas Mann*

TM an Hedwig Fischer

Küsnacht-Zürich 8. IV. 34
Schiedhaldenstraße 33

Liebe Frau Fischer!

Ich freue mich aufrichtig, daß der »Junge Joseph« Ihnen wohl tut. Ich habe brieflich und gedruckt viel Schönes darüber zu lesen bekommen. Der Band wird im Ganzen viel beifälliger aufgenommen als der erste, weil er zugänglicher ist und eine gewohntere Novellistik bietet. Aber im Grunde halte ich den »Jaakob« für neuer und bedeutender. Die nächste Prause wird ja nun lang und groß, denn an dem 3. Band ist noch viel, ja, wie mir vorkommt, alles zu tun. Die notwendige Heiterkeit muß man beständig dem Gedankengram des Tages abgewinnen, und eine gewisse Ermüdung ist nach den ersten tausend Seiten auch unvermeidlich. Für heute nichts weiter, wir können ja hoffen, Sie bald zu sehen. Grüßen Sie Herrn Fischer recht herzlich und haben Sie schöne Erholungstage.

Ihr Thomas Mann

Gr. Hotel Excelsior & New Casino
Rapallo, 9. April 34

Sehr verehrter Herr Professor!
Soeben habe ich die herrlichen Schlußworte des »Joseph« gelesen
und möchte Ihnen soweit meine arme Feder dies vermag, noch
einmal sagen, mit welchen Gefühlen des Dankes und der Be-
glückung ich das Werk in mich aufgenommen habe und wie
stolz und froh ich bin, daß solch ein Werk lebt und durch uns
der Öffentlichkeit übergeben wurde! Wer aber am stolzesten
und frohesten sein sollte, das sind Sie, verehrter Herr Mann,
der Schöpfer dieser menschlichen Großtat, ebenso voll von
Weisheit, Frömmigkeit wie vom tiefsten Humor, voll vom
Wissen um die Seelen der Menschen, um ihre geheimsten Re-
gungen! Und dies alles erzählt und lebendig gemacht in einer
Form von höchstem, unbeschreiblichen Reiz! Ich trauere direkt,
daß auch mir der Joseph nun genommen ist, der Dumuzi, der
mir die Tage verschönte und das Leben. Am liebsten möchte
ich gleich fortfahren und weiter wissen, was nun geschieht,
als die Ismaeliten den Verhüllten, so unbegreiflich Geheimnisvollen Schweigenden in sein neues Schicksal mitführen. Das
ist das Merkwürdige und Unbegreifliche: diese Erzeugung
höchster Spannung bei dem ganz unbefangen Lesenden, obgleich der Verlauf der Geschichte bekannt und vorgezeichnet
ist. – Wie seltsam die Erzählung von dem begrabenen und
auferstandenen Gott, die Christuslegende fast wörtlich, my-
tisch vorhernimmt. Man weiß nicht, was schöner ist, die Geschichten von Joseph u. Benjamin, die Reise auf der Hulda,
die Verschwörung und der Neid der Brüder, oder die wunderbare Art, in der Joseph in der Grube über sein Schicksal me-
ditiert und seine »Auferstehung« vorfühlt. Und die Befriedigung, die der »harmlose, unbefangene Leser« empfindet über
die Gewissensbisse der schuldigen Brüder, die nicht wieder
froh werden können, nach ihrer Missetat, – die der Dichter mit
tiefster Gerechtigkeit entschuldigt und begründet.
Ich hoffe, lieber Herr Mann, daß Sie aus der Zustimmung, die
Ihnen gewiß von vielen Seiten entgegentönen wird, die Kraft
saugen werden, das große Werk zu vollenden!
Etwas Ähnliches schrieb mir Hans Carossa als Antwort auf ein
paar Zeilen, die ich ihm über sein Buch »Führung und Geleit«

geschrieben; Sie kennen das Büchel gewiß; er spricht darin so schön von Ihnen, daß ich ihn fragte, ob ich ihm als Dank den »Joseph« schicken dürfte. Er schreibt: »Den ›Jaakob‹ habe ich erst in der Woche vor Ostern zu Ende gelesen und wollte mir den zweiten Band in den nächsten Tagen bestellen. Nun freue ich mich, ihn aus Ihrer Hand zu erhalten. An den Autor denke ich oft und wünsche ihm Kraft und eine Fülle guter Einfälle für das dritte Buch.« – Übrigens zeigt der ganze, sehr liebenswürdige und umgehend beantwortende Brief, daß es im lieben Vaterland doch noch einige Menschen giebt, die noch nicht von der Psychose ergriffen sind! –

Sie können es sich kaum vorstellen, wie wohl uns die Ruhe hier tut und das Fehlen der täglichen Trivialitäten. Die Zeitungen nimmt man hier nicht so tragisch, außerdem halten die ausländischen das Gegengewicht. Ein großes Glück scheint mir die aus Wien abgewendete Gefahr, wenn es auch in Österreich nicht eben sehr schön zugeht.

Bitte sagen Sie Frau Katia vielen Dank für ihren sehr lieben Brief mit der Bitte, diesen auch an sie selbst, als an die Betreuerin des Schöpfers und des Werkes, gerichtet zu sehen.

Mein Mann liest jetzt den »Joseph« von dem er ja große Teile schon kennt. Aber wundern Sie sich nicht, wenn er nicht schreibt. In seinem Alter und bei seinem Nerven-Zustand ist ein Brief ein Unternehmen, das er nur sehr schwer und nur in besonders günstigen Momenten bewältigen kann. Aber wir freuen uns Alle sehr auf das Wiedersehen Ende April u. sprechen oft davon: Donnerstag kommt Meier-Graefe für ein paar Tage. Leider ist das Wetter sehr ungünstig; wir denken an Rimini haben aber Angst vor der Anstrengung; mein Mann war mit Hilla in Pisa, um es ihr zu zeigen. Sehen ist für ihn immer noch schön, da das Hören versagt. Dank u. herzliche Grüße.   *Ihre Hedwig Fischer*

                                               Berlin, d. 11. April 34
Lieber, sehr verehrter Herr Professor,
ich habe die Tage in Kampen dazu benutzt, um mich in Ruhe in den »Jungen Joseph« in seiner endgültigen Fassung zu versenken.
Das Buch hat mir die Tage der Einsamkeit auf merkwürdige

Weise verschönt. Auf den langen Wanderungen durch die Dünen, an deren Rändern die Schafherden mit ihren erst Tage alten Lämmern weideten, und am frühen Abend, wenn unübersehbare Züge von wilden Gänsen mit fast menschlich klingendem Geschrei über das Wattenmeer nach Norden zogen, wurde die Welt Ihres Werkes ganz lebendig.

Wie schon im ersten Band so steht auch hier wieder das Betrachtende mir am nächsten, insbesondere das Gotteskapitel, das ich mochmals las und mir so einverleibte wie die Vorrede, Dinge, die ich über alles liebe.

Das Ganze scheint mir so viel leichter zugänglich, daß Ihre Bedenken, die Sie damals äußerten, sicher nicht richtig sind. Im Gegenteil. Dieser Band gewinnt das verstärkte Interesse für das Ganze. (Siehe Herrn Diebold, der zwar nicht maßgebend ist, aber immerhin gewonnen wurde. Wie ihm ging es sicher vielen.)

Die ersten 10 000 Exemplare sind nahezu verkauft. Wir drukken soeben das 11.–15. Tausend. Ich hoffe, daß wir mindestens die Auflage des ersten Bandes in der gleichen Zeit erreichen.

Reisiger hat hoffentlich bald Zeit für seine Besprechung in der »N.R.«. Die Zeitschrift gewinnt wieder an Boden, wie sich überhaupt die Scheidung der Geister deutlicher fühlbar macht.

Nehmen Sie die herzlichsten Grüße von Ihrem Sie verehrenden

Bermann Fischer

Küsnacht, 18. IV. 34

Lieber Doktor Bermann:

Für verschiedene freundliche Zuschriften und Sendungen habe ich noch zu danken, besonders für die Übersendung der eindrucksvollen Photographien, die allerdings eine gewisse Furchtlosigkeit beweisen.

Meine Danksagung hat sich verzögert, weil ich dieser Tage mit einem längeren Brief beschäftigt war, den ich an das Reichsinnenministerium gerichtet habe. Ich lege Ihnen einen Durchschlag zur Kenntnisnahme bei. [*] Der Gedanke, mich an diese Adresse zu wenden, ging ursprünglich von dem hiesigen Ge-

* [Der endgültige Wortlaut des Briefes an das Reichsministerium des Inneren befindet sich im Anhang S. 654–662.]

neralkonsul aus, der mir vorschlug, mich wegen der Verlängerung meines Passes doch an das Berliner Ministerium zu wenden. Ich überlegte mir, daß es keinen Zweck habe, diesen Schritt allein um des Passes willen zu tun, sondern daß ich bei dieser Gelegenheit gleich meinen ganzen Fall zur Sprache bringen müsse. So habe ich diesen ernsten Brief, der einen gewissen Eindruck unmöglich verfehlen kann, aufgesetzt und denke ihn in einigen Tagen abzusenden. Ich möchte nur, daß vorher erstens Sie ihn lesen und zweitens auch Dr. V. H., dem ich Sie bitte, ihn umgehend mitzuteilen. Ich ziehe diesen Weg dem direkten aus naheliegenden Gründen vor. Daß H. Einwendungen machen wird, kann ich kaum annehmen. Seit er uns telephonisch die bekannte positive Nachricht aus Berlin übermittelte, sind schon wieder bald zwei Monate vergangen, während doch fünf Minuten nach dieser Entschließung die Sache geregelt sein sollte. Nach Nachrichten aus Rapallo, die offenbar doch von Ihnen ausgehen, scheinen nun auch in Berlin sich neue Schwierigkeiten geltend zu machen, die sich nicht einmal auf mich persönlich beziehen und die zu beheben nicht in meiner Macht steht. Ich muß nun auf eine Klärung der Situation dringen und mag mich nicht ewig durch neue Winkelzüge hinhalten lassen. Daher dieser Brief, dem Sie die würdige Haltung und Anständigkeit nicht werden absprechen können, und dessen Argumente denn doch wohl eine gewisse Nachdenklichkeit wenigstens herbeiführen könnten. –

Mit dem Vertrieb der holländischen Ausgabe der beiden neuen Bände hatte ich, wie ich Ihnen ja auch mitteilte, den holländischen Agenten Fles betraut. Ich habe aber seit der Abmachung, die mindestens zwei Monate zurückliegt, nichts von ihm gehört und mir das Recht vorbehalten, gegebenen Falles unabhängig abzuschließen. Ich bitte Sie also, das Angebot, von dem Sie mir schreiben, weiter zu verfolgen.

Besonders habe ich noch für den handschriftlichen Brief aus Kampen zu danken, in dem Sie mir von Ihren »Joseph«-Eindrücken erzählen, die durch die Bilder der Umgebung so schön unterstützt wurden. Es hat mich sehr interessiert und freut mich besonders, zu hören, daß Ihnen die untersuchenden und betrachtenden Teile am besten gefallen haben. Das ist in manchem feineren Falle so, obgleich von der Kritik dieser Band als eingängiger und erzählerisch lebendiger empfohlen wird. Dem ersten Verkauf nach zu urteilen wird ja wohl Ihre Annahme, daß die Nachfrage nach diesem zweiten Bande notwendig zurückstehen werde hinter der nach dem ersten, sich nicht bewahrheiten. Die deutsche Presse sieht wohl vorwiegend übel aus, aber das ist unmaßgebend und sehr vorläufig. In der auswärtigen habe ich sehr schöne Äußerungen gesehen, die Ihnen wohl alle auch bekannt geworden sind. Besonders hat sich des Buches der »Pester Lloyd« angenommen, der nicht nur von Zarek mit sehr starken Akzenten darüber schreiben ließ, sondern dann auch noch eine feierliche und höchst empfehlende Besprechung des Chefredakteurs selber brachte.

Herzliche Grüße von Haus zu Haus   *Ihr Thomas Mann*

Den beiliegenden Brief bitte ich zu berücksichtigen.

Berlin W 57, Bülowstr. 90
Den 21. April 1934.

Lieber, sehr verehrter Herr Professor!

Ich telegraphierte Ihnen heute schon, daß ich Ihren Brief an das Reichsinnenministerium richtig und ganz ausgezeichnet finde. Ich hatte gerade gestern an Heins geschrieben, daß ich jetzt den Moment für gekommen halte, falls keine gütliche Entscheidung für Sie erfolgt, den Klageweg zu beschreiten. Soviel ich weiß, gibt es die Möglichkeit, wegen der Verweigerung des Passes und der Aufrechterhaltung der Beschlagnahme vor dem Verwaltungsgericht zu klagen. Auf diese Weise würde die Entscheidung einer richterlichen Instanz vorgelegt. Ihr Brief, der Zeugnis für Ihr starkes und aufrechtes Verhalten ablegt und bei aller Wahrung Ihrer innersten Überzeugungen ein Bekenntnis zu Ihrem Deutschland darstellt, ist gleichzeitig der letzte Versuch einer »gütlichen« Beilegung. Ich habe per Luftpost express den Brief zur Kenntnisnahme an Heins geschickt.

Es wäre höchstens noch der Gedanke zu erwägen, den Brief direkt an den Reichsinnenminister (an Herrn Reichsinnenminister Dr. Frick, Reichsinnenministerium, Berlin) zu adressieren und die Anrede entsprechend zu verändern. Ich erkundige mich eben an privater Stelle, ob damit vielleicht der Instanzenweg abgekürzt werden kann und werde in der Nachschrift noch einmal darauf zurückkommen. Man sollte meinen, daß Ihr Brief durch seine große Haltung seine Wirkung nicht verfehlt.

Sie müssen nicht meinen, daß die Veranstaltung der Sonderfenster, die ich habe photographieren lassen, Furchtlosigkeit beweist. Es gehört heute kein Mut mehr dazu, Ihre Bücher auszustellen. Das war einmal. Trotzdem ist es natürlich erfreulich, solche Fenster zu sehen.

Sie werden in den nächsten Tagen wohl Fischers sehen. Bitte grüßen Sie sie sehr und zeigen Sie ihnen Ihren Brief, über den sie sich freuen werden.

Mit den herzlichsten Grüßen von Haus zu Haus

Ihr Bermann Fischer

PS. Ich höre eben, daß meine vorstehend gegebene Anregung bezüglich der Adressierung richtig ist; die Adresse müßte lauten: An den Herrn Reichsinnenminister Dr. Frick, Reichsinnenministerium, Berlin, *persönlich* (auf dem Kopf des Briefes und des Briefumschlages). Auf diese Weise geht der Brief an den Ministerialdirektor im Büro des Ministers und kommt, unter Vermeidung des langen Instanzenweges, direkt in die Hände des Ministers. Dr. Frick ist bis 23. d. M. verreist.

Küsnacht den 26. iv. 34

Lieber Dr. Bermann,

über Ihre Zustimmung zu dem Brief an das Ministerium habe ich mich gefreut. Ich habe Ihren Rat befolgt und die Adresse persönlich gefaßt. Nun bin ich neugierig auf die Wirkung. H. rief mich an und äußerte, eigentlich gegen mein Erwarten, seine uneingeschränkte Gutheißung. Er will sogar selber mit dem Briefe arbeiten, indem er ihn mehrfach reproduziert und an verschiedene Stellen versendet, vor allem an das A. A. Ob er richtig damit handelt, kann ich nicht beurteilen. Vielleicht würde der eigentliche Adressat Wert darauf legen, alleiniger Empfänger zu sein. –

Ich werde auf einige Druckfehler im »Jungen Joseph« aufmerksam gemacht:

S. 42, Z. 6 v. o.: allenfall(l)s
S. 201, Z. 11 v. o.: beuge

S. 292, Z. 13 v. o.: daß
S. 295, Z. 20 v. o.: ihre Nasen

Nichts davon ist schlimm, aber bei einem etwaigen Neudruck sollte man es doch verbessern. Ist einer in Aussicht? Sie haben mir lange nichts über das Ergehen des Bandes gesagt. Bleibt das Interesse nun doch zurück hinter dem am ersten?

Knopf hat sich ausgedacht, seine Ausgabe der »Jaakobs-Geschichten« genau an meinem 59. Geburtstag herauszubringen und das Ereignis in meiner Gegenwart mit einem public dinner und anderen Veranstaltungen eine Woche lang zu begehen, zu der wir eingeladen sind. Jung und frisch wie wir sind, haben wir Ja gesagt und werden also Ende Mai auf einen Sprung hinüber fahren. Die Woche wird anstrengend, aber auf den Überfahrten kann man sich ja stärken, vorausgesetzt, daß der Ozean ruhig ist, was in dieser Jahreszeit wohl zu erwarten.

Wann sieht man Sie wieder einmal hier? Vielleicht mit Dr. H. zusammen, rebus bene gestis, zu einer guten Flasche?

Viele Grüße!   *Ihr T. M.*

Am 28. fahren wir für ein paar Tage nach Bern und Basel. Bei der Rückkkehr finden wir dann Ihre Schwiegereltern hier vor.

Ich öffne den Brief noch einmal, da gerade der Ihrige von gestern eintrifft. Sie wollen den Essay-Band also bringen? Rascher wird enttäuscht sein. Aber glauben Sie nicht, daß heute wirklich die Schweiz der richtigere Erscheinungsort ist für diese Aufsätze mit ihrer Wahrheitsliebe und skeptischen Nuanciertheit? Man kann doch beides heute in Deutschland nicht brauchen. Freilich könnte das Erscheinen in der Schweiz als Affront aufgefaßt werden, aber wäre nicht das Erscheinen in Deutschland ein ebensolcher Affront? Es ist eine Taktfrage. Erschiene der Band bei Rascher, der ihn sehr gern haben möchte, so könnte man ihn in Deutschland zwar kaufen, er bliebe aber doch in **rücksichtsvoller Distanz** und mischte sich nicht so direkt ins **deutsche Leben**. Bei Ihnen kann er freilich gleich in den Aufbau der Gesamtausgabe eingehen. Aber Rascher hat sich bereit erklärt, ihn für diese schon in kurzer Frist wieder freizugeben. Wollen Sie sich den Fall nicht doch noch einmal überlegen? Halten Sie die Veröffentlichung für ganz ungefährlich für den Verlag?

Die Reihenfolge der Aufsätze ist richtig wie Sie sie angeben. Über den Titel des Bandes muß ich noch nachdenken. Er handelt von lauter deutschen Meistern. Diese Eigenschaft müßte den Titel wohl bestimmen, zusammen mit der Andeutung einer gewissen freien Intimität.

Ihrem Brief lag eine Benachrichtigung über eine kleine Einnahme (M 96,15) für die irische Ausgabe von »Herr und Hund« bei, die meinem Konto gutgeschrieben wurde. Es wäre uns lieber, wenn solche Kleinigkeiten nicht gutgeschrieben, sondern auf unser hiesiges Konto überwiesen würden.

Herzlich   *Ihr T. M.*

Küsnacht. 3. v. 34

Lieber Doktor Bermann:

Wenn Sie es denn wollen, so mag der Essayband also im Herbst bei Ihnen herauskommen. Man muß ihn gewissermaßen als historisches Dokument behandeln, indem man die einzelnen Aufsätze sorgfältig datiert, damit jeder Leser sieht, welcher Epoche sie angehören. Die beiden Goethe-Vorträge habe ich hier in der letzten Zeit in Zürich und Basel wieder gehalten, und sie haben mich so stark interessiert, daß ich zu ihrer Herausgabe in Buchform wieder neue Lust bekommen habe. Mit dem Wagner-Aufsatz geht es mir nicht anders, und auch das Übrige hat seine Reize, sodaß alles zusammen einen ganz hübschen Band abgeben wird. Bei den Goethe-Vorträgen ist mir aber wieder bewußt geworden, daß verschiedene Einzelheiten darin sich decken, so daß da und dort gestrichen werden muß. Es wird also gut sein, auch dieses Buch zuerst in Fahnen zu drucken.

Den »gemeinsamen Trunk« hatte ich für den Fall vorgesehen, daß sich infolge meines Briefes die Münchner Angelegenheit bald zum Guten lösen könnte. V. H. hatte nämlich wiederholt erklärt, daß er dann sofort nach Zürich kommen werde. Meine Zweifel aber, ob der Brief überhaupt irgend eine Folge haben wird, sind schon wieder recht lebhaft, obgleich es wohl noch zu früh ist, jede Hoffnung aufzugeben. Was tun man aber, wenn überhaupt nichts erfolgt? Mir schwebte für diesen Fall eine Veröffentlichung des Briefes vor. Jedenfalls müßte man nach dem endgültigen Fehlschlagen der H'schen Methoden andere

75

Saiten aufziehen und andere Schritte tun. Freilich setzt mich die Reise nach Amerika, die wir am 18. antreten, vorläufig außer Aktion. Mitte Juni werden wir zurücksein. –

Gestern war der Tag unseres Zusammenseins mit Fischers. Es hatte viel Bewegendes für uns, und als ich schließlich meinem alten Freunde, der eine so wichtige Rolle in meinem Leben gespielt hat, noch einmal zum Abschied zuwinkte, war mir recht weh ums Herz, denn man weiß ja nicht, ob man sich noch einmal wiedersieht. Er ist wohl müde und oft in seinen Äußerungen verwirrt und abwegig, aber sein schalkhafter Humor ist ihm geblieben, und oft sagt er Dinge zwischendurch, die daran erinnern, was er ist und war, und was er geschaffen hat.

Ihre Sorge um Reisiger teile ich beständig und auch die Hoffnung, die Sie auf seine Maria Stuart-Novelle setzen. Daß Zweig eine Biographie über die Königin schreibt, wußte ich längst und hatte es Reisiger sorgfältig verschwiegen. Er erfuhr es doch und schrieb mir sehr aufgeregt und deprimiert. Es ist mir aber bei unserem Zusammensein in Locarno gelungen, ihn deswegen zu beruhigen, hauptsächlich durch den Hinweis, daß schon das letzte Buch von Zweig in Deutschland kaum sichtbar geworden ist und daß auch die Mary-Biographie in erster Linie eine Auslands-Angelegenheit sein wird. Auch wird aller Voraussicht nach Reisiger früher fertig werden; er hat seinen Berichten zufolge in letzter Zeit gute Fortschritte gemacht. Die Anfänge der Geschichte, die er uns zu lesen gab, fand ich vorzüglich und verspreche mir, wie Sie, etwas sehr Schönes von dem Ganzen.

Einen Generaltitel für den Essayband weiß ich noch nicht, aber damit hat es ja noch Zeit.

Herzlich   *Ihr Thomas Mann*

Eben kommt der Brief wegen des holländischen Vertrages. Ich bin einverstanden, bitte nur zu veranlassen, daß die Zahlungen nach Abzug der dem Verlage zukommenden Prozente an mich direkt geleistet werden.

Würden Sie auch bitte veranlassen, daß ein Exemplar des »Joseph« an Herrn D. Taub, Wiederitsch bei Leipzig, Hauptstr. 8, gesandt wird.

Lieber Dr. Bermann,

ich habe mich sehr über die Resolutheit des Verlages, resp.
Ihre persönliche, amüsiert, den Essayband einfach »Deutsche
Meister« zu betiteln. Aber warum eigentlich nicht? Es ist gut
und richtig, und der Knoten ist durchhauen. Es soll also gelten.

Die heute eingetroffenen Anfangskorrekturen habe ich gleich
durchgesehen, schicke sie aber noch nicht zurück, weil ich die
beiden Goethe-Aufsätze neben einander haben muß, um über
die Tilgung von Duplizitäten entscheiden zu können. Die
etwaigen Striche müßten teils im ersten, teils im zweiten Aufsatz angebracht werden. Nun reisen wir ja morgen früh, und
vielleicht wird es das Vernünftigste sein, die Korrekturen bis
nach unserer Rückkehr, Mitte Juni, ruhen zu lassen. Wenn Sie
aber wollen, können Sie mir auch Weiteres unter Knopfs
Adresse nach New York schicken, damit ich es schon auf der
Heimreise erledige.

Ebenso würde ich mich freuen, wenn ich den Aufsatz von
Reisiger, der so schön sein soll, nicht als Allerletzter zu sehen
bekäme, sondern wenn Sie mir die Fahnen zukommen lassen
könnten.

Gestern kam auch Frau Fischers freundlich ausführlicher Brief
mit den netten Bildern. Danken Sie ihr vorläufig herzlich dafür!

V. H.'s Besuch war informatorisch nicht unergiebig, hat aber
neue Sorgen zurückgelassen. Auch fängt H. jetzt an, viel Geld
zu verlangen, und wenn wir, dank unglücklichen Zwischenfällen, in der Sache erfolglos bleiben, so sind wir böse hinein-
gefallen. Wir wollen es nicht hoffen.

Herzlich   *Ihr T. M.*

Gottfried und Brigitte Bermann Fischer [Telegramm]

[Berlin, 5. 6. 1934]

Gratulieren herzlich gedenkend

Bermann Fischers

[Berlin, 5. 6. 1934]
Denken Ihrer in Liebe und Treue mit herzlichsten Glückwünschen   *Fischers*

Küsnacht den 21. VI. 34.
Lieber Dr. Bermann,
überraschender Weise sehe ich mich wieder in meinem Küsnachter Arbeitszimmer – das Abenteuer ist zurückgelegt und
scheint nur noch ein Traum. Ein etwas wirrer, aber sehr freundlicher. Ich habe viel Gutes und Wohltuendes erfahren und ge-
erntet, was in Jahr und Tag gesät worden. Das »Testimonial-
Dinner« am 6. Juni war ein großer Erfolg: 300 Personen mit
dem Mayor von New York an der Spitze. Und wie ein Traum
war das Ganze auch anderen Leuten: Ich drückte die Hände
vieler, die mir sagten es sei ihnen »like a dream«, mich in
Wirklichkeit vor sich zu haben. Von alldem gelegentlich einmal Näheres, am besten mündlich. Vor allem danke ich noch
herzlich für Ihr freundliches Telegramm und das der alten
Herrschaften! Sinclair Lewis telegraphierte: »As long as T. M.
writes in the German language the world will not forget its
debt to the people and the culture that produced him.« Seine
Frau, Dorothy Thompson hat im »New York Herald« besonders schön und günstig über den »Joseph« geschrieben.
Ich schreibe heute hauptsächlich wegen einer anderen Besprechung. Brion soll in den »Nouvelles Littéraires« sich wieder
sehr erfreulich über den zweiten Band geäußert haben. Das
würde mich interessieren, und wenn Sie die Kritik in Händen
haben, so schicken Sie sie mir, bitte.
Sehr klug und fein waren F. Lions Betrachtungen zu den beiden Bänden in der »N. Zürcher Zeitung«. Haben Sie sie gesehen?
Die Korrekturen des Essay-Bandes habe ich vorgefunden und
mache mich gleich daran. Einige Skrupel macht mir offen gestanden die Hauptmann-Rede, die unleugbar etwas zur Unzeit
kommt, und deren Aufnahme man mir draußen verübeln wird.
Aber schließlich: Was ich geschrieben habe, habe ich geschrieben.
Viele Grüße   *Ihr Thomas Mann*

Lieber Dr. Bermann,

ich schrieb Ihnen neulich schon von meinen Sorgen und Bedenken wegen des letzten, kürzesten Stückes des Essaybandes, der Rede über Hauptmann. Diese Skrupel haben sich bei der Beschäftigung mit den Korrekturen und bei näherer Prüfung der Frage so verstärkt und sich mir als so berechtigt erwiesen, daß ich zu dem Entschlusse gekommen, diese Ansprache nicht in den Band aufzunehmen. Was ich geschrieben habe, habe ich geschrieben, und später einmal mag auch dies Dokument einer bestimmten Stunde in meine gesammelten Schriften eingehen. In diesem Augenblick würde die Vorführung des Aufsatzes, seine Einsetzung in dieses Buch zu Mißverständnissen führen, die ich vermeiden muß.

Ich habe an H.'s furchtbar schwacher Haltung in jüngster Zeit niemals Kritik geübt und gedenke es nicht zu tun. Auch in Amerika habe ich mich dessen geweigert, trotz mancher Nahelegung und Herausforderung. Ich habe ja überhaupt das Schweigen gewählt, und so auch in diesem Punkt. Gerade darum aber müßte die Reproduktion der Festrede im gegenwärtigen Augenblick den Eindruck erwecken, als stellte ich mich zu ihm, billigte sein Verhalten, hätte nichts daran auszusetzen, und um so mehr würde sie das tun, als die Ansprache, im Gegensatz zu dem psychologisierend kritischen Charakter der vorangehenden größeren Arbeiten, von durchaus positiv verherrlichender Art ist. Ich habe an ein Vorwort gedacht, worin ich mich aufs Dokumentarisch-Historische hinausreden und auffordern könnte, das ganze Buch im Licht seiner Entstehungszeit zu betrachten. Aber dadurch würde ich, zugleich mit dem Schlußstück, auch die übrigen Aufsätze gewissermaßen für überholt erklären und von ihnen abrücken, was nicht meine Absicht ist. Ich könnte auch sagen, daß ich mich, wie in meinem ganzen Weltbild, so arg in der Anschauung der Einzelgestalt durch Aktuelles nicht beirren lassen wolle; aber abgesehen von der Frage, ob eine solche Einschränkung in einem Buch Ihres Verlages statthaft wäre, würde es nicht hindern, daß die Wiedergabe einer solchen Lobrede auf H. in diesem Augenblick verwirrend, irreführend und schädigend wirken müßte, und diese Verantwortung kann ich nicht auf mich nehmen.

Verschweigen will ich nicht, daß der Entschluß, die Rede in diesem Band wegzulassen, mir etwas erleichtert wird durch H.'s persönliches Verhalten mir selbst gegenüber und meiner Arbeit. Ich habe ihn vier, fünfmal durch freudig aktive Teilnahme an seinem Husten bewiesen, daß die Figur des Peeperkorn im »Zauberberg« nicht böse gemeint war und nichts weniger als eine Verkleinerung seiner Person bedeutete. Umsonst, er ist nicht groß und frei genug, darüber hinweg zu kommen und hat sich z. B. gegen Meier-Graefe dermaßen dumm und rankünös über den »Joseph« geäußert, daß es einfach ein Jammer und ein Elend gewesen sein muß. Sogar Antisemitismus hat er mir vorgeworfen. Ich sage, diese Unempfänglichkeit für meine betonten Huldigungen erleichtert mir etwas meinen aus anderen Gründen gefaßten Entschluß – herbeigeführt hätte sie ihn keineswegs.

Wir müssen nun aber prüfen, ob nicht der Band durch Streichung des freilich an sich wenig umfangreichen Schlußstückes zu schmal wird. Ohnedies ist er, dank der kleinen und in ihren Formen oft undeutlichen Schrift, an die ich leider gebunden bin, nur auf 222 Seiten gekommen. Ohne das Schlußstück werden es nur 209 sein. Ist das genug für eine Essay-Sammlung? Wird es unter diesen Umständen nicht doch besser sein, den Band zurückzustellen und zu warten, bis er einmal durch einen neuen größeren Beitrag, etwa einen Stifter-Aufsatz, ausgefüllt sein wird? Oder meinen Sie, daß er auch so genügend Substanz hat und daß man mit der Dicke des Papiers dem äußeren Umfang nachhelfen kann?

Bitte, äußern Sie sich bald über diese Fragen, nachdem Sie sie ernstlich geprüft haben. Ich sitze in Zweifeln und weiß garnicht recht, ob ich nun das Buch druckfertig machen soll oder nicht.

Herzlich   *Ihr Thomas Mann*

Küsnacht, 27. VI. 34.

Lieber Dr. Bermann:

Die Bitte des Vereins des jüdischen Hilfswerkes um ein Wort der Fürsprache beim Publikum abzulehnen, war ganz unmöglich. Es handelte sich dabei um ein rein humanitäres Unternehmen, das nicht einmal nur Juden, sondern politischen Flüchtlingen und Leidenden aller Länder zu gute kommen soll. Dieses ist auch in meinem Brief ausgesprochen. Das Interview, von dem ferner die Rede ist, habe ich absichtlich sehr kurz erledigt, indem ich mich einfach auf die Äußerungen berief (und mich selbstverständlich zu ihnen bekannte), die ich in früheren Jahren über den Antisemitismus getan habe. Was der Journalist aus diesem Hinweis etwa gemacht hat, ist für mich unverbindlich. Meine authentische Äußerung, der Brief, ist, wie Sie sehen, so zurückhaltend und allgemein abgefaßt, daß auch in Deutschland niemand daran Anstoß nehmen kann und hat mit den Angaben der deutschen Blätter überhaupt keine Ähnlichkeit mehr. Über den Unsinn, daß das Geld, zu dessen Sammlung ich erst mit aufrief, zur Finanzierung meiner Reise und zu einer völlig aus der Luft gegriffenen Propaganda-Reise meines Sohnes Klaus gedient haben soll, brauche ich wohl kein Wort zu verlieren. Der Charakter meiner Reise, und wie sie zustande kam, ist Ihnen genau bekannt.

Die aus einem Interview zitierte Wendung von der »beschmutzten Umschmelzung des Bolschewismus, der sich bereits im Niedergang befindet«, ist zurückzuführen auf eine Definition des Nationalsozialismus, die ich gleich zu Anfang auf Befragen einem Journalisten gab. Sie lautete dahin, der Nationalsozialismus sei eine noch ungeklärte Mischung konservativ-reaktionärer und sozialistischer Elemente. Daß diese Elemente heute in noch unausgetragenem Kampf liegen, ist ja die objektive Wahrheit und bedeutet eine Feststellung, in der überhaupt keine Stellungnahme liegt. Die gleiche Zurückhaltung und Objektivität habe ich bei allen meinen Gesprächen gewahrt.

Herzlich Ihr ergebener   *Thomas Mann*

Zürich-Küsnacht
16. VII. 34

Lieber Doktor Bermann:

Heute schreibe ich Ihnen in der Angelegenheit eines Dritten, die aber gewissermaßen, wie Sie sehen werden, auch meine Sache ist.

Sie kennen ja Ferdinand Lion und seine Art zu schreiben. Er

hat jetzt ein Buch abgeschlossen, »Geschichte als Mythologie«, woraus ich große Teile kenne, die mir ausgezeichnet gefallen haben. Es ist ein in seiner knappen und aphoristischen Art, aber in großen Kapiteln geschriebenes Buch voller Geist und origineller, überraschender und anregender Gesichtspunkte. Meiner Überzeugung nach wäre es ein Jammer, wenn das Buch, das rein betrachtenden Charakters ist und keinerlei sichtbaren Angriffsgeist zeigt, nicht in Deutschland erschiene, und Lion selbst wünscht sehr, daß es das tue, genauer gesagt, daß es in Ihrem Verlage erscheine. Er wird es Ihnen schicken, wenn Sie grundsätzlich die Übernahme des Buches für denkbar halten. Daß Sie Gefallen an der Lektüre finden werden, kann ich kaum bezweifeln.

Es kommt aber noch etwas hinzu, was Sie vielleicht dem Gedanken günstiger stimmen wird. Sie haben in der »Zürcher Zeitung« den Aufsatz Lions über die beiden »Josephs«-Bände gelesen. Er gehört für mich zum Interessantesten, was ich über das Werk zu sehen bekommen habe, vielleicht war er mir das Liebste von allem, und zwar aus dem Grunde, weil er schon nicht mehr Kritik im üblichen Sinne ist, sondern das Buch gewissermaßen als eine Gegebenheit nimmt, die man nicht schulmeistert, sondern als Gegenstand der Erkenntnis behandelt und essayistisch studiert. Lion, mit dem ich in dieser Zeit wiederholt zusammenkam, ist mit den »Josephs«-Büchern noch immer beschäftigt, und da er nun das Geschichtsbuch abgeschlossen hat, plant er weitere Versuche über den »Joseph«, mehrere solche Studien, die sich gleichfalls zu einem Buch oder Büchlein zusammenschließen werden. Dieses sein Vorhaben freut mich begreiflicher Weise sehr, und ich verspreche mir davon eine starke kritische Stützung meiner Arbeit. Auch dieses Buch denkt er Ihrem Verlage zu, falls Sie ihn eben als Autor aufnehmen, und wenn ich auch ohne diesen weitergehenden Plan Ihnen das Geschichtsbuch aus rein sachlichen Gründen warm empfohlen hätte, so werden Sie verstehen, daß der Gedanke an das zweite Buch mich noch besonders dazu anfeuert, ebenso wie ich glaube, daß er auf Ihren Entschluß mit einwirken kann.

Sagen Sie mir also bitte gleich mit einem Wort, ob Ihnen prinzipiell Lion als Autor willkommen wäre. Ich stehe in Kontakt mit ihm, und werde ihn benachrichtigen. Ein anderer deutscher

Verlag wie Sie kommt für ihn kaum in Betracht. Wenn Sie ablehnen, muß er wohl in die Schweiz mit dem Buche gehen, was,
wie gesagt, zu bedauern wäre.

Am 23. fahren wir auf ein paar Tage nach Venedig, wo diesmal das Kulturkomitee des Völkerbundes zusammentritt. Ich
möchte mich an diesen Sitzungen wieder einmal beteiligen,
und die Stadt, die ich seit einem Jahrzehnt nicht gesehen habe,
lockt mich auch. Natürlich hatte ich wieder Paß-Schwierigkei-
ten, aber es scheint sich alles zu ordnen. Bern wird mich mit
dem notwendigen Papier ausstatten, und das italienische Ge-
neral-Konsulat rief sogar spontan an, weil es von Rom die
telegraphische Weisung bekommen hatte, mir behilflich zu
sein. Es handelt sich ja nur um ein paar Tage, vom 24. bis
Ende des Monats. Ich wohne wieder im »Hotel des Bains«,
dem Schauplatz einer nun schon zwanzig Jahre alten Geschichte.

Herzliche Grüße   *Ihr Thomas Mann*

Küsnacht-Zürich 20. VIII. 34
Schiedhaldenstraße 33

Lieber Doktor Bermann:

Vielen Dank für Ihre freundlichen Zeilen und willkommen in
Berlin (wenn es mir zukommt, Ihnen ein solches Willkommen
zu bieten).

Den Wunsch, den Sie mir ausdrücken, habe ich längst spontan
und wiederholt erfüllt. Dreimal ist wenig gerechnet, daß ich in
meiner Korrespondenz mit Professor Böök von Hermann Hesse
in diesem Zusammenhang gesprochen habe. Es ist durchaus
meine Überzeugung, daß, wenn man diesmal überhaupt daran
denkt, den Preis der deutschen Literatur zuzuwenden, Hesse
der gegebene Kandidat wäre. Ich habe das vor der Veränderung der Dinge in Deutschland gesagt, aber jetzt halte ich natürlich noch viel stärker dafür. Hinzufügen muß ich, daß Böök
noch niemals auf meine Hinweise eingegangen ist. Ich denke
mir, daß das eine Sache der Diskretion ist.

Wir beneiden Sie um Ihr Nordsee-Asyl dort oben. Gewiß blü-
hen die Kinder dort auf, und Sie werden dort über die Ereignisse der letzten Zeit relativ leichter hinweggekommen sein.

Ich freue mich, zu hören, daß Sie in nächster Zeit allerlei Schönes herausbringen werden.

Für heute nur noch viele Grüße.

Ihr ergebener   *Thomas Mann*

S. Fischer an TM

Freudenstadt, 20. August 1934

Lieber Herr Professor!

Ich danke Ihnen und Ihrer Frau für das Lebenszeichen, das meine Erinnerung an Sie und die Ihren von neuem angeregt hat. Ich bin hier in Freudenstadt, um den Sommer so still wie möglich zu verbringen. Es geht mir auch tatsächlich viel besser, und ich hoffe, ich kehre im Frühherbst gekräftigt nach Berlin zurück.

Inzwischen habe ich von Bermann gehört, daß die Aktion zu Gunsten Ihrer politischen Einstellung noch nicht große Fortschritte gemacht hat. Vielleicht ist es am besten, die Sache aufzugeben und sich der unmittelbaren Gegenwart und persönlichen Aufgabe mit gutem Gewissen zuzuwenden. Daraus spricht nicht Streberei, wohl aber die Sehnsucht bei einem guten Werk mitzutun, wozu eigentlich nirgends mehr Gelegenheit vorhanden ist. Lassen Sie mich bald wieder wissen, wie es Ihnen geht.

Ich gehöre nun zu den Alten, aber zu den Treuen, und wenn Sie mich brauchen, stehe ich zu Ihrer Verfügung, was vielleicht schon über meine Kräfte geht.

Herzlichst   *Ihr S. Fischer*

TM an S. Fischer

Küsnacht-Zürich 23. VIII. 34
Schiedhaldenstraße 33

Lieber Herr Fischer,

ich war sehr gerührt über den freundschaftlichen Brief, den Sie neulich im Walde an mich diktiert haben, wiederholt habe ich ihn gelesen. Vor allem freut mich, daß Freudenstadt Ihnen gut tut, und daß sein Frieden Sie dem Herbst hoffnungsvoll entgegensehen läßt. Ich habe den Schwarzwald immer sehr geliebt, wenn ich auch gerade die Gegend Ihres gegenwärtigen

Aufenthaltes nicht kenne. Aber seitdem wir auf dem Feldberg zusammen waren (erinnern Sie sich, es war zur Zeit der Inflation) bin ich mit dem Auto wiederholt in die Gegend von Titisee gekommen, und der Märchenwald aus Schwarztannen mit dem schönen Unterholz aus Farn gehört zu meinen liebsten Erinnerungen. Sonderbar, daß man das wahrscheinlich nicht mehr wird wiedersehen dürfen. Meine Münchener Besitzangelegenheit lasse ich gehen, wie sie will und kann. Sie beschäftigt mich am wenigsten. Dagegen ist es begreiflich, daß die öffentlichen Ereignisse beständig einen sehr scharfen Reiz auf mein moralisch-kritisches Gewissen, auf mein Schriftstellertum ausüben, das zu reagieren gewohnt ist, und das hat zu der Arbeitskrise geführt, von der meine Frau der Ihren etwas andeutete, und aus der ich noch nicht heraus bin. Sie sagen, Sie gehören zu den Alten; aber das tun wir alle, Sie nicht mehr als ich, und das Erlebnis ist alt und kehrt immer wieder. Goethe sagte 1811 zu Boisseré: »Sie glauben nicht, für uns Alte ist es zum toll werden, wenn wir so um uns herum die Welt müssen vermodern und in die Elemente zurückkehren sehen, daß weiß Gott, wann? – ein Neues daraus erstehe.« Mutet uns das nicht recht vertraut an? Recht herzliche Grüße und Wünsche Ihnen und den Ihren   *Ihr Thomas Mann*

Küsnacht-Zürich 1. XI. 34.
Schiedhaldenstraße 33

Lieber Herr Dr. Bermann,
für Ihren Brief von vorgestern vielen Dank. Der Vorschlag den »Tod in Venedig« betreffend ist ja interessant, obgleich mir die Verwirklichung noch recht unwahrscheinlich ist. Und Adolf Wohlbrück ist doch wohl zu schön, um wahr zu sein als Aschenbach. Für den Tadzio ist er wieder zu alt. Aber grüßen Sie ihn schön. In »Maskerade« fand ich ihn auch vortrefflich, obgleich eigentlich meine Aufmerksamkeit von der Wessely in Anspruch genommen war. Es ist auffallend, wie sie an die *Sorma* in ihren jungen Jahren erinnert. Eine rechte alte Herren-Feststellung, die Sie nicht kontrollieren können. –
Es wird nun Zeit auf den *Essay-Band* zurückzukommen, der doch einmal ans Licht treten muß. Sein äußerer Umfang, der mir durch den notwendigen Wegfall der Hauptmann-Rede (sie

würde auch stilistisch nicht hineinpassen) zu gering geworden war, ist reichlich aufgefüllt worden durch eine Art von Plauderei über den »Don Quijote«, die ich kürzlich geschrieben habe und die nächstens fortsetzungsweise im Feuilleton der »Neuen Zürcher Zeitung« erscheinen wird. Ich schicke Ihnen einen Abzug davon und bin sehr gefaßt auf Ihre Zustimmung zu meinem Gefühl, daß das Buch dadurch mehr als je zu einem verlegerischen Problem geworden ist! Paßt diese »Meerfahrt« nach Deutschland? Paßt irgend einer der anderen Aufsätze dorthin? Können Sie es wagen, heute mit diesem Bande hervorzutreten? Ich bin mehr als zweifelhaft und könnte es nicht verantworten, Ihnen auch nur mit einem Wort zu dem Wagnis zuzureden. Vom Auslande habe ich Angebote auf den Band, bin mir aber dessen wohl bewußt, daß es kein bedeutungsloser Schritt wäre, damit hinauszugehen und darf natürlich keinesfalls diesen Vorschlägen näher treten, ohne Sie noch einmal vor die Entscheidung gestellt zu haben. Sagen Sie: »Ich will und kann das Buch bringen«, so gehört es Ihnen, – besonders da unser Freund Heins schon Vorschuß darauf bekommen hat. Sagen Sie: »Es geht nicht« (*ich* glaube kaum, daß es geht), so muß ich mir das Recht wahren, diese Aufsätze, die allgemein für interessant gelten, außerhalb Deutschlands gesammelt vorzulegen.

Der Titel »Deutsche Meister« ist durch das Schlußstück unpassend geworden. Man muß einen neuen finden, vielleicht: »Meister und Meisterwerke« oder »Leiden und Größe der Meister« (im Anschluß an den Wagner-Essay).

Entschließen Sie sich für das Buch, so müßte ich bitten, mir die Korrekturen – vielleicht gleich mit dem neuen Stück – noch einmal schicken zu lassen, da die vorigen nicht mehr brauchbar sind. – An Herrn Suhrkamp schickte ich heute ein Kapitel aus dem 3. Band »Joseph« für das Fischer-Gedenkheft der »Rundschau« nebst zwei handschriftlichen Seiten als Abschiedswidmung an den Verstorbenen. Anders als mit diesen wußte ich mir, nachdem ich schon für die »Basler Nachrichten« geschrieben, nicht zu helfen; und es geht auch wohl so. Mehr Sorge macht mir die *Länge* des Romankapitels. Wird es unterzubringen sein? Denn wenn das Dezemberheft das Gedenkheft ist, kann man nicht gut im Januarheft die Fortsetzung bringen. Oder doch? Herzliche Grüße! *Ihr Thomas Mann*

Küsnacht-Zürich den 2. XI. 34.
Schiedhaldenstraße 33

Liebe Frau Fischer,

ich möchte Ihnen nur einen Gruß senden, nichts weiter. Es ist
wohl kein Tag vergangen, seit wir in Basel, auf der Rückreise
von Lugano, die Todesnachricht empfingen, ohne daß wir von
Ihnen und Ihrem Mann gesprochen haben und die Erschütterung, die wir damals empfanden, zittert nach und wird es noch
lange tun. Man mußte doch gefaßt auf diesen Abschied, ja
schließlich fast einverstanden damit sein; und doch kann ich
nicht sagen, wie nahe er mir gegangen ist, als er sich nun ver-
wirklichte. Fast vier Jahrzehnte der Zusammenarbeit! Ich habe
sehr gehangen an dem Verewigten. Eine heitere Herzlichkeit
bestand zwischen uns, wie ich sie sonst selten im Verhältnis zu
Menschen erfahren habe, und kaum je kam es zu oberflächlichen Trübungen und Verstimmungen. Unsere Charaktere
paßten zu einander, und ich habe immer gefühlt, daß ich der
geborene Autor für ihn und er mein geborener Verleger war.
Etwas davon habe ich angedeutet in dem Nachruf auf ihn, der
Ihnen, in der Sonntagsbeilage der »Basler Nachrichten«, wohl
zu Gesichte gekommen ist. Es ist ja eigentümlich, wie ich meinem Gefühl bei solchen Gelegenheiten Zügel anlege, es unwillkürlich zurückdränge und erkälte zugunsten der Psycholo-
gie und Charakteristik. Ich bin eben kein Lyriker, sondern auf
Objektivierung und Distanzierung angewiesen. Ich würde
mich nicht wundern, wenn Sie es in diesem Fall schmerzlich
empfunden hätten. Besser zufrieden bin ich selbst mit den beiden knappen Seiten, die ich jetzt noch für das Gedenkheft der
»Rundschau« an Suhrkamp geschickt habe. Möge dies Heft
sich zu einem recht schönen Denkmal gestalten!

Von Reisiger, der in den nächsten Tagen zu Besuch zu uns
kommt, hörten wir, daß das Ende sanft und bewußtlos gewesen ist. So ist es recht und in Ordnung. Und Sie? Wie hat Ihr
Herz die Trennung überstanden? Wenn man so lange Seite
an Seite gegangen ist und alles geteilt hat! Sobald man über
das Leben nachdenkt, kommen einem die Tränen.

Ihr Verlag hat in letzter Zeit viel Schönes und Interessantes
herausgebracht. Außerordentlich interessant das Buch über
Carl den Großen. Döblin will, wie ich höre, für die »Samm-

lung« einen Aufsatz darüber schreiben, obgleich die Emigranten deutsche Bücher, d. h. in Deutschland erschienene, sonst nicht gern erwähnen. Was ich aber von Anfang bis zu Ende und mit ganz seltener Anteilnahme durchgelesen habe, ist Gumperts »Hahnemann«, ein Leben, von dem ich kaum etwas wußte und das mich in dieser Darstellung tief ergriffen hat. Leben Sie wohl und getrost! Grüßen Sie Ihre Kinder und Enkel und seien Sie gegrüßt von

Ihrem Thomas Mann

Hedwig Fischer an Katia Mann

[Berlin-Grunewald] 3. Nov. 34

Liebe Frau Mann!

Schon die ganzen letzten Tage wollte ich an Sie schreiben und Ihnen danken für Ihre warmen freundschaftlichen Worte und Herrn Mann für seinen schönen Nachruf in den »Basler Nachrichten«. Aber gerade den nächsten Freunden kann ich am schwersten schreiben! –

Sie wissen es ja, mein Verlust ist unersetzlich und wird mit jedem Tage schwerer zu tragen; wir Alle haben unser Haupt verloren! Und ich durfte meinem Mann ja, trotzdem ich ihn so gern noch lange gepflegt hätte, nicht wünschen, krank und mit verminderten Geisteskräften weiter zu leben. Das wäre ja für ihn furchtbar gewesen! Die allgemeine Anteilnahme war überwältigend; die Liebe und das Verständnis für ihn so groß, wie er es nie geahnt hatte, sogar fremde Menschen schrieben! Hausmanns und Loerkes Reden bei der Beisetzung werden Sie im Almanach finden. Flake schrieb recht gut in der »Frankfurter [Zeitung]« vom 27. 10. Kolbe hat die Totenmaske abgenommen, und Fritz Heimann hat ihn photographiert, als er hier aufgebahrt lag. Sein Kopf leuchtete von Geist und er sah jung aus im Tode. Soll ich Ihnen ein Bild schicken und eine frühere, gute Aufnahme?

Ich grüße Sie beide in alter Freundschaft und hoffe, bald wieder von Ihnen zu hören.

Ihre Hedwig Fischer

Hedwig Fischer an TM

Berlin-Grunewald 3. Nov. 1934

Lieber Herr Mann!

Gerade hatte ich an Sie Beide geschrieben, als mir Gottfried Ihren Nachruf brachte, den Sie mit einem Kapitel aus dem dritten Band des »Joseph« für das Gedenkheft der »Rundschau« bestimmt haben. Nun habe ich Ihnen nochmals sehr zu danken für die schöne Idee des »Totengeschenkes«, der Grabbeigabe, dem Sie eine so zauberhafte Form gegeben.

Es war mir, und auch meinem Manne, ein Schmerz, daß er durch sein beginnendes Leiden Ihren »Joseph« nicht mehr ganz aufnehmen und auch mit Ihnen nicht mehr richtig darüber sprechen konnte. Das Buch lag zwar in Rapallo die ganze Zeit über an seinem Bett; er las auch oft daran, aber es war eben nicht mehr das Rechte. – Er sprach den Ärzten gegenüber immer wieder seine Angst aus vor einer »geistigen Erkrankung«, wie er es nannte. Man beruhigte ihn – damals noch mit Recht –, daß jemand, der sich so kontrolliere, wie er, nicht geistig erkrankt sein könne, sondern daß Alterserscheinungen, Veränderungen im Gehirn, die häufig vorkommen, die Gedächtnisschwäche und Ähnliches verursache. – Er aber hielt sich doch wohl für krank und als der Zustand in Freudenstadt sich durch die akute Infektionskrankheit plötzlich so verschlimmerte, da kämpften wir zwar Alle einen furchtbaren Kampf um sein Leben, aber ich sah bald, daß wir unterliegen mußten! –

Es ist so wahr und schön, daß »der Tod ein großer Wiederhersteller ist«; ich spüre das täglich, alle Schwächen, alles Irdische fällt ab, und der Mensch wie er wirklich war in seinen besten Zeiten ersteht wieder. Und so ist es für mich ein tröstliches Bild, ihn mir in Ihrem Geschichtenbuch lesend vorzustellen, das von seinen Urvätern erzählt. –

Auch wie Sie »Freundschaft« definieren, »Sinn haben einer für das Leben des anderen, eine Verwandtschaft der Lebensstimmung« ist so richtig und schön! Und so danke ich Ihnen nochmals von Herzen für Ihre Treue und Anhänglichkeit an den Dahingeschiedenen, und ich hoffe, Sie werden dieselbe auch ein wenig auf mich und auf uns Alle übertragen.

Ihre Hedwig Fischer

Lieber Dr. Bermann,
eben kommt Ihr Brief, der natürlich eine gewichtige Entscheidung für mich bedeutet. Allen Respekt. Ihre Civilcourage verpflichtet mich, in Kleinigkeiten nicht kleinlich zu sein. In einem Punkt ist freilich nichts mehr zu machen. Der Aufsatz läuft seit einigen Tagen in der »N. Z. Z.«, und Beanstandung Nummer 1 ist hier schon durchgeschlüpft. Den »Ichthyosaurier« kann ich wohl noch abwenden – obgleich es sich ja eigentlich um Literatur, nicht um Politik dabei handelt. Im Buche läßt sich natürlich beides tilgen. Bedenken Sie aber, daß die Logik an der 2. Stelle irgend eine bedingende Charakteristik der »Macht« – und zwar im Sinne des Bösen – verlangt. Vielleicht geht das auch mit einer anderen Wendung. Ich wollte Sie heute nur gleich von dem Stand der Dinge informieren.
Herzlich   *Ihr Thomas Mann*

Hedwig Fischer an TM

Berlin-Grunewald
Erdenerstr. 8
12. 11. 34

Lieber Herr Mann!
Unsere Briefe hatten sich gekreuzt, was mir immer ein Zeichen ist des gegenseitig Aneinanderdenkens.
Ich danke Ihnen von Herzen für den Ihrigen, er hat mich gerührt und erfreut, und genau das ausgesprochen, was ich empfunden, und zwar so ausgesprochen, wie eben nur Sie es können! Wundervoll, – »Ja wenn man über das Leben nachdenkt, kommen einem die Tränen!« – Aber noch für viel mehr habe ich Ihnen zu danken – obgleich die Liebe und Anhänglichkeit, die Sie für meinen lieben Mann aussprechen, mir ein kostbarer Besitz ist. –
Ich las in dieser Woche zuerst die Überfahrt nach Amerika mit dem »Don Quichotte«, die ich ganz entzückend finde; ein Einfall von höchstem Reiz: die Zusammenstellung dieses altehrwürdigen Romans mit den Betrachtungen, die bei einem so klugen und empfindenden Menschen eine erste moderne Schiffsreise auslöst. Und so voll von Lebensweisheit, von Be-

merkungen über heutige Zustände; ich bin ganz glücklich, daß wir das Buch bringen werden.

Und dann las ich in den Bogen das wunderschöne Kapitel aus dem dritten Band. Ihre Kinder haben vollständig Recht, Sie den »Zauberer« zu nennen, denn Sie sind ein großer Zauberer. Dieses Kapitel ist wie »Aus tausendundeine Nacht«, was für mich schon als Kind der Inbegriff alles Herrlichen war und man möchte – wie dort – gleich am nächsten Abend weiterlesen (und ist ein bischen ungehalten, daß man es nicht kann). – Es ist meisterhaft, wie man sofort wieder mitten darin in Josephs Geschichte, in seiner Umgebung und in seiner Zeit, steht, und alles von höchster Anschaulichkeit! – Wie weh tut es mir, es meinem Manne nicht vorlesen zu können! Ich beglückwünsche Sie zu der wunderbaren Fortführung des Werkes u. wünsche Schöpfer und Werk weiteres Gelingen!

Daß Sie Freude an unseren neuen Büchern hatten, hörte ich mit Vergnügen; ich bin auch sehr froh, daß wir gerade jetzt das Glück haben, viele gute und interessante Bücher zu bringen, obgleich auch dieses Gefühl stark mit Wehmut vermischt ist. Finden Sie nicht auch Kolb und Zuckmayer gut? Und Bindings Novelle in der »Rundschau« hat mir Respekt abgenötigt.

Ich glaube und hoffe, daß das Dezemberheft mit dem Gedenkteil gut und schön wird. Ganz besonders gerührt hat mich Reisigers wunderbarer Beitrag, und ich bitte Sie sehr, ihm das mit vielem Dank und Grüßen inzwischen von mir zu sagen, bis ich ihm in einigen Tagen selber schreibe. Wenn ich es nicht schon tat, so ist daran die Hochflut von Briefen schuld, in der ich stecke und die vielerlei andere Arbeit, die mich bedrängt und der ich noch nicht recht gewachsen bin.

Ihnen Allen, Ihrer Frau und Reisi meine innigsten Grüße

Ihre Hedwig Fischer

Küsnacht-Zürich, den 25. XI. 34
Schiedhaldenstraße 33

Lieber Dr. Bermann,

die Korrekturen des Essaybandes habe ich durchgesehen und schicke sie Ihnen anbei. Er soll nun »Leiden und Größe der Meister« heißen, im Zusammenhang mit dem Titel des Wagner gewidmeten Hauptstückes. Das ist, glaube ich, ein guter Name, wie mir überhaupt diese Dinge, in ihrer Zusammenstellung mit der »Meerfahrt« am Schluß, recht gut gefallen haben und ich den Eindruck hatte, daß gerade dergleichen im gegenwärtigen Deutschland wohl günstigen Boden finden und mehr Interesse erwecken könnte, als Aufsätze sonst zu tun pflegen. Aber wir müssen das abwarten, vor allem auch, ob man es zulassen wird.

Die Bemerkungen über die verschiedenen Anlässe, aus denen die Arbeiten entstanden, und den Zeitpunkt würde ich gern auf die Rückseite des jeweiligen Titelblattes gesetzt sehen. Sind Sie damit einverstanden? Diese Notizen sind wichtig, weil sie den Aufsätzen und Reden ihren zeitlichen Ort anweisen, sodaß man sie, wenn man will, als rein historische Dokumente nehmen kann, was eine gewisse »Entlastung« bedeutet.

Droemer hat die Storm-Einleitung auf meine erstaunte Anfrage hin sofort freigegeben. Auch Sie hat er wohl davon benachrichtigt.

Etwas zweifelhaft bin ich wegen der Schreibung des Namens Don Quijote und der Ableitungen »Donquichotterie« und »donquichottesk«. Diese zeigen ja die französische Orthographie und sind französische Wortbildungen. In »Meerfahrt« habe ich mich an die spanische Schreibung »Don Quijote« gehalten, weil Tieck immer so schreibt. Aber auch in dem Platen-Aufsatz kommt der Name mit seinen Ableitungen vor, und gelegentlich ergibt sich, daß das Adjektiv »donquichottesk« oder das Hauptwort »Donquichotterie« nahe bei dem Namen »Don Quijote« steht. Finden Sie das angängig? Ich habe mir überlegt, ob wir nicht, wenn wir an der Tieck'schen, spanischen Schreibweise festhalten (was ich gern möchte), auch die Ableitungen danach bilden und »Donquijoterie«, »donquijotesk« setzen sollten. Sagen Sie mir doch Ihre Meinung.

Jedenfalls möchte ich die umbrochenen Bogen des Buches noch zu sehen bekommen.

Mit vielen Grüßen   *Ihr Thomas Mann*

Lieber Doktor Bermann:

Nehmen Sie für Ihre freundlichen Zeilen vom 28. noch besten Dank. Ich bin mit der einheitlichen Schreibweise von Don Quijote und den Ableitungen des Namens ganz einverstanden und nehme an, daß Sie die Korrektur schon auf diese Weise geordnet haben.

Sie fragen nach den Vorgängen, die das Unternehmen meiner Tochter betreffen. Diese Störungen sind sehr bald wieder zur Ruhe gebracht worden, und es handelte sich dabei um Lausbübereien, die nicht einmal einen politischen, sondern eigentlich einen persönlichen Ursprung hatten. Das Gastspiel ist nach kurzer Beeinträchtigung programmäßig und sehr triumphal zu Ende gegangen, und ich persönlich bin äußerlich von den Angriffen dagegen in keiner Weise berührt worden. Innerlich sind sie mir natürlich nahe gegangen. – Es ist ja immer schwer, von Land zu Land die Dinge richtig zu sehen.

Sehr dankbar bin ich Ihnen für den Gedichtband. Diese Gedichte stellen ja schon durch die vollendete klassizistische Form ein Kuriosum innerhalb der modernen Lyrik dar. Gibt es eine allgemeinere Richtung dieser Art oder ist der Verfasser ein Einzelgänger? Das Stück, auf das Sie mich besonders hinwiesen, ist wirklich erstaunlich; ich habe es im Familienkreise vorgelesen und großen Eindruck damit erzielt. Vereinzelt ist das Symptom ja nicht, es ist mir schon manches auf ähnliche Weise frappante Beispiel vor Augen gekommen, aber dies ist wohl das offenste und bemerkenswerteste.

Für heute noch viele herzliche Grüße von Haus zu Haus.
Ihr ergebener

Lieber Dr. Bermann,

wir treten übermorgen, den 19., unsere Reise nach Osten an und werden am 30. zurück sein. Früher leider nicht. Und doch wäre es aus verschiedenen Gründen recht gut, wenn man sich vor Ihrer Rückkehr nach Berlin noch einmal sehen und sprechen könnte. Ich hörte, Sie wollten am 27. wieder zu Hause sein. Dann ist es freilich nichts damit, und man muß sehen, sich schriftlich zu verständigen. Aber könnten Sie nicht ein paar Tage zugeben und auf der Rückreise den Abstecher nach Zürich machen? Die Anfrage wollte ich nicht unterlassen.

Haben Sie noch schöne Tage da oben! Wir denken sehr daran, später auch noch auf 14 Tage hinaufzugehen.

Grüßen Sie Tutti!

Ihr ergebener   *Thomas Mann*

»Chantarella« St. Moritz den 16. II. 35

Lieber Dr. Bermann,

vielen Dank für Ihre freundlichen Zeilen und unsere Glückwünsche zur Wiederherstellung. Hoffentlich setzt die hier gesammelte Erholung sich nun doch noch durch.

Uns tut der Aufenthalt entschieden gut; wir sehen ein, daß Arosa den Vergleich mit ihm nicht aushält, und werden ihm fortan wohl treu bleiben. Wir haben die Zimmer im 3. Stock, die Ihre Schwiegereltern einmal bewohnten. Mit dem Wetter haben wir nicht viel Glück: 2 reine Sonnentage nur in der Woche, die hinter uns liegt, viel Föhn, viel Schneesturm. Aber man erholt sich doch.

Es ist mir eine Freude, daß Ihnen das Kapitel gefallen hat. Ich schreibe hier auch, ein Kapitel, worin der Meier Montkaw stirbt, weil er Joseph Platz machen muß. Es geht einem ordentlich nahe.

Sagen Sie Dr. Maril doch, daß er die Angelegenheit des »Tod in Venedig«-Filmes recht konziliant behandeln soll. Mir liegt viel an dem Abschluß, und auch Bruno Walter meinte, daß mit der Bergner etwas sehr Schönes zustande kommen könnte.

Wir waren noch mehrere Tage mit dem Ehepaar zusammen und saßen jeden Abend in Frau Fischers ehemaligem großen Zimmer. Jetzt sitze ich nach dem Diner meistens allein (während meine Frau Briefe tippt) mit dem »Faust« im Salon, und jedesmal setzt sich ein anderer junger Jude zu mir, um mir vom »Joseph« und von Deutschland zu sprechen.

Lion schreibt mir sehr erfüllt von seiner Arbeit, die gewiß interessant wird. Seine Ablieferungstermine liegen z. T. allerdings etwas spät. Hoffentlich einigen Sie sich noch darüber.

Neulich begingen wir hier, zugleich mit unserem 30. Hochzeitstag (mein Gott, wie das Leben dahin geht!) den zweiten Jahrestag unserer Abreise aus München. Wunderlich, zwei ganze Jahre nicht zu Hause in der Poschingerstraße gewesen! – Sie machen mir mit dem, was Sie von der Aufnahme wichtiger Verbindungen sagen, neue Hoffnung auf die Rückgewinnung meiner Habe, der Bibliothek, der Möbel, die wir so sehr vermissen. Heins schweigt. Könnte man denn nicht den Weg zu einem vernünftigen Prominenten finden, der in der verschleppten, sinnlosen Sache einfach ein Machtwort spricht? Mit Frau Fischer hatten wir ein Telephongespräch. Sie äußerte sich sehr befriedigt über ihren Aufenthalt. Sie dringt so freundlich in uns, noch zu ihr zu stoßen, aber wir scheuen die Umständlichkeit und müssen in 8 Tagen wieder zu Hause sein. Welchen Zeitpunkt nehmen Sie nun für das Erscheinen des Essaybandes in Aussicht?

[...]

Ihnen und Tutti viele Grüße von uns beiden.

Ihr Thomas Mann

Küsnacht-Zürich 25. II. 35
Schiedhaldenstraße 33

Lieber Dr. Bermann,

ich habe den Verlag Reclam um eine größere Anzahl gebundener Bücher aus seiner »Bibliothek« gebeten. Für den Fall, daß er sie mir nicht dedizieren kann (es sind größere und kostspieligere Werke darunter) habe ich ihn ersucht, sie Ihnen für mich zum Buchhändlerpreise mit höchstmöglichem Rabatt zu liefern. Kommen also diese Dinge an Sie, so bitte ich, sie gleich an meine Adresse weitergehen zu lassen.

Außerdem habe ich noch einen Bücherwunsch: Julien *Green,* »Der Geisterseher«, erschienen bei J. Kittl Nachf. Leipzig – M. Ostrau. Wollen Sie so gut sein, es mir möglichst vorteilhaft zu verschaffen? –

In Chantarella war es wohl schön. Aber meine Frau ist, statt erholt, kränker als vorher zurückgekommen. Sie hat sich neuerdings dort schwer erkältet, ist zwar braun, aber spitz und hütet unter nicht geheuren Erscheinungen, wie Schwitzen und Mattigkeit, das Bett. Das ist ein Kummer und eine Enttäu-

schung. Hoffentlich überwindet sie die Attaque bald. Aus dem
»Zauberberg«-Alter ist sie doch schließlich heraus.
Herzlich   *Ihr Thomas Mann*

Wie ist es mit der neu aufgenommenen Verbindung?

Küsnacht-Zürich, 21. III. 35
Lieber Doktor Bermann:
Von Ihrem Urteil über die Anfänge von Lions Urteil bin ich
zwar betrübt, aber nicht durchaus überrascht, weil ich eine gewisse Enttäuschung auch vor mir selbst nicht verleugnen
konnte und sie dem Verfasser, wenigstens in Hinsicht auf gewisse Teile des Manuskriptes, auch angedeutet habe. Zweifellos enthält das bisher Vorgelegte Feinheiten und Eindringlich-
keiten, wie man sie nicht gewohnt ist, aber die gewisse spitzige
Trockenheit, die Sie feststellen, muß ich auch zugeben. Sie gehört nun einmal zu seinem Stil nebst dem aphoristischen Charakter und wird nicht zu ändern sein, auch nicht für die späteren Teile, von denen sich Lion selbst erst das Rechte und
Eigentliche verspricht. Die Kapitel über die älteren Werke sollten nur eine Eröffnung darstellen, und Lion schreibt mir sogar,
daß er die Komposition des Buches noch ändern und umstellen
will.
Ein Hauptgrund der gewissen Unzulänglichkeit, den man beim
Lesen empfindet, ist ganz sicher die Überhetztheit, mit der
Lion unter dem Druck der Termine arbeiten muß. Diese Beeinträchtigung seiner Arbeit würde sich in Zukunft noch steigern,
und ich bin daher jetzt entschlossen, ihm davon abzuraten, die
Sache zwingen zu wollen. Ich halte es bei Lions zarter Ar-
beitskonstitution für ausgeschlossen, daß er das Buch, wie er
es vorhat, rechtzeitig in wirklich publikationsreifem Zustande
abliefern kann. Er muß das im Grunde selbst wissen, und ich
muß ihn wohl veranlassen, es sich einzugestehen. Schlimm ist
es natürlich für ihn, mehr als für mich, denn er hat nichts zu
leben und hatte auf die Zahlungen von Ihnen gerechnet. Hoffentlich läßt sich wenigstens von dem, was er schon geschrieben hat oder zu schreiben gedenkt, etwas im Juniheft der
»Rundschau« bringen. Dies könnte eine vorläufige Lösung sein.
Es ist ja nicht unbedingt nötig, daß ein solches Buch genau

zum Geburtstag erscheint und es braucht nicht in dem darauf folgenden Sommer zu erscheinen. Wenn es im Herbst herauskommt, wäre das vielleicht immer noch nicht verfehlt. Ich muß noch mit Lion darüber korrespondieren.

Die Abrechnung habe ich erhalten. Man muß sie ja, wie die vorhergehenden, sehr, sehr relativ betrachten, um sie nicht katastrophal zu finden. Niemals eine Einnahme! Wenn ich nicht ein paar Auslandseinnahmen hätte, stände es noch übler. Die Zukunft ist dunkel, und Sie können sich denken, daß ich mir ihretwegen schwere Sorgen mache, woran es bei Ihnen wohl auch nicht fehlt. Wie wird es weiter gehen mit Ihnen und mit mir? Gewisse Nachrichten aus letzter Zeit, das Verlagswesen betreffend, sind mir natürlich in die Glieder gefahren und ich hörte gerne Ihre eigene Meinung über die Lage und die Aussichten. Der Essayband, der nach Ihren letzten Äußerungen Mitte dieses Monats erscheinen sollte, was ja schon eine Verzögerung war, ist noch nicht da. Warum nicht? Sie können sich vorstellen, wie schlimm mir zu Mute ist, wenn ich bedenke, daß ich für dies Buch längst von anderer Seite eine große runde Summe hätte in Empfang nehmen können. Ich habe im vorigen Jahre 1350 [Mark] als Vorauszahlung auf die Prämie vom Verlage auf den Band bekommen. Den Rest der Prämie und ein Drittel der Tantième für die gedruckte Auflage bitte ich dringend mir sogleich zu überweisen, damit ich der Sorge überhoben bin, ob ich je für das Buch einen Entgelt zu sehen bekomme.

Ich füge einen Brief einer Buchhändlerin aus Hamburg bei, der einen guten Eindruck macht und den Sie vielleicht freundlich berücksichtigen.

Mit vielen Grüßen Ihr sehr ergebener   *Thomas Mann*

                                        Berlin W 57, Bülowstr. 90
                                            den 25. III. 35

Lieber verehrter Herr Professor!

Wir wollen also den Plan Lion zurückstellen, bis der Verfasser mit seinem Buch fertig ist. Ich rechne damit, daß wir das Buch etwa im Herbst herausbringen, wenn es bis dahin befriedigend beendet ist. – Nun ist allerdings eine neue Schwierigkeit aufgetaucht: Sie haben wahrscheinlich erfahren, daß eine ganze

Reihe von nichtarischen Autoren aus dem Reichsverband deutscher Schriftsteller ausgeschlossen worden ist. Wenn Lion auch darunterfällt, was an sich nicht notwendig wäre, da er ja Auslandsdeutscher ist und als solcher dem Reichsverband deutscher Schriftsteller nicht anzugehören braucht, würde eine Veröffentlichung seines Buches uns Schwierigkeiten bereiten. Ich nehme aber an, daß er, da er keinen Wohnsitz mehr in Deutschland hat und demnach also Auslandsdeutscher ist, die Ausschließung nicht erhalten hat. Dann könnten wir eine Veröffentlichung eines Kapitels im Juniheft der »Neuen Rundschau« in Betracht ziehen, und ich würde Sie bitten, uns recht bald den für diesen Zweck ausgewählten Teil zuzusenden. – Soll ich nun Lion über die vorläufige Entscheidung schreiben, oder wollen Sie es tun?

Aus dem letzten Auszug geht hervor, daß Ihr Debetsaldo außer den bekannten »5000.– RM« bis auf 336,44 M abgedeckt ist, wenn wir das Honorardrittel für den Essayband bei Erscheinen am 28. III. 35 mit RM 1200.– gutschreiben. Ich habe den Eindruck, daß Sie für die relative Geringfügigkeit der Einnahmen immer noch die Tatsache verantwortlich machen, daß Sie im S. Fischer Verlag erscheinen. Ich habe Ihnen schon oft gesagt, daß ich diese Einstellung nicht verstehe. Glauben Sie wirklich, daß Sie sich von dem Vertrieb Ihrer Werke in einem ausländischen Verlag mehr versprechen können, bei dem der gesamte deutsche Markt wegfallen würde? Und aus welchen Gründen glauben Sie das? Es genügt doch, sich die Auflagen der in den in Frage kommenden ausländischen Verlagen erschienenen Bücher einmal anzusehen, um festzustellen, daß die dort erzielten Auflagen im Vergleich zu den unsrigen kläglich sind. Aber vielleicht habe ich Ihren Brief falsch aufgefaßt, und ich mache mir unnötige Sorgen. Der Rückgang des Absatzes ist so allgemein, daß man sich zwangsläufig darauf umstellen und sich davor hüten muß, Veränderungen vorzunehmen, die nur zu einer noch stärkeren Beeinträchtigung des Absatzes führen können.

In letzter Zeit sind, wie ich aus mehrfachen Anfragen dieser Art schließen kann, im Ausland offenbar Nachrichten darüber verbreitet worden, daß der S. Fischer Verlag gefährdet sei. An diesen Nachrichten ist kein wahres Wort. Es hat sich uns gegenüber nicht das Geringste zugetragen, und es hat sich demgemäß im Verlag auch nicht das Geringste verändert. Sie können sich darauf verlassen, lieber Herr Professor, daß Sie der Erste sind, der von mir benachrichtigt wird, wenn irgend etwas dieser Art sich zutragen sollte.

In den nächsten Tagen wird, wie ich höre, Herr Dr. Veit Sie besuchen. Er ist, da er uns freundschaftlich nahesteht, über alles orientiert, und Sie können ganz offen mit ihm sprechen. Ich habe ihn gebeten, Ihnen ausführlich zu berichten.

Der Essayband erscheint am Donnerstag, den 28. III. Ich habe den Erscheinungstermin noch einmal verschoben, weil ich nicht in dem Augenblick mit dem Buch herauskommen wollte, wo die Aufmerksamkeit durch gewichtige politische Ereignisse abgelenkt war.

Die im vorigen Jahr gezahlten 1360.– M sind nicht die Vorauszahlung auf die Prämie, sondern die vertraglich vereinbarte Vorauszahlung auf ein Drittel der Erstauflage des Essaybandes, die wir schätzungsweise errechnet hatten. Ich schlage Ihnen vor, jetzt auch das zweite Drittel vorauszuhonorieren und fernerhin eine Prämie von 1000.– M zu bezahlen. Sowie ich Ihr Einverständnis habe, werde ich Ihrer in Ihrem Brief geäußerten Bitte sogleich nachkommen.

Ich bitte Sie nun sehr, lieber Herr Professor, sich bei den Sorgen, die man sich sowieso machen muß, keine unnötigen Sorgen zu machen und den an Sie herantretenden Gerüchten mit dem nötigen Mißtrauen entgegenzutreten. Sie werden durch Ihr Durchhalten, das ist meine feste Überzeugung, keinen Schaden haben, und die Engelsgeduld, die Sie bis jetzt bewiesen haben, wird eines Tages belohnt werden. Es wäre sehr falsch, wenn Sie den Erfolg dieser Haltung, der eines Tages eintreten wird, wie ich mit Bestimmtheit hoffe, aus Pessimismus und Nervosität zunichte machten.

Ich bin jederzeit bereit zu Ihnen nach Zürich zu kommen, wenn irgendwelche Fragen zu besprechen sind, und bitte Sie, jeden Moment über mich zu verfügen.

Mit herzlichen Grüßen   *Ihr Bermann Fischer*

P. S. Bitte schreiben Sie mir doch, wie es Ihrer Frau geht.

Lieber Doktor Bermann:

Seit vierzehn Tagen sind Sie von Ihrem Ausflug zurück. Das ist sozusagen eine abgelaufene Frist; ich begehe diesen Termin, indem ich Ihnen einen Gruß und gute Wünsche sende. Bei dieser Gelegenheit möchte ich darauf aufmerksam machen, daß auf Ihren damals geschriebenen Brief keinerlei Rückäußerung erfolgt ist, was meine Frau etwas beunruhigt.

Heute ging eine sehr freundliche Besprechung über die »Meister« aus dem »Berliner Tageblatt« ein. Wenn bei Ihnen Weiteres sich angesammelt hat, wovon Sie denken, daß es mir nicht auf die Magennerven geht, so schicken Sie es mir doch einmal. Auch der »Pester Lloyd« hat sich durch den alten Hofrat Weisz sehr herzlich geäußert. Auch wie der Verkauf sich anläßt, wäre mir natürlich interessant zu hören.

Herr Lutz Weltmann, Berlin-Grunewald, Cunostraße 58, schreibt mir, daß er zu meinem sechzigsten Geburtstag in ausländischen und jüdischen Blättern über mich zu schreiben beabsichtigt und zwar über das Spezialthema »Th. M. der Essayist«. Er bittet mich, mich bei Ihnen zu verwenden dafür, daß Sie ihm broschierte Freistücke von »Betrachtungen«, »Forderung des Tages« und »Bemühungen« überlassen. Das werden Sie wohl tun, da er schon früher für meine Arbeit eingetreten ist und seine Erklärung, daß er sich keine Bücher kaufen könne, glaubwürdig ist.

Für heute nichts weiter, ich hoffe, bald wieder von Ihnen zu hören.

Die besten Grüße Ihres ergebenen   *Thomas Mann*

GBF an Katia Mann   Berlin W 57, Bülowstr. 90
                                        24. April 1935

Liebe Frau Mann,

dieses Mal sollen Sie nicht unzufrieden mit mir sein, wenigstens nicht, was das Briefeschreiben anbetrifft. Ich gebe Ihnen sonst schon Grund genug dazu. Aber es ist wahr, ein Brief ist fällig und hätte schon längst geschrieben werden müssen, sonst können Sie nicht wissen, daß der ewig Insistierende ein Bewunderer und Verehrer ist. – Ich weiß, wieviel es Ihrer Stärke und Unermüdlichkeit zu danken ist, daß Thomas Mann sein großes Werk schaffen und vollenden konnte. Gegenüber allem, was seine labile und feinnervige Natur so tief erschüttern mußte, waren Sie die Bewahrerin und Schützerin, die durch kluge Aktivität den brutalen Anprall ausglich und das Gleichgewicht wieder herstellte. So wurde bei allen Stürmen Ihr Haus ein Ort der Ruhe und des Geborgenseins, hinter dessen festen Mauern dieses Werk geschaffen werden konnte. –

Dichterfrauen sind für den Verleger, vor allem den »Junior-Chef«, ein schwieriges Kapitel. Darin bilden Sie, Verehrteste, keine Ausnahme. Im Gegenteil. Das sei offen eingestanden. Aber das gehört zur Natur der Dinge, und die Auseinandersetzung mit der real denkenden Gattin zum Beruf des Verlegers. Da aber beider Absicht darauf gerichtet ist, des Gatten resp. Autors höchstmögliches Wohl zu erzielen, sind sie sozusagen Kollegen, die, wenn auch über die Methoden manchmal verschiedener Meinung, am gleichen Strang ziehen. – Aber Scherz beiseite, wenn ich oft anderer Meinung bin wie Sie, so handelt es sich um Fragen der Taktik, die nun einmal, wie die Dinge liegen, notwendig ist, und nicht um Fragen der Gesinnung. Daß Ihr Gatte und Sie, bei allen Differenzen in der Beurteilung unserer Lage, immer auch unserer Betrachtungsweise Rechnung tragen, dafür bin ich Ihnen sehr dankbar, nicht nur als der Verleger, sondern auch als Mithüter und Bewahrer des Werkes, dessen Erhaltung in seinem naturgegebenen Umkreis ein grundlegender Baustein für die Zukunft ist.

Mit herzlichen Grüßen – Ihr Sie verehrender

Gottfried Bermann Fischer

Katia Mann an GBF 3. 5. 35
Küsnacht

Lieber Doktor Bermann:

Ich hätte Ihnen schon längst für Ihren mich so überraschenden und erfreuenden Brief danken müssen, und wenn ich es bis jetzt noch nicht tat, so darum, weil meine Zeit augenblicklich durch den Besuch meiner Eltern ganz besonders in Anspruch genommen ist und außerdem, weil es nicht ganz leicht für mich ist, auf einen solchen Brief zu antworten.

Sie haben schöne und herzliche Worte gefunden über die Rolle, die ich im Leben meines Mannes spiele, ehrenvolle und mich ein wenig beschämende Worte, denn, um mit Frau Baumeister Solness zu reden, »ich tue ja doch nur meine Pflicht«. Was Sie dazu bewogen hat, so an mich zu schreiben, ist mir nicht ganz deutlich; fast vermute ich, daß es eine etwas leichtsinnige und natürlich nur halb ernst gemeinte Äußerung war, die [ich] Ihrem Freunde Dr. Veit gegenüber getan habe. Oder hatten Sie beim persönlichen Zusammensein den Eindruck einer gewissen Spannung? Nun, falls eine solche überhaupt bestanden hat, ist es ja jedenfalls schön zu wissen, daß sie auf falschen Voraussetzungen beruhte.

Es ist ja richtig, daß wir in manchen Fragen nicht der gleichen Meinung sind, und mir schien allerdings bisweilen, daß Sie finden, ich übe in diesen Fragen einen nicht glücklichen Einfluß aus. Das wäre freilich schon insofern ein Irrtum Ihrerseits gewesen, als man meinen Einfluß unter keinen Umständen überschätzen darf und mein Mann alle wesentlichen Entschlüsse unabhängig von meinen Ansichten faßt, und so, wie es seiner Natur entspricht. Aber jedenfalls haben Sie vollkommen recht darin, daß Sie und ich, unbeschadet gelegentlicher Meinungsdifferenzen, ja im Grunde dasselbe wollen, und ich freue mich herzlich über die Feststellung dieser Übereinstimmung. Und es ist auch durchaus nicht mein Wunsch, »Recht« zu behalten, ich fürchte eher, es schließlich doch zu tun, und ließe mich nur zu gern eines besseren belehren! In diesem Sinne freue ich mich doppelt über den Erfolg, von dem Sie berichten und der eine so schöne Bestätigung *Ihres* Standpunktes bildet.

Den 1. Mai haben wir hier am Radio mitgefeiert. Inzwischen ist nun wirklich der Frühling eingezogen, und Küsnacht in voller Blütenpracht ist ganz bezaubernd, sodaß es uns ganz leid tut, es zu verlassen. Ende nächster Woche wollen wir nach Nizza fahren, vielleicht mit dem Wagen, wenn uns die Zeit nicht zu knapp wird.

Gestern bekamen wir Tuttis liebe Zeilen mit den zum Teil so wohlgelungenen Bildchen; besonders Hesse fand ich ausgezeichnet. Und es ist immer hübsch, eine solche Erinnerung an einen schönen Tag in Händen zu haben. Wollen Sie bitte Tutti vorläufig vielmals für die Sendung danken.

Über Frau Fischers Besuch haben wir uns sehr gefreut, und sie schien uns doch recht erholt; hoffentlich gibt es nicht gleich zu viele Aufregungen und Erschütterungen.

Ihnen allen herzliche Grüße von der ganzen Einwohnerschaft der Schiedhaldi und nehmen Sie nochmals meinen aufrichtigen Dank für Ihren Brief

Ihre Katia Mann

PS. Der Verlag erkundigte sich neulich nach der Adresse von Bruno Frank. Sie lautet: London SW 1, Princes Row 1. Er ist aber zur Zeit nicht dort, und wird sogar in den nächsten Tagen hier erwartet.

Küsnacht-Zürich, 8. v. 35
Schiedhaldenstraße 33

Lieber Doktor Bermann:

Ihre Nachrichten vom 6. Juni sind ja äußerst spannend, ich bin neugierig und wieder einmal ist meine Hoffnung auf die Flasche Champagner belebt worden, die wir mit Dr. Valentin bei dieser Gelegenheit leeren wollen und zu der auch Sie freundlich geladen sind.

Die mitgesandte Besprechung meiner Essays hat ja auch etwas Überraschendes und fast Rührendes. Es ist ein scheu gedämpfter Ton der Sympathie, fast der Liebe darin, der mich ergriffen hat. Es scheint, daß der Storm-Aufsatz den deutschen Kritikern, die mir ein Freundliches erweisen wollen, die günstigsten Möglichkeiten dazu giebt. Merkwürdiger Weise wird, wie mir scheint, sonst gerade der kleine Platen-Aufsatz am meisten akklamiert. Auch Benedetto Croce schrieb mir eben über dies doch fast nebensächliche Stück des Bandes mit besonderem Interesse.

Nun zu der Sache, in der ich heute eigentlich schreibe, nämlich zu dem Brief der Lavinia Mazzucchetti, den ich Ihnen beilege. Auch einen Prospekt über die geplante Bücherei lege ich Ihnen bei. Er zeigt, wie auch der Brief, daß es sich um eine Art von deutscher Tauchnitz-Ausgabe handelt, zu der man gerne einen Band von mir haben möchte. Es kann sein, was es will, Essays oder Novellistisches, vorzugsweise das Letztere, und würde mir ein erstes Honorar von 1 000 Mark eintragen, bei einem Neudruck eine prozentuale Beteiligung von 5 %. Das wäre mir natürlich willkommen, und ich sehe nicht ein, warum man nicht für eine solche Auslandsausgabe, der Deutschland, Österreich und die Schweiz verschlossen bleiben sollen, etwa zwei Novellen, sagen wir »Unordnung« und »Herr und Hund« frei geben sollte. Es ist ja nicht zu leugnen, daß all diese älteren Sachen heute kaum gekauft werden, und außerdem wird der Verkauf in den deutschsprachigen Ländern, wie gesagt, überhaupt nicht berührt, während er im Ausland ganz ohne Zweifel sowieso gleich Null ist. Ich darf Sie also um Ihre Zustimmung bitten.

Was ist mit dem letzten Drittel und dem neuen ersten?

Die »Rundschau«-Korrekturen habe ich heute erledigt und lasse sie an die Redaktion zurückgehen. Wir haben wegen des Honorars nichts verabredet, es wäre mir angenehm, zu wissen, wie es bemessen ist.

Montag wollen wir mit dem Wagen auf acht bis zehn Tage nach Nizza, Hôtel d'Angleterre.

Mit herzlichen Grüßen von Haus zu Haus Ihr ergebener

Thomas Mann

Küsnacht, den 30. v. 35

Lieber Dr. Bermann,

für das gestrige Telegramm danke ich vielmals. H. hat mir den Text der Berliner Botschaft am Telephon vorgelesen. So recht liebenswert war sie nicht zu hören, aber ihr sachlicher Kern muß mir ja erfreulich sein, und so wollen wir denn hoffen, daß H. jetzt, gestützt auf sie, in München die Sache glatt zu Ende führen kann.

Heute schreibe ich hauptsächlich, um für das schöne Juni-Heft der »Rundschau« Dank zu sagen, das in großen Teilen meiner so freundlich gedenkt. Rudolf Alexander Schröder bereitet mir eine wohltuende Überraschung nach der anderen: zuerst der große Artikel in der »Frankfurter«, von dem ich den Eindruck habe, daß er rein als Tatsache, um nicht zu sagen: als Phänomen, in weiten Kreisen ziemlich sensationell gewirkt hat und uns beiden, ihm und mir zur Ehre gereicht; und nun dieser herzliche Geburtstags-Überblick über mein Werk, der mir in seiner Mischung aus familiärer Plauderei und Festrede ausgezeichnet gefallen hat. Ich bewundere die légèreté, mit der das alles angerührt und gesagt ist, und der gute Humor, mit dem eine Sache wie der »Zauberberg« eigentlich als scheußlich hingestellt, dabei aber doch herausgestrichen wird, hat meinen vollen Beifall. Und daß sich Einer entschließt, unter meine durch den »Joseph« übertroffenen Gaben endlich doch auch die unsterblichen »Buddenbrooks« einzuschließen, muß mir auch eine Genugtuung sein.

Ich werde an Schröder noch schreiben. Auch der prächtige Beitrag unseres Loerke wäre einen eigenen Brief wert; aber vielleicht richten Sie dem Freunde aus, wie sehr ich mich über sein Geschenk gefreut habe — menschlich über dieses selbst und künstlerisch über die Art seiner Darreichung. Es ist so hübsch, wie das Buch erst »durchstöbert« und dann als Ganzes klug und fein gewürdigt wird. Ich sage herzlichen Dank.

Der Geburtstags-Prospekt hat mir ebenfalls Freude gemacht. Die Außenseite zeigt mir wieder, wieviel besser die zweite Büste Schwegerles ist, als die, die ich besitze. Der Text auf Seite 1, 2 und 5 kommt mir bekannt vor ...

Unser Fest-Aktus hier im Corso-Theater ist mit Musik, Reden und »Fiorenza«-Szenen vor einem tausendköpfigen Publikum ungewöhnlich hübsch und harmonisch verlaufen. Stadt und Kantonsregierung schenkten mir schöne Bildermappen.

Ich hoffe, Sie bald zu sehen. Viele Grüße für heute an Sie und die Ihren!

Thomas Mann

Widmungsblatt der Geschenkkassette
zum sechzigsten Geburtstag

6. 6. 1935

Verehrter, lieber Herr Professor!
Als ich darüber nachdachte, womit ich Sie zu Ihrem Geburtstag erfreuen könnte, schien mir die schönste aller möglichen Gaben diejenige zu sein, welche Ihnen die Gefühle Ihrer Zeitgenossen zu Ihnen und Ihrem Werk zum Ausdruck bringt.

Ich habe versucht, einige dieser Stimmen auf den in dieser Mappe gesammelten Blättern zum Chor zu vereinen.

Große Namen sind darunter, auch ganz unbekannte; Worte der Liebe, der Verehrung und der Dankbarkeit sind verzeichnet und solche der Bewunderung Ihrer über allem Kleinen und Gemeinen stehenden Haltung.

Ihr Werk steht unberührt von dem Ansturm der Zeiten und unberührbar. Generationen hat es befruchtet und geführt.

Sie selbst aber haben zu einer Zeit, als so viele ihren Platz räumten, sichtbar und unbeirrbar durch den Streit der Meinungen und Parteien die Position des Geistes, der Gesittung und der Humanität gehalten, so daß Ihre Existenz ein unauslöschliches und unübersehbares Zeichen, eine Mahnung und eine stetige Ermutigung geworden ist.

Ich danke Ihnen dafür, daß ich Ihr Werk in dieser schweren Zeit verwalten und dadurch Ihrem für die Welt so bedeutsamen Leben nahestehen darf.

In Verehrung übergebe ich Ihnen dieses »Kästchen«.

Möge es Ihnen Glück bringen.

Hedwig Fischer an TM

[Berlin, Juni 1935]

Lieber verehrter Thomas Mann!

Sie wissen es, und ich brauche es Ihnen nicht zu wiederholen, wie wir, – mein Mann und ich, – seit einem Menschenalter mit Ihnen und Ihrem Werk verbunden waren; wie stolz und glücklich »er« war, – in all diesen Jahren Ihr Werk der Öffentlichkeit übergeben zu dürfen.

An seiner Stelle nun möchte ich Ihnen heute danken für die unendliche Lebensbereicherung, die Sie uns gegeben; und Ihnen wünschen, daß Sie noch lange fortwirken und bauen an der Vollendung Ihres stolzen Werkes in Gesundheit und Kraft.

In herzlicher Verehrung   *Ihre Hedwig Fischer*

Brigitte Bermann Fischer an TM

[Berlin, Juni 1935]

Lieber und verehrter Professor Mann,

Immer war mir Ihr Werk ein herrliches Geschenk, getragen vom Wissen um menschliches »Leid und Größe«, dargebracht in edler, gleichsam gemeißelter Form, –

heute aber, in der Zeit schwerer innerer Bedrängnis und in dem täglichen Kampf um die geistige Existenz, heute ist mir Ihr Werk, verschmolzen mit dem Unverrückbaren und Vorbildhaften Ihrer Gestalt zu einem Halt geworden, zu einer inneren Richtschnur sozusagen, und ich habe den Glauben, wenn man solche Schätze in sich trägt und nährt, daß einem die Welt dann nichts mehr anhaben kann. Dafür muß ich Ihnen heute danken!

Alle meine besten Wünsche begleiten Sie,

Brigitte Bermann-Fischer

On Board 10. VII. 35
Cunard White Star »Berengaria«

Lieber Dr. Bermann,

nur einen kurzen Gruß kann ich Ihnen und den Ihren von der Rückreise senden, denn in Amerika waren wir zu sehr in Atem gehalten als daß an Briefschreiben zu denken gewesen wäre, und nun, da man plötzlich Zeit und Ruhe hat, rollt das Schiff zu sehr, schon seit Tagen, — es ist zu anstrengend für den Kopf, dabei zu schreiben. Übrigens habe ich mich mit meinem Bankrott als Korrespondent seit dem Geburtstag längst abfinden müssen — es war beim besten Willen nicht zu machen trotz den 200 gedruckten Danksagungen, die wir auf dem »Lafayette« im Schweiße unseres Angesichts ausfertigten und ausgerechnet in Riverside, Connecticut, wo wir im Landhause des holländisch-amerikanischen Schriftstellers Hendrik van Loon einige Tage verbrachten, auf die Post gaben.

Vorher war das Promotionsfest in Harvard University, Cambridge, Mass. und die 5 oder 6 tausendköpfige Zuschauermenge gestaltete den Akt durch die gewaltige Akklamation, die sie uns beiden Deutschen, Einstein und mir bereitete, zu einer eindrucksvollen Kundgebung.

Ich hörte, daß unsere Wahl, besonders auch meine, nicht ohne Anteilnahme des Präsidenten Roosevelt zustande gekommen ist. Dieser bat meine Frau und mich privat ohne Beanspruchung des Botschafters natürlich, zu sich ins Weiße Haus nach Washington, wohin wir von New York mit dem Air-plaine in 1 Stunde 20 Minuten reisten. Es war mein erster Flug, ein technisches Abenteuer, nicht sehr bedeutend sonst, ausgenommen eine Strecke über beleuchteten Wolken mit einem Blick wie vom Rigi. — Washington ist eine erstaunlich schöne, repräsentative Stadt, aber in dieser Jahreszeit behaftet mit vollkommen tropischer, entnervender feuchter Hitze. Das Dinner beim Präsidenten war ganz familiär und ich hatte einen starken Eindruck von dem seit 10 Jahren gelähmten Mann, dessen Geist so eigenwillig ist, daß er sich viele Feinde im Lande gemacht hat, namentlich unter den reichen Leuten, aber es sind törichte Feinde, meine ich, denn wenn seine Regierung auch diktatorische Züge zeigt, so steht sie doch im Dienst der Freiheit und Demokratie. Wahrscheinlich wäre es schlimmer für Amerika, wenn er scheiterte.

Nach diesem Ausflug kamen noch einige Tage New York, die es ebenfalls in sich hatten. Nun nähern wir uns wieder dem alten Kontinent: übermorgen in aller Frühe werden wir in Cherbourg sein und in einem Zuge nach Zürich durchreisen, da wir die alten Eltern meiner Frau zur Feier des 80. Geburtstags der Mutter schon dort vorfinden werden.

Es wird gut sein, wieder zu Hause zu sein, in Ordnung zu kommen und zu arbeiten. Nur in Riverside, auf dem Lande, bin ich ein paarmal dazu gekommen, mein Kapitel etwas zu fördern. Ich bin ungern von Zürich abgereist nach dem 6. Lieber hätte ich den freundlichen Trubel von damals in Ruhe in mir ausklingen lassen. Ihre Kassette habe ich lieber nicht mitgenommen und ihren Inhalt kaum schon recht studiert. Auch das wird nun nachzuholen sein. Aber Ihre schönen Worte habe ich gleich damals gelesen und danke Ihnen noch einmal für sie und für das Ganze, eingerechnet Ihr persönliches Kommen zu dem Fest, dessen allgemeiner Verlauf mir soviel Anlaß zur Dankbarkeit gegeben hat. Ich habe es schon ein paar mal ausgesprochen: Die Akzente, in denen die Welt diesmal zu mir zu reden sich entschloß, waren denn doch ganz andere noch als beim 50. oder bei der Nobel-Feier; eine Natur, der zugleich Bescheidenheit und Phantasie gegeben ist, konnten sie wohl erschüttern, und ich kann nur hoffen, daß die Nachwelt sie einigermaßen billigen möge. –

Sagen Sie auch Frau Fischer, daß ihre Kissen-Decke mir unterwegs vorzügliche Dienste geleistet hat.

Nun, eine Art von Brief ist dies ja nun doch geworden. Auf Wiedersehen hoffentlich bald einmal!

Ihr Thomas Mann

Lieber, sehr verehrter Herr Professor,
in den letzten Tagen habe ich mir des öfteren Gedanken darüber gemacht, wie wohl die Dinge in Amerika abgelaufen sein
mögen. Nun kommt Ihr ausführlicher Brief, der soviel Interessantes und Erfreuliches berichtet. Ich gratuliere Ihnen herzlich zu der großen Ehrung, die Ihnen unter der Anteilnahme
so vieler Menschen zuteil geworden ist. Ich verstehe wohl
und empfinde sehr mit, welche Genugtuung Ihnen das alles
bereitet. Es ist aber nicht nur dies, daß Ihnen Ehre geschieht,
vielmehr noch bedeutet es, daß dieses Land, das Ihnen solche
Ehre erweist, sich selbst zu ehren sich bewußt ist, indem es das
Prinzip des Geistes ehrt, das Sie vor der Welt repräsentieren.
Man muß der Haltung des Präsidenten gegenüber tiefe Dankbarkeit vor dieser »Geste« empfinden.
Wir sprachen hier in unserer Ferieneinsamkeit viel von
Ihnen. Ich las nach 10 Jahren wieder den »Zauberberg« und
bin ganz besessen von diesem Buch, das eine Zeitwende bis in
die letzten Fasern und Capillaren eines Geisteszustandes er-
forscht und bis auf den Grund erschöpfend gestaltet. Von der
Aktualität des Werkes bin ich ganz überwältigt. Wer ahnte
damals, 1925, daß die Settembrini-Naphta-Gespräche zu bluti-
ger Wirklichkeit erwachen würden! Ich war damals zu jung
und zu sehr in meiner medizinischen Arbeit verfangen, um
diese Probleme als aktuell zu empfinden. Um so stärker stehe
ich heute unter dem Eindruck dieses Weltbildes, das so erschütternd vorausschauend das tragische Schicksal unserer
Welt darstellt. Voller Bewunderung stehe ich wieder vor der
genialen Composition des Werkes, die die ganze Fülle der geistigen Erscheinungsformen der Zeit, nach allen Seiten des
menschlichen Denkens und Fühlens verankert, zusammenfaßt.
Als hätten Sie ein Netz über die flüchtigen Erscheinungsformen der Welt geworfen, eine Glaskugel über das Gewimmel
gestülpt und ließen uns nun hineinsehen in das Getriebe, das
sonst vor unseren Augen zerfließen würde.
Es kommt wohl bald die Zeit, wo wir durch eine neue Ausgabe
die Erinnerung und das Interesse für den »Zauberberg« neu
beleben könnten. Aus äußeren Gründen ist der richtige Augenblick jetzt noch nicht da. Immerhin möchte ich doch recht bald

einmal mit Ihnen darüber sprechen. Ich werde wahrscheinlich Mitte der kommenden Woche, also etwa am 25. oder 26. Juli in Zürich sein und kann Ihnen dann auch über die Dinge berichten, über die ich mit Ihnen vor Ihrer Abreise sprach.
Bis dahin grüßt Sie herzlichst und ergeben

Ihr Bermann Fischer

Küsnacht-Zürich, 20. VII. 34 [= 35]

Lieber Doktor Bermann:
Seit ein paar Tagen sind wir zurück und haben den Besuch meiner alten Schwiegereltern, mit denen wir den achtzigsten Geburtstag der Mutter hier begangen haben. Meinen Brief vom Schiff werden Sie bekommen haben. Wir sind befriedigt von der Reise, obgleich ich sie ungern angetreten habe.
Von der Schweizerischen Verrechnungsstelle fanden wir die Benachrichtigung über die eingegangenen Honorare hier vor und werden dementsprechend verfügen.
Suhrkamp hat kürzlich mit Hesses jungem juristischen Freund, den Sie bei uns trafen, eine Unterredung gehabt. Es ist ein großes Unglück, das über den sympathischen und grundanständigen jungen Mann gekommen ist, und ich würde aufrichtig gern das Meine tun, um ihm seine schwere Lage zu erleichtern und ihm behilflich zu sein, eine neue Tätigkeit zu finden. Ich kann mit gutem Gewissen mich für ihn verwenden, weil ich Proben seiner Zuverlässigkeit, Tüchtigkeit und Intelligenz besitze. Er hat meine Frau in geschäftlichen und steuerlichen Dingen regelmäßig beraten und sich dabei so bewährt, daß die Wendungen, die ich brauchte, in keiner Weise übertrieben sind. Sollten Sie also eine Beschäftigung für ihn haben oder ihn wenigstens irgendwo empfehlen können, so würde mich das aufrichtig freuen.
Zur gründlichen Betrachtung Ihrer wunderschönen Kassette bin ich erst jetzt und hier gekommen, da ich es nicht riskieren wollte, sie mit auf die weite Reise zu nehmen, obgleich ich mich ungern von ihr getrennt habe. Vor allem Ihren eigenen Beitrag, den von Frau Fischer und den von Tutti, die ich allerdings schon damals durchflog, konnte ich erst jetzt mit Ruhe lesen und möchte Ihnen noch einmal herzlich für diese so war-

men und wohltuenden Kundgebungen danken. Mein Bankrott als Danksagender ist leider durch meine unmittelbar an den Geburtstag sich schließende Amerika-Reise so gut wie vollständig geworden. Ich habe zwar ein paar hundert gedruckte Karten von Amerika aus versandt, aber viel Unerledigtes ist übrig geblieben, und mancher wird mich für undankbar halten. Ein besonderes Problem bilden diejenigen, die zu der Kassetten-Sammlung beigetragen haben. Es ist so Manches darin, wofür zu danken es mich drängt, und doch weiß ich nicht recht, wie ich es anfangen soll. Wenn ich das Ärgste von dem, was sich angesammelt hat, abgetragen haben werde, komme ich vielleicht doch noch einmal dazu, wenigstens den wichtigsten unter den Gratulanten der Kassette im Einzelnen Dank zu sagen.

Von Valentin fanden wir ausführliche Nachricht bei unserer Rückkehr hier vor. Trotz großer Verschleppung scheint die Angelegenheit ja nun doch in Liquidation begriffen.

Mit herzlichen Grüßen von Haus zu Haus Ihr ergebener

Thomas Mann

Küsnacht, den 29. VII. 35

Lieber Dr. Bermann,

würden Sie mir wohl behilflich sein, die Danksagung an die Mitarbeiter der Kassette ins Werk zu setzen? Ich denke mir den Hergang so, daß Sie den beiliegenden Text in schlichter Form drucken lassen (ich müßte wohl die Korrektur lesen, wenn man sich bei Ihnen nicht anheischig macht, haargenau zu vergleichen); daß Sie ihn mir in 100 Exemplaren schicken, damit ich die Unterschriften ausführe, und daß dann Ihr Bureau, das ja im Besitz all der Adressen ist, die Versendung freundlich übernimmt. Natürlich wären mir die Kosten zu berechnen.

An Dr. H. habe ich in der Zahlungsangelegenheit geschrieben. Ich war sehr betroffen davon. Erstens ist es doch ein schlechtes Zeichen, daß H. sich jetzt aus meinen Honoraren glaubt schadlos halten zu müssen. Und zweitens, wovon soll ich denn leben, wenn die Honorare, die ich (vorläufig noch) beziehen kann, zu solchen Zahlungen herhalten müssen, statt der nun angeblich frei werdenden Gelder, die ohnehin in Deutschland bleiben? Hoffentlich lassen sich diese Vergütungen später doch noch vom Honorarkonto auf das andere abwälzen.

Daß wir Mitte August nicht hier sind, haben Sie wohl gehört. Wenn wir uns sprechen wollen – und das wäre wohl gut – müssen Sie vor dem 15. kommen.

Herzlich   *Ihr Thomas Mann*

Danksagung

Zu meinem 60. Geburtstag überraschte mich der S. Fischer Verlag mit einer so schön gestalteten Kassette, die handschriftliche Grüße und Glückwünsche von Schriftstellern und Künstlern vieler Länder umschließt. Mir das herrliche Geschenk recht zu eigen zu machen, war ich erst nach der Rückkehr von einer Amerika-Reise imstande, die ich fast unmittelbar nach jenem Tage angetreten hatte. – In diesen Blättern wird von ersten Geistern der Zeit meinem Leben und Streben große, ergreifende Ehre erwiesen. Sie soll die Selbstbezweifelung nicht einschläfern, der ich vom allenfalls Erreichten wahrscheinlich das Beste verdanke, mich in der schmerzlichen Erkenntnis meiner Unzulänglichkeit nicht beirren. Aber sie wird mir eine Quelle des Trostes, der Stärkung und des freudigen Stolzes sein, solange ich lebe. – Allen, die zu der unschätzbaren Gabe beigetragen, sage ich hiermit meinen tiefgefühlten Dank.

Küsnacht am Zürichsee, Ende Juli 1935

GBF befand sich zu dieser Zeit auf Urlaub in Kampen auf Sylt. Von dort reiste er nach London zu Verhandlungen mit dem Verlag Heinemann Ltd., der eine Beteiligung an einem emigrierten S. Fischer Verlag angeboten hatte. GBF fuhr anschließend nach Zürich, um wegen der Niederlassung des Verlags in der Schweiz zu verhandeln, und traf dort im September mit TM zusammen.

Küsnacht, den 5. IX. 35

Lieber Dr. Bermann,

kein Wort in dem Interview ist authentisch. Es handelt sich um völlig willkürliche Formulierungen, deren ich mich nie bedient habe. Das wäre auch widersinnig, da ich ja wünsche, daß meine Bücher weiter in Deutschland gelesen werden können. Ich habe in Amerika größte Zurückhaltung geübt und politische Interviews überhaupt abgelehnt. Man hat es mir z. T. sehr verübelt. Man hilft sich, indem man mir in den Mund legt, was man gern von mir hören möchte, und wenn ich überhaupt nicht empfange, so zitiert man, was ich vor 1933 geschrieben habe. Das ist wiederholt vorgekommen.

In Deutschland ist jetzt eine Zeitungshetze gegen mich im Gange, an der sich hauptsächlich ein Herr Hussong im »Berliner Lokal-Anzeiger« beteiligt hat, und die auf meine Ausbürgerung abzielt. Wirklich wird diese, nachdem sie schon abgelehnt war, jetzt im Reichsinnenministerium neu erwogen, und mein schon freigegebenes Eigentum in München wurde aufs neue mit Beschlag belegt. Ich warte ab, ob man sich auf Grund unkontrollierbarer Zeitungstexte und Unterstellungen entschließen wird, mich vor aller Welt meines Deutschtums zu entkleiden.

Auf Wiedersehen. *Ihr Thomas Mann*

Küsnacht, 5. [= 6.] IX. 35

Lieber Doktor Bermann:

Ich lasse meinem gestrigen Brief gleich einige Zeilen folgen im Anschluß an ein Gespräch, das ich eben telephonisch mit Heins gehabt habe. Dieser teilt mir mit, daß die neuerliche Beschlagnahme diesmal auf Berliner Antrag erfolgt sei und daß die Münchner Stellen über die Gründe nichts wüßten. Aber auch er selbst tappt diesbezüglich völlig im Dunkeln und ist, wie mir scheint, mit einem gewissen Recht, verstimmt und erregt darüber, daß er von Ihrer Seite so garnicht auf dem Laufenden gehalten wird und in seinen Bemühungen, die doch demselben Zweck wie die Ihren gelten, keinerlei Unterstützung findet. So weit ich sehen kann, sind doch wohl die entstellt wiedergegebenen amerikanischen Interviews an dem neuen Schritt der Politischen Polizei in erster Linie schuld, und es ist natürlich schlimm, daß mein Rechtsvertreter von diesen Dingen gar-

nichts weiß. Ich hatte ihm nichts davon geschrieben, weil ich
als selbstverständlich annahm, daß der Verlag ihn von Fall zu
Fall unterrichtet. Erst bei seinem Besuch hier erfuhr er durch
mich über meine angeblichen Äußerungen über den Kommunismus und unseren Briefwechsel in dieser Angelegenheit, von
den entstellten und in dieser Form unsinnigen Äußerungen,
die Sie mir gestern mitteilten, weiß er überhaupt noch nichts.
Ich kann es verstehen wenn Heins über diese unnötige Er-
schwerung seiner Tätigkeit so aufgebracht ist, daß er eben am
Telephon erklärte, sie unter solchen Umständen garnicht fortführen zu können. Er durfte sich ja nun wirklich am Ziele
glauben und kann sich sagen, daß er, wenn er von diesen
neuen Klippen gewußt hätte, es ihm doch vielleicht möglich
gewesen wäre, sie zu vermeiden, und daß er auf keinen Fall in
die unmögliche Situation seines festlichen Besuches von vorgestern geraten wäre. Ich bitte Sie also dringend, ihn sofort
alles wissen zu lassen, was Ihnen in der Sache bekannt ist. Besonders legt er Wert darauf, unseren Briefwechsel in Sachen
des Washingtoner, den Kommunismus betreffenden Interviews kennen zu lernen. Es ist Ihnen hoffentlich noch vor Ihrer
Abreise möglich, Heins' Wünsche zu erfüllen oder wenigstens
Suhrkamp damit zu betrauen.
Auf Wiedersehen!   *Ihr Thomas Mann*

An die
S. Fischer Verlags-A-G.
Berlin

Sehr geehrte Herren!
Ich erkläre Ihnen hiermit, daß ich den neuen Vertrag mit Ihnen
nur unter der ausdrücklichen Voraussetzung unterzeichne, daß
mir ein sofortiges Kündigungsrecht dieses Vertrages zusteht,
wenn wesentliche Veränderungen in der Leitung der S. Fischer
Verlags-A. G. eintreten sollten. Im Fall einer Kündigung würden für mich keine Rückzahlungsverpflichtungen der bis zu der
Kündigung von Ihnen auf Grund des Vertrages an mich bezahlten Beträge bestehen.
Hochachtungsvoll   *Thomas Mann*

Zürich, den 19. ix. 35

Lieber Doktor Bermann:

Es geht zwar das Gerücht, daß Sie schon in nächster Zeit wieder hier vorzusprechen beabsichtigen, aber ich möchte Ihnen doch – oder wir möchten doch Ihnen und Tutti zuvor gleich noch für Ihre freundlichen Briefe danken, die durch die hübschen Bildchen so anmutig illustriert waren und uns selbst noch einmal die guten Stunden, die wir mit Ihnen verbrachten, zurückrufen. Besonders ich habe unseren Ausflug nach Brunnen in überaus schöner und lieber Erinnerung. Es war ein prächtiger Tag und so harmonisch bis auf den groben Bauer, dem man seiner menschlichen Erziehung wegen besser hätte antworten sollen.

Ihre verschiedenen geschäftlichen Mitteilungen bestätige ich mit vielem Dank. Die Sache mit den ausländischen Überweisungen scheint sich ja also ordnen zu lassen und über die Steuerüberraschung freuen wir uns natürlich.

Die Fahnen-Korrektur des Almanach-Aufsatzes bekomme ich eben noch einmal. Es wird nicht ganz leicht sein, einen anläßlich eines bestimmten Buches geschriebenen Artikel ganz zu verselbständigen und von dem Buch unabhängig zu machen. Ich fürchte, er wird etwas aus der Luft gegriffen wirken. Ich will aber gleich heute abend versuchen, ihn nach Wunsch zu bearbeiten. Auch an die zu beginnende Drucklegung denke ich öfters. Dank der Tüchtigkeit der Abschreiberin ist alles, was vom dritten Bande vorliegt, immerhin eine ganze Menge, schon abgetippt, und nur das Kollationieren und die Übertragung der Verbesserungen in die Durchschläge noch nicht vollendet. Aber sehr bald werde ich Ihnen die druckfertige Abschrift schicken können. Es ist nur der Haken dabei, daß zwar die einzelnen Kapitel betitelt sind, aber die Zusammenfassung in Hauptkapitel und die Betitelung dieser Hauptstücke noch nicht geschehen ist und erst nach Abschluß des Ganzen geschehen kann. So habe ich es auch bei den ersten beiden Bänden gehalten. Wir werden bei dem Druck also nur so weit gehen können, die Fahnen herzustellen. In diesen muß ich dann jene Betitelung und Einteilung im Großen noch vornehmen, bevor man zum Umbruch schreiten kann. Aber das Wesentliche ist ja wohl der Satz selbst und so wird dieser Umstand kein Hindernis sein, mit ihm jetzt zu beginnen.

Damit genug für heute, es scheint ja, daß man sich bald wieder sieht und spricht. Ich brauche nicht zu sagen, wie gespannt wir sind auf die weitere Entwicklung der Dinge, in jeder Beziehung.

Mit herzlichen Grüßen von Haus zu Haus Ihr ergebener

Thomas Mann

ERSTES EXIL
Zürich und Wien
1936–1938

Am 18. Dezember 1935 war nach nahezu einjährigen Ver-
handlungen in Berlin der Verkaufs- und Trennungsvertrag
unterzeichnet werden, aufgrund dessen das Propagandamini-
sterium die Auswanderung GBFs gestattete. Die neugegrün-
dete S. Fischer Verlag K. G. unter Leitung von Peter Suhrkamp
kaufte von der S. Fischer Verlag A. G. (Alleinerbin Frau Hed-
wig Fischer) die in Deutschland erlaubten und erwünschten
Teile des S. Fischer Verlags einschließlich der »Neuen Rund-
schau«.

London, d. 16. i. 36.

Sehr verehrter Herr Professor,
meine Besprechungen in London haben nunmehr zu einem
Abschluß mit der Firma William Heinemann Ltd. geführt.
Damit ist auch die Frage, wie mein neuer Verlag heißen soll,
gelöst. Der Verlag William Heinemann ist Ihnen sicherlich
bekannt. Sein Begründer war ein Freund von Herrn Fischer.
Mr. Heinemann lebt nicht mehr. Sein Nachfolger, Mr. Evans,
aber führt den Verlag in alter Tradition fort. Das Unternehmen ist eines der bedeutendsten Englands. Das Kapital beträgt
250 000 L.
Heinemann hat ein großes Interesse von jeher gehabt, seine
Firma international zu erweitern. Als er von meinen Plänen
hörte, trat er mit mir in Verbindung – von meiner Seite ging
die erste Anregung aus –, und wir haben nun beschlossen, unter Wahrung meiner Majorität und bei vollständig selbstän-
diger und unabhängiger Leitung der neuen Firma durch mich
zusammen mit meinen bisherigen Freunden einen Fischer –
William Heinemann Verlag – Zürich – London oder, wenn die
Schweiz Schwierigkeiten macht, Wien – London zu gründen.

Die neue Firma ist eine englisch-amerik.-schweizerische und dadurch vor politischen Schwierigkeiten weitestgehend geschützt. Kapitalmäßig ist sie stärker als vorher und prestigemäßig durch das Zusammengehen zweier international so bekannter Namen von vornherein in guter Situation. Ich hoffe sehr, daß Ihnen diese Lösung gefällt, zumal ich annehmen kann, daß dadurch Ihr Werk in England eine wesentliche Förderung erfahren wird.

Für Ihre Bereitwilligkeit, mir in der Schwarzschildsache zu helfen, danke ich Ihnen herzlichst. Ich war von Schwarzschild bereits vieles gewöhnt. Diese Infamie aber, mich als Spitzel zu verdächtigen, geht zu weit. Ich habe in Deutschland gekämpft, solange es möglich war. Meinetwegen soll er mir daraus einen Vorwurf machen. In dieser Sache werde ich mich niemals mit ihm verstehen. Alles andere aber ist *bewußte* und gemeine Lüge. Sollte Herr Schwarzschild nicht wissen, daß genau wie wir *unbeanstandet* Bruno Cassirer, Ruetten u. Loening, Peters und viele andere in Deutschland arbeiten? Er weiß es ganz bestimmt, denn er ist nicht so unorientiert auf literarischem Gebiet, nicht zu wissen, wo die letzten Bücher von Undset, Max René Hesse, Binding etc. erschienen sind. — Was er über meine Devisengenehmigung schreibt, ist gelogen. Ich habe sie leider noch nicht und habe in Wahrheit nichts anderes getan als sie, wie alle Auswanderer es tun, bei der Devisenstelle beantragt. Es ist eine Schande, daß jüdische Emigranten auf so infame Weise versuchen, anderen Juden, die sich zur Auswanderung entschließen müssen, die Möglichkeit einer neuen Existenz zu gefährden. Die Motive für diese Handlungsweise sind nur zu durchsichtig.

Darf ich noch die Bitte aussprechen, über die Form des neuen Verlages dritten gegenüber strengste Diskretion zu wahren. Das Bekanntwerden dieser Combination könnte mir in D. schwersten Schaden zuführen. Ich möchte die Herren dort gerne damit überraschen, wenn ich draußen bin.

Mit herzlichen Grüßen   *Ihr Bermann Fischer*

Lieber Herr Professor,

ich bin Ihnen für die öffentliche Verteidigung und Rechtfertigung zu größtem Dank verpflichtet. Der gemeine Angriff, der gerade in meine Verhandlungen in London hereinplatzte, hat mich mehr aufgeregt, als es sich vielleicht verlohnte. Ich konnte feststellen, und das war eine sicherlich nicht von Herrn Schwarzschild beabsichtigte Wirkung, daß die allgemeine Meinung sich gegen ihn wandte und nicht gegen mich. Das kann ich gerade hier in Zürich feststellen, wo meine Sache, wie mir Dr. Chiodera heute versicherte, besser steht, als ich gehofft hatte. Ich will es nicht berufen. Morgen habe ich eine entscheidende Besprechung mit Dr. Kündis, dem Chef der Fremdenpolizei, in der es sich um die Frage der Druckaufträge handelt. Gerade sie ist von großer Bedeutung, weil einerseits die Schweizer Behörden entscheidendes Interesse daran haben, daß ich möglichst alles in der Schweiz drucken lasse, während ich wiederum bis zu einem gewissen Grade Handlungsfreiheit haben muß, um Erlöse, die ich aus Deutschland nicht herausbekomme, dort durch Druckaufträge realisieren zu können. An diesem Haken hängt jetzt die ganze Sache, für die sonst die Befürwortung der Stadt so gut wie sicher ist. Hoffentlich geht das morgen gut aus.

Wie ich heute erfahre, hat inzwischen Georg Bernhard im »Pariser Tageblatt« einen neuen Aufsatz gegen mich gerichtet, in den Sie nun auch einbezogen werden. Dieser Artikel ist so dumm und sinnlos, daß sich jede Antwort wohl erübrigt. Es ist traurig, zu sehen, bis zu welchem Niveau ein Mann wie Bernhard hinabsteigt, der als Repräsentant der Emigration gelten will. Eine traurige Repräsentanz. Die Methoden sind die gleichen, wie die der Nazipresse. Nichts an Verleumdung und Lüge ist niedrig genug, um nicht gegen Menschen, sei es auch wer immer, die anderer Meinung sind, angewandt zu werden. Alles, was heute noch in Deutschland ist, ist schwarz, alles andere weiß. Nach diesem Schema werden die Spalten gefüllt. Die Ahnungslosigkeit ist erschreckend, weil sie immer noch die gleiche ist, wie 1932, wo das heraufkommende Unheil mit der gleichen Federfertigkeit, die keinen Widerspruch duldete, wegdiskutiert wurde und im übrigen nichts geschah. Ich werde nie vergessen, wie Herr Bernhard und seine Freunde, als man zu Gegenaktionen aufrief, alles bagatellisierten und ein anderer Herr, als ich ihn um finanzielle Unterstützung für derartige Dinge bat, mit mir um eine Kiste Sekt wettete, daß im Winter 33 der »ganze Schwindel« vorüber wäre. Er ist sie mir bis heute schuldig geblieben. Dafür macht er in Paris genau die gleichen Geschäfte, die er vorher in Berlin gemacht hat, und fühlt sich über diejenigen erhaben, die noch einen Rest von Hoffnung übrighatten, daß der Spuk vorüberginge und Kämpfen noch einen Sinn hätte.

Ich fürchte, wir müssen diese Hoffnung vorerst begraben. Der Herr in Paris hat recht behalten. Aber ich glaube, daß weder er, jedenfalls aber nicht wir, uns darüber zu freuen haben. Mit jedem Gegner des Systems, der Deutschland verläßt, wird unsere Position schwächer. Im Lande waren wir eine, wenn auch stumme Front, draußen sind wir nichts, es sei denn der Einzelne tritt durch seine persönliche Leistung hervor und repräsentiere durch sie das verlorene Deutschland. Das ist nur wenigen gegeben. Ihnen will ich, soweit es in meinen Kräften steht, dienen. Das ist meine Aufgabe als Verleger. Andere mögen sich berufen fühlen, den Kampf von draußen zu führen. Sie sollen es tun. Gewiß. Aber dieser Kampf muß aus der Sphäre des Journalismus, dem jedes Mittel recht ist, herausgehoben werden. Die bisherigen Methoden haben nur geschadet und den Gegner gefährdet. Ich konnte es am Orte selbst Tag für Tag verfolgen, wie das Wort »Emigrant« im In- und Ausland zum Schimpfwort wurde, durch die Schuld dieser Presse. Und wieder wird mit viel Federfertigkeit darüber hinwegdiskutiert und der Glaube genährt, übermorgen wäre der ganze Spuk vorbei. Und eines Tages werden wir alle die Zeche für diesen durch Herrn Bernhard und Konsorten verschuldeten Begriff »Emigrant« zu zahlen haben. – Aber ich will den Teufel nicht an die Wand malen. Ich will jetzt anfangen, hier zu arbeiten, und hoffe es bald zu können. Ich glaube, daß die Erledigung aller schwebenden Fragen nun nicht mehr lange auf sich warten läßt.

Ihnen danke ich herzlichst für Ihre Hilfe und Unterstützung und hoffe, sie durch meine Arbeit für Ihr Werk vergelten zu können.

Frau Fischer und Tutti lassen herzlichst grüßen.

Ihr ergebener Bermann Fischer

Lieber Herr Professor,

herzlichen Dank für Ihren Brief vom 26. III. Er hat sich wohl mit meinem gekreuzt. Unruh hat mit seiner Beurteilung der Situation nicht recht. Hier in Wien gibt es bezüglich der Arbeitserlaubnis und Niederlassung überhaupt keine Schwierigkeiten. Ja, es gibt hier merkwürdigerweise gar keine Einschränkung, wenn man als Unternehmer herkommt. Es ist nur notwendig, eine Concession zu erwerben – das muß man als Österreicher auch –, und das habe ich bereits getan, so daß ich, bis auf die noch zu suchende Wohnung, hier so gut wie fertig und niedergelassen bin. – Die optimistische Beurteilung der Lage im Tessin teile ich nach meinen Informationen nicht. Gerade hat mir Moeschlin erzählt, mit welcher Rigorosität die dortigen Behörden deutsche Schriftsteller behandeln und daß eben ein Ausweisungsverfahren gegen Leonhard Frank schwebt. Es ist hier so schön, das Gefühl der Unabhängigkeit *relativ* so groß und die kulturellen Beziehungen so verwandt und nah, daß ich im Augenblick nicht mehr tauschen möchte. Alle Bedenken mögen zu Recht bestehen, was ist das alles aber gegen die Schwyzer Stupidität und Engstirnigkeit, die mich bei meiner nicht gerade schwächlichen Konstitution nahezu aufgerieben hat. Hier kann man arbeiten, die Bedingungen sind geradezu märchenhaft günstig – (man kann tatsächlich rechnen, daß die Kaufkraft 1 Schilling gleich der 1 Sfr. ist. Damit bin ich mit meinen Büchern konkurrenzfähig – was in der Schweiz außerordentlich schwierig gewesen wäre (Sie wissen, daß mir diese Frage große Sorgen machte). Gegen die politische Gefährdung aber sind alle Vorsorgen getroffen. Ich bin hier Devisenausländer und kann jederzeit heraus, genauso wie alle Rechte und das Kapital der Gesellschaft unser Besitz bleiben. Wir haben also sozusagen den Idealzustand: Schweizer zu sein und in Wien zu leben.

Ich stecke jetzt in den Gründungsverhandlungen und werde bald in Zürich sein müssen. Tutti hat inzwischen in Berlin die Wohnung eingepackt und wird am Mittwoch hier eintreffen, um Wohnung zu suchen und dann sofort den Umzug bewerkstelligen. Ich bin glücklich, diese aufreibende Warterei nun hinter mir zu haben und wieder arbeiten zu können. Bald geht es mit vollen Segeln los. – Ich denke natürlich oft daran, ob ich Ihnen raten soll, hierherzukommen. Ich bin aber zu kurze Zeit erst hier, um darüber etwas sagen zu können. Ich glaube aber, es wäre das Richtige. In wirtschaftlicher Beziehung ist es gar keine Frage, in kultureller auch nicht, bleibt immer wieder das politische Problem. Es scheint aber fast so, als wäre es überwunden. Sie werden ja nun im Mai hiersein. Bis dahin werde ich auch um einige Erfahrungen reicher sein. Das eine aber weiß ich heute schon: ich fühle mich hier zu Haus und fühle mich von dem Albdruck Zürich befreit. Wien kann eine neue Heimat werden, trotz allem und allem.

An Secker habe ich heute in dem vereinbarten Sinne geschrieben und lasse die Angelegenheit auch persönlich durch meinen Londoner Vertreter verfolgen. Selbstverständlich gehen die Honorare direkt an Sie.

Die Abrechnung aus Berlin haben Sie wohl inzwischen erhalten. Die Anweisung Ihres Guthabens von 2700.– RM ist wohl auch inzwischen erfolgt, ebenso wie die Überweisung der Aprilrate von 2000.–, die wohl nun die letzte aus Deutschland sein wird.

Denken Sie über Wien nach. Ich werde Ihnen bald weiter berichten.

Mit herzlichen Grüßen   *Ihr Bermann Fischer*

Küsnacht-Zürich, 15. v. 36
Schiedhaldenstraße 33

Lieber Dr. Bermann,
ich schicke Ihnen gleich den Vortrag. Da mir aber nur noch ein Durchschlag bleibt (die Handschrift habe ich Freud geschenkt) wäre ich dankbar, wenn Sie dieses Manuskript mit »Imago« gemeinsam benutzten. Das Beste wird sein, Sie lassen es gleich absetzen und geben der Redaktion einen Abzug. Ich hätte das Ms. gern zurück, weil ich es möglicherweise noch für einen Schweizer Vortrag brauchen werde.

Wir sind angenehm gereist und haben hier schönes, sommerliches Wetter vorgefunden. Ihnen und Tutti noch einmal Dank für Ihre Gastfreundschaft! Es war so gemütlich bei Ihnen, und wir freuen uns aufrichtig, Sie so behaglich installiert zu wissen. Die letzte Wendung in der österr. Innenpolitik ist ja eher *ermutigend.*   *Ihr Thomas Mann*

Lieber Dr. Bermann,

auf meine Anfrage hat Walser mir – nicht sehr prompt – geantwortet, er sei so sehr der Wandmalerei verpflichtet, daß es
ihm unmöglich geworden sei, den Umschlag zu zeichnen. Er
schätze die »Joseph«-Romane zu hoch, als daß er eine Arbeit
dazu nur nebenbei machen möchte. – Sehr artig; aber ich habe
den Verdacht, daß er für Deutschland zu arbeiten wünscht und
darum sich nicht gern mit uns sehen lassen möchte. Vielleicht
bin ich zu mißtrauisch. Ein bißchen spät rückt er jedenfalls mit
seiner Absage heraus.

Was nun? Oder richtiger gesagt: *Wer* nun? Ich kann wohl
sicher sein, daß es Ihnen in Wien keine Schwierigkeiten machen wird, einen anderen Zeichner zu finden, wenn es auch
schade ist, daß bei diesem Bande ein Wechsel in der schmük-
kenden Hand eintreten soll.

Ich habe bedenklicher Weise immer noch zwei Kapitel zu
schreiben und kann sie nicht übers Knie brechen, denn jeden
Augenblick kommt es auf das Wie? entscheidend an. Jedenfalls
kann ich wohl versprechen, diesen Monat fertig zu werden.
Hat man unterdessen mit dem Druck begonnen? – Ein paar
neue Stücke las ich gestern abend im Familienkreise, der jetzt
recht groß ist, vor, und wir haben Tränen gelacht.

Viele Grüße von Haus zu Haus!

Ihr Thomas Mann

Lieber Dr. Bermann,

vielen Dank für das erste Exemplar des »Freud«! Es ist ein
schmuckes, nobles Produkt, dieses Ihr erstes; ich denke, Sie
werden Ehre damit einlegen. Persönlich habe ich aufrichtige
Freude an der Schrift in ihrem kleidsamen Gewande. Ich hänge
gewissermaßen an der Arbeit und darf hoffen, daß sie sich in
der anziehenden Gestalt, die Sie ihr gegeben haben, über den
Hörerkreis von damals hinaus Freunde gewinnen wird.

Kann ich nicht gleich noch einige Exemplare haben, um sie an
einige, ausgewählte Freunde zu verschicken, vielleicht 8 oder

10 Stück? Oder ist es notwendig, den Erscheinungstermin abzuwarten?

Ihr Optimismus, was die Entwicklung der Dinge in Österreich
betrifft, ist wohltuend – aber. Ich bin viel zu überzeugt, daß
vom Dritten Reich und seinem elenden Papen – nun gar im
Zusammenspiel mit Italien – nichts Gutes kommen kann, als
daß ich nicht dem Kommenden höchst mißtrauisch entgegensehen müßte. Natürlich ist Fahrlässigkeit und Inaktivität der
anderen schuld, daß es so kommen mußte – aber nun gibt es
in Österreich vollständige wirtschaftliche Abhängigkeit von
Deutschland, militärische Zusammengehörigkeit, Eingliederung in den Anti-Völkerbundblock, zunehmende Gleichschal-
tung – wie könnte es anders sein? Werden die Katholiken und
die Nationalen, die bloß deutsch, aber nicht nazistisch sein
möchten, sich nicht ebenso täuschen, wie die im Reich es getan
haben, die auch schon von dem idiotischen Papen ans Messer
geliefert wurden? Qui mange du Pape en meurt. Was hat man
noch in Salzburg zu suchen, wenn dort schon diesen Sommer
das Hakenkreuz gezeigt werden darf? Ich will froh sein, wenn
ich mich in Wien noch öffentlich sehen lassen darf. Mit der
Niederlassung ist jedenfalls Vorsicht geboten fürs erste. Es
wäre interessant, jetzt Hollnsteiner oder Schuschnigg selbst
zu hören, wie sie heute über mein Kommen und meine Einbürgerung denken. Wäre sie nicht eine unfreundliche Hand-
lung gegen einen befreundeten und mehr als befreundeten
Staat? Die Antwort wäre charakteristisch, aber wenn sie beruhigend lautete, wäre das eine Beruhigung? – Freilich weiß
ich ja nicht, wie ernst man das Ganze überhaupt zu nehmen
hat und ob nicht in kurzer Zeit alles schon wieder ganz anders
aussieht. Mögen wenigstens Sie ungestört Ihre Arbeit tun
können! Es ist ja gut, daß Sie an Ort und Stelle sind, so bleibe
ich auf dem Laufenden.

Habe mich sehr über Veits Brief gefreut. Er ist wohl nicht
mehr bei Ihnen? Grüßen Sie ihn doch gelegentlich!

Ihnen und Tutti das Beste!   *Ihr Thomas Mann*

[Postkarte]   Küsnacht-Zürich 19. VII. 36
                                     Schiedhaldenstraße 33

Lieber Dr. Bermann,
meinem gestrigen Brief sende ich diese Karte nach, um zu sagen, daß ich wegen Secker einverstanden bin und der Übertragung der Verträge auf die neue Firma zustimme. Auch die
Nachrichten über die englische Ausgabe des »Omnibus« sind
mir willkommen. – Gratuliere zum Buchlager!

                                              Ihr Thomas Mann

Fange jetzt das letzte Kapitel an – S. Fischer hat zwei neue bekommen.

[Postkarte]   Küsnacht-Zürich 19. VIII. 36
                                     Schiedhaldenstraße 33

Lieber Dr. Bermann,
Die Bogenkorrektur 42–44 hatte ich erst zum Teil gesehen. Sie
ging heute korrigiert an Sie zurück. – Ich bin am allerletzten
Schluß. Nach Seite 693 kommen noch vier kurze Abschnitte,
die zusammen, wie ich jetzt ziemlich genau rechnen kann, 48
Manuskript-Seiten, also wohl ungefähr die vorausgesagten
42 Druckseiten ausmachen werden. Ich bin Ihnen dankbar, daß
Sie mich nicht gedrängt haben in diesen Wochen. Ohne den
Freud-Zwischenfall, der ja auch sein Gutes hatte, wäre ich
längst fertig. Jetzt handelt es sich nur noch um Tage, und ich
hoffe, noch habe ich den Herbst-Erscheinungstermin nicht ge-
schmissen.

                                              Ihr Thomas Mann

GBF an Katia Mann

                                              Wien, 24. August 1936
Liebe Frau Mann,
ich hatte übersehen, daß der auf mich entfallende Betrag der
Abrechnung von Knopf bereits auf mein Konto eingezahlt
worden ist. Diese Angelegenheit ist also in Ordnung. Ich
nahm irrtümlicherweise an, daß es sich bei der mir verspätet
zugesandten Abrechnung bereits um eine neue handelt.
Die Halbjahrsabrechnung über das Halbjahr 1936 bekommen

Sie noch vom S. Fischer Verlag, da die offizielle Übernahme des Lagers durch mich erst am 10. Juli stattfand. Ich nehme an, daß Sie die Schlußabrechnung vom S. Fischer Verlag sehr bald bekommen werden.

Zur Weiterzahlung einer laufenden Rente, die auf sämtliche Einnahmen zu verrechnen wäre, erkläre ich mich prinzipiell bereit. Ich würde aber den Vorschlag machen, diese Rente erst ab März des nächsten Jahres laufen zu lassen, da ich bis zu diesem Zeitpunkt mit Zahlungen aus dem Verkauf des neuen Werkes sowie aus dem Vertrieb der übernommenen Werke in größerem Umfange noch nicht rechnen kann. Falls Sie es also irgend ermöglichen können, würde ich Sie um diese kurze Pause bitten.

Sehr erfreut bin ich darüber, daß der »Joseph« jetzt zum glücklichen Abschluß kommt. Da ich mit den Herstellungarbeiten bereits begonnen habe, hoffe ich, den angesetzten Erscheinungstermin des 15. Oktober einhalten zu können. Meine Reisenden haben, wie ich Ihnen wohl schon mitteilte, ihre Tätigkeit bereits aufgenommen und bringen gute Vorausbestellungen. Allerdings zeigt sich in Deutschland eine gewisse Zurückhaltung, die darauf zurückzuführen ist, daß der Buchhandel sich nicht ganz im klaren darüber ist, in welchem Umfange er sich für das neue Werk einsetzen kann. Dadurch, daß dem Buchhändler selbst die Verantwortung für seine Propaganda überlassen wird und die Verbotslisten nicht veröffentlicht werden, besteht eine große Unsicherheit beim Buchhandel, die den Absatz beeinträchtigt. Ich arbeite natürlich mit allen Kräften daran, diesen Faktoren entgegenzuwirken.

Frau Fischer ist inzwischen in Aussee, recht erholt und in gutem Zustande, mit Tutti und den Kindern zusammen. Ich war ebenfalls die letzten acht Tage dort.

Über Ihre Adressen in Südfrankreich benachrichtigen Sie mich bitte rechtzeitig, damit die letzten Korrekturen keine Verzögerung erleiden.

Mit herzlichen Grüßen auch an Ihren Mann

Ihr Bermann Fischer

Küsnacht-Zürich, 26. VIII. 36
Schiedhaldenstraße 33

Lieber Dr. Bermann,

vorigen Sonntag habe ich den Band abgeschlossen, und abends
haben wir ein Glas Bowle darauf getrunken. Es ist doch ein
Abschnitt. Der Rest mußte noch abgeschrieben und kollatio-
niert werden; nun ist alles fertig, und gleichzeitig mit dieser
Karte geht der letzte Teil des Manuskripts an Sie ab. Wohl be-
komm's!

Morgen wollen wir also ab nach St. Cyr zu Schickeles zunächst.
Unsere genauere Adresse bekommen Sie noch. Was ist mit
dem »Freud«? Ich werde wohl ca 30 Exemplare brauchen, wovon Sie mir vielleicht die Hälfte nach St. Cyr schicken.

Bestens   *Ihr Thomas Mann*

Aiguebelle – Le Lavandou
den 15. IX. 36

Lieber Dr. Bermann,

die letzten Korrekturen habe ich noch von St. Cyr direkt an
das Bibl. Institut zurückgesandt. Sie sind hoffentlich gut angekommen, und die Herstellung nimmt ihren Fortgang. Werde
ich die korrigierten Bögen noch sehen?

Wir haben hier rechtes Pech. Eine Hals-Infektion, etwas wie
eine grippige Angina, hat uns alle vier erfaßt, meine Frau,
meinen Bruder, dessen Tochter und mich. Bei mir ist die Sache
mit äußerst schmerzhaften Arm- und Schulterneuralgien verbunden, sodaß ich nachts nicht weiß, wie ich liegen soll. Ein Wiener Arzt, Freund A. E. Rheinhardts in Le Lavandou behandelt
uns und sucht uns mit Chinin und schlechtem französischen
Pyramidon zu helfen. Ich wollte, wir wären erst wieder in
Küsnacht. Da aber meine Frau, nachdem sie Tage lang hohes
Fieber gehabt, uns unmöglich die weite Strecke zurückchauf-
fieren kann, werden wir wohl Golo herzitieren, damit er es tut.
Am 20., denke ich mir, werden wir wohl so weit sein. Der
Aufenthalt jedenfalls ist verpfuscht, und so sehr ich die klas-
sisch-romantische Landschaft bewundere, hat meine instinktive
Abneigung gegen den Midi und seine Tücken neue Nahrung
erhalten.

Aus Amsterdam schreibt man mir, daß man dort die »Freud-

Rede« nirgends sieht. Das wäre doch schade, – wo man sie schon in Deutschland nicht sehen darf. Ich bekomme erfreuliche Briefe über die Schrift, von der ich gleich das Gefühl des Geglückten hatte.

Aber wie groß ist nun erst meine Spannung auf die Wirkung des III. Bandes! Edmond Jaloux hat über die beiden ersten in den »Nouvelles Littéraires« und auch in anderen Blättern sehr großartig geschrieben. Es mag sein, daß er dem Reiz des Fragmentarischen erlegen ist, und fast ist es tröstlich für mich, daß das Werk auch mit dem dritten Bande noch fragmentarisch, d. h. im Zustande der Hoffnung und der schönen Möglichkeiten bleibt, – es sei denn, er zerstöre sie schon, was ich aber denn doch nicht glaube.

Herzliche Wünsche und Grüße!   *Ihr Thomas Mann*

Küsnacht-Zürich 30. IX. 36
Schiedhaldenstraße 33

Lieber Dr. Bermann,

vielen Dank für die gentile Flugpost. Keine Spur von Zähigkeit und Knauserei. Auch für den ausführlichen Brief danke ich bestens. Es ist schon recht und wird schon gehen. Ich glaube, wir können darauf vertrauen, daß man mir manches nachsieht und zugesteht. Es geht mir schon besser, bin stundenweise außer Bett. Nur daß ich noch einen Vollbart habe. Vielleicht bleibe ich übrigens dabei. – Die Abwertungs-Aktion ist politisch sehr interessant. Für uns gleichen sich die Dinge wohl ziemlich aus. – Für Nachrichten über den Stand der Herstellung von »J. i. Äg.« bin ich immer dankbar.   *Ihr T. M.*

Küsnacht-Zürich, 1. X. 36
Schiedhaldenstraße 33

Lieber Dr. Bermann,

Edmond Jaloux hat in den »Nouvelles Littéraires« und im »Excelsior« 3 große Aufsätze über den »Joseph« veröffentlicht, die ich Ihnen für Propagandazwecke empfehle. Ferner interessiert es Sie vielleicht, daß die Freud-Rede jetzt von »Europe« für die französische Veröffentlichung angenommen ist. Vorher ist sie englisch in »Life and Letters«, schwedisch im »Litterära

Magasin« und ungarisch in »Szépszo« erschienen. Vielleicht kann man es in die Wiener Presse bringen.

Grüße und Wünsche   *Ihres Thomas Mann*

Küsnacht-Zürich 6. x. 36
Schiedhaldenstraße 33

Lieber Dr. Bermann,
besten Dank für das »Reise-Exemplar«. Einen breiten Rücken halten wir da den Schlägen der Kritik hin! Walsers Sphinx sagt nicht gerade viel aus von dem Bande, ist aber doch reizvoll durch die Schwebe zwischen Leben und Urgestein, worin sie den Charakter der Jaakobszeichnung beibehält. Diese erste bleibt die beste.
Ich bin so frei, noch um 5 Exemplare des »Freud« zu bitten. Damit soll es dann auch genug sein.
Die Nachrichten über die Vorbestellungen und ihre prozentuale Verteilung waren mir sehr interessant.   *Ihr Thomas Mann*

Küsnacht-Zürich 17. x. 36
Schiedhaldenstraße 33

Lieber Dr. Bermann,
seien Sie doch so gut, dem Herrn Hans Sochaczewer, Kopenhagen S, Hveensvej 12, ein Rezensionsexemplar vom »Joseph« III zukommen zu lassen. Er ist ein alter Anhänger in der Emigration und wünscht es sich sehr. Er hat auch schon selber an Sie geschrieben, sodaß möglicherweise die Sache schon erledigt ist. – Die Exemplare sind gut angekommen. Ein prächtiger Band, mit dem der Käufer etwas hat für sein Geld. Ich dichte jetzt hauptsächlich Widmungen. Einige Leute sind gewiß schon eifrig am Lesen, da und dort. Aber im Ganzen mache ich mir keine Illusionen über die Anteilnahme, die das Buch finden kann.   *Ihr T. M.*

Küsnacht 24. x. 36

Lieber Dr. Bermann,
mit vielem Dank gebe ich die Anzeigen zurück. Zunächst ein ganz erfreuliches Echo. Die Besprechung der »Neuen Zürcher

Zeitung« werden Sie auch gesehen haben. Der gute Reisi spricht
beinahe außer sich vor Begeisterung. Aber es gibt kritischere
Leute, und ich selbst gehöre zu ihnen. Das Buch ist ein besonderer Fall, ein Kuriosum, vielleicht ein Unicum, – diese
Ausdrücke in einem durchaus kritischen Sinn gemeint. Es ist
möglich, daß sie an positivem Sinn noch gewinnen, wenn das
Gebäu einmal ganz fertig ist. Dann und später wird man,
glaube ich, doch gewissermaßen staunen, wenn auch nur über
die fast verrückte Unstimmigkeit zwischen Werk und Zeit.
Wäre es nur erst fertig! Aber jetzt kommt wohl erst die
Goethe-Novelle, an die ich mich bei wiederkehrenden Kräften
langsam heranpirsche.
In München, also wohl überhaupt in Deutschland, ist »Joseph« III noch nicht zu haben, wie ich höre. Gibt es da Enttäuschungen? Sind etwa die Vorbestellungen garnicht zu effektu-
ieren? Ich wähne Arges!   *Ihr Thomas Mann*

                                    Küsnacht-Zürich 31. x. 36
                                    Schiedhaldenstraße 33
Lieber Dr. Bermann,
besten Dank für Ihren interessanten, ausführlichen Bericht!
Ich war wirklich sehr erstaunt gewesen und freue mich Ihres
Erfolges, der auch der meine ist; denn was ich auch gelegentlich scheinbar dagegen tue, so wünsche ich doch im Grunde
immer, daß meine Bücher nach Deutschland gelangen, wünsche
es nicht nur aus materiellen Gründen. Auf den Augenblick,
wo es nicht mehr geht, müssen wir gefaßt sein; für jetzt bin
ich froh und dankbar, daß es noch wirklich zu gehen scheint –
so gut es eben gehen kann. Eine Presse wird dieser Band in
Deutschland wohl überhaupt nicht mehr haben, es sei denn die
»Frankfurter Zeitung« raffte sich zu einer Besprechung auf.
Dr. Diebold, der mich heute besuchte, will dort anfragen, ob er
schreiben darf. Vielleicht wäre ein Artikel, der gewissermaßen
als Auslandskorrespondenz aufgemacht ist, noch am möglich-
sten.
Sie müssen anstrengende, aufregende Wochen hinter sich haben. Aber offenbar haben Sie mit Umsicht und Energie gehandelt und dabei noch der Allgemeinheit genützt. Hier habe ich
Ihre Bücher einschließlich des »Joseph« wirklich überall gesehen,

auch in den Buchabteilungen der Kaufhäuser. Die Wiener, Prager und Budapester Stimmen waren ja entschieden wohllautend, und soviel darf ich mir sagen, daß mit einem Buch, von dem überhaupt in Ausdrücken gesprochen werden kann, wie die in denen unser Freund Reisiger an mich und auch an Dritte darüber schrieb, wohl irgend etwas los sein muß. Ernst Weiß, den ich seit seinem »Armen Verschwender« noch mehr schätze als früher, schrieb mir: »Für mein Gefühl tut sich hier ein Mikrokosmos mit einer nur ihm zugehörigen Ordnung auf, – ein Fall, der in deutscher Sprache seit dem Faust nicht mehr da war.« Er wird für die »Prager Presse« über das Buch berichten.

Solche Stimmen bewirken, wenn sonst nichts, jedenfalls, als sie mich in dem Vorsatz bestärken, das Unternehmen zu Ende zu führen, wobei ich hoffen darf, daß der vierte Band den dritten an menschlicher Wärme (die Wiedersehensszene!) übertreffen wird. Das Ganze, einmal fertig, wird dann mindestens, wenn nicht mehr, so doch ein denkwürdiges Kuriosum bleiben, – schon im Sinn der Verwunderung darüber, daß dergleichen in dieser Zeit überhaupt durchgeführt werden konnte, aber auch in dem, daß das charakteristischst Inkommensurabel-Deutsche im Exil geschrieben werden mußte. Vorerst will ich ja nun versuchen, zur Abwechslung etwas anderes einzulegen: die Goethe-Geschichte, »Lotte in Weimar«, an die ich mich jetzt vormittags, aber eigentlich Tag und Nacht, heranpirsche, ohne mir über die Form schon ganz klar geworden zu sein. Etwas Besonderes wird jedenfalls auch dies. Soviel fühle ich schon, und wird ein hübsches Bändchen geben.

Vom »Joseph« III muß ich, wie gesagt, noch eine ziemliche Anzahl Exemplare erbitten: Sie schicken am besten gleich 20 Stück, denn auf die Dauer, über Weihnachten hinaus, brauche ich doch noch so viele.

Ferner wollte ich fragen, ob von dem Band auch wieder die gewohnte Halbleder-Ausgabe hergestellt wird. Es werden ja außer mir selbst noch mehr Leute die ersten beiden Bände in diesem Gewande besitzen.

Herzliche Grüße!

Ihr Thomas Mann

Ein Stuttgarter Buchhändler soll erklärt haben, wenn der »Joseph« einträfe, wolle er ihn flugs und eilends an die Besteller versenden, denn er sei überzeugt, daß er alsbald verboten werde. Hoffen wir, daß der Mann schwarz sieht. Aber wie gesagt: gefaßt sein müssen wir auf alles.

Am 2. Dezember 1936 wurde TM aufgrund des »Gesetzes über den Widerruf von Einbürgerungen und die Aberkennung der deutschen Staatsangehörigkeit vom 14. Juli 1933« die deutsche Staatsbürgerschaft aberkannt.

[Postkarte]   Küsnacht, den 5. XII. 36
Lieber Dr. Bermann,
Dank für Ihr Telegramm. Die Anteilnahme ist groß, es geht fast zu wie nach dem Nobel-Preis, und für mein Teil ist die Klärung der Situation mir [lieb]. Schade ist es ja, daß die Menschen dort mir mit der Veröffentlichung um einen Tag zuvorgekommen ist [= sind]. In der Schweizer Presse habe ich feststellen lassen, daß die Exkommunikation keine rechtliche Bedeutung mehr hat und werde wegen des Eigentumes immerhin einen diplomatischen Schritt versuchen lassen. Im Übrigen – ein anderes Deutschland wird es mir nicht nachtragen, daß ich von diesem schied, und schon dieses, glaube ich, wird das großenteils nicht tun.   *Ihr T. M.*

Küsnacht-Zürich 8. XII. 36
Schiedhaldenstraße 33
Lieber Dr. Bermann,
Dank für Ihren heutigen Brief. Es ist viel zu beantworten, denn es geht dank der Weisheit unserer ehemaligen Herren ähnlich bei mir zu wie nach dem Nobel-Preis oder an Dezimal-Geburtstagen. Nützen wird dem dummen Gesindel auch diese Heldentat nicht, und das ist die Hauptsache.
Ich kann nur hoffen, daß Sie keine ernstlichen geschäftlichen Schwierigkeiten von der Sache haben. Haben die deutschen Sortimenter denn nicht auf eigenes Risiko bestellt? Sie mußten mit der Maßnahme doch rechnen.
Ich weiß nicht, ob für den Augenblick an einen Neudruck von »J. i. Äg.« gedacht wird, möchte aber für alle Fälle bitten, einige Druckfehler vorzumerken.

132

S. 590 Zeile 10 v. u. muß es »Mordsternes« statt »Nordsternes« heißen.

S. 606 hat am Kapitelschluß die ganz sinnlose Trennung des Wortes »unterscheiden« wegzufallen.

S. 683 Zeile 2 v. u. muß das Wort »verdorben« wegfallen, das hinter meinem Rücken eingeschoben worden ist. Der Teufel hat die Kleider, nicht: er hat sie verdorben.

S. 41 Zeile 8 v. u.: »Töpfebohrer«, nicht »Töpferbohrer«.

S. 43 Zeile 13 v. u. »gleichwie« in einem Wort.

Das ist wohl alles, was ich gefunden habe.

Herzlich

Ihr Thomas Mann

Anbei 173,65 Dollar als Scheck, darstellend die Knopf-Honorare.

Wien, 7. Juli 1937.

Lieber Herr Professor!

Vielen Dank für Ihren Brief vom 5. d. Mts. Ich freue mich sehr darüber, daß die Kur offenbar doch geholfen hat und Sie wenigstens die schlimmsten Schmerzen los sind. Ich glaube auch, daß, wie meistens in solchen Fällen, die endgültige Wirkung der Behandlung nachkommt.

Mit Golo haben wir uns sehr gefreut. Er ist so klug und hat ein so ruhiges und gesundes Urteil, daß die abendlichen und morgendlichen Unterhaltungen mit ihm besonders erfreulich und fruchtbar waren.

Ihre Nachricht über den »Krull« hat mich in größte Bestürzung versetzt. Das können Sie mir doch nicht antun. Ich fühle Sie als Autor und Ihr Gesamtwerk mit meinem Verlag so verbunden, daß eine Durchbrechung dieser Gemeinschaft, und sei es auch nur für den einen Fall, mich auf das Allerschwerste treffen würde. Ein solcher »Seitensprung« hat doch heute, wo wir in einer gemeinsamen Kampfposition stehen, eine ganz andere Bedeutung als früher. Das Erscheinen dieses Buches bei Querido muß, nachdem nun schon der »Briefwechsel« in einem anderen Verlag erschienen ist, (wogegen ich in diesem besonderen Fall aus bekannten Gründen nichts einzuwenden hatte) bei dem Sortiment und beim Publikum den Eindruck hervorrufen, daß die Verbindung zwischen uns gestört ist. Ein großer Teil des Publikums, ja sogar des Sortiments, wird sich gar nicht mehr bewußt sein, daß dieses Fragment nicht im S. Fischer Verlag erschienen ist und infolgedessen, da die rechtliche Begründung nicht allgemin bekannt ist, den Wechsel des Verlages nicht als Sonderfall, sondern als prinzipiellen Fall betrachten. Bei der heutigen Lage bedeuten allein schon aus diesen Umständen sich ergebende Gerüchte, die nur allzu gern von gewissen Leuten weitergetragen werden, eine so wesentliche Beeinträchtigung, daß ich Sie auf das allerdringlichste bitte, von diesem Plane Abstand zu nehmen oder, falls schon Vereinbarungen irgendwelcher Art getroffen sind, sie rückgängig zu machen.

Daß ich selbstverständlich mit Freuden bereit bin, die Ausgabe sofort zu machen, bedarf wohl keiner besonderen Erwähnung. Außerdem wäre ich auch bereit, dieses Buch als außerhalb unseres Vertrages stehend anzusehen, damit Ihnen keine Nachteile erwachsen.

Die neue »Zauberberg«-Ausgabe möchte ich, wie vereinbart, in diesem Herbst veranstalten. Die Vorausbestellungen, die ich zu meiner Orientierung unter der Hand gesammelt habe, sind zwar nicht sehr groß. Ich glaube aber doch, daß ein gewisser Erfolg bei dem Preis, den ich vorgesehen habe, und bei entsprechender Propaganda angesichts der besonderen Bedeutung und der unvergänglichen Aktualität dieses Buches beim Publikum zu erzielen sein wird.

Das Buch soll etwa im Format der Gesamt-Ausgabe, im Satz der Dünndruck-Ausgabe, zu einem Preis von

br. S. 5.80 = Sfr. 4.80
Ln. S. 9.80 = Sfr. 8.10

etwa Ende September erscheinen, u. zw. in einer Erstauflage von 6000 Exemplaren. Dieser Preis würde einem Markpreis entsprechen von etwa RM. 5.80 Ln. Da es sich um einen Band von ca. 1000 Seiten handelt, ist das wohl ein exorbitant niedriger Preis, der seine Wirkung wohl nicht verfehlen wird.

Voraussetzung für diese Preisgestaltung ist ein Honorar von 10% vom broschierten Exemplar gerechnet. Seinerzeit hatten Sie schon ihre prinzipielle Zustimmung zu der Honorarherabsetzung, die ja bei dieser Preisfestsetzung selbstverständlich ist, gegeben. Nun besteht noch aus dem Jahre 1932 eine Vorauszahlung auf diese Ausgabe von RM. 5 488.– (ö.S. 11 196.–). Um aber den auf dieser Ausgabe lastenden Vorschuß zu einer raschen Abdeckung zu bringen, schlage ich vor, Ihnen ein Honorar von 25 % (zwanzigfünf Prozent) vom broschierten Exemplar auf diesen Vorschuß zu verrechnen. Nach diesem Vorschlag verrechne ich also praktisch nur S 4466.–, streiche also S 6730.–. Nach Abdeckung dieses Betrages erfolgt die weitere Honorarverrechnung in Höhe von 10 % (zehn Prozent) vom broschierten Exemplar.

Über die Zeitschrift »Friends of Europe« bin ich mir nicht im klaren. Ich lege Ihnen den Propaganda-Brief dieser Zeitschrift bei, den sie regelmäßig bei jeder Buchanforderung verschickt. Ich habe wegen des angestrichenen Satzes diese Zeitschrift bisher immer ignoriert. Aus dem Inhalt der letzten Nummern mußte ich allerdings feststellen, daß die Zeitschrift wirklich Nazi-feindlich orientiert ist; was dann allerdings dieser merkwürdige Satz in dem Propaganda-Brief soll, ist mir unverständlich.

Ihre Nachrichten über den Nietzsche-Nachlaß interessieren mich ungemein.

Ich wäre Ihnen deshalb sehr dankbar, wenn Sie Herrn Dr. E. Podach (?) von meinem besonderen Interesse benachrichtigen würden und mir seine Adresse mitteilten, damit ich mich von hier direkt mit ihm in Verbindung setzen kann.

Ich fahre morgen nach Monte Pana bei S. Christina, Dolomiti, und verbleibe dort bis 31. Juli. Am 6. August bin ich wieder in Wien, Post wird mir nachgeschickt.

Ich wäre Ihnen sehr dankbar, wenn Sie mir bald auf diesen Brief antworten würden, sowohl wegen der »Krull«-Frage als auch wegen der »Zauberberg«-Angelegenheit, damit die Arbeiten, die in allernächster Zeit schon beginnen sollen, keine Verzögerung erfahren.

Indem ich Ihnen eine rasche und vollständige Heilung herzlichst wünsche, begrüße ich Sie als *Ihr Bermann Fischer*

Wien, 10. August 1937

Lieber sehr verehrter Herr Professor!

Seit gestern bin ich wieder in Wien und beeile mich auf die schwebende »Zauberberg«-Frage zurückzukommen. Ich konnte nicht annehmen, daß die Weiterführung des in Frage stehenden Betrages, der auf Grund eines besonderen Übereinkommens auf eine neue billige Ausgabe verrechnet werden sollte, nicht Ihrem Wunsche entsprach, zumal er in allen Verrechnungen erschien. Ich erfahre erst jetzt von Ihnen, daß Ihnen die Existenz dieses Vorschusses nicht bewußt war.

Ich kann diese Frage aber nicht als schwerwiegende Differenz zwischen uns betrachten. Ich habe, ohne mir bewußt zu sein, daß es für Sie ein neues Faktum bedeuten würde, die erwähnte Verrechnung durchführen wollen. Sie erklären mir nun, daß Sie das Bestehen dieses Postens übersehen haben. Es wurde also eine rechtzeitige Klärung dieser Frage von beiden Seiten verabsäumt. Demnach haben wir seinerzeit eine Abmachung getroffen, bei der Ihnen dieser wichtige Punkt unbekannt geblieben ist. Da es mir fern liegt, diese Unkenntnis auszunutzen, streiche ich den Vorschußbetrag. Ich möchte dies nicht tun, ohne zu sagen, daß mein Nachgeben sowohl in diesem Fall als auch in dem Fall der Frankenabwertung nicht aus dem Gefühl entspringt, im Unrecht zu sein oder eine unhaltbare Stellung aufzugeben, vielmehr aus dem Bestreben, Differenzen in der Auffassung nicht durch Beharren auf einem Rechtsstandpunkt zu verewigen, und aus dem Wunsch, Ihnen, wo immer möglich, entgegenzukommen.

Vielleicht darf ich aber nun auch ein wenig auf Ihr Entgegenkommen in der Honorarfrage »Zauberberg« rechnen. Ich möchte von dem projektierten billigen Preis von S 9.80 Ln. nicht abgehen. Ich halte ihn für entscheidend wichtig. Aber selbst bei äußerster Reduktion aller Faktoren läßt er ein höheres Honorar als 8 % vom gebundenen Exemplar für die erste Auflage von 6000 Exemplaren nicht zu. Es kommt tatsächlich bei diesem exorbitant niedrigen Preis auf jeden Groschen an; für die weiteren Auflagen kann das Honorar dann Ihrem Wunsche entsprechend 10 % vom gebundenen Exemplar betragen. Ich hoffe, daß Sie auf diesen Vorschlag eingehen können, und bitte mich recht schnell davon zu verständigen, da bereits alle Vorbereitungen für den Neudruck im Gange sind.

Sehr gern würde ich etwas über Ihren Gesundheitszustand und Verlauf Ihrer Ischias hören. Hat die Kur in Ragaz nun ihre Wirkung getan? Wir hatten eine besonders schöne Zeit in den Dolomiten und am Schluß noch in Venedig und haben uns nun mit neuen Kräften wieder in die Arbeit gestürzt.

Die Nietzsche-Briefe werde ich noch im Herbst herausbringen. Ich kenne bis jetzt zwar nur einen Teil des Manuskripts, glaube aber, daß das Ganze eine Publikation von großer Bedeutung sein wird.

Mit herzlichen Grüßen   *Ihr Bermann Fischer*

Darf ich um Mitteilung bitten, wieviel von der »Lotte« in der Zeitschrift zum Abdruck gelangt.

P. S. Ich lege Ihnen einen Brief bei, der vor einiger Zeit hier eingegangen und von hier aus direkt erledigt worden ist. Da Herr Meyer inzwischen abgereist ist, bittet er das Schreiben nicht zu beantworten.

[Telegramm]   [Küsnacht-Zürich, 12. August 1937]

Vergnügt und einverstanden   *Mann*

Küsnacht-Zürich 15. x. 37
Schiedhaldenstraße 33

Lieber Dr. Bermann,

vor allen Dingen möchten meine Frau und ich Ihnen und Tutti unsere herzliche Anteilnahme an dem bösen Zwischenfall ausdrücken, mit dem es, dem Himmel sei Dank, noch so glimpflich – wenigstens für den schuldlosen Teil – abgelaufen ist. Der Choc mag immerhin heftig genug gewesen sein, und auch wegen der nachfolgenden Scherereien bedauern wir Sie. Man muß beim Chauffieren immer für alle anderen mit klug und und vorsichtig sein, aber für jeden Leichtsinn kann man nicht aufkommen.

Ich freue mich, daß die Almanach-Frage nun zu Ihrer Zufriedenheit gelöst ist. Ich glaube, Sie haben gut gewählt. Bringen Sie nur den ersten Teil des Kapitels, so könnte man »Reise ins Jugendland« als Titel setzen. Das paßt aber nicht, wenn Miß Cupple mit einbezogen wird. In diesem Fall müßte man schon bei dem Titel des Ganzen bleiben.

Der Gedanke der politischen Broschüre gefällt mir gut. Eine solche Schrift erscheint jetzt bei Gallimard mit einem Vorwort

von Gide. Für die Ihre könnte ich Ihnen vielleicht das deutsche Original der lecture geben, die ich im März in amerikanischen Städten halten muß, und an deren Ausarbeitung ich mich nächstens werde machen müssen.
Einen zu beantwortenden Brief aus New York lege ich bei.
Herzliche Grüße und Wünsche!

Ihr Thomas Mann

Küsnacht-Zürich 14. XI. 37.
Schiedhaldenstraße 33

Lieber Doktor Bermann:
Vielen Dank für Ihre freundlichen Zeilen. Ich hätte Ihnen längst geschrieben und für Ihre Verlagswerke gedankt, wenn ich nicht in den letzten acht oder zehn Tagen unsinnig beschäftigt gewesen wäre. Ich hatte in aller Eile einen abendfüllenden Vortrag »Richard Wagner und der Ring des Nibelungen« herzustellen, den ich Anfang dieser Woche hier in der Universität halten soll aus Anlaß einer Gesamtaufführung des Werkes im Stadttheater. On revient toujours ...
Nun also meinen Glückwunsch zu Ihrer Produktion, die äußerlich auf der vornehmsten Höhe heutigen Geschmackes und geistig wirklich sehr würdig ist. Lesen konnte ich natürlich bei Weitem noch nicht alles. Aber was ich gelesen habe, weil es mich, kaum aufgeschlagen, sogleich höchst sympathisch ansprach, das ist die Biographie der Curie von ihrer Tochter, ein wirklich entzückendes Geschenk, für das gewiß viele Ihnen so herzlich danken werden wie ich. Ich empfehle das Buch bei jeder Gelegenheit. Schade, daß Horváth Ihnen nicht seine »Jugend ohne Gott« gegeben hat; das war das zweite Buch, das mir in letzter Zeit lebhaften Eindruck gemacht hat, aber schließlich können Sie nicht der Spender von allem sein. »Lotte« also werden Sie spenden, aber wann *ich* es spenden kann, das ist eben die Frage. Sie hörten eben von dem Wagner-Vortrag. Kaum daß er fertig ist, muß ich mich an die amerikanischen lectures für Anfang nächsten Jahres machen, die ja noch übersetzt und einstudiert werden müssen. Ich hoffe vor der Reise dann noch wieder etwas zum Roman zu kommen, aber viel wird es nicht damit werden, und bis ich dann wieder damit anfangen kann, wird es Mai werden. Es ist also

vernünftiger Weise an ein Erscheinen des Buches im Frühjahr leider nicht zu denken. Die Ankündigung für diesen Termin war sanguinisch, aber sie war ja nicht die erste Fehlmeldung dieser Art, besonders, was mich angeht. Es wird also Herbst werden, bis das Buch erscheinen kann, das ist keine Frage, aber dann wird es auch wieder ein Haupt-Stück von mir sein und etwas sowohl Originelles wie auch sehr Deutsches, das nicht lesen zu dürfen nicht wenig zur Unzufriedenheit des deutschen Publicums beitragen wird.

Ihre Nachrichten aus dem Lande stimmen mit den unseren genau überein. Aber was nützt das alles? Die Epoche ist dem Régime nun einmal günstig, mehr und mehr gibt sich die Welt der faszistischen Auskunft aus ihren Schwierigkeiten anheim, und es sieht aus, als ob es bald für unser einen keinen Fleck mehr auf der Erde geben wird seinen Fuß hinzusetzen, sodaß man sich unter ihr wird bergen müssen. Nun, so schnell wird das nicht gehen, und man muß hoffen, daß einem Frist gewährt wird, sein Tagewerk zu beenden.

Grüßen Sie Tutti vielmals und lassen Sie sich für Ihr Wohl und das der Ihren wie auch für Ihr negotium das Beste wünschen!

Ihr Thomas Mann

[Postkarte]   Küsnacht-Zürich 29. XI. 37
                                             Schiedhaldenstraße 33
Lieber Dr. Bermann,
recht herzlichen Dank für das freundlich zugeeignete Jahrbuch! Es ist überraschend prächtig – wohl das schönste, das ich kenne. Auch die alten Fischerschen waren doch nicht so geschmackvoll und luxuriös. Gewiß wird es überall Eindruck machen und Propaganda für Ihren Verlag. –
Ihnen und Ihrem Hause geht es gut, so hoffen wir. Ich hatte hier neulich einen erfreulichen Erfolg mit einem neuen Vortrag über Wagner und den »Ring«. Er erscheint in »Maß und Wert«. Jetzt mache ich meine demokratisch-idealistische Sonntagspredigt für Amerika, um sie hinter mir zu haben.

Ihr Thomas Mann

Lieber Dr. Bermann,

eine schöne Besprechung über die Nietzsche-Briefe aus der
»N. Z. Z.« anbei. Es war doch gut, daß Sie das Buch gebracht
haben.

Über Annette Kolb, die ich aufrichtig gern habe, höre ich recht
Beunruhigendes aus Paris. Sie hatte über ihre pekuniäre Lage
auch bei uns schon geklagt, aber wir hatten es nicht so ernst
genommen. Was mir aber jetzt von dritter Seite über ihre Ver-
fassung geschrieben wird, lautet doch bedenklich, und ich
halte es nicht nur für Freundespflicht, für sie bei Ihnen ein
gutes Wort einzulegen, sondern auch, Sie zu warnen, damit
kein Unglück geschieht und Sie in Ihrem Verhältnis zu Ihrer
Autorin nach dem Rechten sehen. Sie ist eine alte, kranke,
nervöse und zur Kopflosigkeit geneigte Frau. Ich sehe nicht
hinein in die Geschichte mit Annettes Unterschrift und den
11 oder 12 tausend Mark Berliner Schulden, die ihre Honorare
verschlingen, und hüte mich, sie zu beurteilen. Was aber, so
meine ich, in *unser aller* Interesse zu verhüten ist, das ist, daß
sie unseliger Weise die Flucht in die Öffentlichkeit damit antritt; und schon daß eine Sammlung für sie nötig würde (es
sieht danach aus) wäre nicht ehrenvoll. Ich hoffe, Sie finden
nicht, daß ich zu weit gehe in meinem Interesse für die Arme.
Aber wie sollte ich nicht wünschen, daß irgend ein milderndes
und beruhigendes Compromiß zustande käme zwischen Ihren
Nachfolge-Ansprüchen und der, wie es wirklich scheint, bedrohlichen Notlage Annettes!

Ich glaube, die Schweizer bereuen, daß sie Sie nicht aufge-
nommen haben. Binnen weniger Tage hat die »N. Z. Z.« zweien
Ihrer Verlagswerke, der Curie und jetzt den Briefen, lange
Feuilletons gewidmet.

Herzlich   *Ihr Thomas Mann*

Lieber Dr. Bermann,

was Sie sagen, ist überzeugend. Ich sehe also von dem Vor-
Abdruck in »Maß u. Wert« ab. Wenn ich die Zustimmung des
amerik. Verlages habe und vor allem: wenn ich *fertig* bin,

sollen Sie den »Schopenhauer« sogleich haben und können sich dann immer noch entschließen, ob Sie ihn allein oder mit dem »Wagner« bringen wollen. Die Ungunst besteht nur darin, daß ich hier wahrscheinlich nicht mehr fertig werde – und dann bin ich weit weg, und an Arbeit wird von Mitte Februar bis Ende März nicht zu denken sein. Erst nach Abschluß der Tournee, in Californien, würde ich die Studie dann zu Ende schreiben können. Und dann muß sie noch abgeschrieben werden. So wird sich die Sache, so leid es mir tut, doch noch ziemlich verzögern. Ausführlichkeit war nicht zu vermeiden, – man soll mich nicht auf eine solche Spur setzen! Ich habe in den 3 Arosa-Wochen soviel wie möglich getan, das System entwickelt. Aber der persönliche Commentar und das Charakterbild stehen noch aus, und diese zwei Wochen sind so voll von Vorbereitungen und englischen Studien – obendrein ist meine Frau mit einem Bronchialkatarrh bettlägrig, – daß ich nicht weiß, wie weit ich komme. Ich beklage Sie, daß Sie es mit einem Autor zu tun haben, der nie zur rechten Zeit zur Stelle ist und immer endlos warten läßt, – wenn ich an die »Lotte« denke und gar an »Joseph« IV, so wird mir schwach. Aber was soll man machen, so bin ich nun einmal. Die Sachen müßten dafür wohl noch besser sein. Aber eben daß ich sie so gut mache, wie ich kann, ist die Ursache des Leidens. Schopenhauer definierte die Tapferkeit als *Geduld.* Seien wir tapfer!

Ihr Thomas Mann

Am 13. März 1938 wurde Österreich von deutschen Truppen besetzt. GBF und seine Familie entkamen im letzten Augenblick nach Italien. Frau Hedwig Fischer befand sich zu diesem Zeitpunkt in Rapallo. Der Bermann-Fischer Verlag, Wien, wurde von der Regierung beschlagnahmt und ein kommissarischer Leiter eingesetzt. Inzwischen hatte ein Mann namens Fischer das Haus beschlagnahmt und versuchte auch die Leitung des Verlags zu bekommen, was ihm aber nicht gelang. GBF hatte alle Verlagsakten und Geschäftspapiere sowie sein großes Buchlager zurücklassen müssen. (Er selbst schildert diese Ereignisse in seiner Autobiographie »Bedroht – Bewahrt«, die 1967 im S. Fischer Verlag, Frankfurt am Main, erschien, auf den Seiten 143–148.)

[Brieftelegramm an Frau Hedwig Fischer in Rapallo]

[19. März 1938]

Erbitten Nachricht Gottfrieds Ergehen

Thomas Mann
Hotel Utah Sathakenty
Utah

[Brieftelegramm]

[21. März 1938]

Erhalte Cabel Holland Reisi Innsbruck verhaftet Wissen Sie
etwas Sind Anfang Mai New York Drahtet –

Thomas Mann
Clift Sanfrancisco

[Telegramm]

[Zürich, 21. März 1938]

Reisi verhaftet Notwendigen Schritte eingeleitet Verfolgen
Sache weiter   *Bermann Fischer*

Beverly Hills
Hotel and Bungalows
Beverly Hills, California
8. IV. 38.

Lieber Doktor Bermann:

Unsere Korrespondenz hat sich bisher auf Telegrammwechsel
beschränkt, und, hier ein wenig zu provisorischer Ruhe gekommen, habe ich das Bedürfnis, mich etwas ausführlicher mit
Ihnen zu unterhalten. Die Nachricht, daß Sie mit den Ihren
sain et sauf sind, war eine rechte Wohltat für mich, und ebenso
war ich Ihnen außerordentlich dankbar für das Telegramm,
das mir Reisigers Befreiung anzeigte. Das war eine große
Herzenserleichterung für mich und uns alle, wenn auch das
Wort »Freiheit« wohl noch recht relativ zu verstehen ist. Denn
ich fürchte, man wird ihn sobald nicht aus dem erweiterten
Deutschland herauslassen. Nun, das findet sich; gewisse
Schritte, die diese weitere Befreiung fördern könnten, haben
wir einzuleiten versucht.

Meine Reise durch den Continent stand unter dem Schatten der europäischen Ereignisse, sie hätte ohne ihn höchst erfreulich und etwas wie ein Erntefest sein können. Denn meine Vorlesungen hatten gewaltigen Zulauf und einen moralischen Erfolg, der zusammenfiel mit dem künstlerischen Erfolg von »Joseph in Ägypten«. Anstrengend freilich war die Sache, ich bin recht müde davon und wir haben uns hier in einem hübschen Häuschen des oben bezeichneten Hotels für ein paar Wochen zur Ruhe gesetzt, einer Ruhe, die freilich wiederum durch viel gesellschaftlichen Tumult beeinträchtigt wird.

Ich bestätige wohl Ihre eigenen Ahnungen, wenn ich hinzufüge, daß unser Entschluß, vorläufig nicht nach Europa zurückzukehren, seit mindestens acht Tagen feststeht. So sehr wir an unserem Küsnachter Refugium hängen und so fern wir bei unserer Abreise noch dem Gedanken einer Nicht-Wiederkehr waren: wir würden nach dem Fall Österreichs auch in der Schweiz sicher eine veränderte Atmosphäre finden, und die ganze europäische Lage läßt es mir weder ehrenvoll noch auch nur geheuer erscheinen, dort ferner zu leben. Hier umgibt meinesgleichen eine freundwillige Luft und es gibt in diesem Land noch wirkliche Achtung und Sympathie für das, was man darstellt. Ich habe vor, mich mit den Meinen in einer der kleineren Universitätsstädte des Ostens niederzulassen. Unser Küsnachter Hausstand wird im Lauf des Sommers durch Erika aufgelöst werden.

So viel von meinen Angelegenheiten. Aber nicht von mir wollte ich eigentlich zu Ihnen reden, sondern über Sie selbst und Ihre Entschlüsse, die mich natürlich beschäftigen und beschäftigen müssen. Aus Ihrem Telegramm geht hervor, daß auch Sie an Amerika denken, das ja wirklich für uns alle, denen der Boden in Europa mehr und mehr schwindet, das letzte Refugium bildet. Ich weiß nicht, was für Pläne Sie mit Ihrem Kommen verbinden, ob es etwa Ihre Absicht ist, hier Ihre verlegerische Tätigkeit fortzusetzen, aber es ist mein dringender Wunsch, mich Ihnen gegenüber auszusprechen, bevor Sie feste Entschlüsse dieser Art gefaßt haben. Lassen Sie mich offen sein: nach reiflichem Nachdenken halte ich es für meine Pflicht, Ihnen von einem solchen Entschluß abzuraten. Ich möchte Ihnen gewiß nicht wehe tun, aber ich habe das deutliche Ge-

fühl und muß es aussprechen, daß Ihre durch alle diese Jahre
verfolgte Politik, Ihr bis zum erzwungenen Bruch aufrecht er-
haltenes Verhältnis zu Deutschland und selbst noch der Charakter Ihres Wiener Unternehmens, das ja immer noch auf den
deutschen Markt abgestellt war, Ihnen hier auf sehr negative
Weise den Boden bereitet hat. Denn dies ist im Gegensatz zu
allen europäischen Ländern das einzige, wo eine wirkliche tiefe
Antipathie gegen den Charakter des heutigen Deutschlands
dominiert und wo es an jeder Connivenz gegen eine nicht absolut eindeutige Haltung in diesen Dingen fehlt. An und für
sich wäre es ein sehr gewagtes, genaue Kenntnis der Verhältnisse und bedeutende Investierungen verlangendes Unternehmen, hier einen deutschen Verlag zu starten, und in Ihrem Fall
muß ich mit Bestimmtheit befürchten, daß die Schwierigkeiten
sich bis zur Unausführbarkeit steigern würden. Den großen
deutschen Emigrationsverlag hier zu begründen, ist gewiß ein
nahe liegender Gedanke, und ich weiß, daß mehrere amerikanische Verlage sich mit diesem Gedanken beschäftigen. Selbstverständlich ist es ja auch, daß ich persönlich im höchsten
Grade interessiert daran bin, denn das Schicksal der Original-
Form meiner Arbeiten muß mir am Herzen liegen und hat
mir schon manche Sorge bereitet, daß praktisch genommen,
schon längst die englischen Übersetzungen weit stärker ins
Gewicht fallen und das Original gewissermaßen abhanden zu
kommen droht. Ich habe mich aber überzeugen müssen, daß
nur ein eingeführter amerikanischer Verlag, der über große
Verbreitungsmöglichkeiten und Mittel verfügt, der richtige
Unternehmer sein könnte, und selbstverständlich denke ich
dabei in erster Linie an meinen Freund Alfred Knopf, der sich
in einer außergewöhnlichen, man kann sagen enthusiastischen
Weise für meine Bücher einsetzt, und dem, wie ich weiß, solche
Erwägungen heute keineswegs mehr fremd sind.
Dies alles Ihnen so trocken zu sagen, lieber Doktor Bermann,
wird mir gewiß nicht leicht. Ich kann das Maß von Passion
schwer abschätzen, das Sie dem verlegerischen Beruf entgegenbringen, aber ich weiß, daß es Ihnen seinerzeit keineswegs
leicht geworden ist, den medizinischen aufzugeben und daß
man Sie ungern hat aus ihm scheiden lassen. Wenn ich mir
unter den heutigen Umständen Ihren Lebensweg vor Augen
halte und mir Ihre Zukunft überlege, so kann ich mich nicht

dem Gefühl entziehen, daß es für Sie als einem der Tätigkeit bedürftigen, noch jungen Mann weitaus das Richtigste wäre, wenn Sie zu jenem damals mit so viel innerer Notwendigkeit verlassenen Beruf zurückkehrten und sich in diesem Erdteil, der solche Spezialisten dringend braucht, als Arzt niederließen. Ich bin überzeugt, daß Sie in dieser Eigenschaft mehr Erfolg und Befriedigung hier finden würden als wenn Sie darauf bestünden Ihren zweiten Beruf hier fortzusetzen. Es wäre mir eine wahre Freude, von Ihnen zu hören, daß ich offene Türen einrenne, und daß das, was ich Ihnen hier sage, Ihren eigenen Gedanken längst nicht mehr fremd ist. Jedenfalls hielt ich es für notwendig, es auszusprechen, und ich hoffe, Sie werden in diesem Brief das freundschaftliche Interesse nicht verkennen, das ich immer für Sie und Tutti gehegt habe. Es würde mich freuen, bald von Ihrer Stimmung und Ihren Entschlüssen zu hören. Mit herzlichen Grüßen und Wünschen für Sie und die Ihren *Ihr Thomas Mann*

Briefe erreichen mich am besten im »Bedford«, 118 East 40. Street, New York, wo ich bestimmt Anfang Mai sein werde. Hier denke ich mich bis 24. des Monats aufzuhalten.

Beverly Hills
Hotels and Bungalows
Beverly Hills, California
15. IV. 38.

Lieber Doktor Bermann:

Unsere Briefe haben sich gekreuzt, schmerzlicher Weise für mich, denn Sie können sich denken, daß gerade beim Lesen des Ihren der meine mir brutal vorkam, wie gewissermaßen übrigens schon vorher. Aber was sollte ich machen? Ich mußte Ihnen meine Überzeugung und mein Gefühl für die Dinge zum Ausdruck bringen, und das war mit anderen Worten kaum zu machen. Der eigentliche Fehler meines Briefes war vielleicht der, daß er nicht deutlich, das heißt nicht ausführlich *genug* war. Es scheint mir also, nachdem ich Ihre Zeilen gelesen habe, nicht nur nicht geboten, meine Äußerungen abzuschwächen, sondern vielmehr sie zu ergänzen und zu erläutern.

Ich kann zunächst nur wiederholen, daß hier eine so entschiedene Verabscheuung des nationalsozialistischen Deutschlands, jedenfalls in der geistig maßgebenden Sphäre, in der Luft liegt, daß die bereitwillige Aufnahme eines Verlages, der nicht vom ersten Augenblick an eine vollkommen eindeutige Haltung eingenommen, also wenigstens scheinbar auf irgend eine Weise mit den neuen Mächten paktiert und mit ihnen gearbeitet hat, im höchsten Grade unwahrscheinlich ist. Sie müssen bedenken, daß Sie nie ein Emigrantenverlag haben sein wollen; Sie haben das auch noch in Wien abgelehnt. Es ist nicht leicht, denen zu widersprechen, die erklären, daß Sie das moralische Recht verscherzt haben, jetzt, wo es garnicht mehr anders geht, *den* deutschen Emigrations-Verlag in Amerika aufzutun. Sie hatten nicht die Entschlußkraft und Weitsicht zu tun, was Querido unter Opfern getan hat, diesen Emigrationsverlag, und sogar die Zeitschrift dazu, draußen im Freien zu schaffen, sondern haben sich an Deutschland festgeklammert und es erst in dem Augenblick verlassen, wo es mit jüdischen Verlegern dort endgültig zu Ende war. Welche Möglichkeiten hätte der S. Fischer Verlag gehabt, wenn er im Jahre 33 oder 34 in die Schweiz gegangen wäre! Sie versuchten es dort erst, als es zu spät war, und man Sie dort trotz aller Bemühungen, die auch ich gemacht habe, ablehnte. Dann kam nicht der freie weltweite Verlag mit Heinemann in London, wie Sie ihn mir in Aussicht gestellt hatten, sondern es kam Wien, eine von vorneherein beengte und wenig aussichtsreiche Sache, die nun also ihr vorbestimmtes Ende gefunden hat. Wenn Sie diese Entwickelung noch einmal mit mir durchleben, werden Sie zugeben müssen, daß sie nicht die richtige Vorgeschichte für den Führer des großen amerikanisch-deutschen Emigrationsverlages darstellt.

Ich bin mir im Ganzen und für den Alltag der Stellung, die ich in der Welt einnehme, nur zu wenig bewußt. So viel aber weiß ich, daß schon Ihr Wiener Verlag mehr oder weniger auf diese Stellung und auf meinen Namen gegründet wurde, und ich weiß auch, daß wenn es Ihnen trotz allem hier gelänge, die Tätigkeit zu eröffnen, die Sie planen, dies eben nur wiederum mit Hilfe der, ich möchte fast sagen: Gott weiß warum, exeptionellen Stellung geschehen könnte, deren ich mich hier erfreue. Aber gerade das widerstrebt meinem Billigkeitsgefühl, und ich weiß genau, daß viele es mir verübeln würden. Nennen Sie das nicht hart und häßlich mit Rücksicht auf unsere alten Beziehungen: ich habe ihnen länger als ich vielleicht gesollt hätte Treue gehalten, und jetzt scheint mir die Situation eine Trennung des Sachlichen vom Persönlichen zu verlangen.

Lassen Sie uns doch auch bedenken, womit mir denn eigentlich mein Festhalten an Ihrem Haus in den letzten Jahren gedankt worden ist und ob ich Grund hatte, mich besonders daran zu freuen. Es hat im Laufe unserer Zusammenarbeit in dieser Zeit wiederholt recht unangenehme und kleinliche Streitfälle gegeben, bei denen Sie sich ja schließlich meinem Standpunkt genähert haben, die aber bei meinem Verhältnis zu Ihrem Verlag garnicht hätten auftauchen dürfen. Die Einnahmen aus meinem Gesamtwerk waren, bei aller Einrechnung der Zeitumstände, unter allem Erwarten, im Jahre 37 wurden mir, alles in allem, auch einschließlich der neuen »Zauberberg«-Ausgabe, ca 5 000 Schweizer Franken gutgeschrieben. Ich kann garnicht anders als mir sagen, daß bei großzügigerer Propaganda und besser eingefahrener Auslandsorganisation ein etwas besseres und würdigeres Resultat hätte erzielt werden können. Der »Felix Krull« allein, der ja schließlich auch keine Novität war, hat mir in einem Vierteljahr 3 000 Franken gebracht. Jetzt, wo in Amerika die Nachfrage nicht nur nach den englischen, sondern auch nach den deutschen Ausgaben außerordentlich lebhaft ist, ist außer dem »Hochstapler« kein Exemplar meiner deutschen Bücher greifbar, weil Sie nicht rechtzeitig mit dem gerechnet haben, was geschehen ist, und Warnungen und Ratschläge wegen vorsorglicher Herausschaffung Ihres Lagers in den Wind geschlagen haben. Ich habe selbst einen Brief von Ihnen in Händen, worin Sie eine solche Sorge für unbegründet erklärten. Wieder einmal haben Sie es zu spät werden und die Dinge Ihren Entschlüssen zuvorkommen lassen. Der ideelle und materielle Schaden davon für mich ist groß.

Ich habe Ihnen das auseinandergesetzt, nicht, um Recht zu haben, noch weniger, um Sie zu kränken. Muß ich nicht versuchen, Sie objektiv die Situation sehen zu lassen, wie ich sie, mit Recht, glaube ich, sehe? Ich verurteile Sie auch nicht: Ihre Haltung und Politik hatte vielleicht Manches für sich oder schien etwas für sich zu haben, aber bewährt hat sie sich nicht, und Sie sollten das jetzt zu Tuende denen überlassen, denen ein besseres Recht darauf zusteht. Ich kann nur wiederholen, was ich neulich sagte: das deutschsprachige Verlagswesen ist, wie die Dinge liegen, auf ein Minimum von Lebensmöglichkeit zusammengeschwunden, und Sie sollten nicht eigensinnig darauf bestehen, gerade diesen Weg weiter zu verfolgen. Sie haben andere Fähigkeiten und Möglichkeiten, haben Anderes gelernt und haben Jugendkraft genug, etwas Neues und gleichzeitig Altgewohntes zu ergreifen. Schwer haben wir es alle. Mein ganzer Zustand ist auch wieder durch die Ereignisse umgestürzt, und ich habe mich in meinen so viel höheren Jahren abermals in Fremdes und Neues hineinzufinden, immer unter möglichster Aufrechterhaltung meiner geistigen Tätigkeit. Gott weiß, wie das alles weiter gehen und enden wird, aber ich bin durchaus nicht in der Stimmung, daß ich den Wunsch haben könnte, mich mit einem alten Freund wie Sie persönlich zu überwerfen; ich gönne den infamen Ereignissen einen solchen Erfolg keineswegs. Ich werde mir meine freundschaftlichen Gefühle für Sie um der alten Zeiten willen immer bewahren und kann nur hoffen, daß auch Sie trotz der sachlichen Trennung, die ich für notwendig halte, an diesen Empfindungen festhalten.

Ihr Thomas Mann

Zürich, den 26. iv. 38
c/o Dr. Georg Gautschi
Zürich, Löwenstr. 2

Lieber Herr Doktor,
ich danke Ihnen bestens für Ihren Brief vom 8. iv., den ich gestern erhielt. Sie werden inzwischen wohl meinen Brief bekommen haben, aus dem Sie einiges über meine Pläne entnehmen konnten. Ich beabsichtige nicht, in Amerika einen deutschen Verlag zu eröffnen. Das wäre wohl, jedenfalls in der bisher üblichen Form, ein aussichtsloses Unternehmen, denn Amerika als Absatzgebiet für deutsche Bücher muß erst erschlossen werden. Deshalb sind meine amerikanischen Pläne auf eine neue Vertriebsform, die etwa der der Buchclubs analog sein müßte, gerichtet, also eine solche, die sich direkt an

das Lesepublikum wendet. Nun haben bei weiterer Überlegung meine damals dargelegten Absichten insofern eine Änderung erfahren, als ich es für notwendig halte, zunächst in Europa einen verlegerischen Sammelpunkt zu schaffen, um dadurch für die Durchführung der schwierigen neuen Aufgabe die notwendige Zeit zu gewinnen.

Ich stehe hier mit einem Verlagskonzern in Unterhandlungen, der sich für die Aufnahme meines Verlages interessiert und in Zusammenarbeit mit meiner Schweizer Gesellschaft, der A. G. für Verlagsrechte, die Auswertung der dieser gehörenden Rechte übernehmen will. Nach Ihren neuen Nachrichten wäre es aber für mich interessant, zu hören, ob Knopf sich an einer solchen Kombination beteiligen würde, da auf diese Weise auch gleich die Verbindung mit Amerika hergestellt wäre. Ich habe in der Schweizer Gesellschaft einen recht großen Komplex von wertvollen Verlagsrechten, die für den Herbst ein interessantes Programm, das ich beifüge, liefern. Die finanzielle Beteiligung brauchte nicht sehr erheblich zu sein. – Daß ein solcher Verlag seine Vertriebszentrale in Europa haben muß, ist im Augenblick unumgänglich. Amerika ist für einen geregelten Vertrieb zu weit, solange die geplante neue Vertriebsorganisation noch nicht vorhanden ist. Auch diese müßte eine Niederlassung in Europa haben. In Ergänzung meines vorigen Briefes möchte ich noch erwähnen, daß die Deutsche Buchgemeinschaft, Berlin, vor dem Nazismus 60–80 000 Mitglieder in Amerika hatte, die zum Teil sicherlich wieder zu gewinnen sein werden, und daß die hier arbeitende Büchergilde Gutenberg, die an einem Zusammenschluß interessiert ist, ca. 20 000 Mitglieder hat.

Falls Knopf interessiert ist, bitte ich ihn um ein Kabel, um meine hiesigen Verhandlungen eventuell noch so lange hinauszuzögern, bis ich ihn gesprochen oder mich mit ihm verständigt habe. Übrigens hat sich auch ein großes schwedisches und amerikanisches Verlagsunternehmen mit ähnlichen Plänen mit mir in Verbindung gesetzt. Ich würde aber gern bei diesen verschiedenen Verhandlungen in einer Richtung gehen, die auch Ihren Intentionen entspricht.

Da ich annehme, daß ich in wenigen Tagen mein amerikanisches Visum haben werde, könnte ich Mitte bis Ende Mai in New York sein.

Daß der B. F. V. sich in 1½ Jahren zu einem führenden Verlag entwickeln konnte, widerlegt am besten alle Angriffe gegen meine Haltung oder die des Verlages. Mein Umsatz außerhalb Deutschlands war größer als der im Reich und ist ständig im Wachsen begriffen. Gerade in Amerika, Nord und Süd, entwickelte er sich in aufsteigender Linie, so daß ich unmittelbar vor den Ereignissen in Österreich eine Verlagsvertretung in New York einzurichten begann und bereits damals entschlossen war, hinüberzufahren, um den Vertrieb drüben zu intensivieren. Das sind Tatsachen, die beweisen, daß die Tätigkeit des Verlages in weitesten Kreisen richtig eingeschätzt wurde. Sonst wäre die Erzielung von Absatzziffern außerhalb Deutschlands, die diejenigen anderer deutschsprachiger Verlage im Ausland mindestens erreichten, in der überwiegenden Mehrzahl der Fälle aber weit übertrafen, wohl kaum denkbar gewesen.

In Deutschland gelte ich heute als staatsfeindlicher Verlag. Mein Wiener Büro ist von der Gestapo geschlossen, und von meinem Lager werde ich wohl nichts mehr wiedersehen. In Ihrem Interesse und dem Ihres Werkes wäre mir eine weniger staatsfeindliche Einschätzung von seiten der neuen Herren weiß Gott lieber, und ich würde keine Kosten scheuen, um Ihre Werke herauszubekommen. Die Beschlagnahme des Verlages und meines österreichischen Besitzes nebst den wohl noch zu erwartenden weiteren Folgen sollte doch vielleicht diejenigen, die meine Haltung anzweifeln, endlich darüber belehren, in welcher Weise ich den Herrschaften in Deutschland unangenehm geworden war und als wie wirksam im antinazistischen Sinne meine Tätigkeit empfunden wurde, vielleicht viel wirksamer als die der in Deutschland verbotenen Emigrationsverlage, die innerhalb Deutschlands überhaupt nicht wirken konnten. Aber ich habe es aufgegeben, mich gegen solche Angriffe zu verteidigen. Ich habe einen Verlag aufgebaut, der sie unzweideutig widerlegt, wenn man nicht bösen Willens ist. Leider ist man es immer in dem gleichen kleinen Kreis, der nicht zugeben will, daß er mit seinen bösartigen Angriffen von 1936 unrecht gehabt hat. Gegen ihn kann ich heute die Stimmen der Weltpresse anführen, die sich über den Verlag unzweideutig zustimmend geäußert haben, oder nur ein Zitat aus einem Brief von Mr. Messersmith vom Department of

State aus Washington: »I am glad to know of your decision which may involve your making your permanent home in this country and I am hopeful that you and your family may be able to establish yourselfes here and to have that happy and assured existence which you so richly deserve.« Messersmith kennt meinen Verlag als ehemaliger amerikanischer Gesandter in Wien.

Der Erfolg meines Verlages war kein Zufall, sondern das Ergebnis systematischer, von ernsthaften und ganz sauberen Prinzipien getragener Arbeit, für die geistige und künstlerische Qualität das Höchste ist. Diese befindet sich heute im Zustand der höchsten Gefährdung von links und rechts, und es ist tief bedauerlich, daß der Totalitätsanspruch im Geistigen, den das Dritte Reich erhebt, auch von einem zwar kleinen, aber um so lauteren Teil der Emigration aufgenommen wird. Denn was ist schließlich die Verfemung eines Jeden, der eine bestimmte Art des politischen Kampfes ablehnt und andere Methoden für richtiger hält, anderes? Ich stimme in dieser Ansicht mit *sehr* vielen überein und kann mit dem Zustrom immer neuer Kräfte aus Deutschland und von außerhalb Deutschlands rechnen, der um so größer sein wird, als die geplante neue Vertriebsorganisation in der Lage sein wird, denjenigen Autoren, die von dem eingeschränkten außerdeutschen Absatz allein nicht existieren könnten, eine Existenzgrundlage zu bieten.

Mein in seinem ersten Teil ziemlich fortgeschrittener Plan geht also, um zusammenzufassen, dahin, den Verlagskomplex hier erneut zu aktivieren und von da aus dann die neue Vertriebsorganisation unter Anlehnung an ein amerikanisches Unternehmen zu entwickeln.

Ich wäre Ihnen sehr dankbar, wenn Sie Knopf von meinen Plänen unterrichten und für den Fall seines Interesses um rasche Rückäußerung bäten.

Für Ihre persönlichen Worte danke ich Ihnen sehr. Der Gedanke einer Rückkehr zur Chirurgie liegt natürlich nach den letzten Schlägen nicht fern, aber es widerstrebt mir, eine Aufgabe, die ich nun 13 Jahre lang mit Leidenschaft verfolgt habe, in einem Augenblick aufzugeben, in dem sie wichtiger denn je ist. Unterschätzen Sie bitte nicht, wie sehr ich von der Notwendigkeit des von mir eingeschlagenen Weges überzeugt bin.

Es waren keineswegs materielle Interessen, die mich dazu führten, einen anderen Weg zu gehen als andere Verlage. Ich kann das alles nicht einfach hinwerfen und fühle eine Verantwortung, meinen Posten so lange zu halten wie es geht.

Wir sind häufig mit Golo zusammen, mit dem wir uns ausgezeichnet verstehen und dessen Beiträge in »Maß und Wert« mir große Freude bereiten. Das zuletzt abgedruckte Kapitel von Ihrer »Lotte« ist ein zauberhaftes, psychologisches Meisterstück, und ich höre zu meiner Freude, daß Sie an dem Buch wieder weiterarbeiten. – Reisiger ist in Berlin, wie wir von Osborn hören, soll aber derartig verstört und überängstlich sein, daß es mir noch nicht gelungen ist, in direkte Verbindung mit ihm zu kommen, obwohl er seinen Paß hat und jederzeit ausreisen könnte.

Ich hoffe noch vor meiner Abreise von Ihnen und von Knopf zu hören und grüße Sie mit den besten Wünschen für Sie und Ihre Frau, zugleich mit Tutti, als Ihr

Bermann Fischer

Zürich, den 29. IV. 38
c/o Dr. Georg Gautschi
Zürich, Löwenstr. 2

Lieber Herr Doktor,
ich habe Ihnen gestern folgendes Telegramm an Bedfordhotel New York gesandt: Bin über letzten Brief tief bestürzt. Stehe unmittelbar vor Abschluß mit Verlag ebenso großer literarischer wie geschäftlicher Bedeutung der Ihre Billigung finden wird. Verlag von Weltruf Europa und Amerika, Ihrer politischen Einstellung voll entsprechend. Abreise heute wegen Abschluß, schreibe unterwegs ausführlich. Bitte dringendst Entscheidung zurückstellen und persönliche Aussprache abwarten. Bin spätestens Ende Mai New York, so daß alles in Ruhe zu besprechen.

Ihr Brief war für mich niederschmetternd. Alles hätte ich erwartet, nur nicht dies, daß gerade Sie mich in diesem Augenblick, der weiß Gott schwer genug ist, im Stich lassen würden. Daß gewisse Kreise gegen mich Stimmung machen und diesen Moment nicht vorüber lassen würden, kommt mir nicht unerwartet. Völlig unerwartet ist es aber für mich, daß Sie sich diesen Gegnern anschließen. Ich habe niemals einen Zweifel darüber gelassen, daß ich und mein Verlag sich mit Ihrem Werk untrennbar verbunden fühlen. Als im Dezember 1936 damit gerechnet werden mußte, daß der Verlag durch die Verbindung und Identifizierung mit Ihnen in Deutschland verboten würde, gab es für mich kein Schwanken. Ich hätte das Verbot und den damit verbundenen Verlust zahlreicher Autoren in Kauf genommen und Ihnen und Ihrem Werk die Treue gehalten. Das habe ich Ihnen damals unverzüglich zum Ausdruck gebracht. Am schwersten trifft es mich, daß Sie sich heute nach so vielen freundschaftlichen und in vollem Einverständnis geführten Besprechungen über den Zeitpunkt und die Art meiner Auswanderung die Argumente derer zu eigen machen, die mich wegen meines Verbleibens in Deutschland bis 1936 mit völlig unbegründeter Unterschiebung unlauterer Motive angreifen und verdächtigen. Muß ich Ihnen wirklich noch einmal erklären, daß 1933 und 34 nicht ein einziges Buch und kein Verlagsrecht hätte herausgebracht werden können, haben Sie vergessen, daß Ihr Erscheinen in Deutschland bis Ende 1936 von allergrößter Bedeutung war und daß schließlich nur durch Zuwarten der nötige Überblick für die Durchführung der Auswanderung, Transferierung und der Neugründung zu gewinnen war? Querido, den Sie als Gegenbeispiel anführen, war in einer vollständig anderen Situation, in der er innerhalb Deutschlands nichts zu verantworten und zu verlieren hatte. Zahlreiche namhafte Autoren haben durch unser wahrhaftig opfervolles Durchhalten ihre Existenz gehabt. Daß meine Niederlassung in der Schweiz dann nicht glückte, beruhte abgesehen von der Konkurrenzangst der schweizerischen Verlage nicht etwa darauf, daß man mir eine zu neutrale Haltung zum Vorwurf machte, sondern, im Gegenteil, auf der Besorgnis der Fremdenpolizei, ich könnte einen aggressiven politischen Verlag betreiben, und nicht zum wenigsten auf der Intrige von Herrn Korrodi. Über alle diese Dinge haben Sie früher anders gedacht.

Bei den Differenzen, die Sie erwähnen, handelte es sich wirklich um Fragen, über die man zum mindesten diskutieren konnte, und schließlich habe ich unter nicht unerheblichen Opfern für mich, ohne Ihnen Schwierigkeiten zu bereiten, Ihren Wünschen völlig entsprochen. Es ist doch undenkbar, daß Sie diese, zwischen Partnern wie Verleger und Autor nicht die freundschaftliche Diskussion überschreitenden Auseinandersetzungen, zumal sie noch eindeutig in Ihrem Sinne entschieden worden sind, zum Anlaß für einen Bruch nehmen. Aber auch in der Frage der Gutschriften für 1937, die ich ziffernmäßig im Augenblick nicht widerlegen kann, da mir die Unterlagen fehlen (die von Ihnen genannte Ziffer erscheint mir zu niedrig), muß berücksichtigt werden, daß in dem ganzen Jahr 1937 keine Neuerscheinung von Ihnen vorlag, so daß der Vergleich mit den an anderer Stelle entstandenen Einnahmen aus einem immerhin als Neuerscheinung aufgenommenem Buch kein Indiz darstellen kann. In welchem Maße meine außerdeutsche Verkaufsorganisation funktioniert hat, ergibt sich aus meinen Umsatzziffern, die, wie ich früher darlegte, bereits in der kurzen Zeit der Existenz des Verlages der der größten außerdeutschen Verlage entsprachen. Wenn Sie im Laufe der letzten Jahre Ihre Einstellung zu einer Aufrechterhaltung Ihrer Verbindung mit dem deutschen Lesepublikum geändert haben und Ihr politisches Wirken verstärkten, so war ich in engster Verbindung mit Ihrem Schicksal und Ihrer Entwicklung immer bereit und entschlossen, es ebenfalls zu tun. Die Entwicklung meines Verlages tendierte durchaus zu immer weiterer Ablösung vom deutschen Büchermarkt, die in absehbarer Zeit zur völligen Loslösung geführt hätte. Ich vertraue auf Ihre Gerechtigkeit, die über diese unbestreitbaren Tatsachen unmöglich hinweggehen kann. Sie sind sich offenbar nicht darüber im klaren, daß eine Trennung von mir nach außenhin als ein Votum erscheinen muß, das in diesem für mich entscheidenden Augenblick für mich und meine Familie einfach ruinös ist. Wie könnte man es Ihnen verübeln, wenn Sie Ihrem durch so lange Tradition und gemeinsame Kämpfe verbundenen Verlag die Treue halten? Wäre nicht im Gegenteil ein Bruch in dem Augenblick, in dem der Verlag durch brutale Gewalt dem Nationalsozialismus, gegen den er Ihr Werk so lange verteidigt hat, in die Hände gefallen ist, weitaus mißverständlicher?

Es erscheint mir nicht unmöglich, das Buchlager Ihrer Werke herauszubekommen. Die Schweizer Gesellschaft arbeitet mit allen Mitteln daran. Die Verbindung, die sich mir verlegerisch bietet, gibt die Möglichkeit zu einem europäischen Sammelpunkt. Ich werde bald Gelegenheit haben, Ihnen in New York darüber zu berichten, und vertraue darauf, daß Sie die freundschaftlichen Bindungen zwischen uns nicht zerstören und die vertragliche Verbindung innehalten.

Ihr Bermann Fischer

[Telegramm] [Zürich, Mai 1938]
Führe mit Bonnier Stockholm Bermann Fischer Verlag dort weiter Produktionsbeginn Anfang Juni Erbitte Nachricht wann mit Lotte zu rechnen

Bermann Fischer

[Telegramm] [New York, 11. Mai 1938]
Dinge in Fluß Kann mich zur Zeit an Ihre Neugründung nicht als gebunden erachten Brief folgt

Thomas Mann

[Brieftelegramm] [Stockholm, 17. Mai 1938]
Mein Einsatz für Sie und Ihr Werk hat Beschlagnahme Wiener Vermögen zur Folge Daher Ihr Verhalten zu mir geradezu paradox Habe meine Vertragspflichten Ihnen gegenüber pünktlichst erfüllt Können doch jetzt nicht Vertrag einseitig annullieren obwohl Verlag unter günstigsten Bedingungen mit Bonnier in Europa und Amerika weiterarbeiten wird Begreife nicht formaljuristische Argumente zwischen uns Erhalte Treuekundgebungen sämtlicher Autoren Neuer Vertrag Werfel Huizinga Bitte um Revision Ihrer einseitigen Einstellung unter Berücksichtigung bisheriger ungetrübter Zusammenarbeit

Bermann Fischer
Stockholm–Belfrages

[Telegramm] [New York, 18. Mai 1938]
Muß Vorhaltung ich sei schuld an Wiener Unglück das Sie mit zahllosen andern Wiener Juden und Katholiken teilen mit größter Entschiedenheit zurückweisen Im übrigen sollte mein letztes Telegramm Zusammenarbeit nicht ausschließen Bin aber

überzeugt daß bei gegenwärtiger und zukünftiger Schrump-
fung des Marktes Zusammenfassung deutschsprachigen Verlagswesens Notwendigkeit ist weshalb Neugründung für wenig glücklich halten würde Vereinbarungen dringend wünschenswert Landshoff käme zu Verhandlungen London Drahtet
sofort   *Thomas Mann*

[Telegramm]   [Zürich, 18. Mai 1938]
Zu jeder vernünftigen Zusammenarbeit bereit Zusammentreffen mit Landshoff Amsterdam oder Copenhagen Kommen aber
auch London
                                              Bermann Fischer

[Telegramm]   [Stockholm, 7. Juni 1938]
Weitgehende Zusammenarbeit unter Beibehaltung bisheriger
Firmennamen in Europa in gemeinsamer Firma in Amerika im
Sinne Ihres Vorschlags und Landhoffs Vereinbarungen in New
York abgeschlossen Brief folgt Gruß
                                     Bermann Fischer Landshoff

                              Amsterdam, den 8. Juni 1938
Lieber Herr Doktor Mann,
wir telegrafierten Ihnen gestern gemeinsam:
»Weitgehende Zusammenarbeit unter Beibehaltung bisheriger
Firmennamen in Europa in gemeinsamer Firma in Amerika im
Sinne Ihres Vorschlags und Landshoffs Vereinbarungen in
New York abgeschlossen Brief folgt Gruß Bermann Fischer
Landshoff«
Folgendes ist zwischen den Verlagen de Lange, Querido und
Bermann-Fischer vereinbart worden:
Die Verlage behalten ihre bisherige Selbständigkeit; der Ber-
mann-Fischer Verlag arbeitet in Zukunft unter seinem bisheri-
gen Namen in Zusammenarbeit mit Bonniers, Stockholm.
Die drei Verlage haben eine sehr weitgehende Interessenge-
meinschaft durch Zusammenlegung des gesamten Vertriebs-
apparates für Europa geschaffen, die sich auch auf gemeinsame
Propaganda erstreckt.

In Amerika beteiligen sich alle drei Verlage an der Kombination mit Longmans Green, d. h. die Auslieferung erfolgt durch diese neue Firma für Nord- und Südamerika etc. Die drei Verlage liefern von dieser Firma und den Verlagen gemeinschaftlich ausgewählte Bücher mit dem Imprint der neuen amerikanischen Firma, die in besonderer Weise vertrieben werden (evtl. durch Buchgemeinschaft), und schließlich veranstalten die drei Verlage gemeinschaftlich eine billige Serie bereits erschienener Bücher zum Preise von etwa hfl. 1.20 (in der Art der Albatrosbücherei).

Durch diese Vereinbarung ist ein gemeinschaftliches Vorgehen auf dem gesamten deutschsprachigen Absatzmarkt erreicht unter Aufrechterhaltung der Individualität der Verlage.

Bei diesen Vereinbarungen setzen wir voraus, daß Ihre Produktion in Europa im Bermann-Fischer Verlag erscheint, während sie in Amerika durch den Bermann-Fischer Verlag in der gemeinsamen Firma bei Longmans Green herausgebracht wird.

Mit besten Grüßen
Bermann Fischer
Landshoff

The Bedford
118 East 40th Street
New York 24. VI. 38

Lieber Dr. Bermann,

vielen Dank für Ihren erfreulichen Brief vom 8. ds. Mts. Die Dinge scheinen sich nun ganz so zu ordnen, wie ich es mir und uns allen wünschte.

Wir segeln am 29. mit »Washington« noch einmal nach Europa zurück, um den Rest des Sommers in der Schweiz zu verbringen, bevor wir uns im Herbst in Princeton niederlassen, wo ich ein festes Verhältnis mit der Universität eingegangen bin.

Es wird uns wohltun, die Züricher Freunde in Küsnacht noch einmal um uns zu versammeln, und ein bischen rechnen wir darauf, daß auch Sie und Tutti einmal vorsprechen – oder etwa in Leukerbad, wo ich im August Kur machen möchte.

In den letzten Wochen habe ich wieder an »Lotte« gearbeitet: in Jamestown am Meer.

Heute haben wir in Princeton ein schönes Haus gemietet. Ehrendoktor bin ich von Yale und Columbia geworden. In Princeton aber bin ich »Lecturer in the Humanities«. So bitte mich in Zukunft anzusprechen.

Ihr T. M.

ZWEITES EXIL
Princeton und Stockholm
1938–1940

Stockholm, den 29. Juni 1938

Sehr verehrter Herr Professor,
ich begrüße Sie in Europa und hoffe, daß Sie eine gute Überfahrt gehabt haben.

Meinen gemeinschaftlich mit Dr. Landshoff noch nach Amerika
gerichteten Brief haben Sie wohl erhalten. Wie mir Dr. Landshoff in Ihrem Auftrage erklärte, sind durch die Vereinbarungen der drei Verlage über eine weitgehende Zusammenarbeit
in Europa und Amerika Ihre seinerzeit geäußerten Bedenken
aus der Welt geschafft, so daß unserer altgewohnten Zusammenarbeit nichts mehr im Wege steht.

Die Verlagsorganisation ist inzwischen so weit gediehen, daß
ich bereits in voller Arbeit an der kommenden Herbstproduktion
bin und das erste Buch, die Neuauflage der »Madame
Curie«, in den nächsten Tagen durch unsere gemeinschaftliche
Zentralauslieferung in Amsterdam ausliefern lasse.

Über das weitere Herbstprogramm habe ich Sie schon orientiert, es kommt noch eine neue Erzählung von Carl Zuckmayer
und ein sehr schöner Essay von Werfel dazu, wahrscheinlich
auch das letzte Buch von Van Loon, mit dem wir während
seines hiesigen längeren Aufenthalts häufig zusammen waren.

Sehr wichtig wäre es mir nun zu wissen, ob mit der lang er-
sehnten »Lotte in Weimar« noch in diesem Herbst gerechnet
werden kann, ebenso mit dem Schopenhauer-Essay. Da ich
soeben dabei bin die Vorankündigungen für die Herbstproduktion fertigzustellen, müßte ich sehr bald Ihre Entscheidung
über die Erscheinungstermine der beiden Bücher kennen.

Die Verhandlungen mit Wien ziehen sich in altgewohnter
Weise in die Länge. Der Verlag arbeitet unter kommissarischer
Leitung mit meinem Personal trotz aller Einsprüche von unse-
rer Seite weiter und liefert sogar die in Deutschland verbote-

nen Werke, darunter also auch die Ihren, mit Exportprämie nach dem Ausland. Es ist ein grotesker Zustand, drei Interessengruppen raufen sich darum, wer den Verlag übernehmen soll und auf welche Weise er weiter zu führen ist. Da uns weitere Verhandlungen auf dem bisherigen »friedlichen« Wege aussichtslos erscheinen, beabsichtigen wir in nächster Zeit, die Auslandsguthaben des Verlages zu beschlagnahmen und alle Rechtswege zu beschreiten, um ihm die Arbeit unmöglich zu machen. Es kann sogar dazu kommen, daß ich selbst über meine Schweizer Gesellschaft Konkursantrag gegen den Wiener Verlag stellen werde. Infolge dieser chaotischen Zustände läßt sich heute noch nicht sagen, ob wir das Lager herausbekommen werden, zumal gegen mich selbst augenblicklich ein Hochverratsverfahren schwebt. Mein gesamter Privatbesitz ist beschlagnahmt. Sollte das Lager nicht herauskommen, so würden wir sehr bald mit dem Neudruck Ihrer Werke beginnen.

Wir haben bereits für die für den Herbst vorgesehene billige Reihe, die wir gemeinsam unter dem Titel »Forum-Bücherei« erscheinen lassen, einen Band Erzählungen von Ihnen vorgesehen. Wir haben absichtlich nicht einen Ihrer großen Romane gewählt, weil diese zu billigem Preis und in großen Auflagen verbreitet sind. Ich würde Sie sehr darum bitten, uns die Zusammenstellung eines Erzählungsbandes für diese Reihe vorzuschlagen. Ich selbst denke an die Aufnahme der großen Erzählungen wie »Tonio Kröger«, »Tod in Venedig« etc.

Zum Schluß muß ich Ihnen noch folgendes berichten: Man möchte Sie gerne hierher nach Stockholm vom PEN-Club aus einladen. Eine erste Anfrage erging bereits an Ihre Tochter Erika durch eine hier lebende Dame, eine Schwedin, Frau Berg. Der PEN-Club würde mit einer literarischen Vorlesung rechnen, daneben aber möchte man vor allem einen weltanschaulich-politischen Vortrag von Ihnen hören, der von der Musikbolaget gegen entsprechendes Honorar veranstaltet würde. Ich nehme an, daß Sie mit einem Honorar von mindestens Kr. 2000.– = Sfr. 2200.– rechnen können. Man hat mich gebeten, Sie um Ihre prinzipielle Stellungnahme zu fragen. Als Termin käme jedes Datum ab Anfang September in Frage.

Ich hoffe bald von Ihnen zu hören und grüße Sie und Ihre Frau, auch von Tutti, herzlich Ihr

Bermann Fischer

Sehr verehrter Herr Professor,

ich muß meinem letzten Brief noch einiges nachtragen.

Die einzelnen Bände der billigen Serie sollen hfls. 1.20 = sfrs 3.– kosten. Die erste Auflage soll 6000 Exemplare betragen, für die ein Pauschalhonorar von 250.– hfls bezahlt wird.

Für die Auswahl der Bände ist ein Kuratorium in Aussicht genommen. Ich bitte um Ihre freundliche Mitteilung, ob Sie bereit wären, an diesem Kuratorium mitzuwirken. Neben Ihnen sollen noch Werfel, Stefan Zweig und Schickele gebeten werden.

Der Plan läßt sich allerdings nur dann durchführen, wenn die drei veranstaltenden Verlage eine Sicherheit haben, daß die Autoren an andere ähnliche Unternehmungen keine Lizenzen zu derartigen Ausgaben vergeben. Zwei billige Reihen sind zweifellos unter den heutigen Umständen nicht möglich. Wir haben zu dieser Einschränkung einen bestimmten Grund: Es scheinen nämlich von seiten eines ausländischen Verlages Bemühungen in gleicher Richtung im Gange zu sein, die sich aber offenbar noch im Anfangsstadium befinden.

Für die erste Serie, die noch im Laufe des Herbstes erscheinen soll, sind vorgesehen:

Von Ihnen ein Band Erzählungen

Werfel: »Musa Dagh« (Doppelband) oder »Geschwister von Neapel«

Stefan Zweig: »Maria Stuart«

Kolb: »Exemplar«

Remarque: »Im Westen nichts Neues«

Alfred Neumann: »Der Pariot«

Arthur Schnitzler: »Erzählungen«

Heinrich Mann: »Die kleine Stadt«

Vicki Baum: »Helene Willfüer« und eventuell

Heinrich Heine: 1 Band Prosaauswahl und

Büchner: 1 Band, Auswahl.

Für weitere Vorschläge oder eventuelle Abänderungswünsche wäre ich Ihnen dankbar.

Wie ich aus Wien erfahre, befindet sich Robert Musil in einer außerordentlich schwierigen Lage. Abgesehen davon, daß er persönlich gefährdet ist, befindet er sich in einem desolaten psychischen Zustand und ist aller Mittel entblößt.

Es ist nur möglich ihn herauszubringen, wenn von maßgebender Seite seine Einreise nach einem der in Frage kommenden Länder ermöglicht wird. Da er einen österreichischen Paß hat, kann er ohne ein Visum des betreffenden Landes weder nach der Schweiz, noch nach Frankreich, Holland oder Schweden einreisen. Fernerhin müßte wenigstens für die erste Zeit ein gewisser Betrag für seinen Unterhalt zur Verfügung stehen. Ich bemühe mich auch bereits nach anderer Seite, wäre Ihnen aber sehr dankbar, wenn Sie mir sagen könnten, ob durch das Komitee für Musil etwas getan werden kann.

Dr. Zuckerkandl hoffe ich im Laufe der Zeit herauszubringen.

Mit besten Grüßen Ihr sehr ergebener   *Bermann Fischer*

Küsnacht-Zürich
Schiedhaldenstraße 33
10. VII. 38

Lieber Doktor Bermann:

Für Ihre drei Briefe, die ich gleichzeitig hier bei unserer Rückkehr vorgestern in Empfang nahm, meinen besten Dank. Ich beglückwünsche Sie und uns alle zu den getroffenen Vereinbarungen, die in der Tat ganz nach meinen Wünschen sind. Diese Konzentration war notwendig und kann nur Gutes zeitigen. Ich vertraue auf eine glückliche Zusammenarbeit. Meiner Meinung nach müßte auch Oprecht–Zürich in diesen Konzern aufgenommen werden. Er wünscht es und verdient es durchaus. Es liegt das auch im Interesse unserer Zeitschrift, die ebenfalls in Zukunft sozusagen mit einem Bein in Amerika stehen muß.

Mit dem Vertrag über meinen Novellenband bin ich einverstanden und sende ihn unterschrieben zurück. Auch das Programm finde ich recht reizvoll. Ich habe einen Vorschlag: man sollte den schönen Roman von Ernst Weiß »Der arme Verschwender« mit in die Serie aufnehmen. Weiß, sehr einsam in Paris lebend, ist tief niedergeschlagen, und ich fürchte oft, daß sein eigentümlich fesselndes Erzähler-Talent verkümmern möchte. Diese Neubelebung seines viel zu wenig beachteten und gewürdigten Romans würde ihn sicher ermutigen und innerlich fördern.

Die Aufnahme Vicki Baums hat wohl starken Opportunitäts-Charakter; ich nehme an, daß »Helene Willfüer« zu ihren älteren und frischeren Sachen gehört. Die Aufnahme älterer Literatur, wie Heine und Büchner, begrüße ich sehr. Man könnte darin vielleicht noch etwas weiter gehen und etwas Romantisches, sagen wir Kleist, Tieck oder Brentano aufnehmen.

Wenn mit der Zugehörigkeit zum Curatorium der Serie weiter keine ernste Arbeit verbunden ist, bin ich gern bereit, einzutreten. Gerade jetzt bin ich mit vielfachen Geschäften, die mit unserer Übersiedelung zusammenhängen, so besetzt, daß es sich dabei hauptsächlich eben nur um das Figurieren meines Namens handeln kann.

Die Vorgänge in Wien mit Ihrem Verlag sind grotesk und schamlos. Man kann von ihnen nur sagen, daß sie »sich in den Rahmen fügen«. Gerade heute las ich in der Basler »Nationalzeitung« einen Artikel über diese Zustände und auch über Ihren Verlag. Vielleicht geht er von Ihnen aus. Die Frage, ob die Gestapo auch eine illegale Ausgabe des »Zauberberg« zu machen gedenkt, ist ja durch die Tatsache gewissermaßen positiv beantwortet, daß tatsächlich meine Bücher von dieser Bande gegen Devisen vertrieben werden. Was soll man sagen? Unser Vokabular reicht für all den Tiefstand längst nicht mehr aus, die Sprache versagt.

Leider bin ich wegen des Termins der Beendigung von »Lotte in Weimar« recht unsicher. Sie können sich denken, wie sehr ich durch meine Reise und alles, was sich daran knüpfte, aufgehalten worden bin, obgleich ich schon drüben wieder zu arbeiten begann, sobald sich nur leidlich die nötige Ruhe dazu bot. An ein Fertigwerden bis zum Herbst ist leider nicht mehr zu denken, man muß aufs Neue das Frühjahr ins Auge fassen. Dagegen habe ich den Schopenhauer-Essay in New York abgeschlossen. Seinerzeit fragte ich bei Longmans Green an, ob die Firma das Erscheinen des Aufsatzes in »Maß und Wert« und in Ihrer damals laufenden Schriften-Reihe erlaube. Sie bewilligte nur »Maß und Wert«; an die Veröffentlichung dort wird aber nicht mehr gedacht, und was die Erlaubnis für Sie betrifft, so sehe ich die Lage, die sich seit damals ja wesentlich verändert hat, doch ziemlich optimistisch an. Der Aufsatz umfaßt sechzig Manuskriptseiten, von denen nur zwanzig oder fünfundzwanzig für das Vorwort der amerikanischen Schopenhauer-Ausgabe überhaupt gebraucht werden können. Es ist kaum zu erwarten, daß Longmans Green, der Ihnen doch nun geschäftlich so nahe steht, einer deutschen Ausgabe der ganzen Arbeit Schwierigkeiten in den Weg legen wird. Immerhin muß man sich seiner Zustimmung versichern.

Was die schwedische Einladung betrifft, so sind aus Skandinavien schon mehrfach solche Aufforderungen an mich ergangen, die immer viel Reizvolles für mich hatten, ohne daß ich die Zeit fand, die weite Reise zu unternehmen. Von Amerika aus wird sie sich viel leichter und angenehmer machen lassen, als sie von der Schweiz aus möglich gewesen wäre. Sie können sich denken, daß ich mich gerade jetzt bei der knapp bemessenen Zeit, die mich vom Antritt meiner Tätigkeit in Princeton trennt, nicht zu dem Unternehmen entschließen kann. Aber für nächsten Frühsommer oder auch September, auf der Fahrt nach oder der Rückreise von Europa, das wir gewiß alljährlich besuchen werden, nehme ich es gern in Aussicht.

Den Brief von Warburg and Secker habe ich mit sonderbaren Gefühlen gelesen. Ich kann nicht umhin, das so verschiedene Verhalten des amerikanischen und des englischen Publikums zu dem »Joseph«-Roman als charakteristisch zu empfinden für den Unterschied in dem allgemeinen geistigen und selbst politischen Zustand der beiden angelsächsischen Völker. Meine amerikanischen lectures haben ganz gewiß nichts damit zu tun, und daß die literarisch interessierte Presse Amerikas dem Buch so begeistert geholfen hat, die englische aber nicht, gehört eben zum Symptomenkomplex. Daß Warburg und Secker redlich das ihre getan haben, glaube ich gern und bin also bereit, weiter mit ihnen zu arbeiten, zumal Sie mir sagen, daß ihr Angebot auf »Lotte« das günstigste gewesen sei. Ich ermächtige Sie also, für die englische Buchausgabe von »Lotte in Weimar« mit ihnen abzuschließen.

Wie gern würde ich Musil beim Entkommen aus dem Wiener Elend behilflich sein! Eine Beihilfe aus dem sogenannten Th. M. Fonds oder von der American Guild hoffe ich bestimmt zu erreichen, nur daß es sich im einzelnen Fall immer nur um recht bescheidene Summen handeln kann. Selbstverständlich bin ich bereit, wenn überhaupt einmal erst das Land feststeht, wohin er sich wenden will, an eine Stelle, die mir bezeichnet werden müßte, so dringlich und herzlich wie möglich wegen der Einreise-Erlaubnis zu schreiben.

Herzliche Wünsche für Ihre Arbeit und für Ihr und der Ihren Wohlergehen!

Ihr ergebener

Thomas Mann

P. S. Die Zusammensetzung des Novellenbandes ist gut. Wenn Platz ist, könnte man »Tristan« hinzunehmen. Die Frage des Titels macht mir Kopfzerbrechen. Ungern würde ich einen der Novellen-Titel als General-Titel nehmen. Es wäre auch irgendwie unrichtig, die vier Stücke mit den sehr bekannten, sozusagen schon historisch gewordenen Namen unter einem Phantasie-Titel zusammenzufassen. Soll man einfach sagen: »Vier (fünf) Novellen«? Es ist etwas farblos. Der Albert Langen Verlag gab einmal eine Serie heraus, bei der es immer hieß: »Die schönsten Geschichten von —«. Im Grunde wäre das hier das Richtigste und Beste. Oder etwas Verwandtes, worauf Sie oder ich vielleicht noch kommen.

Stockholm, am 12. Juli 1938

Sehr verehrter Herr Professor,

herzlichen Dank für Ihren Brief vom 10. d. M., der alle gestellten Fragen so ausführlich behandelte.

Die Zusammenarbeit mit Landshoff und Landauer spielt sich in freundschaftlichster und alle Teile befriedigender Weise ab. Die wichtigsten beiden Vereinbarungen, die gemeinsame Auslieferung und die »Forum-Bücherei« sind in vollem Gange. Für Amerika sind die Grundlagen ja bereits gelegt, und ich denke, Mitte September mit Landshoff hinüberzufahren, um dort alles fertigzumachen.

Ihren Vorschlag hinsichtlich Ernst Weiß: »Der arme Verschwender« habe ich sofort an Landshoff weitergegeben. Wir beabsichtigen, schon in nächster Zeit auch Verträge für das Frühjahr und den Herbst 1939 zu machen, und werden sicherlich auch Ernst Weiß dabei berücksichtigen.

Mit besonderem Vergnügen habe ich Ihren Vorschlag aufgenommen, innerhalb der älteren Literatur die Romantiker zu berücksichtigen. Ich habe selbst schon Landshoff den Vorschlag gemacht, neben Büchner einen Auswahlband Kleist zu bringen, an Stelle des Heinebandes, den man auf die nächste Serie verschieben soll.

Daß Sie als Mitglied des Kuratoriums der Serie keine Arbeit haben werden, verspreche ich Ihnen. Für diese Auswahl ist Ihre Arbeit mit der Erteilung Ihrer Zustimmung bereits getan.

Der Artikel in der Basler »Nationalzeitung« stammt wohl, wie ich vermute, von Herrn Reichner. Christoph Bernoulli, der für die A. G. für Verlagsrechte die Verhandlungen in Wien führt, hat den Herren von der Gestapo, gestützt auf seine Schweizer Staatsbürgerschaft, sehr ungeschminkt die Meinung gesagt und ihnen einen Kreuzzug in Amerika vorausgesagt, wenn diese unsauberen Devisengeschäfte dort bekannt würden.

Ich bin auch fest entschlossen, die Angelegenheit dem internationalen Verlegerverein und der Öffentlichkeit zu übergeben, wenn die Verhandlungen nicht bald zu einem Resultat führen.

Es ist ja leider sogar schwierig, schweizerische Anwälte zu einem scharfen Vorgehen zu veranlassen, da sie trotz aller Schreckensnachrichten aus dem Dritten Reich immer noch nicht auf die Sitten und Gebräuche, die dort herrschen, eingestellt sind und glauben, Verhandlungen mit einem normalen Partner führen zu können. Ganz eklatant ist diese Ahnungslosigkeit hier in Schweden. So gefährlich sie im Ernstfall sein kann, kann man andererseits nur wieder froh sein, daß es noch ein Land gibt, das von dieser Pest so wenig ergriffen ist!

Die »Lotte« werde ich also nun für das Frühjahr 1939 voranzeigen.

Kann ich wegen der Aufnahme des Schopenhauer-Essays in die »Ausblicke« in Ihrem Namen an Longmans Green kabeln? Es wäre mir lieb, wenn Sie mir einen entsprechenden Text aufsetzen würden, da ich Ihre Abmachungen mit Longmans Green nicht kenne.

Sehr gerne würde ich aber nun für die ausfallende »Lotte«, wie ich Ihnen schon schrieb, den Essayband bringen oder, wenn Ihnen die Zusammenstellung jetzt zu viel Arbeit machen sollte, wenigstens die amerikanische Vorlesung als Einzelbroschüre. Auf diesen Vorschlag erwarte ich nun noch Ihre Antwort.

Das Kapitel England ist im allgemeinen genauso traurig wie in Ihrem besonderen Fall. Man interessiert sich dort zweifellos viel weniger für den Kontinent als in Amerika. Die Hoffnungen, die wir früher einmal auf England gesetzt haben, können wir zunächst wohl begraben, jedenfalls solange Herr Chamberlain und seine Clique am Ruder sind. Nun ist aber M. Warburg sicherlich derjenige Verleger, der sich am besten für Ihr Werk einsetzen wird, wenn sein Verlag auch nicht gerade der repräsentativste ist. Übrigens hat mich gerade heute Warburg um die Rechte an »The coming victory of democracy« gebeten. Er möchte es so schnell wie möglich herausbringen und schlägt vor, eine Royalty von $7^{1/2}$ % für die ersten 3000 Exemplare, 10 % für alle weiteren und eine Vorauszahlung von 10 Pfund. Das Buch soll 2/6 kosten und in der gleichen Ausstattung erscheinen wie André Gide »Back from the URRS«. Die Entscheidung ist sehr dringlich, weil er das Buch in seinem neuen Prospekt, der noch in dieser Woche in Druck geht, ankündigen will.

Glauben Sie, daß Sie für Musil die Einreiseerlaubnis in die Schweiz erreichen könnten? Noch besser wäre es allerdings, schon aus finanziellen Gründen, wenn Sie ihm die Einreise nach Frankreich ermöglichen könnten. Dorthin werden Sie sicherlich auch die besseren Beziehungen haben und größeres Verständnis finden. Oder könnte nicht Madame Mayrisch ihn wenigstens vorübergehend bei sich aufnehmen? Seine Briefe aus Wien werden immer dringlicher, und es muß sofort etwas geschehen! Ich glaube fast, daß Letzteres der beste und schnellste Weg sein wird. Um welchen Betrag aus dem Thomas Mann Fonds oder von der American Guild könnte es sich handeln? Seine Adresse ist Wien III, Rasumofskygasse 20.

Die an Ihrem Vortrag hier interessierten Kreise habe ich, entsprechend Ihren Nachrichten, auf nächstes Jahr vertröstet.

Mit besten Grüßen Ihr sehr ergebener

Bermann Fischer

Küsnacht-Zürich 14. VII. 38
Schiedhaldenstraße 33

Lieber Doktor Bermann:

Daß Sie die Idee des politischen Essaybandes wieder aufnehmen, ist mir durchaus lieb und recht. Um einen solchen nämlich, einen politischen, muß es sich meiner Meinung nach handeln. Ursprünglich war ja an eine Zusammenstellung aller Essays gedacht, die sich in den letzten Jahren hergestellt haben. Mir scheint aber die Beschränkung auf das Politische heute vorzuziehen, schon weil der Band sonst so uneinheitlich wirken würde.

Aufzunehmen wäre, meine ich, Folgendes:

> Die noch in keinem Buch erschienene Deutsche Ansprache
> »Appell an die Vernunft«
> »Achtung, Europa!«
> »Ein Briefwechsel«
> »Spanien«
> »Maß und Wert«
> »Vom kommenden Sieg der Demokratie«

Das würde einen nicht zu umfangreichen, nicht zu teueren Band ergeben, der heute vielleicht eine gute propagandistische Wirkung tun könnte.

Was das letzte Stück, den amerikanischen Vortrag betrifft, so gehört er unbedingt in diesen Band hinein. Auf den Druck als Broschüre werden Sie verzichten müssen, da nach einer älteren Verabredung, getroffen vor meiner Abreise nach Amerika, als Sie noch in Wien waren, dieser Vortrag als Sonderausgabe von »Maß und Wert« erscheinen und den Abonnenten als Prämie zugestellt werden soll, abgesehen von dem öffentlichen Verkauf. Für die Zeitschrift, an der ich nach wie vor interessiert bleibe, und die in Zukunft auch in Amerika festeren Fuß fassen soll, wird das ein Vorteil sein, und desto weniger kann ich meine damals gegebene Zusage widerrufen. Ich bitte Sie also um Ihr Einverständnis mit dieser Verteilung, daß Sie die Buchausgabe übernehmen und Oprecht die Broschüre für »Maß und Wert«.

Nun der Schopenhauer-Essay. Meine Abmachungen mit Longmans Green beschränken sich einfach darauf, daß ich vertraglich übernommen habe, für die amerikanische Schopenhauer-Kurzausgabe eine Einleitung von *zwanzig* Seiten zu schreiben. Longmans Green haben sich das Recht vorbehalten, die Übersetzungen und den englischen Vorabdruck dieser Einleitung zu vertreiben. Tatsächlich nun aber habe ich *zweiundsechzig* Seiten geschrieben, aus denen das Vorwort durch umfangreiche Kürzungen erst herzustellen sein wird. Dieser Fall ist natürlich nicht vorgesehen. Mir scheint aber die Unterscheidung berechtigt zwischen dieser erst herauszupräparierenden Einleitung und der ganzen Arbeit, und ich erwarte von der Loyalität der amerikanischen Firma, daß sie einer deutschen Ausgabe des Gesamttextes sich nicht in den Weg stellen wird. Wenn Sie in diesem Sinn kabeln wollen, bin ich damit durchaus einverstanden.

Seckers Vorschläge, die englische Ausgabe von »The coming victory of democracy« betreffend, finde ich nicht sehr anziehend. Bei der Kürze der Zeit halte ich es für das Richtigste, mich direkt mit der Firma in Verbindung zu setzen.

Für Musil muß ohne Frage etwas geschehen. Ich halte den Vorschlag, Frau Mayrisch betreffend, für garnicht schlecht und werde morgen Gelegenheit haben, mit ihrem Freunde Lion darüber zu sprechen. Eine Einladung würde, besonders bei den guten Beziehungen der Dame, die Einreise nach Frankreich doch sicher erleichtern.

Viele Grüße von Haus zu Haus.

Ihr ergebener   *Thomas Mann*

Was besitzen Sie von dem vorgeschlagenen Inhalt des Essaybandes? Haben Sie vor allem die alte Fischer-Broschüre »Appell an die Vernunft«?

Es heißt auch einen *Titel* finden für den politischen Band! Haben Sie eine Idee? Und für den Novellenband?

                                          Stockholm, am 16. Juli 1938

Sehr verehrter Herr Professor,

der politische Essayband scheint mir in diesem Augenblick auch das richtige zu sein.

Das Material für diesen Band habe ich leider nicht. Ich bitte Sie deshalb, mir die Essays zu schicken. Ein Exemplar der »Deutschen Ansprache« werde ich mir wohl verschaffen können, wenn es nicht in der letzten Büchersendung aus Wien, die ich infolge meines Umzuges noch nicht ausgepackt habe, enthalten ist. Falls Sie aber ein Exemplar dort haben, wäre ich Ihnen auf jeden Fall für Zusendung dankbar. Ich werde Ihnen dasselbe nach Gebrauch wieder zurückschicken.

Mit der Verteilung einer Sonderausgabe des amerikanischen

Vortrages als Prämie an die Abonnenten bin ich gerne einverstanden, ich bitte aber, bei dieser Prämienausgabe den Vermerk »Copyright by Bermann-Fischer Verlag A. B. Stockholm« anzubringen. Dagegen würde ein Verkauf des Vortrages als Einzelbroschüre dem Essayband schweren Abbruch tun. Ich bitte Sie deshalb, zu erwägen, ob sich nicht hier ein Ausweg finden läßt. Zumindest würde ich vorschlagen, am Anfang oder am Schluß der Broschüre darauf hinzuweisen, daß der Vortrag in dem soeben bei Bermann-Fischer Verlag A. B. Stockholm erschienenen Band (Titel) enthalten ist.
Wie die Dinge mit dem Schopenhauer-Essay liegen, halte ich ein Kabel an Longmans Green nicht für zweckmäßig. Sie können doch ohne weiteres über die Arbeit verfügen, und ich würde es eigentlich für das richtige halten, wenn Sie selbst Longmans Green davon verständigen, daß diese Einleitung ein Teil aus einer großen Arbeit ist, die in der Schriftenreihe »Ausblicke« erscheinen wird. Dagegen kann Longmans Green wirklich nichts haben.
Einen Titel für den Essayband überlege ich mir. Man könnte daran denken, ihn »Achtung, Europa!« zu nennen. Besser aber wäre wohl ein noch allgemeinerer Titel, wie »Aufrufe« oder so ähnlich.
Als Titel des Novellenbandes habe ich Ihren Titel: »Die schönsten Erzählungen von Th. M.« an Landshoff weitergegeben. Ich finde das eine gute Lösung.
Für die klassischen Bände der »Forum-Bücherei« habe ich hier, zusammen mit einem jungen Schriftsteller, Dr. Wolf Zucker, einen Vorschlag ausgearbeitet, den ich Ihnen beilege. Ich möchte gerne Ihre Meinung darüber hören.
Sehr erfreulich wäre es, wenn Frau Mayrisch Dr. Musil für einige Zeit helfen könnte. Er drängt schon sehr.
Können Sie schon übersehen, wie lange Sie in Zürich bleiben und welche Stationen Sie vor der Rückreise nach Amerika in Europa machen? Ich würde Sie vor Ihrer endgültigen Abfahrt sehr gerne noch in Europa sehen und will versuchen, dies irgendwie einzurichten.
Mit herzlichen Grüßen Ihr sehr ergebener

Bermann Fischer

Lieber Doktor Bermann:

Die doppelte Titelfrage scheint mir also gelöst. Man möge den »Forum«-Novellenband »Die schönsten Erzählungen von...« nennen und den Essayband »Achtung, Europa!« Das ist zwar ein etwas knalliger Titel, der ursprünglich nicht einmal von mir ist, sondern die Pariser Agentur, die den Aufsatz vertrieben, hat ihn erfunden, aber man muß zugeben, er ist wirksam im Schaufenster und faßt den Inhalt der sämtlichen Aufsätze gut zusammen.

Das Material für den Essayband muß ich erst wieder zusammensuchen, wobei ich darauf vertraue, daß Sie die kleine Fischer-Broschüre von »Appell an die Vernunft« beibringen können. Ich kann sie bei mir nicht mehr finden. Ferner möchte ich ganz gern in den Band auch eine New Yorker Tischrede aufnehmen über die christliche Emigration, die damals guten Eindruck machte und die gewissermaßen dazu gehört. Ich hielt die Rede englisch und habe kein Manuskript davon, wahrscheinlich haben die Journalisten es mir entwunden. Ich schreibe deswegen nach New York, und man könnte eventuell dieses wenig umfangreiche Stück während des Druckes immer noch einfügen. Die übrigen werde ich Ihnen in den nächsten Tagen schicken.

Was nun die »Demokratie«-Broschüre betrifft, so können Sie doch nicht sagen, daß der Vortrag in Broschürenform dem Essayband Abtrag tun wird; denn Sie selbst hatten ja vor, diese Broschüre neben dem Essayband zu bringen. Selbstverständlich sind Oprecht und ich gern bereit, in der Broschüre auf den bevorstehenden Band »Achtung, Europa!« hinzuweisen und anzuzeigen, daß der Vortrag einen Teil seines Inhalts ausmachen wird. Dagegen wäre der Vermerk »Copyright by Bermann-Fischer« doch nicht am Platz. Die Original-Publikation ist ja ein Werk Alfred A. Knopfs in New York, und über die Übersetzungen kann doch in diesem Fall nur ich verfügen. Es war darum auch ein Irrtum von Secker und Warburg, den Vertrag nach der Verbesserung, die ich durchgesetzt habe, an Sie zu leiten. Sollte er auch die Anzahlung von 20 Pfund an Sie geschickt haben, so bitte ich um alsbaldige Überweisung.

Die Vorschläge **von Wolf Zucker** habe ich mit Interesse durchgesehen; ich finde, er hat gute Einfälle gehabt, und diese Darstellung deutscher Art, von einer Seite kommend, der man draußen mehr Vertrauen entgegenbringt als den innerdeutschen Verlagen, kann einen schönen Erfolg haben. Man müßte wohl gleich ein paar der Bändchen neben einanderstellen und die anderen langsam nachfolgen lassen.

Zum Schluß noch zum Fall Musil, in dessen Interesse ich einen Schritt versucht habe. Man müßte vor allem wissen: 1) ob er im Besitz seines Passes ist; 2) ob seine Frau ihn begleiten wird; 3) ob seine Ausreise im Zeichen legaler Auswanderung geschehen kann und soll. Nach Luxemburg könnte er mit einem deutschen Paß ohne Weiteres, ohne Visum einreisen, und Frau Mayrisch, von der ich heute Antwort hatte, wäre bereit, ihn jedenfalls ein paar Wochen über Wasser zu halten. Mit der Aufnahme von Emigranten in ihr Haus ist sie, weil sie oft Freunde aus dem Reich bei sich hat, außerordentlich vorsichtig, jedenfalls möchte sie ihm aus diesem Grund eine Einladung nach Wien nicht schicken, wie sie überhaupt in solchen Zusammenhängen möglichst wenig genannt zu werden wünscht. Sie könnte auch erst nach dem 28. August sich um Musil kümmern, weil sie bis dahin abwesend und das Haus geschlossen ist. Auf keinen Fall könnte sie ihn dann mit seiner Frau aufnehmen, da das Haus schon übersetzt ist, aber einige Geldmittel würde sie ihm bestimmt zur Verfügung stellen und auch suchen, ihm mit ihrem Rat behilflich zu sein. Luxemburg könnte ja immer nur eine Durchgangs-Station für ihn sein. Hundert Dollars könnte Erika aus den in Amerika von ihr aufgebrachten Beträgen zur Verfügung stellen, und später im Herbst könnte er wohl von der American Guild auf drei bis sechs Monate eine Arbeitsbeihilfe von 30 Dollars monatlich haben. Es wäre gut, wenn Sie mir meine Fragen postwendend beantworten könnten, damit ich Frau M., die Sonntag hier durchkommt, Bescheid geben kann.

Wir beabsichtigen bis Mitte August hier zu bleiben, dann wollen wir auf drei Wochen nach Leuk im Wallis, und für 17. September haben wir unsere Schiffskarten auf der »Nieuw Amsterdam«.

Mit freundlichsten Grüßen Ihr ergebener   *Thomas Mann*

Stockholm, am 20. Juli 1938

Sehr geehrter Herr Professor,
nachstehend einige Titelvorschläge für den Essayband, die
Ihnen vielleicht eine Anregung bieten:

    I. »Achtung, Europa!«
       Essays zur Zeit
    II. »Mahnung und Ausblick«
    III. »Gebot der Stunde«

Mit besten Grüßen Ihr sehr ergebener

Bermann Fischer

Stockholm, am 21. Juli 1938

Sehr verehrter Herr Professor,
die Broschüre »Deutsche Ansprache« werde ich mir beschaffen
können. Soll der Titel dieser Broschüre im Essayband nun
lauten »Appell an die Vernunft« und soll das »Deutsche Ansprache« fortfallen? Die übrigen Manuskripte erwarte ich in
den nächsten Tagen.
Für den Hinweis in der Oprechtschen Broschüre auf den Sammelband wäre ich sehr dankbar.
Von Secker und Warburg habe ich keinen Vertrag über den
amerikanischen Vortrag erhalten. Sollte er ihn irrtümlicherweise hierhergeschickt haben, so werde ich ihn an Sie weiter-
senden, ebenso natürlich auch eine etwa hierher geleistete Anzahlung darauf.
Von den Klassikerbänden sollen in jeder Serie, das heißt also
im Frühjahr und Herbst je zwei Bände erscheinen. Ich bin mit
Landshoff und Landauer darüber einig, daß in der ersten Serie
der von Einstein zusammengestellte Band »Musikerbriefe«
herauskommt, plädiere aber, im Gegensatz zu den beiden,
für den vorgesehenen Kleistband, wogegen sie den Heineband wollen. Ich halte es aus praktischen Erwägungen für
richtiger, diesen Heineband auf das Frühjahr zu verschieben, und wäre Ihnen zu einer Äußerung zu dieser Frage sehr
verbunden.
Zum Fall Musil.

    I. Soviel ich weiß, ist er im Besitze eines Passes.
    II. Seine Frau wird ihn zweifellos begleiten; wie ich die
       Verhältnisse kenne, reist er sicher nicht ohne sie.

III. Ich nehme an, daß er zunächst sich nur auf Reisen begeben wird, um später dann seine legale Auswanderung
zu betreiben.

Soll ich Musil nun schreiben, daß er nach dem 28. August nach
Luxemburg gehen kann und dort durch Frau Mayrisch für ihn
die Möglichkeit eines begrenzten Aufenthaltes geschaffen sein
wird? Was dann später aus ihm werden soll, ist mir durchaus
schleierhaft.

Die große Schwierigkeit besteht darin, daß er nicht imstande
sein wird, sich durch seine Produktion zu erhalten. Ich habe
ihn schon jetzt nicht im Zweifel darüber gelassen, daß seine
Existenz draußen auf sehr unsicherer Basis stehen wird und
daß er diesen Umstand bei seiner Entscheidung berücksichtigen muß.

Wir aber müssen uns andererseits klar darüber sein, welche
Verantwortung wir auf uns nehmen, wenn wir Musil heraus-
helfen. Er ist ein außerordentlich schwieriger Mensch, und ich
sehe schon den Augenblick voraus, wo er uns Vorwürfe macht,
daß wir ihn herausgeholt haben, ohne weiter für ihn sorgen
zu können.

Andererseits aber müssen wir ihn herausholen. – Das reine
Dilemma!

Landshoff geht es im Augenblick ähnlich mit Georg Kaiser.

Es wird vielleicht am besten sein, wenn Musil die Möglichkeit
hat, zunächst ein paar Wochen nach Luxemburg zu gehen und
sich dann draußen zu überlegen, was weiter geschehen kann.
Bis dahin werden auch seine zahlreichen Freunde in der Lage
sein zu sagen, was sie für ihn tun können.

Es ist gar nicht ausgeschlossen, daß wir auch am 17. September
auf der »Nieuw Amsterdam« nach Amerika fahren!

Mit besten Grüßen Ihr sehr ergebener   *Bermann Fischer*

Küsnacht-Zürich, 27. VII. 38.
Schiedhaldenstraße 33

Lieber Doktor Bermann:

Es hat schwer gehalten, mir den vollständigen Text von »Achtung, Europa!« zu verschaffen; die betreffende Nummer der
Basler »Nationalzeitung« war vergriffen. Jetzt ist es mir gelungen, ein Exemplar zu bekommen, und ich kann Ihnen das

Material bis auf »Appell an die Vernunft« zugehen lassen. Ein kleines Stück kommt vielleicht während des Druckes noch hinzu. Das Motto von Herder, denke ich, wird sich gut ausnehmen. Der Untertitel »Deutsche Ansprache« kann wohl in Wegfall kommen. Als Untertitel für das ganze Buch könnte man einfach »Aufsätze zur Zeit« nehmen.

Es wäre nun an der Zeit, daß Sie mir wegen des Essay-Bandes einen geschäftlichen Vorschlag machen. Ich habe noch gar keine Vorstellung, welche Auflage Sie drucken wollen und welche Anzahlung Sie leisten können. Überhaupt sollte man über die Geschäftslage einmal reden. Von Geld ist allzuwenig zwischen uns die Rede und war ja leider auch nicht viel die Rede bei der letzten Neujahrsabrechnung. Seitdem habe ich über diesen Punkt nichts mehr gehört, und oft bedrückt es mich, daß die deutschen Ausgaben meiner Bücher im Verhältnis zu den englisch-amerikanischen so gar keine Rolle mehr spielen. Gerade vom wirtschaftlichen Gesichtspunkt hat man den Eindruck, daß das Original mehr oder weniger abhanden gekommen und nur noch die Übersetzung eigentlich in der Welt ist.

Dieser Eindruck ist natürlich aufs Traurigste verstärkt worden durch den Umstand, daß meine Bücher tatsächlich überhaupt nicht auf dem Markt und nirgends erhältlich sind. Sie haben mir einmal geantwortet, daß das nicht zutreffe, aber Ihr eigener Vertreter in New York hat sich wenige Wochen nach der Wiener Katastrophe dringend bei uns erkundigt, ob er nicht durch unsere Vermittlung deutsche Ausgaben meiner Bücher bekommen könne, nach denen während meiner lecture-Tour sehr starke Nachfrage war, während sie vollständig fehlten. Ich weiß auch, daß Brentano in New York dem Verleger Villard von der Oxford-Press 10 Dollars für die Dünndruckausgabe des »Zauberberg«, die er besitzt und die ein Kunde dringend wünschte, geboten hat.

Das ist ein Symptom für die Lage, die mir unhaltbar scheint und eine schwere ideelle und materielle Schädigung für mich bedeutet. Was für Nachrichten haben Sie denn aus Wien? Sieht es aus, als ob Sie Ihr Lager in absehbarer Zeit zurückgewinnen könnten? Sind die Aussichten, wie ja bei dem Charakter der Gegenpartei ohne Weiteres anzunehmen ist, ungünstig, so muß man doch baldmöglichst zu einem Neudruck meiner

Bücher schreiten, der, wenn ich zu einem anderen Verleger gegangen wäre, sofort erfolgt und mir bezahlt worden wäre. Ich kann nur wiederholen, was ich schon in meinen Briefen aus Californien andeutete: daß es schön wäre, wenn Sie auch an meine geschäftlichen Interessen etwas dächten und auf diese Dinge von sich aus zu sprechen kämen, statt mir die Rolle des Fordernden und Drängenden zu überlassen.

Nun noch zum Fall Musil. Gewiß ist es schwer, die Verantwortung für seine Emigration zu übernehmen, aber schließlich kommt etwas Anderes für ihn ja garnicht in Betracht. Im Reich werden seine Bücher nicht publiziert werden, alle Veröffentlichungsmöglichkeiten, die für ihn bestehen, liegen außerhalb; die wohlhabenden Freunde und Gönner, die etwa bis jetzt in Wien ihn unterstützt haben, sind dazu nicht mehr in der Lage. Er mag draußen wenig Chancen haben, innerhalb der Reichsgrenzen aber scheint er mir jedenfalls verloren. Frau Mayrisch, mit der ich eben eine Zusammenkunft hatte, läßt sich den Fall wirklich angelegen sein und wird gewiß tun, was in ihren allerdings wirklich vielbeanspruchten Kräften steht. Sie hat, was sie zu tun in der Lage ist, nochmals in einmal in einem Brief zusammengefaßt, dessen Inhalt ich im Wesentlichen wiedergebe. Sie meint, daß M. am besten zunächst jedenfalls nach Luxemburg geht, da er ein Visum dazu *nicht* benötigt. Sie würde ihm bestimmt eine Aufenthaltserlaubnis von zwei bis drei Monaten erwirken können, und würde für die Kosten dieses Aufenthaltes für Musil und seine Frau mindestens zur Hälfte aufkommen, während ich hoffe, durch gesammelte Gelder und aus Eigenem (vielleicht würden auch Sie sich etwas beteiligen) die andere Hälfte aufbringen zu können. In dieser Zeit hofft sie ihm die Einreise in ein anderes Land und irgend eine Erwerbsmöglichkeit verschaffen zu können. Sie selbst wäre bereit, für zwei Jahre mit einem bescheidenen monatlichen Betrag auszuhelfen, die American Guild würde wohl von mir bestimmt werden können, ab 1. Oktober auf ein halbes Jahr 30 Dollars monatlich zu bezahlen, und Weiteres müßte und würde sich wahrscheinlich zusammenfinden. Man sollte gewiß nicht zureden, wenn Musil irgend eine Wahl hätte, aber wie gesagt, davon scheint mir keine Rede zu sein. Frau Mayrisch wünscht nun, daß ihr Name in der ganzen Sache überhaupt nicht genannt wird, und dieser Wunsch ist natürlich streng zu respektieren. Sie hat mir auch noch einen Zettel mit genauen Anweisungen für Musils Aus- und Einreise gegeben, den ich zurückhalte, bis ich höre, daß er zu dem Schritt tatsächlich entschlossen ist. Jedenfalls habe ich den Eindruck, daß Ihr Rat, mich an Frau Mayrisch zu wenden, sehr gut war, und daß sie dafür sorgen wird, daß Musil nicht zugrunde geht.

Mit den besten Grüßen von Haus zu Haus Ihr ergebener

Thomas Mann

Wegen »Lotte« habe ich, sowie ich damit begann, mit Athenaeum und Melantrich abgeschlossen.

Stockholm, am 29. Juli 1938

Sehr verehrter Herr Professor,

wie ich Ihnen schon in einem meiner letzten Briefe mitteilte, habe ich den Kontoauszug per 31. Dezember 1937 nicht hier und konnte ihn bisher auch nicht aus Wien erhalten. Ich hatte Sie deshalb gebeten mir eine Abschrift hierherzuschicken. Ich wäre Ihnen sehr dankbar, wenn Sie das tun wollten. Soweit ich es im Gedächtnis habe, steht ein großer Teil der von Wien aus an Sie gezahlten Beträge noch zur Verrechnung offen. Zuletzt wurden die Eingänge aus dem Verkauf laut Abrechnung vom 31. XII. 1937 auf den Saldo verrechnet.

Über den noch offenen Saldo kann ich mir nur auf Grund des letzten Kontoauszuges ein Bild machen. Daß überhaupt noch ein Saldo vorhanden ist, liegt daran, daß in der ganzen Zeit keine Neuerscheinung herausgekommen ist, mit Ausnahme der Neuauflage des »Zauberberges«.

Ich schlage Ihnen vor, den Schopenhauer-Essay aus der Verrechnung herauszunehmen und eine Auflage von 3000 Exemplaren vorauszuhonorieren.

Die letzte Abrechnung zeigt, daß im zweiten Halbjahr 1937 Ihre Bücher ganz gut gegangen sind. Es sind von der Trilogie in diesem Halbjahr rund 1300 Exemplare verkauft worden, von »Tonio Kröger« über 900, von »Tod in Venedig« 120, vom »Zauberberg« 2264, von »Buddenbrooks« über 1000 und von »Königliche Hoheit« 410.

Mein amerikanischer Vertreter, von dem ich seit dem Umsturz

in Österreich nichts mehr gehört habe, hat lange vor Ihrer Reise ein großes Lager Ihrer Bücher im Werte von über Sfr. 2.000.– erhalten. Wenn er nach der Wiener Katastrophe sich bei Ihnen erkundigt hat, ob er durch Ihre Vermittlung weitere Exemplare bekommen könne, so geht daraus hervor, daß er die ihm gesandten Exemplare verkauft hat. Nach der Besetzung Österreich konnte er weitere Exemplare durch mich erhalten, da damals noch genügend Lager sowohl in London als auch in Olten vorhanden war.

Über das Schicksal des Wiener Verlages wird durch meine Schweizer Gesellschaft immer noch verhandelt, und wenn die Verhandlungen zu keinem Ergebnis führen, wird selbstverständlich neu gedruckt werden.

Ich möchte über diese Fragen mit Ihnen sprechen, wenn wir uns vor Ihrer Abreise nach Amerika sehen. Ich denke, daß dies spätestens Ende August oder Anfang September der Fall sein wird.

Im Augenblick liefert der Wiener Verlag Ihre Bücher nach dem Ausland aus. Das ist natürlich auf die Dauer untragbar, da er nicht in der Lage ist, das Honorar zu transferieren. Ich hoffe, daß dieser Zustand bald beendet sein wird, fürchte allerdings, daß das Ende darin besteht, daß die in Deutschland verbotenen Bücher meines Verlages vernichtet werden.

An Musil berichte ich heute und bitte ihn um postwendende Nachricht, ob und wann er nach Luxemburg reisen kann. Selbstverständlich respektiere ich den Wunsch von Frau Mayrisch, ihren Namen nicht zu nennen. Sowie ich Musils Antwort habe, werde ich sie um Anweisungen für seine Aus- und Einreise bitten.

Ich bitte noch um Nachricht, wohin das Honorar für den Novellenband der »Forum-Bücherei« zu überweisen ist, und grüße Sie herzlich als Ihr sehr ergebener

Bermann Fischer

Stockholm, am 2. August 1938

Sehr verehrter Herr Professor,
ich stimme doch wohl mit Ihnen darin überein, daß »Achtung, Europa!« als Band innerhalb der Gesamtausgabe erscheint, das heißt also, in gleichem Format und in gleichem Einband?

Als Schrift würde ich allerdings von der bisher üblichen Unger-Fraktur abgehen und in Antiqua setzen, da die deutsche Schrift bei dem außerhalb Deutschlands lebenden Leser nicht sehr beliebt ist.

Der Umfang des Buches wird nicht sehr groß, wir kommen höchstens auf 150 Seiten. Ich würde es daher begrüßen, wenn Sie, wie beabsichtigt, noch etwas dazuliefern würden, damit der Band nicht zu sehr von den früheren Essaybänden im Umfang absticht.

Mit besten Grüßen Ihr sehr ergebener   *Bermann Fischer*

Küsnacht-Zürich
Schiedhaldenstraße 33
5. VIII. 38

Lieber Dr. Bermann:

Zunächst bestätige ich den Empfang des Checks auf 125 Gulden. Die Januar-Abrechnung kann ich erst in einigen Tagen schicken, da sie sich in Verwahrung meines Steueranwaltes befindet, der zur Zeit in Urlaub ist und erst im Lauf der nächsten Woche zurückkehrt. Den in Ihr neues Geschäft übernommenen Saldo zu meinen Lasten muß ich wohl anerkennen, obgleich es natürlich bitter für mich ist, daß gleichzeitig meinem Werk so gar keine Gelegenheit gegeben war, ihn abzudecken. Immerhin müssen ja in den ersten Monaten des Jahres einige Bücher abgesetzt und also der Saldo etwas verringert worden sein. Sie sollten mir meine auf direkter persönlicher Beobachtung beruhende Feststellung, daß während meiner ganzen amerikanischen Vortragsreise, also schon Ende März, bei reger Nachfrage die deutschen Ausgaben meiner Bücher einfach inexistent waren, nicht immer wieder abstreiten. Wenn damals immer noch Vorräte in Olten vorhanden waren, so kann ich nur sagen, daß Ihre Vertretung in Amerika versagt hat. Ich habe mich schon in meinem letzten Brief über das Unleidliche und Bedrückende des Zustandes beklagt, daß meine Bücher zur Zeit tatsächlich nur in Übersetzungen vorhanden sind, und der dringende Wunsch, daß dem so bald wie nur irgend möglich abgeholfen werde, ist begreiflich. Sie bezeichnen den augenblicklichen Zustand, daß von den Nazis meine Bücher ins Ausland verkauft werden, als unhaltbar, weil nicht transferiert werden könne. Was für ein sonderbarer Ausdruck ist das! Als ob es sich nur um eine Transaktions-Schwierigkeit handelte und als ob bei den Räubern dort der geringste gute Wille vorhanden wäre, eine solche »Transferierung« vorzunehmen! Ihre Hoffnung, das Lager noch herauszubekommen kommt mir immer wieder wie eine Vogel-Strauß-Politik und wie eine künstliche Verkennung der Situation vor. Es wird neu gedruckt werden müssen, ich bin überzeugt davon, wenn meine Bücher in den Originalen in der Welt sein sollen. Ich brauche Sie als alten Verleger doch nicht auf den Schaden aufmerksam zu machen, der für ein Buch entsteht, das längere Zeit nicht zu haben ist. Die Nachfrage, eine Zeit lang unbefriedigt, erlischt allmählich, und eine Pause von einem halben Jahr geht eigentlich schon über das Erträgliche hinaus. Was tun wir übrigens, wenn die Menschen in Wien selbst einen Neudruck vornehmen, wenn ein Buch vergriffen ist? Soll man all dem noch länger zusehen in der hundertfach enttäuschten Hoffnung auf Verständigung und Herstellung des Rechtes? Wir sind doch keine Engländer! Beruhigen Sie mich bitte recht bald durch die Mitteilung, daß die Bücher auf Deutsch wieder hergestellt werden sollen.

Es ist gut, daß Sie mich wegen der Ausstattung des politischen Essaybandes um Rat fragen. Ich bin *nicht* der Meinung, daß man dieses kleine Buch in Form und Einband der sogenannten Gesamt-Ausgabe erscheinen lassen soll, dafür eignet es sich nicht. Wenn es sich um einen gemischten Essayband, dessen Inhalt sich auch aus literarischen Aufsätzen zusammengesetzt hätte, handelte, so könnte man diesen in die Reihe der anderen Bücher einfügen. So aber sehe ich in dem Bändchen mehr ein Sondermanifest, eine Art von politischer Flugschrift, und bin entschieden dafür, daß man ihm durch Druck und Umschlag eine von den regulären abweichende Ausstattung gibt. Mit dem Satz in Antiqua bin ich ganz einverstanden; man könnte die Schrift ja aber ein bißchen größer wählen, sodaß der Umfang auf 170 oder besser 200 Seiten gebracht würde.

Es wäre natürlich gut, wenn wir uns vor unserer Abreise noch sprechen könnten, besonders wenn man Sie nicht bald in Amerika sehen wird. Wir haben hier noch so viel zu tun, daß wir auf eine längere Badereise verzichtet haben und nur auf eine

Woche, um die Mitte August, ins Engadin gehen wollen. Die
übrige Zeit, bis 15. September, werden wir hier sein.
Ich lege einen Brief von Dr. Rudolf Klein bei, mit dem ich
beim besten Willen nichts anzufangen weiß. Vielleicht wissen
Sie irgendeinen Rat für ihn.
Mit vielen Grüßen Ihr ergebener   *Thomas Mann*

Ich suche nach dem Verlagskontrakt und schicke ihn mit der
Januar-Abrechnung.

                              Stockholm, am 9. August 1938
Sehr verehrter Herr Professor,
ich kenne die Höhe des augenblicklichen Restsaldos nicht genau, glaube aber aus meiner Erinnerung sagen zu können,
daß er, im Verhältnis zu den geleisteten Zahlungen nicht
mehr sehr hoch sein kann. Es wird sich aus der Endziffer ergeben, daß er im Laufe des letzten Jahres sehr wesentlich abgedeckt worden ist.
Daß überhaupt noch ein Saldo vorhanden ist, ist darauf zurückzuführen, daß kein neues Buch zu seiner Verringerung
beitragen konnte.
Hinsichtlich der Rückgabe meines Lagers gebe ich mich keineswegs trügerischen Hoffnungen hin, noch vertrete ich den
Standpunkt, daß die illegale Tätigkeit des Wiener Verlages, durch
die immerhin das Fehlen Ihrer Bücher auf dem ausländischen
Markt augenblicklich noch vermieden wird, für mich einen
Grund darstellt, den Neudruck Ihrer Bücher aufzuschieben.
Mit dem Erscheinen des Novellenbandes in der »Forum-Bücherei« ist bereits der erste Schritt getan. Die anderen Bände werden sukzessive von mir nachgedruckt werden. Darüber wollte
ich aber mit Ihnen persönlich sprechen, da die Reihenfolge und
die Form der Nachdrucke besser in persönlicher Aussprache
geklärt werden können. Besonders schwierig wird die Neuher-
stellung der sogenannten Sonderausgabe zu RM 2.85 sein,
aber auch da wird sich ein Weg finden lassen. Ich bin gerade
mit der Kalkulation dieser Neudrucke beschäftigt.
Den Essayband werde ich im Format der Gesamtausgabe, aber
in Schrift und Ausstattung von ihr abweichend machen.
Um den Autor Valentin Richter, über den Ihnen Dr. Rudolf

Klein geschrieben hat, bemühen wir uns bereits seit längerer Zeit und werden ihm, aller Wahrscheinlichkeit nach, im Laufe der nächsten Wochen die Einreise nach England ermöglicht haben. Ich antworte Dr. Klein direkt.

Mit besten Grüßen Ihr sehr ergebener   *Bermann Fischer*

Küsnacht-Zürich, 3. IX. 38
Schiedhaldenstraße 33

Lieber Doktor Bermann:

Die Korrektur der politischen Aufsätze beschleunige ich möglichst. Wir hatten in den letzten Tagen die Packer hier, und es ging drunter und drüber. Freilich würde ich der Broschürenform vom »Zukünftigen Sieg der Demokratie« gern ein paar Wochen Schonfrist gönnen: es wäre mir lieb, wenn man dem »Schopenhauer« den Vortritt ließe.

Ihre Herren ersuchten mich um Angabe, »wo, wann und bei welcher Gelegenheit die einzelnen Vorträge gehalten wurden«. Um Vorträge aber handelt es sich ja nur bei dem »Appell an die Vernunft« und der amerikanischen Ansprache. Was das erstere Stück betrifft, so muß ich Sie bitten, an dem die Ansprache im Berliner Beethoven-Saal gehalten wurde, festzustellen, da Sie die Vorlage haben und ich nicht. Bei dem amerikanischen Vortrag genügt die Angabe, daß er im letzten Frühjahr in fünfzehn Städten der Vereinigten Staaten gehalten wurde. Bei dem spanischen Aufsatz füge ich hinzu, es handele sich um das Nachwort zu einer schweizerischen Spanien-Publikation. Der Bonner Brief ist datiert und »Maß und Wert« wird als Vorwort zur gleichnamigen Zeitschrift bezeichnet.

Ich würde es für ganz richtig und nützlich halten, wenn man das Büchlein in zwei Abteilungen brächte, unter dem Titel »Vorher« und »Nachher«. Unter »Vorher« fiele die Berliner Ansprache. Vielleicht bringe ich dazu noch ein zweites Stück bei, eine Kundgebung, die im letzten Augenblick von Minister Grimme in einer Versammlung verlesen wurde und in der »Vossischen Zeitung« erschienen ist. Das Übrige gehört unter das »Nachher«. Die beiden Abteilungen müssen ein eigenes Blatt bekommen. Das Herder-Motto aber müßte als General-Leitspruch ganz am Anfang stehen.

Man wird sich in den nächsten Tagen wegen einer dänischen Ausgabe des Büchleins an Sie wenden. Ich würde eine solche sehr begrüßen. Sie ist im Rahmen einer Schriftensammlung gedacht, die von einer linksgerichteten Studenten-Organisation in Kopenhagen herausgegeben wird. Sie hören darüber von Dr. Walter A. Berendsohn in Kopenhagen.

Mit vielen Grüßen Ihr ergebener   *Thomas Mann*

Haben Sie mein Vorwort zum 2. Jahrgang von »Maß und Wert« in Händen? Meinen Sie, daß man es mit in den Band aufnehmen sollte, nach der ersten Vorrede? Ich muß in den Aufsätzen hie und da etwas streichen, weil gewisse Formulierungen sich wiederholen. So wäre vielleicht etwas Auffüllung zu wünschen.

Küsnacht-Zürich, 6. ix. 38
Schiedhaldenstraße 33

Lieber Dr. Bermann,
der anliegende Essay soll eine Ergänzung zu dem Bändchen »Achtung, Europa!« sein, und zwar denke ich ihn mir als Schlußstück des Ganzen, gleichsam als Satyrspiel. Von wem es handelt, ist in einer Art von Dunkel gelassen, das man wohl ein Hell-Dunkel nennen muß; aber nach hiesiger Meinung reicht es aus, um den Aufsatz öffentlich möglich zu machen – vielleicht nicht separiert, in einer Zeitschrift, wohl aber als Teil eines Buches. Es wird kaum etwas dagegen zu machen sein.
Sagen Sie mir, bitte, gleich Ihre Meinung und geben Sie den Artikel in Satz, wenn Sie einverstanden sind!
Daß ich Sie am 15. in Paris zu sehen hoffe, schrieb ich Ihnen gestern.
Bestens   *Ihr Thomas Mann*

Stockholm, am 6. September 1938
Sehr verehrter Herr Professor,
der Essayband »Achtung, Europa!« ist durch seinen größeren Umfang und seinen höheren Preis sowieso schon im Nachteil gegenüber der Oprechtschen Broschüre.

Ich glaube kaum, daß der teure Essayband der Broschüre schaden kann, es wird höchstens umgekehrt das Erscheinen der Broschüre den Verkauf des Essaybandes beeinträchtigen.

Nun beabsichtige ich mit dem raschen Erscheinen nicht etwa dem Verkauf der Einzelbroschüre zuvorzukommen, sondern ich halte es vielmehr aus allgemeinen, politischen Gründen für wichtig, daß Ihr Buch so rasch als möglich herauskommt. Lassen Sie mich, bitte, deshalb nicht zu lange auf die Korrekturen warten, damit wir fertig werden.

Eine Auffüllung des Bandes durch Aufnahme des zweiten Vorworts zu »Maß und Wert« und der von Minister Grimme verlesenen Kundgebung würde ich für richtig halten.

Auf eine sehr auffallende Wiederholung wollte ich Sie aufmerksam machen. Es handelt sich um den Schluß des ersten Absatzes auf Fahne 94: »Nur die Wahrheit ist lebensfördernd« und die folgenden Sätze, die sich wörtlich mit einer Formulierung in »Achtung, Europa!« decken.

Mit Musil komme ich nicht recht vom Fleck. Er befindet sich augenblicklich in Italien und teilt mir mit, daß er wieder nach Wien zurückfährt. Er verlangt außer dem ihm Gebotenen Garantien, die man ihm nicht bieten kann. Ich habe ihm mitgeteilt, daß die Vorschläge, die ihm gemacht worden sind, voraussetzen, daß ihm keine andere Wahl bleibt. Wenn er bessere Möglichkeiten hat (er scheint ein Angebot aus Deutschland zu haben), so gäbe es unzählige Menschen, für die das Gebotene bereits etwas Außerordentliches darstellt. Ich bin über seine merkwürdige Reaktion auf das großzügige Angebot, das man ihm gemacht hat, recht verärgert, insbesondere angesichts der Notlage von so unendlich vielen Freunden.

Ich erwarte nun noch Ihre Nachricht, wann und wo ich Sie aufsuchen soll.

Mit besten Grüßen Ihr sehr ergebener   *Bermann Fischer*

Stockholm, am 9. September 1938

Sehr verehrter Herr Professor,
soeben erhalte ich das Manuskript des Essays »Der Bruder«, den ich als Schlußstück dem Bande »Achtung, Europa!« einfüge. Wer gemeint ist, kann niemandem unklar sein. Ich muß bei dem Aufsatz an die Rede des Kultusministers Becker, die er

bei Ihrer Nobelpreisfeier in Berlin gehalten hat, denken. Er hatte sich bei seiner Ansprache die Aufgabe gestellt, über Sie zu sprechen, ohne Ihren Namen zu nennen, und es ist ihm gelungen, Sie darzustellen, ohne die Worte Thomas Mann auszusprechen, aber jeder hätte Sie erkannt, auch wenn Sie nicht als der Gefeierte Mittelpunkt der Versammlung gewesen wären.

Da es nicht mehr möglich sein wird, Ihnen die Korrekturfahnen dieses Beitrags zu schicken, bitte ich um die Erlaubnis, selbst Korrektur zu lesen und das Imprimatur zu geben. Die beiden handschriftlichen Seiten habe ich aber abschreiben lassen, um Lesefehler auszuschließen. Die Kopie lege ich diesem Brief bei. Im zweiten Absatz Zeile 12 von unten fehlt ein Wort. Es soll wohl heißen »zu *schätzen* gelernt habe«. Bitte, schicken Sie mir die Schreibmaschinenkopie nach Durchsicht per Flugpost wieder zu. (Ich bitte überhaupt, möglichst per Flugpost zu schreiben, da die Briefe sonst drei Tage unterwegs sind.)

Ihr Essay gibt *das* Porträt des Ungenannten, das alle Darstellungen in Bild und Plastik an Ähnlichkeit übertrifft, man kann sagen: es ist von sprechender Ähnlichkeit und wird in die Geschichte eingehen.

Meine Ankunft in Paris werde ich Ihnen telegraphisch nach Ihrem Hotel mitteilen. Hoffentlich macht mir die politische Entwicklung, die mir außerordentlich bedrohlich scheint, nicht noch einen Strich durch die Rechnung.

Mit besten Grüßen Ihr sehr ergebener   *Bermann Fischer*

                      Stockholm, am 13. September 1938

Lieber, sehr verehrter Herr Professor,

angesichts der bedrohlichen Situation muß ich die geplante Reise nach Paris aufgeben.

Nach der gestrigen Rede Hitlers, die, wie zu erwarten war, keine Klärung gebracht hat, und bei den uns schon aus Österreich bekannten Putschmanövern in der Tschechoslowakei kann es in den nächsten Stunden schon zu einem Konflikt kommen. Ich glaube es deshalb nicht verantworten zu können, gerade in diesem außerordentlich gefährlichen Augenblick mit meinem deutschen Paß durch Belgien und Holland nach Frankreich zu reisen. Das Flugzeug fliegt über Deutschland.

Es ist mir außerordentlich schmerzlich, daß ich Sie nun doch nicht mehr vor Ihrer Abreise sehen kann. Ich bedaure es auch aus sachlichen Gründen, da ich hoffte, die wichtigsten schwebenden Fragen im persönlichen Gespräch klären zu können.

Ich muß mich damit begnügen, diese Dinge telefonisch zu besprechen, und werde Sie am 15. vormittag gegen 10 Uhr in Ihrem Hotel anrufen. Für das Telefongespräch steht meinerseits beliebig viel Zeit zur Verfügung, so daß wir uns über die wichtigsten Fragen auch auf diese Weise klar werden können. Daß der persönliche Kontakt, den ich besonders gewünscht hatte und auf den ich mich besonders freute, dabei nicht in dem Maße vorhanden sein wird wie bei dem geplanten Zusammentreffen, muß ich nun leider in Kauf nehmen.

Ich habe bis zu diesem Augenblick, in dem ich bereits die Flug- und Eisenbahnkarten habe, mit meiner Entscheidung zugewartet. Ich kann mich aber, angesichts der soeben aus der Tschechoslowakei eintreffenden Terrornachrichten, dem dringlichen Abraten der hiesigen verantwortlichen Stellen nicht verschließen.

Van Loon, der morgen nach Kopenhagen und von da aus nach Amerika fährt, wird Ihnen dort noch meine persönlichen Gründe überbringen und stellt Ihnen, für den Fall, daß Sie Ihr Haus in Princeton noch nicht beziehen können, das seine zur Verfügung. Er hat hier übrigens gestern eine wunderbare Rede für die Demokratie gehalten.

In Erwartung unserer telefonischen Unterhaltung begrüße ich Sie, mit den besten Wünschen für die Überfahrt für Sie und Ihre Frau, als Ihr

Bermann Fischer

P. S. Falls Ihnen die Zeit des Anrufs nicht passen sollte, bitte ich um ein Telegramm.

Hotel Lutétia
43 Boulevard Raspail
Square du bon marché
Paris, 15. IX. 38

Lieber Dr. Bermann,
wir leben ja nach dem heutigen Gespräch in schönstem Einverständnis, aber das mit dem Burschen-Sätzchen habe ich

mir überlegt und meine, es soll doch stehen bleiben. Politisch macht es nach allem Übrigen auch nichts mehr aus, und rein stilistisch hat es in seiner Geradheit den Wert einer Erfrischung bei sonst vielfacher Kompliziertheit. Auch würde es ohne den Satz mit dem logischen Anschluß hapern. Lassen wir ihn also stehen. Der Aufsatz ist das Beste in dem Buch. Die anderen sind nur brav, aber auf diesen lege ich literarisches Gewicht, und er wird sich länger halten.

Herzlichen Gruß! *Thomas Mann*

Stockholm, am 14. Oktober 1938

Lieber, sehr verehrter Herr Professor,

in dem Augenblick, in dem ich ungeduldig auf das angekündigte Vorwort zu »Achtung, Europa!« warte, um das fertiggestellte und korrigierte Buch in Druck gehen zu lassen, kommt von der schwedischen Regierung die an die großen Verlage gerichtete Aufforderung, in diesem Augenblick allzugroße Aggressivität gegen Deutschland zu unterlassen. Dadurch bekommen die gewissen Bedenken, die Sie bei Zusendung des Manuskripts »Der Bruder« andeuteten, die ich damals jedoch nicht für wesentlich hielt, ein ganz anderes und sehr bedeutendes Gewicht.

Ich muß damit rechnen, daß man es als Loyalitätsverletzung betrachtet und dem Verlag und mir gegenüber, die hier Gastrecht genießen, die naheliegenden Konsequenzen zieht, wenn ich, gerade in diesem Augenblick, in dem die schwedische Regierung an die schwedischen Bürger appelliert, gleichsam als Antwort darauf, einen Aufsatz veröffentliche, der als »Beleidigung eines fremden Staatsoberhauptes« ausgelegt werden würde.

Wie Sie aus dem wohl inzwischen bei Ihnen eingetroffenen Brief von Bonniers ersehen, hält auch dieser hier so einflußreiche Verlag eine Berücksichtigung des Wunsches der Regierung für unerläßlich. Aus dem Umstand, daß sich die Bedenken nur gegen den Aufsatz »Der Bruder« richten, nicht etwa auch gegen die anderen Aufsätze, daß Bonniers soeben das sachlich sehr scharfe Buch von Reed und das Buch von Zernatto veröffentlichen, mögen Sie erkennen, daß es sich bei dem Wunsch der Regierung und dem Verhalten der Verlage nicht etwa um ein Umschwenken in der eindeutigen antinazistischen Gesamthaltung handelt, daß man vielmehr nur in diesem Augenblick allzu persönliche Attacken vermeiden will, um das Land nicht in außenpolitische Unannehmlichkeiten zu verwickeln, die gerade jetzt besonders unerwünscht wären.

Wie tief deprimiert ich über diese Wendung bin, können Sie sich denken. Ich muß Sie schweren Herzens bitten, die Situation zu berücksichtigen und Ihre Zustimmung dazu zu geben, daß der Band »Achtung, Europa!« vorläufig ohne den Beitrag »Der Bruder« erscheint. Bei günstigerer Gelegenheit kann dann dieser Aufsatz, der nicht verschwinden darf, aber auch nicht an den Tag gebunden ist, in einer Neuauflage oder in einem anderen Zusammenhang gebracht werden.

Da die Zeit sehr drängt, bitte ich um telegraphische Antwort.

Mit besten Grüßen Ihr sehr ergebener   *Bermann Fischer*

Princeton, N. J.
Stockton Str. 65
[undatiert; vermutlich
18. Oktober 1938]

Lieber Dr. Bermann,
eine Nachricht irgendwelcher Art von Ihnen in all diesen Wochen wäre mir sicher angenehm gewesen. Ich habe von Tag zu Tag darauf gewartet, wenigstens seit meinem Telegramm, worin ich Sie bat, den politischen Essayband des notwendig gewordenen Vorwortes wegen zurückzuhalten. Ob es technisch noch möglich sei dies Vorwort noch einzufügen; ob das Buch etwa schon herausgegeben sei; ob es überhaupt noch möglich sei, dergleichen herauszubringen; wie Sie im Allgemeinen über die Lage und über die Möglichkeit Ihres Weiterarbeitens und das der anderen deutschen Verlage denken, – das alles hätte ich gern von Ihnen gehört, weil ich ganz im Dunkeln tastete und unter der Unmöglichkeit der Verständigung litt – gemütskrank wie man ohnedies wenigstens einige Tage lang war.

Nun ist wenigstens Landshoff hier, hat mir Ihren Prospekt gebracht, der ja einen ganz munteren Eindruck macht, und mich überhaupt etwas getröstet, obgleich natürlich auch er keine Garantie geben kann für das, was kommt, wenn es in dem faszisierten Europa mit den »Kultur-Abkommen« losgeht. Geradezu aufgeregt aber war er von der Lektüre des Vorwortes zu den Essays, das ich Ihnen hier schicke. Er meint, daß es nicht nur in dem deutschen Buch erscheinen darf, sondern sofort auch als Flugschrift auf deutsch, englisch, französisch und holländisch herauskommen muß, in leicht geänderter Form, die den Aufsatz weniger vorwortmäßig an die anderen Essays bindet. Das ist leicht zu machen. L. verspricht sich eine große Wirkung von der Schrift und nimmt es auf sich, sie hier in Deutsch gleich in Druck zu geben, sodaß ich selbst die Korrektur besorgen kann. Er wird Ihnen darüber schreiben. Hier wird jedenfalls Knopf die Flugschrift bringen, in London Secker, in Stockholm Bonnier, in Paris N. R. F. Auch ich fange an, zu glauben, daß die Wirkung groß sein kann. Es ist das einzige klare Wort, das über diese Niedertracht gesprochen worden.

Ich bin nur begierig zu hören, ob das Buch nicht schon zu weit fertig ist, um das Vorwort noch aufnehmen zu können. Notfalls würde ich vorschlagen, es der Auflage lose beizulegen. Als Vorwort soll es den Titel »Die Höhe des Augenblicks« beibehalten, da es ja den Zweck hat, das kleine Buch auf diese »Höhe« zu bringen. Als Broschüre heißt es besser in allen Sprachen einfach »Dieser Friede«.

Ich versuche jetzt, zu »Lotte in Weimar« zurückzufinden.

Um den Text von »Der Bruder« bat ich Sie dringend, weil eine hiesige Zeitschrift den Aufsatz bringen will.

Wir sind hier angenehm installiert und haben die ältesten und die jüngsten Kinder bei uns.

Viele Grüße von Haus zu Haus   *Ihr Thomas Mann*

[Telegramm]   [Princeton, N. J., 27. Oktober 1938]
Würdige Ihre Gründe Essays ohne ausführlich scharfes Vorwort und Bruder aber zwecklos Wünsche dringend Imprint Longmans Green ähnlich Zernatto Drahtet Zustimmung –

Thomas Mann

[Telegramm]   [Stockholm, 28. Oktober 1938]
Einverstanden Erbitte Drahtzustimmung Longmans Erwarte
dringlichst Vorwort Gruß   *Bermann Fischer*

Stockholm, am 2. November 1938
Lieber, sehr verehrter Herr Professor,
ich erhielt Ihr Telegramm
»Würdige Ihre Gründe Essays ohne ausführlich scharfes Vorwort und Bruder aber zwecklos Wünsche dringend Imprint
Longmans Green ähnlich Zernatto Drahtet Zustimmung.«
Die Ausgabe mit dem Imprint Longmans Green zu bringen
ist ein guter Ausweg, und ich habe das Buch inzwischen ausdrucken lassen.
Ich warte aber nun dringendst auf das Vorwort, um binden
und ausliefern zu können. Hoffentlich ist es bereits unterwegs,
denn wir haben ja nur mehr sieben Wochen bis Weihnachten.
Denken Sie daran, Ihre Vorlesungen in Princeton in Buchform
zu veröffentlichen? Die Herausgabe eines derartigen Buches
würde wohl erst nach Abschluß der Vorlesungsperiode möglich sein, ich denke also, im nächsten Frühjahr. Ist damit zu
rechnen? Ich würde mich sehr freuen, wenn es möglich wäre.
Die Veröffentlichung käme für die Schriftenreihe in Frage,
wenn der Umfang nicht zu groß ist, oder aber auch als Einzel-
publikation.
Ich hoffe, daß Sie sich drüben inzwischen in Ihrem neuen
Haus eingewöhnt haben und würde mich freuen, etwas ausführlicher über Ihr Ergehen zu hören.
Der Verlag hat sich inzwischen ganz gut entwickelt. Neben
der Curie scheint auch das Buch von Gumpert ein hübscher
Erfolg zu werden.
Mit herzlichen Grüßen Ihr sehr ergebener   *Bermann Fischer*

Stockholm, am 10. November 1938
Lieber Herr Professor,
ich habe vergessen Ihnen zu schreiben, daß der Abzug von
»Der Bruder«, den ich Ihnen wunschgemäß zusandte, nicht die
letzte Korrektur war. Die von Ihnen beanstandeten Fehler,

das fehlende Wort »nicht« und das falsche Komma und der Strichpunkt wurden hier bereits korrigiert.

Das neue Motto konnte ich nachträglich leider nicht mehr hereinbringen, da der erste Bogen bei Eintreffen des Briefes von Landshoff bereits in Druck war. Vielleicht können wir es bei einer, hoffentlich bald notwendigen Neuauflage aufnehmen!

Mit herzlichen Grüßen Ihr sehr ergebener *Bermann Fischer*

[Telegramm]   [Stockholm, 11. November 1938]
Aufs höchste beeindruckt von Dieser Friede Bin glücklich Verlagsnamen mit Ihrer entscheidenden Kundgebung verbinden zu können Gab Landshoff Druckauflage 10 000 zehntausend für ganze Auflage Achtung erscheint ebenfalls unter BFV Grüße   *Bermann Fischer*

[Telegramm]   [Stockholm, 11. November 1938]
Erwäget ob nicht angesichts furchtbarer Pogrome Eliminierung Bruder ratsam da unabsehbar ob nicht gerade dieser persönliche Angriff verschärfte Verfolgungen verursacht Wirkungskraft Charakter Buches durch Vorwort ohnehin gesichert Kabelt Entscheidung   *Bermann Fischer*

[Telegramm]   [Princeton, N. J., 12. November 1938]
Empfinde Ausfall schwer Könnte aber Weigerung nicht verantworten da Sie Dingen näher Stelle Entscheidung Ihnen anheim   *Thomas Mann*

[Telegramm]   [Princeton, N. J., 12. November 1938]
Entschlossen Bruder wegzulassen Vorschlage Buch überhaupt zurückhalten und uns vorläufig auf Broschüre beschränken
                    Thomas Mann

[Telegramm]   [Stockholm, 14. November 1938]
Gegen Achtung ohne Bruder können wohl keine derartigen
Bedenken bestehen die Verschiebung stark propagierten und
erwarteten Bandes rechtfertigten Zudem gestern schwedische
Ausgabe Ohne Gegenorder Erscheinen 20 Grüße
                                        Bermann Fischer

                              Stockholm, am 17. November 1938.
Sehr geehrter Herr Professor,
in all dem neuen Elend, das über uns hereingebrochen ist,
seine Aktivität nicht zu verlieren fällt nicht ganz leicht.
Der Plan, den ich Ihnen nachstehend vorlege, beschäftigt mich
schon seit langer Zeit. Er hat durch die neuen Ereignisse an
Aktualität und Wert, wie mir scheinen will, nur gewonnen,
zumal er einige Aussicht auch für praktische Hilfe bietet.
Es handelt sich um die Herausgabe von Emigrantenbriefen,
wie aus beiliegendem Entwurf in allen Einzelheiten hervorgeht. Bevor ich an die Sache praktisch herangehe, hätte ich
gern Ihre Meinung darüber gehört.
Würden Sie, falls der Plan Ihre Zustimmung findet, eventuell,
als erster unter den deutschen Vertriebenen, auch in Form
eines Briefes, zu diesem Band beitragen? In diesem Falle wäre
zu erwägen, ähnliche Bitten auch an andere prominente Emigranten (Einstein, Werfel, Zuckmayer etc.) zu richten.
Man könnte wohl den Einwand erheben, daß es für eine solche
Publikation noch zu früh ist. Andererseits aber steht nichts im
Wege, einem ersten Band, dessen Zusammenstellung ohnedies
ziemlich lange Zeit in Anspruch nehmen wird, weitere Bände
folgen zu lassen. Ich glaube sicher sein zu können, daß großes
Interesse für eine derartige Publikation vorhanden ist und daß
neben der ideellen Bedeutung, die eine solche Veröffentlichung
zweifellos hat, das zu erzielende praktische Ergebnis beachtlich
sein und eine praktische Beihilfe leisten könnte.
Ich möchte die ganze Aktion unter Protektorat einer überge-
ordneten Flüchtlingshilfe stellen, und ich erbitte Ihren Rat,
welche Organisation dafür in erster Linie in Frage kommt.
Für eine möglichst rasche Antwort wäre ich Ihnen sehr dankbar.
Mit herzlichen Grüßen Ihr sehr ergebener   *Bermann Fischer*

Sehr verehrter Herr Professor,

ich sende Ihnen beiliegend eine Besprechung von »Achtung, Europa« aus »Dagens Nyheter« und eine Anzeige des Buches aus derselben Zeitung.

Die Situation hat sich insofern verändert, daß man, offenbar unter dem Eindruck der letzten Vorgänge in Deutschland nicht mehr ganz so empfindlich ist wie vor wenigen Wochen. Der Ton der Zeitungen ist recht scharf und auch die allgemeine Stimmung ganz eindeutig antifaschistisch. Es ist bezeichnend, daß augenblicklich im Vasatheater vor ständig ausverkauftem Haus ein Stück von Kaj Munk, dem dänischen Geistlichen, gespielt wird, das in schärfster Weise gegen deutsche Kulturpolitik Stellung nimmt.

Gleichzeitig läuft seit Wochen vor ausverkauften Häusern die Revue von Karl Gerhardt »Herbstmanöver«, eine Anprangerung deutscher Barbarei und englischen Verrats, wie sie in dieser Schärfe wohl in ganz Europa nicht zu sehen ist. Bei den heutigen Zuständen ist das ein kleiner Lichtblick.

Die Abschrift des Vertrages und des Kontoauszugs per 31. XII. 37 habe ich leider noch nicht erhalten. Ich bin deshalb in der größten Verlegenheit, weil die A. G. für Verlagsrechte ihre Bilanz machen und abschließen muß und große Unannehmlichkeiten von seiten der Aufsichtsbehörden zu erwarten hat, wenn die notwendigen Unterlagen fehlen. Meine Schweizer Freunde, die nach außen hin die A. G. repräsentieren und sich in sehr schöner und mutiger Weise für die Interessen der Gesellschaft eingesetzt haben, könnten durch das Fehlen der Unterlagen in eine unangenehme Situation geraten. Bitte, haben Sie doch die große Liebenswürdigkeit, zu veranlassen, daß Vertrag und Kontoauszug raschmöglichst an mich gesandt werden.

»Achtung, Europa!« wird in einer Woche ausgeliefert, »Dieser Friede« sofort nach Eintreffen der Korrekturen.

Wir haben gerade die große Freude, Bruno Walter hier zu sehen. Mit herzlichen Grüßen von Haus zu Haus Ihr sehr ergebener

Bermann Fischer

65 Stockton Street
Princeton, N. J.
6. Dezember 1938

Lieber Doktor Bermann,

ich habe mir Vorwürfe zu machen, daß ich so lange nicht dankend auf Ihre beiden, ausführlichen Briefe vom 7. und 17. November eingegangen bin. Aber ich war tatsächlich sehr überlastet und außerdem, was ja kein Wunder ist, gesundheitlich etwas reduziert. Ihr Brief vom 7. ist heute überholt, und ich brauche kaum darauf zurückzukommen. Wie sehr ich Ihre Empfindungen, die europäischen Ereignisse betreffend, teile, ist unnötig zu sagen. Der Münchner Friede war eine Katastrophe sondergleichen, und wenn diejenigen, die ihn schlossen, sich seiner politischen und moralischen Folgen auch nur halbwegs bewußt waren, so sind sie ebensolche Verbrecher als sie Dummköpfe sind. Sprechen wir nicht mehr davon. Ich muß immer bemüht sein, mir all diese Dinge mit einem gewissen egoistischen Phlegma vom Leibe zu halten, um meine persönlichen Arbeiten aufrechterhalten zu können. Erst jetzt eigentlich habe ich mich in die Arbeit an »Lotte« wieder hineingefunden und betreibe sie jeden Vormittag, soweit die Anforderungen, die dieses Land in seinem naiven Eifer an mich stellt, es erlauben. Meine Korrespondenz, die doch schon lange wenig zu wünschen übrig ließ, ist beängstigend angeschwollen, und nicht weniger als drei Personen müssen mir helfen: meine Frau, eine hiesige englische Dame und Dr. Meisel, der das Buch von Borgese so glänzend übersetzt hat und jetzt gleichfalls in Princeton wohnt.

Um auf das Wichtigste zu kommen: Ihre Idee, die Briefsammlung der Vertriebenen betreffend, finde ich ausgezeichnet und in jedem Sinn vielversprechend. Es wird Mühe und Zeit kosten, das Material zusammenzubringen; aber ich meine, man soll es sich nicht verdrießen lassen. In irgend einer Form werde ich mich gern an der Sache beteiligen – sei es, daß ich zu der Sammlung, wenn sie vorliegt, ein kurzes Vorwort schreibe, oder daß ein Brief von mir selbst darin aufgenommen wird. Vielleicht ließe sich ein geeigneter finden aus der ersten Zeit unserer Emigration. Über die Flüchtlings-Organisation, unter deren Protektorat die Aktion gestellt werden könnte, muß ich noch nachdenken und Erkundigungen deswegen einziehen. Diese Frage hat ja noch Zeit, und ich meine, Sie sollten die Aufforderung zur Einsendung der Briefe zunächst einmal öffentlich ergehen lassen.

Sobald Sie wieder schreiben, bringen Sie mich bitte auch wieder über das Schicksal und Ergehen der alten Frau Fischer aufs Laufende.

Sie glauben nicht, welche Wohltat es für mich war, wieder deutsche Ausgaben meiner Schriften in Händen zu haben. Die Buchform von »Dieser Friede« ist sehr gefällig und fast zu elegant für den Gegenstand. Die »Vier Erzählungen« in dieser schmucken Gestalt wieder vor mir zu haben, war mir auch eine Freude. Über den »Schopenhauer« hatte ich heute eine sehr herzliche Karte von Hermann Hesse, der sein großes Wohlgefallen daran ausdrückt.

Nun bin ich neugierig, wie sich der Essay-Band mit seinem Vorwort ausnehmen wird. Es müssen ja auch davon in den nächsten Tagen Exemplare eintreffen. Daß »Der Bruder« wegfallen mußte, war mir ein Kummer, und ich habe es irgendwie als Niederlage empfunden, weil es das erste Mal war, daß ich ein Werk meines Schmerzes und Hasses und Spottes nicht vor die Welt bringen konnte. Aber ich habe die Notwendigkeit der Weglassung eingesehen, und Sie haben natürlich recht damit, daß die Vorrede das ungleich Wichtigere ist als jener ironische Spaß.

Ich will hoffen, daß Tutti und Sie sich persönlich leidlich wohl befinden. Wozu der hoffnungsvolle Start der »Forum«-Sammlung das Seine beitragen wird. Gestern, bei einem New Yorker Festabend des Deutsch-Amerikanischen Kulturverbandes hatte ich Gelegenheit, für das deutsche Buch hier Propaganda zu machen. Ich habe den Deutsch-Amerikanern die Alliance Book Corporation sowohl wie die »Forum«-Sammlung wärmstens ans Herz gelegt. Und immerhin waren viertausend Hörer zugegen.

Wenn Sie sich mit den 10 000 Exemplaren von »Dieser Friede« nur nicht übernommen haben! Knopf freilich hat von seiner Ausgabe auch 10 000 gedruckt und steht schon unmittelbar vor dem Neudruck. Aber das ist englisches Sprachgebiet. Werden auch die zehntausend deutschen Exemplare unterzubringen sein? Hoffen wir es.

Leben Sie recht wohl, und lassen Sie wieder von sich hören.
Ihr ergebener   *Thomas Mann*

P. S. Ich vergaß zu sagen, daß ich gern einige Abzüge von den korrigierten Bögen des »Bruders« hätte. Ich könnte den Aufsatz dann wenigstens einigen Freunden zeigen. Ich nehme an, daß der Beitrag fertiggedruckt war, und daß Sie mir sechs oder zehn Abzüge schicken können.

Princeton, 12. XII. 38

Lieber Doktor Bermann:
Hier kommen nun endlich die gewünschten Papiere. Verzeihen Sie die Versäumnis, Sie wissen, wir haben in einem rechten Trubel und belastenden Neuanfang gelebt. Ich schicke übrigens, wie Sie bemerken, die Originale, die ich nach Benutzung zurück erbitte.
Für Ihren Brief vom 28. November und die Besprechung aus »Dagens Nyheter« schönen Dank. Ihre Nachrichten über die Versteifung der Stimmung in Schweden waren mir eine Genugtuung. Ich höre aus der Schweiz ganz das Gleiche. Wenn sich doch endlich überall in der Welt eine Art von ethischer Fronde gegen die Ungezieferplage herausbilden wollte!
Heute will ich Ihnen in einer Sache schreiben, die mir seit langem am Herzen liegt und in der ich durch einen Brief Dr. Oprechts aus Zürich neuerdings in Bewegung gesetzt werde. Er hat mir Mitteilung gemacht von dem jüngsten Briefwechsel zwischen Ihnen und mir seinen Kummer ausgedrückt über das offenbar zwischen Ihnen beiden schwebende Mißverständnis. Tatsächlich bin ich nicht nur von ihm, sondern auch von anderen dahin unterrichtet, daß der Widerstand gegen Ihre Niederlassung in Zürich seinerzeit eine Sache der Gesamtheit der Verleger war. Er war ein Ausdruck der damaligen Schweizer Antifremden-Stimmung, und es ist Tatsache, daß Oprecht sich bei diesem Widerstand nicht nur nicht besonders hervorgetan hat, sondern ihn abzudämpfen versucht und verschiedentlich geraten hat, sich doch irgendwie mit Ihnen zu verständigen. Eine andere Haltung konnte er ja auch seiner ganzen politischen und geistigen Stellung nach unmöglich einnehmen. Die Rascher und wie sie sonst heißen standen selbst-

verständlich viel weiter nach der feindlichen Seite hin. Ich will dahingestellt sein lassen, wie weit es Oprecht dabei doch unmöglich war, der herrschenden Stimmung vollkommen zu widersprechen und ob nicht auch er letzten Endes ganz gern die Errichtung einer Konkurrenz in der Schweiz vermieden sah. Für den Mißerfolg aber gerade ihn persönlich verantwortlich zu machen, ist wirklich abwegig, und so begreiflich es ist, daß Sie, der Sie durch die Konsequenzen der damaligen Ablehnung so viel zu leiden gehabt und solche Verluste gehabt haben, den Schweizer Verlegern einschließlich Oprecht nicht gerade freundlich gegenüberstehen, so möchte ich Sie doch aufrichtig bitten, diese Gefühle heute bei so veränderter Lage und bei den dringlichen Forderungen, die diese Lage mit sich bringt, hintan zu setzen und die Annäherungsversuche Oprechts, der unbedingt in den deutschsprachigen Verleger-Kreis unserer Richtung gehört, nicht zurückzuweisen. Seinen Wunsch jedenfalls, mit Ihnen zu sprechen, wenn Sie einmal wieder nach Zürich kommen, sollten Sie unbedenklich erfüllen; ich glaube sicher, daß durch eine persönliche Unterredung Manches geklärt und beigelegt werden könnte. Vielleicht ist aber an einen solchen Besuch vorläufig garnicht zu denken, und auch ohne und gerade ohne ihn würde ich Sie sehr bitten, Ihre streng ablehnende Haltung Oprecht gegenüber zu mildern. Sie können es auf Grund meiner Ihnen gemachten Angaben wirklich tun, wenigstens so weit, daß die so wünschenswerte und notwendige geschäftliche Zusammenarbeit nicht gestört wird.

Die angelegentliche Erkundigung nach dem Schicksal von Frau Fischer wiederhole ich auch heute. Geben Sie mir bitte Nachricht, sobald Sie wieder schreiben. Von meinen Schwiegereltern hören wir *relativ* Beruhigendes, wenigstens fühlen sie sich in ihren subjektiven Vorstellungen vorläufig nicht schwer gefährdet. Es zeigt sich auch, daß ihnen für den äußersten Fall ein Ausweg nach Belgien offen steht, wo sie einen beamteten und niedergelassenen Sohn haben, der sie anfordern kann.

Damit genug für heute! »This Peace« hat hier einen ausgezeichneten Erfolg. Mögen auch der Essayband und die deutsche Broschüre uns Freude machen!

Alles Gute für Weihnachten und das neue Jahr!

Ihr Thomas Mann

Noch etwas: Dr. Heinitz, 289, Golders Green Road, London N. W. 11 hat mich dringend um eine Empfehlung an Sie gebeten, falls Sie irgend eine Übersetzung aus dem Französischen oder Englischen zu vergeben haben. Ich kann dies mit gutem Gewissen tun, habe ihn aber natürlich gleich auf die geringe Aussicht auf Erfolg vorbereitet.

Stockholm, am 19. Dezember 1938.

Lieber, sehr verehrter Herr Professor,
ich freue mich sehr, nach so langer Zeit wieder Nachricht von Ihnen zu haben und Gutes von Ihnen zu hören.

Nachdem wir den Schock, den uns die Septemberereignisse versetzt haben, halb und halb überwunden haben, beginnt man hier wieder ein wenig Hoffnung zu schöpfen. In der Depression, die uns alle ergriffen hat, haben wir übersehen, daß blinde Selbstüberschätzung zum Wesen des Faschismus gehört und daß mit einer klugen Ausnutzung des außerordentlichen politischen Erfolges nicht zu rechnen war. Die begründete Befürchtung, daß das Naziregime seinen gewaltigen Erfolg nach innen und außen ausbauen würde – die Möglichkeit einer Konsolidierung des Systems wäre zweifellos möglich gewesen –, hat sich durch die barbarischen und, politisch gesehen, unverständlich dummen und sturen Maßnahmen der deutschen Regierung als unnötig erwiesen.

Die Annexion der Tschechoslowakei hat im Inneren keinen Jubel hervorgerufen, im Gegenteil: die Nähe der Kriegsgefahr, die den Menschen in Deutschland erst im Augenblick der Annexion in ihrer ganzen Größe klargeworden ist, hat bei der Arbeiterschaft und weit in das Bürgertum hinein beängstigend und abschreckend gewirkt. Die nachfolgenden Pogrome haben einen ungeheuren Ekel und eine Abneigung vor dem Regime hervorgerufen, der sogar auf die Parteikreise übergegriffen hat. Die außenpolitische Wirkung ist katastrophal für das Regime gewesen. Diese Ereignisse, zusammen mit den unverblümt geäußerten Expansionswünschen und den Beleidigungen der englischen Staatsmänner, haben die Front der Einsichtsvollen in England ungemein verstärkt, und es besteht die Hoffnung, daß die Münchenpolitik Englands sich nicht noch ein zweites Mal wiederholen wird. Aus seinen Abenteuern geht der Faschismus im Jahre 1938 nicht gestärkt hervor. Die Erkenntnis seines wahren Gesichts in England und Frankreich wird, zusammen mit den inzwischen stark geförderten Rüstungen beider Länder, von größter Bedeutung für die entscheidenden Ereignisse des Frühjahrs 1939 sein. Wir können und müssen jetzt wieder hoffen.

Über den Verlag kann ich Ihnen Gutes berichten. Das Ergebnis, das jetzt, unmittelbar vor Weihnachten schon mit einiger Sicherheit zu übersehen ist, übertrifft meine Erwartungen. Ich habe von sieben Neuerscheinungen, also ohne Berücksichtigung der »Ausblicke«-Broschüren und der »Forum-Bücherei«, über 40 000 Bände verkauft und damit einen Umsatz erzielt, der an den des Wiener Verlags heranreicht. Dabei ist zu berücksichtigen, daß ich von Wien aus den ganzen deutschen Markt zur Verfügung hatte und das außerordentlich große alte Lager, aus dem sich erhebliche Umsatzziffern ergaben. Dabei darf nicht übersehen werden, daß ich erst seit vier Monaten ausliefere. Es waren bereits vier Neuauflagen notwendig und eine fünfte, nämlich der Neudruck von »Achtung, Europa!«, steht vor der Türe. Das Buch ist durch die mehrfachen Verzögerungen leider sehr spät erschienen, sonst wären wir heute schon so weit. Ich glaube aber, daß unmittelbar nach Weihnachten die erste Auflage von 3000 Exemplaren verkauft sein wird.

Von der Broschüre »Dieser Friede« sind bis jetzt ungefähr 3000 Exemplare verkauft worden, ich habe aber noch keine zuverlässigen Ziffern, da die Auslieferung erst vor wenigen Tagen erfolgte. Die recht umfangreiche Zeitungspropaganda mußte sich notwendigerweise auf die Schweizer Presse beschränken, jedoch wurde der Buchhandel in den andern in Frage kommenden Ländern sehr intensiv durch unsere Reisenden und durch wiederholte Rundschreiben bearbeitet.

Von »Schopenhauer« haben wir ungefähr 1500 Exemplare verkauft.

Sehr bewährt hat sich das mir noch aus Berlin und Wien zur Verfügung stehende Adressenmaterial von Privatinteressenten, das mir durch eine treue Angestellte aus Wien hierher nachgeschickt wurde. Ich konnte nach Aussiebung der reichsdeutschen Adressen 15 000 Prospekte versenden. Die Zuschriften, die auf den Empfang dieser Prospekte zurückzuführen sind, haben einen überraschend großen Umfang angenommen.

Über den Erfolg der »Forum-Bücherei« läßt sich auch noch nichts Abschließendes sagen, da diese Serie erst nach dem Abklingen des sogenannten Weihnachtsgeschäfts zur vollen Auswirkung kommen kann. Immerhin ist der Anfang ermutigend. Ich denke, daß wir im nächsten Zyklus »Buddenbrooks« bringen werden.

Die vereinbarten Vorauszahlungen für »Achtung, Europa!« und »Dieser Friede« gehen Ihnen gleichzeitig zu. Die Exemplare von »Achtung, Europa!« werden Sie wohl inzwischen erhalten haben. Sie sind am 29. November an Sie abgegangen. Ich hoffe, daß Sie mit der Ausstattung zufrieden sind.

Die Unverschämtheit der Wiener Verlagskommissare kennt keine Grenzen. Vor etwa 6 Wochen erhielt ich ein Schreiben vom Paul Zsolnay Verlag, Wien, in dem dieser Einspruch gegen die von mir angekündigte Herausgabe eines Gedichtsbandes von Franz Werfel und gegen den Nachdruck des »Musa Dagh« in der »Forum«-Serie Einspruch erhebt, unter Androhung gerichtlicher Maßnahmen. Ich habe natürlich auf diese Frechheit nicht geantwortet und sehe diesen Maßnahmen mit Interesse entgegen.

Ganz toll ist aber ein gerade jetzt beginnender Feldzug des Wiener Kommissars gegen meine Curie-Ausgabe und gegen Eve Curie selbst. Sie hat im April dem Wiener Verlag den Verlagsvertrag wegen Nichterfüllung gekündigt. (Der Wiener Verlag hat bis heute keine Honorare gezahlt.) Jetzt, ein halbes Jahr später, wird Eve Curie mit Prozeßdrohungen bombardiert, und man verlangt von ihr wegen Veröffentlichung ihres Buches in meinem Verlag einen Schadenersatz von 250 000 Frs.

Es handelt sich in diesem Fall – und deshalb setze ich Ihnen diese an sich ja ganz uninteressante Angelegenheit auseinander – unter Umständen um eine prinzipielle und für die ganze Emigration weittragende Frage, nämlich darum, ob die Beschlagnahme einer deutschen oder österreichischen Gesellschaft und die Einsetzung eines Kommissars vor einem ausländischen Gericht Rechtsgültigkeit besitzt oder nicht. Ich stelle mich nämlich auf den Standpunkt, daß ich auch heute noch alleiniger und allein-zeichnungsberechtigter Eigentümer der Wiener Gesellschaft und allein verfügungsberechtigt bin. Sollte es tatsächlich zu einem Prozeß kommen, so wird die Entscheidung dieser Frage vor einem Pariser Gericht alle ähnlich gelegenen Fälle präjudizieren. Es wird unter Umständen notwendig sein, die Öffentlichkeit zu mobilisieren, da nach den Äußerungen des französischen Anwalts von Eve Curie befürchtet werden muß, daß man in Paris die kommissarische Verwaltung als Rechtsnachfolger anerkennt und dem nach unserer Auffassung rechtmäßigen emigrierten Eigentümer die Verfügungsberechtigung abspricht.

Darf ich mich, wenn es zu einer Auseinandersetzung kommen sollte, in dieser Angelegenheit wieder an Sie wenden? Die Autorenverbände aller Länder müßten zu dieser Frage endlich einmal öffentlich Stellung nehmen.

Den Aufruf für die Briefsammlung der Vertriebenen werde ich nach Weihnachten der Presse übergeben. Ich darf wohl nach Ihrer zustimmenden Stellungnahme Ihren Namen an der entsprechenden Stelle erwähnen?

Frau Fischer muß leider immer noch auf den für die Ausstellung des Passes notwendigen Unbedenklichkeitsbescheid des Finanzamtes warten. Wir hoffen zuversichtlich, daß das bis Ende des Jahres noch in Ordnung kommt. Daß sie hier die Einreise und Aufenthaltsbewilligung hat, habe ich Ihnen wohl schon geschrieben.

Für das nächste Frühjahr habe ich ein zwar absichtlich kleines, aber sehr gewichtiges Programm mit einem Buch über Descartes von Professor Ernst Cassirer, der sehr amüsanten und dabei politisch gewichtigen Selbstbiografie der Hofrätin Zukkerkandl, einer Übersetzung des schönen Buches von Hutchinson: »Testament«, dem letzten Roman von Giono und einigen Ausblicken (Huxley, einem Heft »Nietzsche und die Juden« und einem noch in Vorbereitung befindlichen Heft, das die Reden von antifaschistischen Staatsmännern wie Roosevelt, Eden, Churchill u. a. enthalten soll).

Es wäre schön, wenn dieses Programm von »Lotte in Weimar« gekrönt würde.

Nun wünsche ich Ihnen und Ihrer Familie alles Herzliche für Weihnachten, das mehr denn je unter dem Zeichen der Hoffnung steht.

Seien Sie herzlichst gegrüßt von Ihrem   *Bermann Fischer*

P. S. Soeben fragt mich ein Vertreter von Gallimard wegen der französischen Ausgabe von »Dieser Friede« an. Ich war der

Meinung, daß die französische Ausgabe von Ihnen längst mit Gallimard vereinbart wurde. Ich habe Gallimard gebeten, sich per Kabel an Sie zu wenden.

Abzüge vom »Bruder« lasse ich Ihnen von der holländischen Druckerei zugehen.

Ich sende Ihnen beiliegend zwei Berichte von einem Londoner Freund, der mich regelmäßig mit derartigen Nachrichten versieht. Sie werden zum großen Teil durch die lange Beförderungsdauer dieses Briefes überholt sein. Ein Teil der Darstellungen hat sich inzwischen bewahrheitet.

Stockholm, am 31. Dezember 1938

Sehr verehrter Herr Professor,

mit gleicher Post gehen die Abzüge von »Der Bruder« an Sie ab. Entgegen meinem Auftrag hat die Druckerei Neuabzüge hergestellt und unerklärlicherweise den Druckfehler auf Seite vier, Zeile zwei von unten, der bereits von uns korrigiert war, wieder neu hereingebracht, während die beiden anderen korrigiert sind. Offenbar hat die Druckerei die für die Auflage benutzten Bogen vernichtet, daher die Neuabzüge. Sie können aber wohl das fehlende »nicht« auf Seite 4 mit der Hand einfügen.

Ich danke Ihnen herzlich für die Zusendung der Abrechnungen und der Verträge und werde sie Ihnen nach Gebrauch wieder zurücksenden.

Oprecht habe ich inzwischen bereits geschrieben, daß ich ihn bei einem Besuch in Zürich aufsuchen werde. Ich denke, daß diese Angelegenheit dadurch so weit wie möglich beigelegt ist. Die Hauptrolle hat bei den damaligen Niederlassungsverhandlungen wohl Korrodi gespielt. Seine Haltung ist auch heute noch höchst fragwürdig. Er hat von der Produktion der drei Verlage Allert de Lange, Querido und Bermann-Fischer nur zwei Bücher in der »Zürcher Zeitung« besprechen lassen, nämlich »Herr über Leben und Tod« von Zuckmayer und die Weltgeschichte von Veit Valentin. Weder »Dunant« noch »Ungeduld des Herzens« noch irgendeines der anderen, wichtigen Bücher ist besprochen worden.

Frau Fischer hat mittlerweile die Unbedenklichkeitsbescheinigung des Finanzamtes erhalten, die die Hauptvoraussetzung für die Ausstellung eines Auswanderungspasses ist. Wir hoffen, daß sie kurz nach Neujahr den Paß erhält, und erwarten sie in den ersten Jännertagen hier. Sie ist natürlicherweise, obwohl ihr persönlich nichts geschehen ist, durch die Ereignisse sehr angegriffen. Zum Glück hat sie in ihrer langjährigen Gesellschafterin, Fräulein Link, eine außerordentlich tatkräftige Helferin, die die unzähligen Formalitäten für sie erledigt.

Hilla ist seit Anfang Oktober wieder in England, sie hat inzwischen auch die Einreiseerlaubnis nach Schweden erhalten.

Alles Herzliche für das neue Jahr Ihnen und den Ihren von meiner Frau und mir

Ihr sehr ergebener   *Bermann Fischer*

Mopp an GBF   [Princeton, N. J.
                                                       undatiert; vermutlich
                                                       Mitte Januar 1939]

Sehr geehrter Herr Dr. Bermann!

Nach einer sehr stürmischen Überfahrt fand ich hier in New York mehrere Briefe meines unglücklichen Bruders vor, die zu höchster Eile mahnen. – Er scheint unaufhörlich drangsaliert zu werden, was natürlich nur zwischen Zeilen zu lesen ist ... er schreibt wörtlich »ich kann nicht sagen, wie lange meine seelischen Kräfte noch reichen ... ich zwinge mich mit eiserner Kraft, die Nerven nicht zu verlieren; es ist höchste Zeit!« – Es ist höchste Zeit also – – die Affidavits, die in einigen Tagen von hier abgeschickt werden, können ihm aber erst ein Visum in die Vereinigten Staaten in frühestens einem Jahr ermöglichen; deshalb bitte ich Sie, seinen vorübergehenden Aufenthalt in Stockholm zu ermöglichen. Er wird Ihre Hilfe nur für die allerersten Tage benötigen, da er ja aus Deutschland keine nennenswerten Beträge mit sich nehmen kann. – Ich werde für seinen Unterhalt in Schweden aufkommen und gebe Ihnen hiermit diese meine feierliche Versicherung. – Ich schreibe morgen an Frau Björkman und an Karl Christen und hoffe, daß Ihre und des Schriftsteller-Verbandes von Schweden vereinten Bemühungen hinreichen sollten, einen wertvollen Menschen zu retten.

Indem ich Sie und Ihre liebe Frau herzlichst grüße, bin ich Ihr Ihnen aufrichtigst ergebener   *Mopp*

Lieber Dr. Bermann, ich werde nächster Tage ausführlicher schreiben, möchte aber hier gleich hinzufügen, daß ich in Sachen von Mopps Bruder an Andres Oesterling vom schwedischen Schriftsteller-Verband sehr dringlich geschrieben habe, daß man ihm doch durch eine Einladung die vorläufige Einreise nach Schweden ermöglichen soll. Ich bin noch ohne Antwort. Sie täten mir einen Gefallen, wenn Sie meinen Brief einmal anmahnten und sich erkundigten, ob man bereit ist, sich zu bemühen. H. bringt zwei Manuskripte mit, die für Sie von Interesse sein könnten. Es handelt sich nur um einen Übergangsaufenthalt in Schweden. Die Dringlichkeit des Falles steht wohl außer Frage. Tun Sie, bitte, was in Ihren Kräften steht!

Ihr T. M.

65 Stockton Street
Princeton, N. J. 18. 1. 39

Lieber Doktor Bermann:
Vor allem möchte ich Ihnen noch einmal für Ihren ausführlichen und interessanten Brief vom 19. Dezember danken, der ja abgesehen von seinen die Situation beleuchtenden Teilen über das Gedeihen des Verlages und auch über meine persönlichen Angelegenheiten Erfreuliches meldete. Besonders interessant waren mir die beiden englischen statements. Diese Art von Information sollte ausgebaut werden, und tatsächlich ist mir schon von verschiedenen Seiten der Plan zu solchem mehr oder weniger privaten Nachrichtendienst entwickelt worden.
Herzlich erleichtert waren wir, von der bevorstehenden Übersiedelung von Frau Fischer zu hören. Hoffentlich ist sie inzwischen schon erfolgt. Auch aus Italien ergießt sich ja jetzt der Strom jüdischer Flüchtlinge und Ausgewiesener über die Welt. Gerade erzählte mir Alfred Neumann aus Nizza, wo er Zuflucht gefunden hat, von den Abenteuern seiner Flucht. Der italienische Antisemitismus nimmt sich besonders erbärmlich aus, und die Tatsache, daß Deutschland auch den Verbündeten zu diesem Unfug zwingt, ist der beste Beweis dafür, daß es sich um »Rasse« bei all dem garnicht handelt, sondern nur um eines der Mittel zur Zersetzung und Zerstörung der Weltordnung.

Viele Leute glauben ja schon für das Frühjahr an einen Krieg, und unmöglich ist es gewiß nicht. Für meine Person glaube ich nicht daran, sondern erwarte, daß das klassenpolitische Interesse an der Erhaltung des Fascismus die Entwickelung vorläufig noch weiter schimpflich bestimmen wird. Wenn es einmal dem Kapital ernstlich an den Kragen geht, wird allerdings ein Krieg fällig sein, ein in jeder Beziehung verspäteter und recht ehrloser Krieg, für den man sich kaum noch wird begeistern können.

Für uns fragt es sich praktisch, ob wir, wie wir es eigentlich vorhatten und wünschen, diesen Sommer Europa wieder werden besuchen können. Sollte es möglich sein, so dachten wir ja auch an einen Besuch in Schweden, von wo mehrere Einladungen zu Vorträgen an mich ergangen sind. Wir würden eventuell die Hin- oder die Rückreise auf einem schwedischen Schiff machen. Es fragt sich, welcher Zeitpunkt, Ende Mai – Anfang Juni oder zweite Hälfte September, unter dem Gesichtspunkt der Vorträge in Stockholm und etwa Göteborg der bessere ist. Auch sind bestimmte Vorschläge eigentlich noch nicht gemacht worden und es wäre entschieden nötig, der Frage einmal näher zu treten. Herr Werner Türk (Schuhterrassen 36) hat sich seinerzeit in dieser Sache an mich gewandt und auch Sie, wenn ich mich recht erinnere, haben mir einmal deswegen geschrieben. Um welche Organisation handelte es sich damals? Ich lege Ihnen einen Brief bei, den ich eben in dieser Angelegenheit bekommen habe. Wenn die politischen Umstände das Zustandekommen der Reise verhindern, so wäre das eben force majeure, aber jedenfalls darf man mit der Organisation des Unternehmens nicht länger säumen, wenn es überhaupt stattfinden soll. Daß ich nicht gerne in ausgesprochen links-sozialistischen (kommunistischen) Organisationen sprechen würde, brauche ich nicht zu sagen.

Die Zeilen, die ich neulich dem Briefe von Mopp hinzufügte, werden Sie wohl gleichzeitig mit diesem Brief erhalten. Seine Angst um den in Wien in seiner Wohnung eingesperrten Bruder, der beständig SOS-Rufe ergehen läßt, ist groß, und da er ja bereit ist, für seinen Unterhalt aufzukommen, wird die Erlaubnis zur Einreise nach Schweden hoffentlich doch zu erreichen sein.

Bitten wollte ich Sie noch um einige Exemplare (vielleicht

sechs) des »Schopenhauer«. Ferner möchte ich den Empfang
der beiden Checs bestätigen.
Es wäre schön, wenn man sich im Sommer in Schweden sehen
könnte. Herzliche Grüße Ihnen und den Ihren!

Ihr Thomas Mann

Golo Mann an GBF 65 Stockton Street
Princeton, N. J. 25. I. 39

Lieber Doktor Bermann,
sicher hat es Ihnen mißfallen, daß Sie auf Ihren Brief vom
30. Dezember solang keine Antwort von mir erhielten. Der
einfache Grund ist, daß ich schon fort war, als er in Zürich eintraf, und daß er mich, auf Umwegen, vor ein paar Tagen hier
in Princeton erreichte. Leider – denn was uns auch bevorstehen
möge, ich wäre ja lieber in Europa und noch lieber als Redakteur von »Maß und Wert«. Aber dies letztere bin ich nicht,
und so blieb mir nichts übrig, als das Manuskript von Valentin Richter an Herrn Lion (Lausanne) zu senden, der noch
immer die Geißel über diesem Unternehmen schwingt. Ob ich
ihn im Sommer ablösen werde, ob die Zeitschrift überhaupt
wird fortgesetzt werden können, ist, vornehmlich aus finanziellen Gründen, ungewiß. Ich fände es jammerschade, wenn nicht.
Politische Gründe könnte ich nicht gelten lassen; es hat ja keinen Zweck, bis zum jüngsten Tag auf den berühmten Krieg zu
warten, welcher kommt oder nicht kommt, und sich mittlerweile um sein Leben betrügen zu lassen. – Ob nun Herr Lion
diesen »Nachruf auf Österreich« wird drucken wollen oder
nicht, weiß ich nicht. Es ist eher sein Genre als meines. Es ist
hübsch, es ist wehmütig, es ist kenntnisreich, aber mir zu traurig, zu rückwärtsgewandt. Was hat es für einen Nutzen, zu
sagen, daß Europa nur noch ein asiatisches Halbinselchen ist?
Es ist nicht wahr. Und wenn es wahr wäre – wozu dann noch
eine Zeitschrift, usf.? Keine Nachrufe, kein Jammern! In diesem Sinn würde ich dem Sieur Richter schreiben, wenn ich Redakteur wäre. Aber gewiß würde oder werde ich mich mit ihm
in Verbindung setzen, für ein anderes österreichisches Thema;
denn so reich an Talenten sind wir nicht. – Es freut mich sehr,
daß Ihr Verlag sich so gut anläßt. Gute Bücher setzen sich
immer durch, wie furchtbar die Lage auch sei. So hat auch das

Buch von Rauschning, das Oprecht herausgebracht hat, einen sehr guten Verkauf gehabt. – A propos Oprecht: erlauben Sie einem alten Bekannten die Bemerkung, daß es meiner Meinung nach gut und recht wäre, wenn Sie das Kriegsbeil mit den Leuten nunmehr begrüben. Ich kenne sie; und Sie beurteilen sie falsch. Sie haben in der Schweiz einen sehr schweren Stand. Sie leisten politisch sehr couragiertes. Sie sind sehr nett und wohltätig gegen deutsche Emigranten. Darum haben sie Anspruch darauf, daß Emigranten, die Berufscollegen von ihnen sind, ihnen nicht geradezu entgegenarbeiten. Was Oprecht 1936 getan hat, als Sie sich in der Schweiz niederlassen wollten, weiß ich nicht; obwohl er entschieden bestreitet, das getan zu haben, was Sie glauben. Wichtiger ist, daß er 1933 alles tat, um Sie in die Schweiz zu locken und Ihnen dabei behilflich sein wollte. Das sollte Ihnen zu denken geben. Nicht er ist an Ihren Verlusten schuld; sondern jene Haltung ist es, welche z. B. auch die Familie meiner Mutter, Eltern und Brüder immer gezeigt hat, und weswegen diese jetzt in Deutschland in der allerfürchterlichsten Lage sind. Die deutschen Juden wollten die Dinge nicht sehen, wie sie sind: da liegt es. – Entschuldigen Sie nur diese Abschweifung und offene Bemerkung; ich kann aus meinem Herzen keine Mördergrube machen. – Hier ist ja weiter kein Grund, sich besonders unwohl zu fühlen, freundliche Menschen, Weite des Landes usf.; sehr glücklich ist man natürlich auch nicht, aber wo wäre man das schon. Ich bin hauptsächlich mit meinem »Gentz« beschäftigt, schon beinahe einer Sage, die ich aber doch in absehbarer Zeit abzuschließen hoffe – dergleichen ist immer ein Trost. Für Amerika ist aber das Thema, das ich mir in einer wunderlichen Stunde aussuchte, leider viel zu europäisch-gebrochen. Was mit der Zeitschrift wird, entscheidet sich demnächst; wir machen Anstrengungen, hier etwas Geld aufzutreiben. Falls etwas daraus wird, schreibe ich Ihnen gleich, weil wir dann gewiß wegen Vorabdrucken aus Ihren vorzüglichen »Ausblicken« oder dergl. in Verbindung treten können.
Beiliegendes Briefchen an Tutti.
Mit herzlichen Grüßen Ihr

Golo Mann

Lieber, sehr verehrter Herr Professor,

Heydenau hat inzwischen eine Einladung des schwedischen Schriftstellerverbandes erhalten. Eine schwedische Dame, die in Wien lebt, wird sich nun in Wien beim schwedischen Konsulat darum bemühen, für Heydenau auf Grund dieser offiziellen Einladung das Einreisevisum zu erhalten. Ich freue mich, Ihnen diese gute Nachricht geben zu können, und hoffe, Heydenau sehr bald hier zu sehen.

Da die Adresse von Mopp nicht weiß, bitte ich Sie sehr, beiliegenden Brief an ihn weiterbefördern zu wollen. Ich teile ihm darin mit, daß die Angelegenheit seines Bruders auf bestem Wege ist.

Ich war soeben in Amsterdam, wo das neue »Forum«-Programm und andere gemeinschaftliche Pläne besprochen wurden, insbesondere auch die Arbeit in Amerika, über die Landshoff viel Interessantes zu berichten hatte. Ich möchte im Frühherbst in der »Forum-Bücherei« den »Zauberberg« herausbringen. Ich glaube, daß es wichtig ist, zunächst dieses Buch wieder erscheinen zu lassen und erst im darauf folgenden Jahre dann die »Buddenbrooks«. Bitte, schreiben Sie mir, ob Sie mit mir übereinstimmen. Im Anschluß an den Druck der für das »Forum« bestimmten Ausgabe drucke ich eine gewisse Auflage auf besserem und auftragendem Papier mit. Diese Auflage ist für den Neuaufbau Ihrer Gesamtausgabe bestimmt und wird ungefähr zu dem bisherigen Preis, in Leinen gebunden, gleichzeitig erscheinen. Sie wird selbstverständlich auch normal honoriert. Auf diese Weise werden wir langsam Ihr Gesamtwerk wieder aufbauen können.

Dr. Landshoff teilte mir mit, daß er jetzt erst mit Ihnen über das Honorar gesprochen hat, das für die mit dem Imprint der ABC versehenen Bücher vereinbart wurde. Ich war immer der Meinung, daß Dr. Landshoff Ihnen als erstem von dem generell bestimmten Honorarsatz Mitteilung gemacht hat und Ihr Einverständnis dazu erhalten hatte, sonst hätte ich längst mit Ihnen darüber gesprochen. Landshoff sagte mir, daß Sie mit dem generell vereinbarten Honorarsatz von 5 % Ladenpreis des gebundenen Exemplars der hiesigen Ausgabe nicht einverstanden sind.

Ich möchte Sie nun sehr bitten, diesen Honorarsatz anzuerkennen. Sie müssen berücksichtigen, daß wir der ABC die Planobogen zu einem außerordentlich niedrigen Preis liefern, und zwar tun wir das deshalb, um der ABC den Aufbau der geplanten Buchgemeinschaft zu ermöglichen. Innerhalb dieser Buchgemeinschaft werden die Bücher zu einem stark ermäßigten Preis an die Mitglieder geliefert.

Wenn Sie das Honorar unter diesem Gesichtspunkt beurteilen, müssen Sie anerkennen, daß es nicht gering ist, denn es gibt wohl keine Buchgemeinschaft, die 5 % vom Ladenpreis des gebundenen Exemplars bezahlt. Nun könnten Sie mit Recht einwenden, daß dadurch der gesamte Verkauf des betreffenden Buches in Amerika betroffen wird. Tatsächlich werden die Bücher der ABC nicht nur innerhalb der Buchgemeinschaft verkauft, sondern auch im offenen Handel. Es ist aber so, daß der bisherige Verkauf in Amerika, am Gesamtabsatz gemessen, sehr gering war und wir andererseits erwarten können, daß durch die von uns eingeführte Methode sich eine erhebliche Absatzsteigerung wird ermöglichen lassen, insbesondere dann, wenn es gelingt, die Buchgemeinschaft in dem gewünschten Sinne auszubauen. Es ist zweifellos ein Experiment, das wir machen, wir sehen aber keine andere Möglichkeit, uns den amerikanischen Markt zu eröffnen. Nach den bisherigen Ergebnissen kann man die Entwicklung hoffnungsvoll ansehen. Abgesehen davon, daß die Bedingungen, zu denen wir die Planobogen der ABC liefern, eine Erhöhung des Honorars nicht zulassen, würden wir gegenüber den anderen Autoren in die größten Schwierigkeiten geraten, wenn wir von dem generell vorgeschlagenen Honorarsatz, dem bisher alle zugestimmt haben, abweichen würden. Es handelt sich ja eben bei dem amerikanischen Unternehmen um eine Gemeinschaftssache, die unmöglich würde, wenn wir Ausnahmen machen. Ich bitte Sie deshalb sehr, Ihre Einwände zurückzustellen und mir Ihr Einverständnis zu dem vorgeschlagenen Honorarsatz zu erteilen.

Ich bedaure sehr, daß diese Angelegenheit jetzt erst zur Sprache kommt, ich nahm aber, wie gesagt, an, daß Landshoff das alles mit Ihnen vorbesprochen hatte, da er ja andererseits schon mit dem fertigen Plan aus Amerika zurückkam.

Es wird Sie sicher freuen zu hören, daß vorgestern Frau Fischer hier wohlbehalten eingetroffen ist. Das Haus ist verkauft worden, die Möbel wird sie wahrscheinlich herausbekommen. Von ihrem Vermögen natürlich keinen Pfennig. Meine Mutter hat Deutschland inzwischen ebenfalls verlassen. Ich erwarte sie auch in der nächsten Woche hier.

Der Aufruf für die Briefe der deutschen Vertriebenen ist nach Neujahr herausgegangen und inzwischen in der Weltpresse erschienen. Er hat mir sowohl in einer hiesigen Zeitung als insbesondere im »Angriff« und im »Völkischen Beobachter« einen schweren Angriff eingetragen. Sehr unangenehm war für mich der in Stockholm erschienene, der meine Absicht vollkommen entstellte und eine Aufforderung enthielt, mir die Aufenthaltserlaubnis zu entziehen. Weitere Folgen hat diese von einer etwas fragwürdigen Persönlichkeit herrührende Veröffentlichung nicht gehabt. Der Briefeingang ist bisher nicht sehr groß, man muß da wohl etwas Geduld haben.

Es ist wohl richtig, daß ich die »Lotte« in das Frühjahrsprogramm noch nicht aufnehme? Es werden folgende Bücher erscheinen: Franz Werfel: »Gedichte aus 30 Jahren«, Hutchinson: »Testament«, Ernst Cassirer: »René Descartes – Lehre – Persönlichkeit – Wirkung«, Berta Szeps-Zuckerkandl: »Ich erlebte 50 Jahre Weltgeschichte«, Jean Giono: »Bergschlacht«, Musil: III. Band, Döblin: »November 1918« (zusammen mit Querido) und ein Band »20 schwedische Erzähler von heute«.

In der Schriftenreihe »Ausblicke«: Ein Essayband von Huxley, Bruno Walter: »Von den moralischen Kräften der Musik« (Neuauflage), Cahen-Lehmann: »Nietzsche und die Juden«, etc.

In der »Forum-Bücherei«: Heine-Auswahl, Feuchtwanger: »Jud Süß«, Leonhard Frank: »Räuberbande«, Wassermann: »Fall Maurizius« oder »Caspar Hauser« und die beiden bereits angekündigten Bände Romantiker und Emil Ludwig: »Napoleon«.

Seien Sie herzlichst gegrüßt von Ihrem   *Bermann Fischer*

Stockholm, den 7. II. 39

Lieber Herr Professor.

ich habe mich jetzt eingehend über die antifaschistische Versammlung in Schweden orientiert und bei Ihnen zugeneigten Persönlichkeiten hier festzustellen versucht, wie man über diese Organisation denkt, und ob man es aus allgemeinen und politischen Gründen für begrüßenswert hält, daß Sie dort einen

politischen Vortrag halten. So sehr sich hier alles auf Ihr Kommen und Ihren Vortrag beim PEN-Club-Kongreß freut, so skeptisch, ja ablehnend verhielt man sich gegenüber der antifaschistischen Versammlung. Was ich Ihnen in meinem vorigen Brief über Prof. Silfverskjöld schrieb, ist an sich richtig, man fürchtet aber eine gewisse politische Naivität Dr. Silfverskjölds und seiner Freunde, die die politische Spannung nicht genügend berücksichtigen und Sie allzuleicht in ein politisches Kreuzfeuer bringen könnten. Man hat mich allgemein gebeten, Ihnen von einem Vortrag in diesem Rahmen abzuraten und sich auf die Veranstaltung des PEN-Clubs zu beschränken. Dagegen würde man außerhalb des PEN-Clubs, dessen Veranstaltung übrigens in sehr großem Rahmen vor sich gehen wird, eine literarische Vorlesung von Ihnen sehr begrüßen.
Angesichts der starken fremdenfeindlichen Propaganda, die sich in der letzten Zeit hier breitmacht, kann ich diesen Ratgebern nicht unrecht geben.
Ich sende Ihnen den Brief von Frau Senta Berg wieder zurück. Eine Ablehnung kann ja wohl unschwer mit Zeitmangel begründet werden.
Wir freuen uns sehr, Sie hier im Sommer begrüßen zu können.
Mit herzlichen Grüßen an Sie und Ihre Frau
Ihr Bermann Fischer

65 Stockton Street
Princeton, N. J. 11. 11. 39
Lieber Doktor Bermann:
Nur vorläufig, in Erwartung Ihrer Nachrichten wegen der Vortragsreise in Schweden, möchte ich Ihnen danken für Ihren Brief vom 28. Januar. Die Nachrichten über Mopps Bruder haben mich gefreut und [ich] gebe Ihren Brief an Mopp weiter. Eine große Genugtuung war es uns zu hören, daß Frau Fischer nun bei Ihnen geborgen ist. Ich wollte, wir wüßten Entsprechendes auch erst von meinen Schwiegereltern, die die Vorbereitung ihrer Abreise viel zu lange verzögert haben.
Mit dem allerdings bescheidenen Honorar für die ABC-Bücher muß ich also wohl einverstanden sein und einsehen, daß es in diesem Fall nicht höher sein kann. Hoffen wir, daß sich das

Unternehmen in den Vereinigten Staaten durchsetzt. Ich bin allerdings der Meinung, daß, sobald es die Lage erlaubt, die Autoren-Honorare auf eine normalere Höhe gebracht werden müßten und verlasse mich darauf, daß man gegebenen Falles mit Abänderungsvorschlägen an uns herantritt.

Erfreut war ich über Ihre Mitteilungen betreffend die geplanten Neuausgaben von »Zauberberg« und »Buddenbrooks«. Ich begrüße auch sehr den Gedanken einer gleichzeitigen Ausgabe in größerem Format und besserer Ausstattung. Daß der »Zauberberg« den Vortritt hat, ist wohl richtig; ich glaube, daß er unter den heutigen geistigen Umständen beim Publikum größere Chancen hat als der Familienroman. Aber auch daß dieser bald wieder im Original vorhanden ist, scheint mir eine Ehrensache für die deutsche Literatur außerhalb des Reiches.

Einen Brief, aus dem ich ersehe, daß sogar die »Neue Zürcher Zeitung« Ihren Aufruf gebracht hat, lege ich bei. Ein sehr gewichtiger Beitrag zu der geplanten Sammlung scheint er nicht zu sein. Es bleibt abzuwarten, ob genug Material für eine Publikation von allgemeinem Interesse zusammenkommt. Wollen Sie bitte dem Absender Goldschmidt in Zürich den Empfang bestätigen und ihm das Original des Briefes seinem Wunsch entsprechend zurückstellen.

Daß Sie die »Lotte« ins Frühjahrsprogramm noch nicht aufnehmen, ist leider berechtigt. Wie die Dinge liegen, muß ich zufrieden sein, wenn wir das Buch, das seinen Untertitel »Ein kleiner Roman« schließlich kaum noch verdienen wird, zum Herbst herausbringen können. In der Fertigkeit, mir Schwierigkeiten in den Weg zu legen, habe ich bei dieser Gelegenheit wieder exzelliert. Eigentlich ist garnicht einmal mehr viel zu tun, nur bleibt die Sache sehr heikel bis zum Schluß, und leider ist es ausgeschlossen, daß ich bis zu der amerikanischen Vortragstournee, die schon Anfang März beginnt, fertig werde. Das bedeutet, nicht ferne vom Ende, noch einmal eine lange Unterbrechung. Immerhin kann ich froh sein, daß ich trotz der Übersiedelung, den Akklimatisations-Schwierigkeiten, den politischen Erschütterungen und hundert Ablenkungen, die mit dem rücksichtslos naiven Eifer dieses Landes zusammenhängen, wieder in den Roman hineingekommen bin und ihn um ein gutes Stück gefördert habe.

Ihr Verlagsprogramm ist durchaus erfreulich. Es sind ja lauter verdienstvolle und gute Dinge, die da in Aussicht stehen. Froh bin ich wirklich auch, daß es zwischen Ihnen und Oprecht zu einer Verständigung gekommen ist. Das war notwendig für das Gedeihen des freien deutschen Verlagswesens.
Viele herzliche Grüße von uns beiden an Sie und die Ihren, besonders auch an Frau Fischer.

Ihr Thomas Mann

Stockholm, 15. Feber 1939

Lieber, sehr verehrter Herr Professor,
ich sende Ihnen beiliegend wieder einen der mir zugekomme-nen politischen Berichte aus England. Allzuviel kann man aus ihm nicht entnehmen. Die Verworrenheit der politischen Vor-gänge spiegelt sich in ihm wider.
Seien Sie herzlichst gegrüßt von Ihrem   *Bermann Fischer*

Stockholm, am 22. Feber 1939

Lieber, sehr verehrter Herr Professor,
wir haben für die im Frühjahr erscheinenden »Forum«-Bände unsererseits folgende Bände ausgewählt und bitten um Ihr freundliches Einverständnis:

Feuchtwanger	»Jud Süß«
Wassermann	»Caspar Hauser«
Leonhard Frank	»Die Räuberbande«
Heinrich Heine	»Die schönsten Werke in Vers und Prosa« (zusammengestellt von Weiß und Kesten)

Fernerhin erscheinen im Frühjahr die schon für den vergange-nen Herbst vorgesehenen Bände »Die schönsten Erzählungen deutscher Romantiker« und Emil Ludwig, »Napoleon«, insge-samt also sechs Bände.
Mit herzlichen Grüßen Ihr sehr ergebener   *Bermann Fischer*

Lieber Golo Mann,

schade, daß das Manuskript von Richter nun so lange Zeit unterwegs sein muß. Ich habe inzwischen an Herrn Lion geschrieben und um schnelle Entscheidung gebeten.

Das Buch Rauschnings, das ich gerade lese, bietet für uns, die die Verhältnisse kennen, nicht viel Neues, ist aber zweifellos wichtig, weil es von einem Konservativen und ehemaligen Nazi kommt und daher für viele Kreise eine starke Beweiskraft hat. Im übrigen ist es eine traurige Lektüre, nicht nur wegen der Hoffnungslosigkeit der Situation. Die Tatsache, daß ein Konservativer vom Schlage des Herrn Rauschning, der so viel über Moral, Recht und Humanität zu sagen hat, jemals an den Nazismus geglaubt hat, ist erschütternd und zeigt deutlicher als das Buch die Hoffnungslosigkeit der Lage.

Seine Selbstbesinnung ist ein Ausnahmefall, der ein um so schärferes Licht auf die Unverantwortlichkeit der anderen wirft.

Die Angelegenheit Oprecht ist längst liquidiert. Er hat mich in Amsterdam aufgesucht und mir die nötigen Aufklärungen gegeben, so daß ich einen Strich unter die Sache machen konnte. Was Ihre sonstigen offenen Bemerkungen zu dem Fall anbelangt, so möchte ich es fast aufgeben, Ihnen noch einmal – zum wievielten Male? – auseinanderzusetzen, daß Sie die Lage des Fischer-Verlags und meine Haltung falsch sehen. Wenn ich mich überhaupt noch einmal dazu äußere, so nur deshalb, weil ich die immer wieder auftauchenden falschen Darstellungen aus »historischen« Gründen nicht einfach hinnehmen kann.

Ich stelle also noch einmal folgendes fest:

I. Ich habe 1933 alles versucht, um herauszugehen.

II. Die Auswanderung war nicht möglich, da ich weder der Inhaber noch der alleinige Leiter des S. Fischer Verlags gewesen bin und infolgedessen gegen den Willen von Herrn Fischer keine Dispositionen dieser Art treffen konnte.

III. Selbst wenn es gelungen wäre, Herrn Fischer von der Notwendigkeit der Auswanderung zu überzeugen, wäre die Transferierung des Verlages zu diesem Zeitpunkt unmöglich gewesen, insbesondere deshalb, weil ein großer Teil der Autoren, die später zur Auswanderung bereit waren, nicht mitgegangen wäre, da sie damals noch unbehindert in Deutschland verkauft werden konnten.

IV. In dem Augenblick, in dem ich frei verfügen konnte, nämlich 1935, habe ich sofort die Konsequenzen gezogen und alles für die Auswanderung vorbereitet und durchgeführt, was notwendig war, um die Autorenrechte, das Lager und das Kapital herauszubringen.

V. Der Wiener Zwischenfall war nicht vorgesehen. Aus welchen Gründen ich nicht nach der Schweiz, sondern nach Wien gegangen bin, ist bekannt. Freiwillig habe ich es nicht getan.

Es war zweifellos ein Fehler, daß die Position in Wien nicht frühzeitig genug aufgegeben wurde, und dies ist nur dadurch zu erklären, daß es mir widerstrebte, in einem Augenblick Panik zu machen, in dem immerhin noch eine gewisse Hoffnung bestand, daß die Westmächte Österreich halten würden. Heute klingt das natürlich komisch, damals war es immerhin verständlich.

Dieses sind die »geschichtlichen« Tatsachen, und ich bitte Sie als Historiker, dieselben freundlichst zur Kenntnis zu nehmen.

Hoffentlich werden die Deutschland benachbarten Länder nicht auch über kurz oder lang ein vergrößertes Österreich. Vielleicht stellt es sich in einiger Zeit heraus, daß es wieder ein Fehler war, nicht gleich nach Amerika zu gehen. Dann war es aber auch ein Fehler, überhaupt noch einen deutschen Verlag zu machen, und dann ist die Führung eines deutschen Verlags nicht mehr hier, sondern auch in Holland und der Schweiz etc. ein Unsinn gewesen.

Diese bedauerlichen Fehler zu machen ist aber nun einmal, wie mir scheinen will, unser Schicksal, und ich wünschte, daß diese Fehler in viel stärkerem Maße und in einer viel größeren Menge gemacht würden, dann sähe es heute wahrscheinlich etwas anders aus, siehe Herrn Rauschning.

Lassen Sie mich über die Bemühungen wegen der Zeitschrft wissen, die Sache liegt mir sehr am Herzen.

Bitte, grüßen Sie Ihre Eltern herzlichst und seien Sie selbst gegrüßt von Ihrem

Gottfried

Lieber Dr. Bermann,

die Auswahl ist gut, »Jud Süß« ist gewiß das Beste von Feuchtwanger und Weiß und Kesten werden ihre Sache mit Heine
schon gut machen. Weisen Sie sie in prosaischer Hinsicht auf
seinen »Ludwig Börne« besonders hin!

Die beiden fertigen Bände habe ich bekommen und mich besonders über den romantischen gefreut.

Ich wäre nun aber so sehr dafür, daß man von den älteren
Sachen von A. M. Frey, sei es die »Pflasterkästen« oder, noch
besser, den »Solneman«, in die Sammlung aufnimmt. Er verdient es als Autor wirklich, lebt in sehr kümmerlichen Verhältnissen in Basel und hat mich um meine Fürsprache wegen
einer solchen Ausgabe dringlich gebeten. Auch von ihm ist ja
nichts mehr in der Welt, da er wohl nicht übersetzt ist, überhaupt nichts; und wenn auch jetzt sein Talent unter Not und
Gehetztheit gelitten haben mag, so verdient er doch als der,
der er war, am Leben erhalten zu werden.

Das englische statement war wieder recht lesenswert. Der
»Bruder« wird noch manchen Erfolg haben, da die Überzeugung, jedes »München« sei besser, als der Krieg, fast allgemein ist. Aber ich glaube, schließlich wird er nicht viel Freude
haben an dem, was er aus- und angerichtet, und niemand wird
ihm Dank wissen für seine aufopferungsvollen Bemühungen.
Es klingt unglaublich, aber ich möchte nicht mit ihm tauschen.

Morgen geht die Reise an. Post wird mir überallhin nachgeschickt.

Ihr Thomas Mann

Stockholm, am 28. März 1939

Lieber, sehr verehrter Herr Professor,

die Voraussagen des vorletzten englischen Berichtes sind
nahezu alle eingetroffen. Selbst die phantastisch klingenden
Warnungen für die Schweiz und Holland haben sich als
sehr berechtigt erwiesen. In diesem Augenblick beginnt der
Vorstoß gegen Polnisch-Oberschlesien, den Korridor und Dan-
zig. Daß es noch in diesem Jahr zu einer entscheidenden

Auseinandersetzung kommen wird, ist von Tag zu Tag wahrscheinlicher.

Daß die scheinbaren, außerordentlichen äußeren Erfolge die Lage in Deutschland nicht beeinflussen, ist evident. Die letzten Steuerverordnungen, die Ausgabe von Steuergutscheinen, mit denen Staatsaufträge bis zur Höhe von 40 % zu bezahlen sind, stellen deutliche Inflationserscheinungen dar und bedeuten schwere Eingriffe in das Privatvermögen. Ich glaube, daß der weitere Verlauf der Ereignisse automatisch vor sich gehen wird und nicht mehr aufzuhalten ist.

Chamberlain und seiner Clique fällt es zur Last, daß die Auseinandersetzung, die noch vor einem Jahr relativ schmerzlos hätte vor sich gehen können, jetzt die furchtbarsten Opfer kosten wird. Ich zweifle, ob wir hier oben in Schweden davon unberührt bleiben werden. Man wird vielleicht eine kleine Atempause haben.

Bei allen diesen düsteren Aussichten fällt es schwer, weiterzuarbeiten, aber es bleibt einem nichts anderes übrig, zumal wir, trotz allem, nicht die Hoffnung aufgeben dürfen, wenn auch auf diese furchtbare Weise, nun bald das Ende der Nazipest erleben zu können.

Ich habe mit großer Freude aus Ihrem Brief an Frau Fischer entnommen, daß Sie mit der Vollendung Ihres Buches für den Herbst rechnen. Ich hoffe, daß es dabei bleibt, denn ich brauche Ihnen nicht zu sagen, wie wichtig es für den Verlag ist, Ihr Buch im Herbst herausbringen zu können.

Ich wage kaum die Hoffnung auszusprechen, Sie im September hier zu sehen. Wird es bis dahin schon ein neues Europa geben?

Zu der Eheschließung Ihrer Tochter Monika gratuliere ich Ihnen und Ihrer Frau herzlichst, auch im Namen meiner Frau und Frau Fischers.

Seien Sie herzlichst gegrüßt von Ihrem   *Bermann Fischer*

Stockholm, am 12. April 1939

Sehr verehrter Herr Professor,
der ungarische Verlag Szazadunk, der sich kürzlich wegen einer ungarischen Übersetzung von »Achtung, Europa!« an uns wandte, teilt soeben mit, daß er bei der politischen Unsicher-

heit nicht in der Lage wäre, eine Vorauszahlung zu leisten, außerdem aber das Buch nur herausgeben könnte, wenn das Vorwort fortgelassen wird.

Ich habe unter diesen Umständen, in der Annahme, daß dieses Vorgehen Ihren Intentionen entspricht, abgeschrieben.

Mit herzlichen Grüßen Ihr *Bermann Fischer*

Stockholm, am 15. April 1939.

Lieber, sehr verehrter Herr Professor,
wäre es möglich, schon jetzt mit den Satzarbeiten an »Lotte in Weimar« zu beginnen?

Die Druckereien, mit denen wir hier und in Holland zu tun haben, arbeiten an dem fremdsprachigen Text außerordentlich langsam, und es wäre eine große Erleichterung für meine Dispositionen, wenn ich für die Satzarbeit einen längeren Zeitraum zur Verfügung hätte. Sie können sich gar keine Vorstellung davon machen, in welchem Tempo die Betriebe arbeiten. Mahnungen und selbst Drohungen nützen gar nichts. Deshalb wäre es eine große Beruhigung, genügend Zeit vor sich zu haben, um dieses wichtige Buch mit aller Sorgfalt herstellen zu können.

Wenn es Ihnen also möglich ist, so schicken Sie mir, bitte, das bis jetzt vorliegende Manuskript oder die Teile, die nicht in »Maß und Wert« erschienen sind, so daß ich die fertigen Teile des Bandes selbst zusammenstellen kann.

Die Einband- und Schutzumschlag-Zeichnung, die von Prof. Yngve Berg, Stockholm, stammt, ist fertig. Ich werde Ihnen bald Andrucke schicken können.

Ich lege Ihnen den Bericht eines englischen Freundes bei, der Sie interessieren wird, sowie einen Ausschnitt aus »Aftonbladet« über den PEN-Club-Kongreß, für den in der Öffentlichkeit das größte Interesse besteht. Daß Hauptmann dazu eingeladen ist, wie es in dem Artikel heißt, ist natürlich Unsinn.

Mit herzlichen Grüßen Ihr *Bermann Fischer*

Stockholm, am 25. April 1939.

Lieber, sehr verehrter Herr Professor,
ich lese gerade mit großem Entzücken Ihre Vorlesung in »Maß und Wert«.

218

Darf ich Sie an meinen, vor langer Zeit gemachten Vorschlag erinnern, diese Vorlesungen gesammelt herauszugeben? Wäre eventuell im Herbst oder im Frühjahr daran zu denken?
Ich wäre Ihnen sehr dankbar, wenn Sie mich darüber etwas wissen ließen.
Mit herzlichen Grüßen Ihr   *Bermann Fischer*

Princeton, N. J. 7. v. 39
65 Stockton Street

Lieber Dr. Bermann,
Sie haben ganz recht, daß es gut wäre, mit dem Druck von »Lotte in Weimar« schon jetzt zu beginnen. Das Meiste liegt ja in »Maß und Wert« vor, aber mit Auslassungen. Es fehlt Kapitel II, und Kapitel III ist in der Zeitschrift gekürzt. Nun fehlt es mir aber an Maschinen-Abschriften. Ich hoffe, sie von Oprecht bekommen zu können, denn sonst müßte ich wenigstens diese beiden Kapitel noch einmal abschreiben lassen. Jedenfalls nehme ich mich der Sache jetzt an und hätte es schon früher getan, wenn nicht an die Vortragsreise sich sofort wieder eine fast ununterbrochene Folge von literarisch-politisch-gesellschaftlichen Ansprüchen geschlossen hätte, aus denen ich noch keineswegs heraus bin. Dieses Land ist von einem gewaltig naiven Eifer, dessen unaufhörliche Zumutungen eine große Gefahr für die Concentration ist, die ich so notwendig brauche. Um den letzten Band des »Joseph« zu schreiben, werde ich mich, glaube ich, nach Californien ins Privatleben zurückziehen und auf kein »We need you« mehr hören.
Ich freue mich, daß die Fragmente des »Faust«-Vortrags Ihnen gefallen haben. Er war in Wirklichkeit zwei Abende lang, 60 Maschinen-Seiten. Sonst aber habe ich die akademischen lectures hier aus älteren Beständen bestritten und einfach die Dinge über Freud und Wagner auf englisch gebracht. Nur eben jetzt habe ich für die advanced students einen etwa einstündigen Vortrag über den »Zauberberg« abgefaßt, der ganz hübsch geworden ist. Aber nur »Faust« und »Zbg.« als Princetoner Vorlesungen zu bringen, das wäre doch wohl ein bißchen wenig. Allerdings ist auch »R. Wagner und der Ring des Nibelungen« noch nicht in Buchform erschienen.
Die Politik riecht nach Moder und Fäulnis. Krieg? Es wird keinen geben. Seit München sollte man es wissen. Der Friede

und der Fascismus sollen erhalten bleiben. Aber schließlich, aus Versehen kann es doch schließlich jeden Augenblick irgendwie losgehen, und wo wir den Sommer verbringen sollen, ob aus unseren Europa-Plänen vernünftiger Weise etwas werden kann, steht dauernd dahin. Man wartet auf eine Entscheidung, aber es wird keine kommen, und mit dem »gefährlichen Leben«, einem rechten Sumpf, wird es weitergehen.

Grüßen Sie Tutti recht herzlich. Vielleicht doch auf Wiedersehen.   *Ihr Thomas Mann*

Das 2. Kapitel von »Lotte« als Drucksache anbei. Von Oprecht folgt, wie ich hoffe, Weiteres. Ich meine, Sie könnten mit dem Druck immer anfangen.

Dem Buch ist ein Motto bestimmt, das ich beilege.

Füge auch die 2. Hälfte des II. (Riemer-)Kapitels bei.

Stockholm, am 22. Mai 1939

Lieber, sehr verehrter Herr Professor,

ich erhielt von Oprecht die »Maß und Wert«-Hefte mit den Fortsetzungen von »Lotte in Weimar«. Diese Hefte enthalten die Kapitel I, III, V und VI.

Von Ihnen erhielt ich gleichzeitig die Maschinenabschrift des 2. Kapitels und die Manuskriptseiten 103–158 (etwa die zweite Hälfte vom 3. Kapitel, die in dem in »Maß und Wert« abgedruckten Kapitel bereits enthalten ist). So fehlt uns also noch Kapitel IV. Wir kollationieren die Maschinenabschrift genau mit dem Abdruck in »Maß und Wert«, um eventuelle Striche wieder aufzumachen. Den jetzt vorliegenden Teil, also die Kapitel I, II, III, V und VI lasse ich nunmehr aussetzen und schicke Ihnen unverzüglich die Korrekturabzüge.

Ich möchte aber gerne von Ihnen wissen:

1. Ob ich noch zum sofortigen Satz das Kapitel IV bekomme.

2. Wieviel Manuskript noch ungefähr zu erwarten ist.

Ich brauche diese Angaben zur ungefähren Umfangserrechnung, die die Grundlage für die Kalkulation, insbesondere aber auch für die bald einsetzende Propaganda darstellen. Wenn es Ihnen möglich wäre mir zu sagen, wann ungefähr mit dem Eingang der nächsten Kapitel und in welchen Abständen zu rechnen ist, würde mir dies die Weiterarbeit sehr erleichtern.

Vom Einband und Schutzumschlag, die in Reinzeichnung bereits vorliegen, werden jetzt die Andrucke fertiggestellt. Ich werde sie Ihnen auch in einiger Zeit zusenden können.

Was würden Sie davon halten, Ihren »Zauberberg«-Vortrag der neuen, bereits in Arbeit befindlichen »Zauberberg«-Ausgabe als Vorwort vorauszuschicken? Und zwar nicht dem »Forum«, sondern lediglich dem ersten Band der neuen Gesamtausgabe, die ich auf etwas größerem Format und besserem Papier gleichzeitig mit der »Forum«-Ausgabe drucke. Es wäre schön und richtig, wenn man die neue Gesamtausgabe durch die Aufnahme des Vorworts von allen bisherigen Ausgaben unterscheiden würde.

Sollte der Vortrag sich eignen und Sie mit der Idee einverstanden sein, so würde ich Sie sehr bitten, mir das Manuskript sofort zu schicken, damit wir den Anschluß an den Druck des Buches erreichen. Sollte der Vortrag sich nicht eignen, so wäre vielleicht zu erwägen, ein kurzes Vorwort von 1–2 Seiten zu schreiben.

Für einen neuen Essayband, für den Ihre bisher vorliegenden Vorlesungen zu wenig Umfang haben, würde ich vorschlagen, den einen oder anderen der früheren Essays, die verlorengegangen und als Einzelausgaben schwer nachzudrucken sind, mitaufzunehmen. Ich denke an die umfangreicheren Essays, wie »Goethe und Tolstoi«, »Goethe als Repräsentant«, »Leiden und Größe Richard Wagners« und vielleicht »Freud und die Zukunft«. Zusammen mit Ihren neuen Arbeiten kämen wir auf einen Band von etwa 350–400 Seiten. Für das nächste Frühjahr oder den frühen Herbst 1940 wäre das ein sehr schönes Buch. Wir hätten damit einen repräsentativen Essayband als zweiten Band der neuen Gesamtausgabe. Bitte, lassen Sie mich darüber etwas hören.

Die politische Entwicklung der letzten Wochen läßt jede Möglichkeit offen. Vor allem die Frage, welcher Ausweg für den Nazismus bei der neuen Konstellation übrigbleibt. An einen Rückfall der Westmächte möchte man nicht glauben, noch weniger aber daran, daß sich Hitler an den Verhandlungstisch setzt und seine Expansionswünsche zurückstellt. Was bleibt also eigentlich in Anbetracht der katastrophalen inneren Situation Deutschlands übrig? Da man aber mit logischen Erwägungen doch nicht weiter-

kommt, habe ich die Hoffnung noch nicht ganz aufgegeben,
Sie doch im frühen Herbst hier zu sehen.
Seien Sie und Ihre Gattin herzlichst gegrüßt von uns beiden.

Ihr Bermann Fischer

Golo Mann an GBF   Princeton, N. J.
                                            65 Stockton Street
                                            25. V. 1939

Lieber Doktor Bermann,
es wird Sie vielleicht interessieren zu hören, daß ich für August
nun wirklich – das heißt, weltgeschichtliche und consularische
Hindernisse vorbehalten: aber die Letzteren werden sich wohl
überwinden lassen und an die Ersteren glaube ich im Augenblick nicht – daß ich also ab August die Redaktion von »Maß
und Wert« übernehmen soll. Der Entschluß fällt mir schwer
genug. Dies große und freundliche Land vorläufig aufzugeben,
das formal so ungleich leichter zu verlassen als wieder zu betreten ist; eine längere Trennung von der Familie; die ver-
zweifelten Marktbedingungen; die Zweifel, ob auch nur geistig eine solche Zeitschrift heute noch Gediegenes leisten könne, und ob ich der geeignete Mann dazu sei – il y a de quoi.
Trotzdem glaubte ich die Offerte nicht ablehnen zu dürfen und
fahre also, wenn alles gut geht, Mitte Juni nach Zürich. In der
Hoffnung nun, daß zwischen den Verlagen und der Zeitschrift
sich eine bessere Zusammenarbeit, als bisher, herstellen wird,
möchte ich mir gleich jetzt die folgenden Fragen erlauben, die Sie
mir, wenn Sie gerade übrige Zeit haben, beantworten mögen.
Haben Sie zur Zeit Manuscripte, aus denen ein Vorabdruck
Ihnen besonders lohnend erschiene? – Welche Ihrer Autoren,
die bisher in »Maß und Wert« nicht zu Worte kamen, würden
Sie für Beiträge besonders empfehlen? – Welche in diesem
Jahr bei Ihnen erschienenen Bücher würden Sie gern besprochen haben? (Ich denke jedenfalls Voegelin und Zuckerkandl;
das letztere ist ein sehr inhaltsreiches und charmantes Buch.) –
Setzen Sie Ihre »Ausblick«-Serie weiter fort? Meine kühne Idee
ist, daß man hier gelegentlich sich verständigen könnte. Das
Kreuz überall, besonders aber bei der Redaktion einer Zeitschrift ist ja, daß es den deutschen Schriftstellern im Ausland
wirtschaftlich so furchtbar schlecht geht, und daß man ihnen

kaum zumuten kann, sehr viel Zeit und Arbeit auf einen Essay zu verwenden, für den sie im besten Fall 100 oder 150 Schweizer Frs. erhalten. Nehmen Sie zum Beispiel an, ich schlage meinem Onkel Heinrich einen autobiographischen Aufsatz über sein Verhältnis zu Deutschland, das Bismarckische, das Wilhelminische usw. vor, ein Beitrag, der schön und wichtig werden könnte – in seinem Nietzsche-Essay hat H. M. gezeigt, wie er, trotz all der hingeworfenen Aufsätzchen, noch immer zu bewunderungswürdig gearbeiteten Studien in der Lage ist. Das wäre so ein Fall, wo es sehr schön wäre, wenn ich sagen könnte: Die Sache könnte erweitert noch als »Ausblick« erscheinen: so kann man die Arbeit besser verantworten, usf. Was meinen Sie hiezu – zunächst prinzipiell, denn konkret ist's nur eine Hypothese. – Das waren nun im Augenblick die aktuellsten Fragen.

Im allgemeinen denke ich mir die Zeitschrift *etwas* aktueller (obgleich nicht polemisch-politischer), etwas mehr dem Ernst der Zeit angemessen, als sie bisher war. Wie weit man dahin kommen wird, ist eine andere Frage. Und persönliche Meinungsverschiedenheiten können sich immer ergeben. Zum Beispiel konnte ich damals, gelegentlich des »Nachrufes auf Österreich«, nicht anders finden und kann nichts dafür, als, daß es nicht unsere Sache ist, diesem längst verurteilten und verdammten Staatswesen nachzutrauern und daß »Forward, look not behind you« unser Motto sein muß.

Für Ihre Antwort auf meinen letzten Brief habe ich Ihnen noch vielmals zu danken. Besonders froh bin ich, daß die Sache mit Oprecht beigelegt ist, wie er uns hier auch erzählt hat. Und, daß, was Sie sonst à propos dieses Komplexes ausführten, in sich Hand und Fuß hat, will ich garnicht leugnen. Im übrigen ... »unnützes Erinnern und vergeblicher Streit ...«

Tollers Selbstmord hat hier eine sehr unerfreuliche Sensation gemacht; das klägliche Ereignis schien der Stimmung nur allzu vieler nur allzu adäquat zu sein.

Herzliche Grüße für alle drei Generationen.

Immer Ihr

Golo Mann

Landshoff wurde hier leider sehr krank (Vergiftung an einem Hummer!), wie Sie wohl gehört haben.

[Telegramm]   [Stockholm, 1. Juni 1939]
In Zweifel über Auernheimerbuch wegen zu milder Darstellung Erbitte Ihre Meinung Würden Sie Vorwort schreiben Grüße

Bermann Fischer

[Telegramm]   [Princeton, N. J., 2. Juni 1939]
Leider incompetent Buch nicht gelesen Vorwort keinesfalls möglich Wiedersehen

Thomas Mann

French Line
S. S. Ile de France 9. VI. 39

Lieber Doktor Bermann:

Ihren Brief vom 22. Mai beantworte ich provisorisch vom Schiff aus, in dem Gefühl, daß seine wichtigsten Punkte am besten erst mündlich, bei unserem Besuch in Stockholm, besprochen werden. Auf diesen Besuch nämlich rechnen wir immer noch, obgleich unser Reiseprogramm sich zunächst etwas verändert hat. Wir können nicht, wie wir es vorhatten, uns direkt nach Zürich wenden, da dies, wie es scheint, andere delikate Kreise stören würde. Wir haben vor, einen provisorischen und abwartenden Aufenthalt in Holland zu nehmen, aber Ende August oder Anfang September hoffen wir nach wie vor nach Schweden zu kommen.

Bei der Drucklegung von »Lotte« bin ich etwas besorgt, daß das dritte Kapitel vollständig aufgenommen wird. Es erschien in »Maß und Wert« mit einigen Strichen, und ich bin nicht sicher, ob Sie das vollständige Manuskript in Händen haben. Sollte kein komplettes Maschinenmanuskript vorhanden sein, so müßte ich den fehlenden Teil aus dem Original-Manuskript abschreiben lassen. Nach einer solchen Abschreibe-Gelegenheit muß ich ohnedies trachten, da das vierte Kapitel Ihnen ja überhaupt noch fehlt und nur handschriftlich vorhanden ist. Sie werden sich also leider mit diesem Teil des Manuskriptes noch etwas gedulden müssen, aber da es sich schließlich nur um wenige Wochen handeln wird, braucht die Drucklegung dadurch nicht verzögert zu werden.

Den »Studenten-Zauberberg-Vortrag« werde ich, sobald ich irgendwo zur Ruhe gekommen bin, auf Ihren Vorschlag hin noch einmal prüfen. Ich halte es nicht für ausgeschlossen, daß er als Vorwort zu Ihrer neuen Ausgabe zu brauchen sein könnte, und zwar gerade, wenn man ihm die Spuren seiner Entstehung nicht nimmt, sondern ihn schlicht und offen als einführenden Vortrag für amerikanische Studenten bestehen läßt.

Aber diese sowohl wie besonders die Frage des Essay-Bandes ist etwas fürs Mündliche. Wir müssen darüber eingehend sprechen, bevor wir zu einem Entschluß kommen. Mir scheint sogar, daß die Wiederherstellung meiner hauptsächlichen Essays aus früheren Jahren wichtiger ist als die Herausgabe der neueren Vorlesungen, mit Ausnahme etwa des Faustvortrages, den man mit dem über Goethe, Tolstoi und anderen gut zusammenstellen könnte. Ein Essayband von etwa vierhundert Seiten, das Beste enthaltend, was ich in dieser Form geschrieben, wäre mir eine höchst willkommene Ergänzung zu den hoffentlich rasch auf einander folgenden neuen deutschen Ausgaben.

Ich vergaß noch, Ihre Frage wegen des Umfanges der »Lotte« zu beantworten. Etwas Definitives läßt sich im Augenblick schwer sagen. Ich schätze, daß das ganze Handmanuskript auf gut 500 Seiten kommen wird.

Die letzten Wochen in Princeton waren so arbeitsreich und wiederum noch durch Reisen unterbrochen, daß ich leider nicht dazu kam, Frau Fischer für ihren sehr lieben, ausführlichen Brief zu danken. Bitte grüßen Sie sie ebenso wie Tutti vielmals und sagen Sie ihnen von uns beiden, wie sehr wir uns auf das Wiedersehen freuen. Herzlichen Dank auch noch für das Geburtstagstelegramm, das mich unmittelbar vor der Abfahrt erreichte.

Ihr Thomas Mann

Stockholm, am 13. Juni 1939

Lieber Herr Professor,
ich bin Ihnen noch eine Aufklärung schuldig wegen meines Kabels über das Buch von Auernheimer. Auernheimer hat mir nämlich in dem Begleitbrief zu dem Manuskript geschrie-

ben, daß Sie dem Autor sehr freundlich gegenüberstünden und eventuell bereit wären, ein Vorwort zu schreiben.

Ich mußte also annehmen, daß Sie das Manuskript gelesen und sich positiv darüber geäußert haben.

Nun habe ich recht große Bedenken gegen dieses Buch. Auernheimer hat seine KZ-Zeit mit einer bemerkenswerten Kühle über sich ergehen lassen. Dementsprechend ist auch die Darstellung, die sich geradezu ängstlich bemüht, alles hervorzuheben, was in Dachau an Resten von menschlichem Empfinden aufzutreiben war und die unmenschlichen Grausamkeiten und die unwürdige Behandlung und die ständige Bedrohung an Leib und Leben nur en passant erwähnt oder nur vom Hörensagen darüber berichtet. Es entsteht das Bild eines etwas brutalen Sanatoriums, das zum Ziel hat, untrainierte ältere und jüngere Herren in Form zu bringen.

Ich war deshalb etwas verwundert, daß Auernheimer mir ein Vorwort von Ihnen verhieß, und wollte mich vergewissern, bevor ich ihm abschreibe.

Ich hoffe, daß ich in den nächsten Tagen von Ihnen die in meinem letzten Brief erbetenen Angaben über »Lotte in Weimar« bekomme. Das Manuskript ist inzwischen im Satz.

Sehr wichtig erscheint es mir, den »Zauberberg«, der quasi den ersten Band der neuen Gesamtausgabe darstellen wird, mit einem Vorwort einzuleiten. Auch darüber hoffe ich, bald von Ihnen Näheres zu hören, damit die Herstellung des Bandes nicht verzögert zu werden braucht.

Ich möchte im Herbst eine Einzelausgabe von »Tonio Kröger« machen. Die Nachfrage nach einer solchen Ausgabe, insbesondere für die Schulen, scheint mir recht groß zu sein.

Ich setze Ihr Einverständnis voraus und beginne gleich mit der Arbeit. Das Büchlein wird ungefähr zu demselben Preis herauskommen wie bisher, also etwa Kr. 2.– kosten.

Angeblich soll noch in diesem Sommer ein Flugpostverkehr zwischen England und Amerika eingerichtet werden. Ich werde Ihnen darüber noch Näheres mitteilen, falls Sie nicht selbst dort indessen die Abgangszeiten erfahren haben. Es wäre gut, wenn wir in Zukunft auf diesem Wege korrespondieren würden. Es würde dann vieles leichter werden.

Mit herzlichen Grüßen an Sie und Ihre Gattin Ihr

Bermann Fischer

[Briefentwurf]   [Stockholm, 19. Juni 1939]
[Anfang fehlt]
[...]
Nun wünsche ich Ihnen gute Erholung von Ihren amerikanischen Strapazen. Hoffentlich finden Sie in der holländischen
Atmosphäre die nötige Ruhe.
Wir leben seit Pfingsten auf dem Lande im Stockholmer Skär-
gården und würden uns sehr freuen, Sie bald bei uns zu sehen. Das kleine Haus, das wir bewohnen, liegt so einsam,
daß man ohne Radio von der unruhigen Welt nichts vernehmen würde.
Seien Sie herzlichst gegrüßt von Ihrem   *Bermann Fischer*

                                    Noordwijk aan Zee, Holland
                                    21. VI. 39
Lieber Dr. Bermann,
Dank für Ihren Brief. Wir denken hier bis zum 15. Juli zu
bleiben. Die wichtigen Fragen mögen also mündlicher Besprechung vorbehalten bleiben, aber nicht zu lange. Natürlich soll
eine Sonder-Ausgabe des »T.K.« mir ganz recht sein. Den Stu-
denten-Vortrag über den »Zbg.« sende ich anbei. Ich möchte es
Ihnen überlassen, zu entscheiden, ob er geeignet ist, als Vorwort zu dienen. »Der Autor spricht zu Princetoner advanced
students über sein Buch. Als Vorwort.« Was meinen Sie? Ich
finde es manchmal gut, manchmal schlecht.
                                                      Ihr T. M.

                                    Dalarö, den 28. VI. 39
Lieber Herr Doktor,
es scheint mir, daß der »Zauberbergvortrag«, den ich gestern
von Ihnen erhielt, durchaus würdig und geeignet ist, der
neuen Gesamtausgabe voranzustehen. Er enthält eine Menge
von Motiven, die gerade der doppelten Bestimmung entsprechen würden, in der Aussage über das Einzelwerk zugleich
etwas Bedeutungsvolles über das Gesamtwerk zu sagen. In
seinem biographischen Teil ist er von seltenem Reiz und in
seiner zweiten Hälfte insbesondere ein wunderbares Stück
essayistischer Prosa.

Ich begrüße den glücklichen Zufall, daß diese prachtvolle Arbeit gerade jetzt fertig vorliegt.

Jene Stellen, die die Arbeit als Vorlesung charakterisieren, die direkte Anrede der Studenten etc. können wohl unschwer getilgt werden. Der Anfang würde sich mit dem Satz: »Es gibt Autoren, deren Namen...«, auf Seite 2 von diesem Gesichtspunkt aus von selbst ergeben.

Ich bringe das Manuskript jedenfalls mit und könnte es, wenn Sie sich endgültig entschließen, in Amsterdam der Druckerei, die mit dem Satz des Buches erfreulich vorangeschritten ist, übergeben.

Ich habe heute für den 6. VII. Flugplätze (nolens-volens) belegt und hoffe, Sie am 7. in Noordwijk begrüßen zu können. Voraussichtlich kommt Tutti mit. Wir werden etwa 8 Tage in Holland bleiben. Ich bin sehr glücklich, daß ich Sie nun endlich nach so langer ereignisreicher Zeit werde ausführlich sprechen können.

Seien Sie und Ihre Frau herzlichst gegrüßt von Ihrem

Bermann Fischer

Stockholm, den 4. Juli 1939

Lieber Herr Dr. Mann,

ich komme am Donnerstag, den 6. ds., um 15 Uhr am Amsterdamer Flugplatz an und werde Sie am Nachmittag im Huis ter Duin anrufen. Tutti wird mitkommen. Wir steigen zunächst im Carlton Hotel ab und würden gern für zwei oder drei Tage nach Noordwijk kommen. Wäre es möglich, vom 8. bis 10. ein Doppelzimmer in Ihrem Hotel zu bekommen?

Wir freuen uns sehr auf das Wiedersehen! Mit herzlichen Grüßen an Sie und Ihre Gattin   *Ihr Bermann Fischer*

Stockholm d. 19. VII. 39

Verehrter Herr Doktor, liebe Frau Mann!

Die schönen Tage von Noordwijk verpflichten mich Ihnen zu großem Dank. Es ist eine besondere Befriedigung für mich, die Übereinstimmung in den menschlichen und geschäftlichen Beziehungen bestätigt zu sehen und zu wissen, daß Sie der Arbeit des Verlages Ihr Interesse und Ihr Vertrauen entgegenbringen. Auf dieser Grundlage läßt sich weitermachen und vieles überwinden, was sich, manchmal in bedrückender Weise, einer produktiven, der Bewahrung und dem Kampf gewidmeten Arbeit entgegenstellt. – Darum bedeuten diese Tage, die ich in Ihrer Gegenwart verbringen durfte, eine Stärkung des Vertrauens und der Zuversicht und einen neuen Ansporn.

Nach meiner Ankunft hier – nach ungestörtem Flug – rief mich Dr. Björkman, der Organisator des PEN-Kongresses an, um einige Fragen zu besprechen. Sie haben ihm wohl bereits früher eine Zusage gegeben. Er hat das schwed. Außenministerium auf meine Veranlassung gebeten, die schwed. Konsulate in Zürich und London wegen der Erteilung Ihres schwed. Visums zu orientieren. Sie werden also, ohne daß weitere Rückfragen notwendig sind, das Visum erhalten. Wegen der Überfahrt London–Stockholm besteht eine Vereinbarung zwischen PEN-Club und Svenska Lloyd. Näheres über die ermäßigten Fahrpreise und die Abgangstermine der reservierten Schiffe erfahren Sie durch Hermon Ould, PEN, 11 Gower Street, London W. C. 1.

Außer Ihnen werden sprechen für Frankreich Jules Romains, für England Wells, für Skandinavien *[Schluß fehlt]*

Stockholm, den 20. Juli 1939

Lieber, sehr verehrter Herr Professor,

vor etwa zwei Monaten kam der Ihnen vermutlich dem Namen nach bekannte Übersetzer Paul Baudisch, der seiner Nationalität nach Österreicher ist und seit 1934 in Wien lebte, illegal nach Schweden herein. Er meldete sich hier sofort bei der zuständigen Behörde und stellte den Antrag auf Aufenthalts-Bewilligung, der voraussichtlich in nächster Zeit bewilligt werden dürfte. Es besteht Aussicht, daß Baudisch demnächst bei der hiesigen großen Filmgesellschaft Manuskriptarbeit bekommt.

Nun ist ihm aber folgendes Unglück widerfahren: Die Einreise nach Schweden gelang ihm mit Hilfe eines englischen Passes, der auf seinen Namen lautete und nicht gefälscht war, in dessen Besitz er aber »auf Umwegen« gelangt ist. B. hat diesen Paß sofort nach der Einreise bei einem hiesigen Anwalt hinterlegt. Er glaubte die Angelegenheit damit als erledigt betrachten zu können. Den Behörden hatte er von dem Vorhandensein dieses Passes allerdings keine Mitteilung gemacht. Nun wurde er aber vor etwa zehn Tagen von einem Emigranten, der von der Paßgeschichte gehört hatte, bei der Polizei angezeigt. Es folgte eine Vorladung vor das Gericht in Malmö, und B. wurde trotz verständnisvoller Beurteilung des Falls durch den Richter aus formellen Gründen, da ein Paßvergehen nun einmal vorliegt, zu zwei Monaten Gefängnis bedingt verurteilt. Das »bedingt« wird allerdings nur dann statthaben, wenn günstige Auskünfte seitens maßgebender Personen erbracht werden können. Ich habe B. selbstredend sogleich ein entsprechendes Zeugnis ausgestellt, da ich B. seit 1926 kenne und ihn seit dieser Zeit fast ununterbrochen beschäftigt habe. Sein Anwalt riet ihm nun, eine Auskunft von Ihnen beizubringen, da ein solches Schreiben die Angelegenheit sofort bereinigen würde.

Angesichts der peinlichen Lage, in der der Betroffene ist, möchte ich Sie sehr bitten, eine derartige Erklärung zu senden. Um Ihnen die Angelegenheit zu erleichtern, gestatte ich mir, Ihnen einen Entwurf beizufügen, den Sie bitte, falls Sie ihn gutheißen können, unterzeichnen wollen.

Mit vielem Dank im voraus, auch im Namen des Herrn Baudisch, verbleibe ich mit herzlichen Grüßen

Ihr Bermann Fischer

Stockholm, am 26. Juli 1939
Stureplan 19

Sehr verehrter Herr Doktor,
ich bin im Zweifel darüber, welchen Lessing-Essay Sie für den Essayband bestimmt haben. »Rede über Lessing, gehalten bei der Lessingfeier der Preußischen Akademie der Künste, Berlin« (Umfang 20 Seiten) oder »Zu Lessings Gedächtnis« (Umfang 7 Seiten)? Ich nehme an, daß es sich doch wohl um die Rede handelt.
Die Kalkulation des Bandes ergibt bei Aufnahme aller vorgeschlagenen Aufsätze einschließlich »Don Quijote« im Satz der neuen Gesamtausgabe, die bei relativ kleinen Buchstaben einen sehr großen Satzspiegel hat, einen Umfang von 608 Seiten. Wenn wir den »Don Quijote«-Aufsatz weglassen, kommen

wir auf 544 Seiten. Aber auch dieser Umfang scheint mir zu groß zu sein. Der Preis eines solchen Bandes würde auf nahezu Sfr. 14.– kommen.

Es liegt deshalb der Gedanke nahe, zwei Bände zu machen. Es scheint mir, daß, abgesehen von den rein geschäftlichen Erwägungen, auch der Umstand dafür spricht, daß Ihr essayistisches Werk in der neuen Gesamtausgabe mit zwei Bänden besser repräsentiert ist als mit einem Band, zumal dann manches noch aufgenommen werden könnte, zum Beispiel ein so wichtiger Aufsatz wie der »Schopenhauer«. Falls Sie sich mit diesem Gedanken befreunden könnten, wäre eine Aufteilung des Inhalts notwendig, über die wir dann bei Ihrer Anwesenheit in Stockholm sprechen könnten.

Die Korrekturfahnen von »Das Problem der Freiheit« lasse ich Ihnen gleichzeitig zugehen. Ich erinnere, daß der letzte Absatz zu ergänzen ist. Der Schluß Ihres Aufsatzes in der Basler »Nationalzeitung« wäre, wie ich glaube, auch für den Essay sehr geeignet. Bitte, lassen Sie mir die Korrekturen sehr bald wieder zugehen, damit ich drucken kann.

Nach nochmaliger Lektüre des Aufsatzes kann ich nur wiederholen, daß er zu dem Schönsten gehört, was Sie an politischen Kundgebungen verfaßt haben, und für die hiesigen Verhältnisse in geradezu idealer Weise geeignet ist, weil er die in allen Kreisen anerkannten politischen Prinzipien zur Grundlage hat und zugleich den Schwankungen gewisser Kreise innerhalb der Demokratien entgegnet.

Mit herzlichen Grüßen
Ihr Bermann Fischer

Huis Ter Duin
Noordwijk aan Zee/Holland
1. VIII. 39

Lieber Doktor Bermann:

Für Ihren Brief vom 26. Juli vielen Dank. Auch von Frau Fischer hatte ich sehr liebe und wohltuende Zeilen anläßlich des Vortrages, bitte sagen Sie ihr meinen herzlichen Dank dafür!

Mit dem Lessing-Aufsatz für unsere neue Ausgabe ist, wie Sie vermuten, die Rede über Lessing in der Preußischen Akademie gemeint. Ihr Gedanke, aus dem Essay-Band lieber zwei zu machen, scheint mir gut und glücklich. Wirklich entspricht es dem Gewicht, das meiner essayistischen Arbeit innerhalb meines Werkes zukommt, besser, wenn in der Stockholmer Gesamtausgabe zwei kritische Bände figurieren. Wir könnten aus dem vorhandenen Material noch ein oder das andere Stück mitaufnehmen, so den »Schopenhauer«. Über Zusammenstellung und Anordnung einigen wir uns am besten in Stockholm.

Es ist noch immer nicht ganz eindeutig entschieden, wann wir kommen, ob schon jetzt sehr bald oder doch erst gegen Ende des Monats. Unsere Nachrichten aus London lauten so, daß wir vernünftiger Weise doch wohl besser einen etwa vierzehntägigen Aufenthalt in der Schweiz zuerst einlegen und von dort nach London und Stockholm reisen.

Die Korrekturfahnen für »Das Problem der Freiheit« habe ich besorgt und abgesandt. Ich habe den Schluß in deutlicher Handschrift hinzugefügt. Außerdem mußte ich noch eine kleine Einschaltung machen, die auch in der englischen Form des Vortrages enthalten war und auf die ich um der Gerechtigkeit willen auch in unserer Ausgabe ungern verzichtet hätte. Hoffentlich macht die Einfügung keine Schwierigkeiten.

Das siebente Kapitel von »Lotte« ist jetzt fertig abgeschrieben, bedarf nur noch der Correctur und wird Ihnen in den nächsten Tagen zugehen.

Ich bin mir nicht ganz klar darüber, in welcher Form und in welchem Rahmen mein Stockholmer Vortrag eigentlich stattfinden soll. Wissen Sie, ob ein Abend oder ein Vormittag dazu angesetzt ist? Jedenfalls ist es notwendig, eine selbständige Veranstaltung daraus zu machen; denn der Vortrag ist, auch bei einigen Kürzungen, zu lang, als daß ich mich in einen Abend oder Vormittag mit anderen Rednern teilen könnte

Soeben bekam ich von der Nordischen Gesellschaft für Deutsche Kultur (Nordiska Sällskapet för Tysk Kultur) eine Einladung, auch für sie zu sprechen. Der Briefschreiber, Johannes Edfelt, c/o Albert Bonniers Förlag, schlägt vor, daß ich den für den PEN-Club-Congreß bestimmten Vortrag für seine Gesellschaft wiederholen soll und zwar im großen Konzerthaus-Saal unter Assistenz des Lord Mayor von Stockholm. Herr Edfelt meint nämlich, daß die PEN-Veranstaltung in geschlossenem Rahmen stattfinden wird und daß mein Vortrag für seine Gesellschaft öffentlich sein soll. Er macht übrigens keinerlei Honorarvorschlag, und ich finde doch, daß ein öffentlicher Vortrag honoriert werden müßte. Würden Sie so freundlich sein sich in meinem Namen mit ihm in Verbindung zu setzen? Ich bin sehr geneigt, die Einladung anzunehmen, wenn sie nicht mit der PEN-Club-Veranstaltung kollidiert. Auch müßte das Datum nahe an die Tage des Congresses herangerückt werden. –

Nun noch etwas zu Ihren »Ausblicken«. Ich habe Vorschläge dafür erhalten, die ich Ihnen mitteile, weil ich ein gewisses Stoffbedürfnis bei Ihnen voraussetze. Der eine Vorschlag geht von einem Dr. Frank Warschauer aus, der, wenn ich nicht irre, vor der Emigration bei Ullstein tätig war und Musik-Spezialist ist. Als langjähriger Gast der Tschechoslovakei ist er mit tschechischer Musik vertraut und plant eine Schrift über die tschechischen Tondichter, von der er sich gerade jetzt ein halb politisches Interesse des Publikums verspricht. Er macht einen ausgesprochen intelligenten und unterrichteten Eindruck und ich wollte Sie jedenfalls bitten, sein Angebot zu prüfen, wenn er sich nächstens, unter Berufung auf mich, an Sie wendet.

Der zweite Fall ist Dr. Friedrich Falk, mit dem ich neulich durch ter Braak im Haag zusammentraf. Falk ist auch ein ehemaliger Berliner Redacteur, später an der Genfer Hochschule dozierend tätig. Er hat eine Schrift »Das Glaubensbekenntnis des Gotthold Ephraim Lessing« vor, von der er hofft, daß sie nach Geist, Gegenstand und Umfang sich für die »Ausblicke« eignen würde. Auch ihm habe ich geraten, Ihnen zu schreiben und Ihnen sein Manuskript zu senden.

Das ist alles für diesmal. Eben kommt Tuttis Brief, und wir sind außerordentlich dankbar für Ihre Schritte und Bemühungen. Das Haus auf der Insel zieht uns sehr an, und auch wenn wir erst im letzten Drittel des Monats kämen, hoffen wir sehr, von dieser Möglichkeit Gebrauch machen zu können.

Auf Wiedersehen und recht herzliche Grüße an Sie und die Ihren!

Ihr Thomas Mann

Mehrmals habe ich den Prospekt des PEN-Congresses zugeschickt bekommen, dessen Programm ja sehr anziehend scheint. Es war bemerkt, daß man für die Teilnahme an den Veran-

staltungen, Theater-Aufführungen etc. 20 Kronen einsenden
solle. Meinen Sie, daß das auch für Delegations-Führer und
Redner gilt? In diesem Falle könnten Sie vielleicht die Zahlung
auslegen.

Stockholm, am 2. August 1939

Lieber, sehr verehrter Herr Professor,
die »Nordische Gesellschaft für Deutsche Kultur«, die hier soeben gegründet wurde, hat mir eine Abschrift ihres an Sie gerichteten Briefes vom 31. Juli zugesandt und mich gebeten,
den Ihnen gegenüber geäußerten Wunsch zu unterstützen.
Die Begründer und Leiter der neuen, antifaschistischen Gesellschaft kommen in erster Linie aus den Kreisen des Regie-
rungsorganes »Social-Demokraten«. Der Unterzeichner des
an Sie gerichteten Briefes, Johannes Edfelt, ist literarischer
Mitarbeiter dieser Zeitung. Der in dem Schreiben erwähnte
Herr Fredrik Ström ist Mitglied der Ersten Kammer (Senat
oder Oberhaus), stellvertretender Chefredakteur von »Social-
Demokraten« und Vorsitzender der Stockholmer Stadtverwal-
tung, als welcher er eine Stellung wie in London der Lord
Mayor einnimmt. Ström war ursprünglich politischer Journalist und hat auch Romane und Novellen geschrieben.
Ihr Auftreten als erster Redner dieser Gesellschaft wäre für
ihre Entwicklung von größter Bedeutung und hätte damit
einen hohen kultur-politischen Sinn. Da die Gesellschaft durch
die Person des Herrn Fredrik Ström in enger Verbindung mit
der Regierung steht, erscheint sie geeignet, als Veranstalter
eines Vortrags von Ihnen aufzutreten.
Unter diesen Umständen würde ich Ihnen raten, zuzusagen.
Der Vortrag könnte natürlich erst unmittelbar nach Abschluß
des PEN-Club-Kongresses, etwa Freitag den 8. September,
stattfinden.
Über die Unterkunftsfrage liegt ein Brief an Ihre Gattin bei.
Wir hoffen mit Bestimmtheit, daß Sie Mitte August kommen.
Hoffentlich bleibt es bei dem schönen Wetter, das wir nun seit
Wochen hier haben.
Mit herzlichen Grüßen   *Ihr Bermann Fischer*

Stockholm, am 3. August 1939

Liebe Frau Mann,

was Ihre Unterkunft in Schweden anbetrifft, so kommt das von meiner Frau erwähnte Hotel nicht in Frage. Dagegen habe ich ab Mitte August in dem sehr schönen Grand Hotel Saltsjöbaden für Sie vorausbestellt.

Saltsjöbaden liegt etwa 17 km von Stockholm entfernt am Meer und hat Autobus- und Bahnverbindung. Das Hotel ist sehr komfortabel, durchaus internationaler Stil und hervorragende Verpflegung. Man fühlte sich dort durch die Ankündigung Ihres Besuches sehr geehrt und hat den Preis für zwei zusammenhängende Zimmer mit Bad von 41.– auf 32.– Kronen per Tag ermäßigt. Wenn Ihnen dieses Arrangement zusagt, so geben Sie mir, bitte, umgehend Nachricht und, wenn möglich, auch den ungefähren Ankunftstermin, damit ich die Sache festmachen kann. Ich denke, daß Sie zu Beginn des Kongresses dann in die Stadt ziehen werden, im Grand Hotel sind vom PEN-Club für Sie Zimmer reserviert.

Von Dalarö ist Saltsjöbaden etwa 1 Stunde entfernt. Das Hotel in Dalarö kommt nicht in Frage, weil es recht primitiv ist. Wir hätten Sie gerne etwas mehr in unserer Nähe gehabt, aber es gibt leider keine Unterkunftsmöglichkeit, die die nötige Ruhe und Bequemlichkeit bieten würde. Sie können jederzeit über mich und das Auto und für beliebige Dauer verfügen, außerdem hat sich ein Vorstandsmitglied meines Verlages mit seiner großen und komfortablen Motoryacht zur Verfügung gestellt.

Ich bin überzeugt, daß Sie sich in Saltsjöbaden sehr wohlfühlen werden. Die Zimmer mit großen Balkons gehen auf das Meer hinaus, es gibt schöne Spaziergänge, und das Klima wird Ihnen sicherlich sehr behagen. Wir freuen uns schon sehr, Sie bald hier zu sehen, und erwarten nun Ihre endgültigen Nachrichten.

Wegen Ihres Visums ist das schwedische Konsulat in London vom hiesigen Außenministerium verständigt worden. Falls Sie etwa nicht von London aus hierherkommen, so bitte ich um sofortige Benachrichtigung, damit das schwedische Konsulat desjenigen Landes, in dem Sie das Visum verlangen, verständigt werden kann. Aus Ihrem letzten Brief entnehme ich, daß es bei London bleibt.

Mit herzlichen Grüßen

Ihr Bermann Fischer

Stockholm, den 4. August 1939

Lieber Herr Dr. Mann,

mein vorgestriger Brief hat sich mit dem Ihrigen vom 1. ds. gekreuzt.

Alles wesentliche habe ich in meinem Schreiben schon beantwortet, nur hinzuzufügen vergessen, daß ich den Herren von der Nordischen Gesellschaft für Deutsche Kultur gegenüber ein entsprechendes Honorar als selbstverständlich voraussetzte. Da es sich um den großen Konzerthaussaal handelt, der etwa 2000 Personen faßt, hielt ich einen Betrag von tausend Kronen für angemessen. Ich erwarte Antwort hierauf in den nächsten Tagen.

Ihr Vortrag soll innerhalb einer der Arbeitssitzungen stattfinden, und zwar wahrscheinlich am Mittwoch, den 6. September, um 11 Uhr vormittags im Plenarsaal des Stadthauses. Man rechnet mit einer Dauer von einer Stunde. In dieser Arbeitssitzung wird kein anderer Vortrag gehalten. Die beiden anderen Vortragenden, H. G. Wells und Jules Romains, werden am Dienstag resp. Donnerstag sprechen. Die Reihenfolge steht jedoch noch nicht endgültig fest.

Ich lege ein Schreiben des PEN-Club-Kongreß-Sekretariats mit deutscher Übersetzung bei zu Ihrer Orientierung in der Visumfrage.

Die Korrekturen des Essays habe ich erhalten, die Einschaltungen haben wir selbstverständlich gemacht.

Für die Teilnahme an den Veranstaltungen haben Sie als Ehrengast natürlich nichts zu zahlen (siehe Seite 5 des Kongreß-Prospekts).

Den Zusendungen von Warschauer und Falk sehe ich mit Interesse entgegen.

Nun hoffe ich sehr, daß Sie sich doch noch entschließen, schon Mitte August hierherzukommen, und schließe mit herzlichen Grüßen als   *Ihr Bermann Fischer*

Stockholm, den 7. August 1939

Lieber, sehr verehrter Herr Dr. Mann,

die Herren von der Nordiska Föreningen för Tysk Kultur (Nordische Vereinigung für Deutsche Kultur) waren heute früh bei mir, um über die Honorarfrage zu sprechen. Es liegt nun so, daß die Gesellschaft, die sich eben erst in der Gründung befindet und bisher keine Einnahmemöglichkeiten, weder durch Vorträge noch aus Mitgliedsbeiträgen, hatte, noch nicht über ein Vermögen verfügt und die für den Vortrag nötigen Ausgaben durch Spenden etc. aufbringen muß. Daher übersteigt eine Garantie von Kr. 1000.–, wie ich sie zuerst genannt habe, die Möglichkeiten.

Der Gegenvorschlag, den man Ihnen unterbreitet, lautet: Ein garantiertes Honorar von Kr. 200.– und eine Beteiligung an den Nettoeinnahmen von 50 %. Wenn der Vortrag einigermaßen besucht wird, würde das einige weitere hundert Kronen bedeuten. Eine Ziffer läßt sich im voraus schwer nennen. Bitte lassen Sie mich wissen, ob ich diesem Angebot zustimmen kann.

Ich habe den Herren gesagt, daß der Vortrag unmittelbar nach dem Kongreß stattfinden muß, also vielleicht am 8. oder 11. September. Herr Dr. Björkman hat nichts dagegen einzuwenden, daß »Das Problem der Freiheit« bei der öffentlichen Veranstaltung wiederholt wird. Übrigens ist Bert Brecht Mitglied des Ausschusses, der den Vortrag veranstaltet.

Das Manuskript der »Lotte« Kap. 7 von Seite 35 an ist eingetroffen. Ich erwarte nun die ersten 34 Seiten der englischen Übersetzung. Es ist sehr erfreulich, daß Sie mit diesem schwierigen Kapitel so rasch fertig geworden sind. So ist am Erscheinen des Werks im Herbst wohl jetzt nicht mehr zu zweifeln.

Wir erwarten Sie nun mit großer Freude zwischen dem 20. und 24. August.

Mit herzlichen Grüßen bin ich   *Ihr Bermann Fischer*

Waldhaus Dolder, Zürich
12. VIII. 39

Lieber Doktor Bermann:

Eben haben wir Ihnen telegraphiert: »Ihnen und Bonnier herzlichen Dank, eintreffen voraussichtlich 24.« Wir wollen von hier am 18. nach London fliegen und brauchen mindestens drei Tage für diese Stadt. Danach ist leider die Verbindung mit Stockholm viel schlechter als wir berichtet waren. Das direkte Schiff nach Göteborg geht nur zweimal die Woche, sodaß wir auf diese Weise erst am 25. weiter könnten und nicht vor 27. in Göteborg wären, von wo es immer noch eine längere Bahnfahrt nach Stockholm ist. Dies scheint also der ungünstigste modus, zu dem wir uns wohl nicht entschließen werden. Tägliche Schiffsverbindung besteht mit Kopenhagen, das man in ca 24 Stunden erreicht, und von wo aus man dann in elf Bahnstunden nach Stockholm gelangt. Möglicher Weise wählen wir diesen Weg, oder aber wir entschließen uns, zu fliegen, sei es bis Kopenhagen, sei es die ganze Strecke. Jedenfalls wird auf diese Weise der Termin des 24. eingehalten werden können. Wir telegraphieren Ihnen noch von London aus. Nachrichten Ihrerseits erreichen uns hier noch bis Freitag früh.

Soeben erhielt ich auch Ihren Brief vom 10. Ich sage also, was an mir liegt, Herrn Edfelt zu, werde ihm aber doch noch zu überlegen geben, ob sich ein öffentlicher Vortrag nach dem doch gewiß auch der Öffentlichkeit zugänglichen PEN-Club-Vortrag lohnen würde. An Tor Bonnier schreibe ich ebenfalls direkt.

Meine Frau läßt Frau Fischer vielmals für ihre freundlichen Zeilen danken. Wir werden uns natürlich herzlich freuen, ein paar Tage mit ihr in alter Freundschaft zu verbringen.

Auf Wiedersehen und schönste Grüße Ihnen allen!

Ihr Thomas Mann

Stockholm, am 15. August 1939

Lieber Herr Doktor,
besten Dank für Ihr Telegramm und Ihren Brief vom 12. 8. Sie haben eine Möglichkeit, von London per Schiff nach Göteborg zu kommen, übersehen. Die »Svezia«, eines der guten Schiffe des Svenska Lloyd geht am 23. 8. in Tilbury ab. Zugverbindung dorthin ab London Liverpool Station 16 Uhr 13 (Mittwoch den 23ten).

Ankunft an Göteborg am 25ten 8.7 Uhr früh. Schnellzug nach Stockholm ab Göteborg 8 Uhr 42, an Stockholm 14 Uhr 55.

Ich glaube, daß diese Verbindung sehr empfehlenswert ist und wesentlich billiger sein dürfte als der Flug, der über Amsterdam–Kopenhagen geht.

Falls Sie doch fliegen sollten, erkundigen Sie sich bitte genaue-

stens, ob das von Ihnen benutzte Flugzeug auf dem Weg von
Amsterdam nach Kopenhagen Zwischenlandung in Hamburg
macht. Eines der beiden täglich verkehrenden Flugzeuge Amsterdam – Kopenhagen landet in Hamburg, das andere fliegt
direkt ohne Zwischenlandung durch.
Ich erwarte nun also Ihre genaue Ankunftszeit, am besten
telegraphisch.
Mit herzlichen Grüßen   *Ihr Bermann Fischer*

P. S. Dürfen wir Sie schon heute für Montag den 28ten, 6 Uhr
zum Abendessen einladen? Es werden anwesend sein die Mitglieder der Familie Bonnier.

*Nach zehntägigem Aufenthalt in der Schweiz flog Thomas Mann
am 18. August 1939 wie geplant von Zürich nach London und
am 21. August von London nach Stockholm. Dort besprach er
mit Gottfried Bermann Fischer die neue »Stockholmer Gesamtausgabe« seiner Werke. Der Internationale PEN-Kongreß in
Stockholm, für den Thomas Mann als Redner vorgesehen war,
wurde wegen des Kriegsausbruchs am 1. September 1939 und
der Kriegserklärung Englands und Frankreichs am 3. September
1939 abgesagt. Thomas und Katia Mann flogen am 9. September mit einem Flugzeug der holländischen KLM von Malmö
nach Amsterdam und von dort nach London. Nach kurzem
Aufenthalt reisten sie auf der SS »Washington« nach New York
und trafen am 18. September 1939 wieder in Princeton ein.*

[Telegramm]   [Southampton, 10. September 1939]
Well arrived Left nine important pieces of luggage Malmoe
Airport Begged to send them Stockholm Please forward
quickly New York Thanks and love
                    Mann
                    Apt 162 South Western Hotel

                                        Southampton, 10. IX. 39
Lieber Dr. Bermann,
in der Maschinenabschrift muß es Seite 1 Zeile 3 »da« statt
»daß« heißen. Sonst ist sie korrekt. – Unser Schiff geht nicht
so pünktlich. Aber hübsch weit haben wir es ja schon gebracht.
                                        Ihr AUCTOR

Southampton, 11. IX. 39
South Western Hotel

Liebe Bermann-Fischers,
(womit sämtliche Lieben in Stockholm gemeint sind:)
ehe wir Europa verlassen, soll doch noch ein dankbarer Ab-
schiedsgruß gesandt sein! Sie vermuten uns natürlich längst
auf hoher See, aber leider hat sich die Abfahrt der »Washington«
wesentlich verzögert; morgen Mittag hoffen wir nun endgültig loszukommen, auf was für Plätzen steht immer noch dahin.
Hoffentlich klappt alles.
Erika mußte heute noch einmal plötzlich nach London fahren,
weil sie, als Engländerin, eine Ausreise-Erlaubnis braucht, und
wir erwarten sie mit einiger Spannung zurück (es ist schon
Abends spät), aber bis morgen Mittag wird ja wohl mit Gottes
Hilfe alles erledigt sein. Drei Tage Southampton ist unter den
obwaltenden Umständen auch wirklich genug. Nicht als ob
man irgendwie einen nervösen oder ängstlichen Eindruck hier
hätte. Außer der abendlichen Verdunkelung, die in den Zim-
mern allerdings fast bis zur totalen Verfinsterung geht, und
den Sandsäcken überall nebst den vielen Uniformen merkt
man nicht viel und die allgemeine Stimmung ist von bemer-
kenswerter Ruhe und Entschlossenheit. »We will fight till to
the last penny and the last man«, sagt einem jeder kleine La-
denbesitzer und niemand scheint sich sonderlich darüber auf-
zuregen. Sie werden es schon schaffen, trotz der Anfangser-
folge in Polen, und ich kann es mir noch immer nicht vorstellen, daß es sehr lange dauert und daß die Deutschen auch nur
einen Kriegswinter aushalten! Aber man ist hier auf alle
Eventualitäten gefaßt.
Es tat uns leid, daß wir erst so spät am Abend telegraphieren
konnten. Aber aus einem gewissen Aberglauben mochte ich
nicht schon aus Amsterdam telegraphieren, wo wir übrigens
nur einen ganz kurzen, von vielen Formalitäten ausgefüllten
Aufenthalt hatten, und dann zog sich die Reise noch endlos
hin, da der Flug nach London ja auch durch beträchtliche Um-
wege verlängert wurde und man von dem improvisierten Flugplatz über drei Stunden mit dem Bus zu fahren hatte, so daß
wir ziemlich erschöpft erst abends spät in Southampton ankamen, um dann zu erfahren, daß wir uns garnicht so hätten

zu beeilen brauchen und daß wir Bonniers schönes Fest in aller Ruhe hätten auskosten können. Der unangenehmste Teil der Reise war ja entschieden der Flug bis Amsterdam, zumal die Stewardeß uns in aller Unschuld erzählte, die letzten zwei Tage sei das Flugzeug von deutschen Bombern umkreist worden, die durch alle Fenster alle Reisenden genau in Augenschein genommen. Einem älteren dicken Herrn wurde vor Aufregung schlecht, er mußte mit kalten Kompressen und Alkoholabreibungen zu sich gebracht werden, und ich bedauerte es doch recht, daß Tommy nicht mit blauer Brille und roter Perücke versehen war, aber es ging alles gut. Sehr ärgerlich war ja, daß wir fast unser gesamtes Gepäck zurücklassen mußten. Hoffentlich ist es Ihnen gelungen, es auf einem schnellen Schiff nachzuschicken. Die arme Erika mußte sich ein zweites Mal von all ihren Manuscripten trennen. – Mit den englischen Kindern konnte ich mich wenigstens telephonisch in Verbindung setzen, beide sind ganz wohl geborgen an der See und das Weitere muß sich finden. Vielleicht bekommen wir sie mit der Zeit hinüber.

An Saltsjöbaden denken wir mit freundlichsten Gefühlen zurück: trotz allem war es ein schöner Aufenthalt und es war doch gut, einmal wieder zusammen zu sein. Hoffentlich können wir auch den glücklichen Ausgang in nicht allzu ferner Zeit gemeinsam begehen! Nehmen Sie alle unsere herzlichsten Grüße und Wünsche.

Ihre Katia Mann

Recht herzlichen Gruß. Wir segeln morgen. Hoffen wir, daß es ein nice crossing wird. Dann will ich mit »Lotte« wohl fertig werden.

Ihr T. M.

Eben trifft Erika ein und teilt mit, daß es das *letzte* Flugzeug Amsterdam – London war, das wir benutzt haben! Wells muß hängen geblieben sein.

[Telegramm]   [Princeton, N. J. 18. September 1939]
Glücklich entronnen Dankbare Wünsche

Thomas Mann

Lieber Doktor Bermann:
Für Ihr freundliches Begrüßungstelegramm recht herzlichen
Dank. Unsere Reise ist wirklich so glücklich wie nur möglich
von Statten gegangen. Das Flugzeug von Malmö hat uns ungestört in fünf Stunden nach Amsterdam gebracht, was nicht
ganz selbstverständlich war, da, wie wir hörten, diese Ge-
fährte wiederholt von deutschen Bombern kontrolliert worden
sind. Wir haben den Feind nicht zu sehen bekommen und die
Weiterreise von Amsterdam nach London war dann schon
ziemlich unbedenklich. In London haben wir uns diesmal nicht
aufgehalten, sondern sind direkt nach Southampton weiter
gefahren, wo wir einige Kriegstage mit abendlicher Lichtlosig-
keit und einer Umgebung von vielen Sandsäcken zu verbringen
hatten, bis S. S. »Washington« uns aufnahm. Es war eine höchst
eigenartige Überfahrt in einem Gedränge von ca 2000 Menschen, mit Pritschen-Schlafsälen für die getrennten Geschlech-
ter und allgemeinen Unbequemlichkeiten. Zum Glück vollzog
sich die Reise bei günstigstem Wetter, sonst hätte sie noch
abenteuerlicher ausarten können. Es ist nun fast traumhaft,
wieder hier zu sein und das unabsehbare europäische Geschehen aus so weiter Ferne zu verfolgen. Es bleibt auch so be-
klemmend genug, und ich, in meinem Alter, muß mich fragen,
ob ich das jenseitige Ufer in meinem Leben überhaupt noch
werde wieder betreten können. Ein bißchen müde bin ich wohl
von den Spannungen der letzten Wochen, habe aber die Arbeit,
die ich sogar auf dem Schiff nicht ganz liegen ließ, hier wieder
aufgenommen und tue mein Bestes trotz allem äußeren Druck,
die »Lotte« so rasch wie möglich zu Ende zu führen.
Es ist zwecklos über den Gang der Ereignisse, die ja kaum
recht begonnen haben, irgendwelche Vermutungen auszusprechen. Wir hoffen von Herzen, daß Ihre geschäftlichen Pläne,
wenn auch modifiziert, durchgeführt werden können. Es scheint
ja nicht ausgeschlossen, daß Schweden aus der mehr und mehr
hervortretenden Rivalität zwischen den greulichen Riesen Fa-
solt und Fafner sogar Nutzen ziehen könnte, indem es von
beiden unbehelligt bleibt.
Grüßen Sie die Ihren und auch Bonniers recht herzlich! Der
letzte Abend scheint uns weit zurückzuliegen und ist wie in
Schleier des Traumes gehüllt. Hoffentlich reißt der Kontakt

zwischen uns nie ab! Die von mir gelesenen Korrekturen brauche ich, wie gesagt, nicht mehr zu sehen und werde wohl auch die Drucklegung des noch zu sendenden Manuskriptes ganz Ihnen überlassen müssen. Gern würde ich das Buch der Annette Kolb haben, wenn es ausgedruckt ist.

Noch einmal unsere wärmsten Wünsche für Ihrer aller Wohlergehen. Daß man sich vor dieser Dauer-Heimsuchung noch einmal gesehen und ausgesprochen hat, ist unter allen Umständen schön und nützlich.

Ihr Thomas Mann

Recht herzlichen Dank auch noch für die freundliche Besorgung des Gepäckes! Heute Abend soll die »Drotningholm« einlaufen. Sollte das Gepäck *nicht* mitgekommen sein, kabeln wir noch.

Ihre diversen Auslagen teilen Sie mir bitte mit! Ich habe die Hotel-Rechnung nicht selbst bezahlt und halte für möglich, daß man vielleicht irrtümlicher Weise uns nicht mit den letzten drei Tagen Pension belastet hat. Ich bin noch im Besitz von 400 Kronen, die ich vielleicht mit schwedischem Schiff als Einschreibebrief schicken könnte.

Noch ganz persönliche herzliche Grüße an Sie alle von

der Sekretärin.

K. M.

Princeton, N. J. 12. x. 39
65 Stockton Street

Lieber Dr. Bermann,

diese Zeilen gebe ich dem 8ten Kapitel mit auf seinen unsicheren Weg – möge es glücklich in Ihre Hände gelangen und dem Ganzen zugute kommen. Leider geht das Schiff, dem ich es anvertrauen muß, sehr lange: wenn es übermorgen New York verläßt, wird es noch ungefähr 12 Tage brauchen, bis es in Stockholm eintrifft. Aber solche Verlangsamungen muß man jetzt in Kauf nehmen, und Korrektur wenigstens brauche ich nicht; ich verlasse mich dabei auf die Akkuratesse Ihres Bureaus. Zeit müssen wir sparen, aber ich glaube immer noch und bin sogar überzeugter davon, als zur Zeit unseres Wiedersehens, daß es möglich sein wird, das Buch noch rechtzeitig zu Weihnachten herauszubringen – soweit dergleichen jetzt überhaupt möglich ist. Als ich jetzt mit dem 8ten Kapitel fertig war, habe ich die Arbeit nur zwei Tage unterbrochen, um eine lecture zu redigieren, die ich schon in den nächsten Tagen brauche. Schon heute habe ich das 9te und letzte in Angriff genommen, das kurz und nur ein Nachspiel sein wird, – allerdings nicht ganz leicht zu machen so, wie es mir vorschwebt; es ist Stimmungssache, und ich vertraue, daß die Stimmung durch die nahe Aussicht, dies hinter mich gebracht zu haben und ein freier Mann zu sein, frei z. B. für den Schlußband des »Joseph«, sehr belebt werden wird.

Von den Abenteuern unserer Heimreise haben wir Ihnen wohl kaum schon etwas erzählen können. Der Flug von Malmö nach Amsterdam war wirklich etwas bedrückend, weil die Stewardeß erzählte, daß täglich deutsche Bomber das Gefährt umflögen und in die Fenster nach den Passagieren schauten. Einem dicken jüdischen Herrn wurde schlecht bei der Nachricht. Nun, wir haben den Feind nicht zu sehen bekommen, und von Amsterdam an war man ja in Sicherheit, – mit der aber die Unbequemlichkeiten erst begannen, denn die Landungsumständlichkeiten in London waren scheußlich, 3 Stunden ging es danach von dem weit verlegten u. unkenntlich gemachten Flugplatz mit dem Omnibus zur Stadt, dann kam für noch 3 Tage das am Abend stockfinstere u. auch sonst nicht gemütliche Southampton und dann für 6 Tage die von 2000 Menschen überfüllte »Washington« mit Schlafpritschen bei getrennten Geschlechtern in den zu Concentration Camps verwandelten Gesellschaftsräumen, zu wenig Wasser und niemals allein sein. Und *Geld* hat das alles gekostet! Der Ausbruch des Krieges hat unsere Reisekosten um mindestens tausend Dollars erhöht. Aber wenn Hitler dabei sein Grab findet, solls mir wahrhaftig recht sein.

Man darf noch immer daran glauben, obgleich er für Rußland den Osten und die Ostsee geopfert hat, die doch einmal ein deutsches Meer war. Es sieht nicht so aus, als ob man ihn ohne Zugeständnisse, die *auch* sein Ende wären, aus dem Kriege herauslassen wollte. Wenn nur irgend eine Nachfolge sichtbar wäre!

Leben Sie recht wohl! Sie können den Wunsch wohl brauchen,

denn auch Ihnen in Schweden muß in den letzten Tagen nicht ganz wohl gewesen sein.

Herzliche Grüße!

Ihr T. M.

[Telegramm] [Princeton, N. J. 13. Oktober 1939]

Manuskripte abgehen 14 Clipper und Rydboholm

Mann

[Telegramm] [Stockholm, 25. Oktober 1939]

Sendet Schlußmanuskript außer direkt per Schiff auch per Clipper an Monsieur Haeberlin Chancelier de la Legation Suisse Lisboa Portugal der hierher weiterleitet Möglichst achtes Kapitel nochmals ebenso Drahtet Absendung

Bermann Fischer

Katia Mann an GBF

Princeton, 27. x. 39

Lieber Doktor Bermann:

Ihr Kabel kam gerade im rechten Augenblick, nämlich an dem Tage, an dem »Lotte« glücklich abgeschlossen war und das kurze Schlußkapitel per Clipper direkt nach Stockholm abgesandt werden sollte. Wir befolgen nun also genau Ihre Weisungen. Das achte und neunte Kapitel gehen anbei an Ihren Gewährsmann nach Lissabon, und gleichzeitig vertrauen wir noch ein Exemplar des neunten Kapitels der »Temnaren« für Stockholm an.

Bedauerlich ist nur, daß wir nun durchaus keinen Durchschlag des achten Kapitels mehr haben, da in der Annahme, es würden keine mehr benötigt, im Ganzen nur drei Exemplare angefertigt wurden, und wenn nun, wie zu erwarten, Mrs. Lowe in ein bis zwei Wochen hier eintrifft, haben wir kein Material für sie. Notfalls kann das Original natürlich noch einmal abgeschrieben werden, aber das ist immer etwas umständlich und kostspielig. Darf ich Sie für alle Fälle bitten, uns baldmöglichst eines der drei Maschinen-Manuskripte des achten Kapitels oder auch die gedruckten Bogen zugehen zu lassen.

Ferner bitte ich Sie, je ein Exemplar der Bögen des ganzen Buches senden zu wollen an:

Verlag Athenaeum, Budapest, Erzsebet Körut 5–7

Editorial Autorjus, Señor Barma, Casilla Correo 2495,

Buenos Aires

Mademoiselle Louise Servicen, 10 Square du Thémérais,

Paris XVII

und schließlich für alle Fälle die beiden letzten Kapitel noch an

Mrs. Helen Lowe, Oxford, 374 Woodstock Road.

Ich brauche Ihnen nicht zu sagen, mit welcher Spannung wir die Entwicklung dieses völlig beispiellosen Krieges und vor allem auch die Ereignisse im Norden verfolgen. Für Tommy war es ein großes Glück, daß er so intensiv arbeiten konnte, und fast muß ich es bedauern, daß diese Aufgabe nun beendet ist. Aber, nach Erledigung einiger journalistischer Kleinigkeiten beabsichtigt er, sich sehr bald in den letzten »Joseph« zu vertiefen, das wird gut sein.

Gestern hatten wir ein Telegramm meiner Eltern, daß sie nächste Woche »zu reisen« gedächten. Das wäre doch wirklich ein phantastischer Glücksfall, wenn auch jetzt, wo ich nicht zu ihnen stoßen kann, die Ausreise nicht mehr annähernd so viel Anziehung für sie hat, wie vorher. Wenigstens kann Golo etwas für sie sorgen, der ja vorerst seine Redactions-Aufgabe durchführen zu können hofft. Der eigensinnige Bibi ist immer noch in England, wie auch Lanyis, die freilich nur zu gern hier wären, aber das ist im Augenblick sehr schwer zu erreichen.

Ihnen allen die herzlichsten Grüße und Wünsche von uns beiden. An Frau Fischer will ich wirklich mit nächstem schreiben, es ist schrecklich, daß solche Absichten immer wieder hinter dringenderen Notwendigkeiten zurückstehen müssen.

Ihre Katia Mann

Princeton, N. J. 7. XI. 39
65 Stockton Street

Lieber Dr. Bermann,

Ihren freundlichen Brief vom 16. vor. Mts. habe ich richtig erhalten und mich auch an den Beilagen erfreut. Der Prospekt sieht sich gut an, und die Anzeige in der »N. Z. Z.« ist immerhin ein Zeitdokument, wie auch Korrodis Brief es war, in dem er mich einlud, aus »Joseph« IV etwas bei ihm zu veröffentlichen, womit ich ihm freilich nicht dienen konnte.

Heute habe ich Ihnen eigentlich nichts zu schreiben, außer wie dringend ich wünschte, daß das 9te Kapitel, dem ich nach Ihrem Wunsch das 8te auch noch einmal mit auf den gefährlichen Weg gab, Sie erreichen und zwar noch so rechtzeitig erreichen möge, daß die Fertigstellung der Auflage in einem wenn auch noch so geringen Abstand von Weihnachten möglich ist! Ich zittere darum und rechne auf ein Kabelwort von Ihnen, wenn das Ms. in Ihren Händen ist. Dann bin ich neugierig zu hören, wie Ihnen und Tutti der Schluß gefallen hat, den ich mir für die kuriose Geschichte ausgedacht habe. Das Bedürfnis nach etwas Versöhnlichem war dringend, und auf diese halb oder ganz geisterhafte Weise ging es am besten. Es ist schwer sich vorzustellen, wie das Buch als Ganzes sich ausnehmen wird – in den Augen der Handvoll neugieriger Schweizer, Holländer und Skandinavier, die es vorläufig lesen werden. Es zu übersetzen, ist so gut wie unmöglich. Mrs. Lowe-Porter schwitzt Blut beim Siebenten Kapitel. Trotzdem findet sie das Buch »timely« und hält einen Erfolg in Amerika nicht für unmöglich. Ich muß es hoffen, – damit nicht wahr wird, was das »Schwarze Corps« kürzlich gemeldet haben soll: mit mir gehe es, weil niemand mich mehr läse, mehr und mehr bergab, und ich drückte mich halbverhungert in Pariser (!) Cafés herum. Ein Wunschtraum, noch nicht so recht erfüllt. Die lieben Landsleute werden nächstens meine Stimme hören, vermittelst einer Platte, die der Londoner deutsche Sender vor ihren Ohren laufen lassen wird. Wie sag ich's meinem Kinde?

Wirklich weiß ich nicht recht, *was* man dem unglückseligen Kinde sagen soll. Ihm versprechen, daß ihm überhaupt nichts geschehen soll, wenn es jetzt von seinen kleinen Unarten läßt, das kann man doch schon nicht mehr. Auch zweifelt man ja, wenigstens in dunklen Stunden, ob die anderen je in der Lage sein werden, es zur Rechenschaft zu ziehen. In welchem Zustand werden sie selber sein, wenn der Krieg lange dauert und sich zu einer allgemeinen, weitschichtigen Revolution entwickelt? Vielleicht, Gott verzeih's mir, ist das sogar das Wünschenswerte. Deutschland wird jedenfalls tolle Dinge erleben, aber es fragt sich, ob es dagegen viel einzuwenden hat und ob es Sinn hat, es vor Abenteuern zu warnen. Der Einzelne schimpft zwar und leidet, aber als Ganzes haben sie eine Passion, Geschichte als episches Abenteuer zu erleben.

Ich bin sehr glücklich über den neuen »Zauberberg«, von dem ich *ein* Exemplar erhielt. Kommen noch ein paar?

Herzlich

Ihr Thomas Mann

Ich vergaß noch, Sie zu bitten, die ausgedruckten Bogen von »Lotte«, sobald sie fertig sind, namentlich das VII. Kapitel und die folgenden, auch an meine französische Übersetzerin, Mlle Louise Servicen, Paris XVII, 10, Square du Thémérais, zu senden.

GBF an Katia Mann

Stockholm, 13. November 1939

Liebe Frau Mann,

von den verschiedenen Manuskriptsendungen sind folgende eingetroffen:

    I. Das am 14. X. per Clipper abgesandte achte Kapitel.

    II. Die am 27. X. per Clipper an Herrn Haeberlin, Lissabon, abgesandten Kapitel acht und neun.

Ausständig sind noch die Sendung vom 14. X. Dampfer »Rydboholm« und 27. X. »Temnaren«.

Mit dem Eintreffen des neunten Kapitels ist die Fertigstellung des Buches noch zu Weihnachten sichergestellt, soferne Holland nicht inzwischen besetzt wird und soferne die Transportmöglichkeiten nach der Schweiz wie bisher aufrechterhalten bleiben. Das Buch wird am 16. November vollständig ausgedruckt und am 22. November aufgebunden sein, so daß es in den ersten Dezembertagen beim Schweizer Buchhandel eintreffen kann.

Ich habe auf jeden Fall Auftrag gegeben zu matern und hoffe, daß ich die Matern noch vor Eintritt einer Katastrophe hierherbekomme. Ein ziemlich großer Teil meines holländischen Bücherlagers, insbesondere von »Zauberberg«, »Achtung, Europa!« etc. etc. befindet sich auf dem Wege hierher. Vielleicht kommt es gerade zum russischen Einmarsch zurecht?

An die von Ihnen angegebenen Adressen werde ich Bogen sofort nach Fertigstellung des Druckes senden.

Die Spannung in der Finnlandfrage hat hier in den letzten Tagen etwas nachgelassen, obwohl dafür kein rechter Grund vorliegt. Man hofft wohl, daß die Russen letzten Endes doch vor einem Krieg zurückscheuen.

Viel ernster sieht im Augenblick die Hollandfrage aus, und es ist nicht unmöglich, daß ich Landshoff und Landauer in nächster Zeit hier sehe. Landshoff würde dann von hier aus nach USA weiterfahren.

Hoffentlich ist die Ausreise Ihrer Eltern inzwischen geglückt. Von Golo habe ich leider noch gar nichts gehört, ich schreibe ihm aber heute noch. Ihre Briefe an mich schicken Sie am besten wieder per Clipper an Herrn Haeberlin, c/o Schweizer Gesandtschaft, Lissabon. Ich kann dann damit rechnen, sie in etwa 14 Tagen zu bekommen, während die normale Beförderung per Clipper 3–4 Wochen dauert, da die Briefe von Portugal aus offenbar über Frankreich gehen und dort bei der Censur hängenbleiben.

Ihnen allen die herzlichsten Grüße

Ihr Bermann Fischer

Stockholm, d. 19. XII. 39

Lieber Herr Doktor Mann,

Ihren inhaltsreichen Brief vom 7. XI. habe ich erst am 14. XII. erhalten. Das ist wohl der Rekord an Verspätung. – Inzwischen hat Ihnen wohl Landshoff längst ein Exemplar der »Lotte« überbracht, vielleicht sind auch schon die übrigen 20, die ich in Amsterdam Anfang Dezember absenden ließ, eingetroffen, und auch die neuen »Zauberberg«-Bände sind bei Ihnen angelangt. Ich ließ zunächst 3 Exemplare an Sie abgehen und von hier aus weitere 10. Ich habe nämlich, kurz nach Fertigstellung, wie ich Ihnen schon schrieb, Ihre Bücher hierher kommen lassen, um sie vor der drohenden Invasion in Holland zu schützen. Durch diese Vorsichtsmaßregel kamen sie vom Regen in die Traufe, und eine Menge Geld hat es auch noch gekostet. – Der Einfall der Russen in Finnland hat hier einen schweren Schock ausgelöst. Ich war in der betreffenden Woche entschlossen, meine Zelte hier abzubrechen, und hatte bereits Schiffskarten, um dann in den letzten 24 Stunden vor Abgang des Dampfers doch abzublasen. Ob das richtig war, ist heute noch nicht zu entscheiden. Aber ich bekam es nicht fertig, hier alles stehen und liegen und die Mutter in recht ungewissen Verhältnissen allein zu lassen. – Inzwischen sehen wir mit Bewunderung den heroischen Widerstand der Finnen gegen die russischen Horden, die zwar Panzerwagen, aber keine Schuhe und Mäntel haben und wie das Vieh ins Feuer getrieben werden. Trotz des offenbar desolaten Zustandes der Roten Armee ist aber kein Anlaß zu übergroßem Optimismus. Ohne Hilfe von außen können die 400 000 Finnen (von 15–75 Jahren) den immer neuen Menschenmassen der Russen auf die Dauer nicht widerstehen. Der Gedanke, daß wirksame Hilfe ausbleiben könnte, ist furchtbar. Es geht hier um mehr als nur um Finnland. Jetzt sieht man was sich hinter dem sorgsam verschlossen gehaltenen Vorhang, der den Blick nach Rußland verdeckte, verbirgt. Es ist ein grauenhafter Anblick. – Durch den schweren Mißerfolg der Russen hat sich die Gefahr für Schweden und Norwegen vielleicht etwas vermindert. Schweden hat eine größere Armee und wird im Frühjahr mit seiner Rüstung fertig sein. Immerhin aber erst im Frühjahr. Der in weiten Kreisen geäußerte Wunsch, Finnland militärisch zu helfen, hat sich nicht durchsetzen können. Diese Aktivisten vertreten die nicht von der Hand zu weisende Ansicht, daß es besser wäre, mit den Finnen zusammen zu kämpfen, als später allein dranzukommen. Man kann sich diesem Argument nicht verschließen. Die Sympathie des Außenministers Sandler für diese Haltung hat letzten Endes wohl seinen Rücktritt veranlaßt. –

Wie sich Deutschland bei einer schwedisch-russischen Verwicklung verhalten wird, ist vorläufig ungewiß. Gerüchtweise verlautet, daß Deutschland in höchstem Maße an der Aufrechterhaltung des schwedischen Friedens interessiert ist (Erzfrage!) und deshalb die Zurückhaltung der Regierung begrüßt. Da eine »friedliche« Okkupation, wie mir allgemein versichert wird, keine Aussichten hat und behauptet wird, daß Schweden auch gegen einen derartigen deutschen Versuch kämpfen würde, scheint eine deutsche Gefahr nicht vorzuliegen. Dennoch traue ich dieser Beurteilung der Lage gegenüber Deutschland nicht ganz. Ich bin nicht ganz sicher, ob man hier bei einer

Bedrohung durch Rußland nicht doch im letzten Augenblick deutsche »Hilfe« annimmt. Ob sie in Übereinstimmung mit den Russen gegeben wird oder ohne deren Zustimmung, kann sich gleich bleiben.

Jedenfalls kann man wohl annehmen, daß Deutschland heute schon die »Wünsche« seines russischen Freundes viel weniger zu berücksichtigen braucht als vor dem Finnischen Krieg, nachdem sich die Unfähigkeit der russischen Armee erwiesen hat und von Lieferungen fürs nächste nicht mehr die Rede sein kann.

In dieser Hinsicht hat der nordische Krieg seine besondere Bedeutung für die Gesamtentwicklung.

Sehr interessiert hat mich Ihre Frage: wie sag ich's meinem Kinde. Durch besondere Umstände bin ich mit der Propaganda in gewisse Beziehung gekommen und habe gesehen, daß vieles sehr gut gemacht wird; man begnügt sich aber vorläufig mit einer Oberflächenpropaganda, die nur Menschen beeindrucken kann, die sich noch einen Rest eigener Urteilskraft erhalten haben, also die ältere Generation. Die Jugend mit ihrer totalen Nazierziehung ist Argumenten nicht zugänglich, die von Voraussetzungen ausgehen, die für sie überhaupt nicht mehr existieren. Gerade auf die Generation zwischen 20 und 30 kommt es aber an. Bei ihr ist mit der Widerlegung von deutschen Falschmeldungen etc. nichts getan.

Daß es auch unter diesen jungen Menschen Tausende gibt, die den Schwindel und das Elend durchschauen, kann man wohl annehmen. Zum Widerstand fehlt diesen aber jeder geistige Rückhalt. Sie leben in völliger Isolierung. Es käme darauf an, sie aus ihr zu lösen, ihr den Blick für die außerhalb des Regimes existierenden Werte zu öffnen, die Verbindung mit Europa wiederherzustellen. Dazu bedarf es einer äußerst vorsichtigen Arbeit, die sich ernsthaft mit dem Nazismus auseinandersetzt und schulmäßig, pädagogisch die Grundlagen abendländischen Geistes entwickelt. Es besteht vielleicht die Möglichkeit eine derartige Schriftenreihe zu machen und an den ›wichtigen‹ Stellen zu verbreiten. – Diese Vorbereitung eines künftigen Friedens scheint mir von großer Bedeutung zu sein. Die Gefahr, daß die deutsche Jugend in Anarchie versinkt, ist groß. Wenn also überhaupt geholfen werden kann, so müßte es sofort geschehen. – Aber weiß der liebe Himmel, ob es für dieses verrottete Volk überhaupt noch eine Rettung gibt, ja ob sie überhaupt eine wollen.

Das 9. Kapitel ist köstlich und eine wunderbare Lösung. Wie oft hat man mich nicht schon gefragt: War er wirklich im Wagen? – Man könnte wohl nicht besser illustrieren, wie sehr das, was Sie beabsichtigten, gelungen ist. Ein Verschweben im Ungewissen, ein Abschluß im Irrealen, eine Versöhnung im Jenseitigen, und wie dabei auf so handfeste und natürliche Weise der Olympier aufs Einfache, Menschliche zurückgeführt wird. – Lotte geht alles in allem als Siegerin aus diesem Buch hervor und ist nun ein zweites Mal, in umfassenderer Art und als selbständige Figur in die Literatur eingegangen. Es wäre ihr wohl so recht gewesen. Aber die Frauen überhaupt sind Ihnen für diese Gestalt großen Dank schuldig, für diese einzigartige Verherrlichung ihrer unverfälschten und unbestechlichen Gefühlsklugheit, die sich durch nichts, auch nicht durch Goethen, beirren läßt. Es bleibt ein Wunder, daß Sie das Buch, das selbst ein Wunder ist, in dieser Zeit vollenden konnten. Die Nachfrage nach dem Buch scheint groß zu sein. Aus der Schweiz kamen kurz nach Eintreffen der dorthin gelieferten großen Vorbestellungen bereits Nachbestellungen. Da aber nach allen Ländern wegen der schwierigen und unsicheren Transporte von vornherein große Mengen, auch in Kommission, geliefert werden und Verkaufsabrechnungen erst nach Weihnachten erfolgen können, läßt sich eine zutreffende Verkaufsziffer erst Ende des Jahres ermitteln. – Nach den schon jetzt laut werdenden Stimmen aus Presse und Publikum kann man wohl sagen, daß das Buch mit Begeisterung und Freude aufgenommen wird und mit höchster Bewunderung. Die bis jetzt vorliegenden Rezensionen: »Zürcher Zeitung« (Korrodi) Basler »Nationalzeitung« etc. lasse ich gleichzeitig per Drucksache abgehen. Korrodi hat sich 2 Feuilletons geleistet.

Dieses Weihnachten und Neujahr werden wir alle nicht in Hochstimmung begehen. Immerhin, bei allem was noch kommen mag in 1940, ist unsere Zukunftshoffnung nicht geringer geworden. Was es auch sein möge, es wird das Ende des Nazismus sein.

In diesem Sinne wünsche ich Ihnen und den Ihren alles Herzliche zu den beiden Festen und grüße Sie als Ihr

Bermann Fischer

In herzlicher Anhänglichkeit gedenken der fernen Freunde
und hoffen auf glückliches Wiedersehen 1940

Manns

Princeton, N. J. 27. XII. 39
65 Stockton Street

Lieber Dr. Bermann,
ehe ich Ihnen schrieb, wollte ich gern »L. i W.« in Händen
haben, um Ihnen ein Wort darüber sagen zu können. So
kommt es, daß dieser Weihnachtsbrief so verspätet vom Sta-
pel läuft; – wo wir doch, unsererseits, rechtzeitig zum Fest
einen so lieben und freundlichen Brief von Tutti hatten, für
den auch ich bei dieser Gelegenheit noch vielmals danken
möchte. Von dem Buch kam zunächst nur ein schon ziemlich
zerlesener Vorläufer durch Landshoff (der noch hier ist, aber
um Neujahr nach London reisen will). Aber genau zu Weihnachten trafen dann zwanzig Exemplare von der Alliance ein,
und so konnte ich mir nicht nur selber eines aneignen (das erste hatte ich gleich an Mrs. Lowe weitergeben müssen), sondern
auch einer ganzen Anzahl legitimer Aspiranten ein Geschenk
damit machen. Der Beifall war überall groß, – ich meine: der
Beifall, der Ihnen gebührt und der der Ausstattung gilt. Es
ist ein ungewöhnlich schöner, mit sichtlicher Sorgfalt und Liebe hergestellter Band, darüber gibt es nur eine Stimme, und
mein Schwiegersohn Borgese, Medis Gatte, philosophierte bei
seinem Anblick gleich über die Widerstandskräfte der Civili-
sation, die sich darin ausdrückten, daß heutzutage ein deutsches Buch in dieser gepflegten Form herauskommen könne.
Er hat wohl recht, aber ich sagte ihm, diese Zähigkeit der Civi-
lisation habe ihren ganz persönlichen Sitz, nämlich in Ihrem
Busen. Sie seien nicht umzubringen, und wenn nach Berlin
und Wien auch Stockholm auffliege, so würden Sie es in
London oder New York oder Neuseeland ebenso distinguiert
weitertreiben und auch meinen nächsten Roman wieder aufs
feinste herausbringen.
Wirklich, ich freue mich sehr an dem Buch, und daß es nun auf
Deutsch irgendwie in der Welt ist – denn mit den Übersec-
zungen, das wird diesmal bestimmt ein Graus. Auf Englisch

ist schon der Titel unmöglich. Die Geschichte wird wahrscheinlich »The wondrous pilgrimage of Lotte Buff« heißen – obgleich ich's weiß, werde ich meinen Augen nicht trauen. Und der Erfolg unserer deutschen Ausgabe? Wir werden vorlieb nehmen müssen. Fünftausend Vorbestellungen waren kein schlechter Anfang unter so beschaffenen Umständen, und Ihre 10 000 werden Sie mit der Zeit schon loswerden. Wenn man freilich bedenkt, daß es, wenn Deutschland noch stünde, gerade bei diesem Buch sofort 100 000 hätten sein können, so könnte Wehmut einen packen. Aber wissen wir denn, ob nicht Deutschland bälder, als noch vor kurzem zu denken war, wieder zugänglich sein wird? Es sieht manchmal so aus. Stellen Sie sich vor, daß Sie eines Tages Ihre Ware in das ausgehungerte Reich werden hineinpumpen können!

Die durch zwei Nummern der »N. Z. Z.« gehende Besprechung Korrodis hat Golo mir geschickt. Sie ist unglaublich schlecht geschrieben und zeugt auch von ungenauem Lesen, hat mir aber doch Freude gemacht durch ihre Beherztheit und Wärme, die natürlich mit den Zeit-Umständen zu tun hat und wohl noch vor kurzem an dieser Stelle nicht aufzubringen gewesen wäre, die aber doch echt ist und mir beweist, daß das Buch eine bestimmte Art von Menschen geradezu glücklich machen kann. Ein Brief von Hesse drückte Ähnliches aus. Sonst fehlt es bisher noch an Echo, und sehr vielfältig kann ja der Widerhall auch nicht sein. Was sich an Äußerungen bei Ihnen etwa zusammenfindet, schicken Sie mir wohl einmal.

Weihnachten haben wir im Kreise guter Freunde und mit wenigstens einer Auswahl unserer Kinder recht friedlich und vergnügt gefeiert. Nach Beendigung des Romans habe ich zunächst noch einmal etwas Politisches geschrieben, eine Erörterung der beiden Friedenskonzeptionen: Commonwealth und Großraum-Gewalt, dem deutschen Volk ins Gewissen geredet. Die Art der Veröffentlichung der fünfzig Seiten ist mir noch unklar. Teile davon sollen erst einmal »Herald Tribune« und »Nation« bekommen, auch »Manchester Guardian«. Ich könnte nun wieder zum »Joseph« übergehen, laboriere aber an einer indischen Novelle herum, die ich vorher noch machen möchte. Ohnedies geht es leider am 2. Januar für vier Wochen auf lecture tour.

Nun kommt 1940. Wir dürfen neugierig darauf sein, – wobei

ich mir natürlich sage, daß diese Neugier bei Ihnen einen weit
unmittelbar beklommeneren Charakter trägt als bei uns. Mögen die großen Veränderungen, die jedenfalls, und vielleicht
schon in diesem Jahr, zu erwarten sind, nicht derart sein, daß
sie Ihr Leben und Werk neuerdings durcheinanderwerfen.
Wir alle grüßen Sie, Tutti, Frau Fischer und die Kinder aufs
herzlichste.

Ihr Thomas Mann

TM an Brigitte Bermann Fischer   Princeton, N. J. 14. I. 40
                                      65 Stockton Street
Liebe Tutti,
mit Ihrem schönen Kunst-Manuskript aus und über »Lotte in
Weimar« haben Sie mir eine außerordentliche Freude gemacht,
für die ich Ihnen gleich von Herzen danken muß. Das mit
mönchischer Sorgfalt betreute Pergament wird das Prunkstück
bilden der kleinen Sammlung von Dokumenten, die ich mir
über diesen Gegenstand angelegt habe. Sehr reichhaltig kann
sie natürlich nicht werden, das Echo ist nicht vielstimmig. Eine
zweite Zeitungsbesprechung ist eingelaufen: aus der Pariser
»Zukunft«, ein kleiner Hymnus. Jetzt mag noch die Baseler
»Nationalzeitung« kommen und das »Tage-Buch« – das wird
so ziemlich alles sein. Aber ein paar bewegte Leser-Briefe liegen vor, und alles in allem habe ich doch den Eindruck, daß
einige Freude in dem Buch gebunden ist, die frei wird beim
Kontakt mit Lesern, die für solche Dinge überhaupt noch emp-
fänglich sind. Goethe selbst hat einmal gesagt, bei einem
Kunstwerk komme alles auf die Konzeption an. Und in der
Konzeption dieser Geschichte war von Anfang an etwas An-
sprechendes, das vorgehalten und sich auch gegen die Lang-
weiligkeiten der Ausführung durchgesetzt zu haben scheint.
Hoffentlich hat Ihr Mann meinen Brief bekommen, worin ich
ihm für die schöne Ausstattung gedankt habe, die er dem Buch
hat angedeihen lassen. Leider sind eine ganze Anzahl ärger-
licher Druckfehler stehen geblieben, von denen ich einmal eine
Liste herstellen muß für den Neudruck, den wir für das Jahr
1960 in frohe Aussicht nehmen wollen. – Auch an den alten
Herrn Bonnier haben wir neulich geschrieben, um ihm zu sagen, mit welcher Teilnahme, Spannung, Besorgnis wir immer

die Entwicklung der Dinge im europäischen Norden und damit Ihrer aller Schicksal im Auge haben. Das Quälende und Widersinnige ist, daß die kleinen Staaten sich an ihre »Neutralität« klammern, bis es dann einzelnen unmittelbar an den Kragen geht. Als ob Neutralität irgend einen Sinn hätte und sie nicht wissen müßten, auf welche Seite sie alle zusammen nach ihrem Lebensinteresse gehören!

Möchten Sie mit Ihren reizenden Kindern doch ein heiteres nordisches Jul-Fest verbracht haben! (Heißt es nicht wirklich noch »Jul« bei Ihnen dort oben?) Ins neue Jahr sind wir alle mit gespannten, aus Hoffnung und Furcht gemischten Erwartungen eingetreten. Was wird es bringen? Gewiß noch nicht das Ende des im Gange befindlichen grundstürzenden Prozesses. Aber 1940 muß diesen wohl, unter Schrecken, ein entscheidendes Stück vorwärts treiben. Unterdessen muß man seine Tage möglichst würdig und der Zukunft dienlich auszufüllen suchen. Ihnen allen herzliche Grüße!

Ihr Thomas Mann

Stockholm, d. 15. Jan. 1940.

Lieber Herr Doktor,

es ist nicht sehr gemütlich bei uns. Es herrscht zwar seit einigen Tagen einiger Optimismus bei den Schweden. Ich fürchte aber, daß der Wunsch der Vater dieser Einstellung ist. Seit den katastrophalen Niederlagen der Russen hält man eine Gefahr von dieser Seite zunächst für überwunden. Aber selbst im günstigsten Fall kann ohne Hilfe von außen der Widerstand an der finnischen Front nur bis zum Frühjahr halten. Ob die Russen dann, wenn ihnen ein Durchbruch gelingt, an der schwedischen Grenze haltmachen werden, wissen sie wahrscheinlich selbst noch nicht.

Ebenso unklar ist die Frage, ob Deutschland Absichten hat. Die Campagne gegen die skandinavischen Länder hat sich wieder beruhigt, der schwedisch-deutsche Handelsvertrag wurde ohne besondere Schwierigkeiten abgeschlossen. Und es ist nicht recht einzusehen, welchen Vorteil die Besetzung Schwedens, die auf recht großen Widerstand stoßen würde, für die Nazis haben sollte. Aber damit kommt man auch nicht weiter, und das Gefühl, auf einem Vulkan zu sitzen, läßt sich nicht beschwichtigen. Was aber ist zu tun? Ohne akuten Grund möchte ich nicht alles liegen lassen.

Der Verlag ist trotz der großen Hemmungen und Schwierigkeiten noch leidlich gegangen, und wir kommen wohl so gerade mit einem blauen Auge davon. An erster Stelle steht natürlich die »Lotte«. Mehr als ca. 5000 Exemplare sind aber dennoch bis Weihnachten nicht verkauft worden. Das Buch geht aber weiter und dürfte sich wohl lange an erster Stelle halten. Ich lege Ihnen wieder Besprechungen bei.

Daneben kommen fast täglich begeisterte Briefe aus dem Publikum und von befreundeten Autoren wie Zweig, Kolb, Kesten, Werfel, Frau Szeps-Zuckerkandl, Prof. Zimmer u. v. a. Es ist nur eine Stimme des Glückes, der Freude und der Bewunderung.

In meinem nächsten Brief, der am 24. mit der »Bergenfjord« mitgehen kann, werde ich Ihnen wahrscheinlich schon die genauen Absatzziffern geben können. Bis dahin werden wir wieder etwas klüger sein.

Hoffentlich höre ich bald von Ihnen.

Alles Herzliche Ihnen und Frau Mann und der ganzen übrigen Familie.

Ihr Bermann Fischer

Von Tutti und Frau Fischer die herzlichsten Grüße.

Princeton, den 4. III. 40

Lieber Dr. Bermann,

das will ich glauben, daß es bei Ihnen »nicht gemütlich« ist. Sie stehen unter einem schweren Druck, und wir denken oft an Sie alle und bewundern Ihr ruhiges Ausharren und mutiges Weiterarbeiten. Seien Sie aber auch achtsam und versäumen Sie den rechten Augenblick nicht, Ihre Zelte abzubrechen.

Gemütlich ist es freilich nirgends mehr. Die Freude an Amerika wird einem stark verleidet durch die vollkommen unsinnige, ja alberne anti-englische Stimmung, mit der es im Grunde nicht ernst sein *kann*, die aber im Bewußtsein und in den Worten der Leute mehr und mehr um sich greift. Der Wunsch, Hitler möge siegen, steht wohl eigentlich nicht dahinter, und also scheint es, daß man Englands Sieg für so selbstverständlich hält, daß man sich solche kindischen Empfindlichkeiten wie die wegen der Post-Kontrolle glaubt leisten zu können. Schon glaubt man sich auch Mitleid leisten zu können mit dem armen Deutschland und dem bevorstehenden »neuen Versailles«. Wären wir nur erst so weit, daß die Anderen in der Lage wären, Dummheiten zu begehen! Wir sind keineswegs so weit und werden vielleicht nie so weit kommen, wenn das deutsche Volk noch weiter durch solche Eindrücke, wie den Besuch des Mr. Welles und seine »herzliche Atmosphäre« im Respekt vor seiner Regierung bestärkt wird, – ich meine in dem Glauben an ihre internationale Möglichkeit und Verhandlungsfähigkeit. Es ist eine Pein! Die amerikanisch-innerpolitischen Klugheitsgründe für diese Gesten sind eine schwache Medizin für die Qual, die man aussteht.

Der Verkauf von »Lotte« ist aller Ehren wert. Da, wie Sie sagen, das Buch weiter geht, so liegt ein Neudruck doch vielleicht nicht ganz außer dem Bereich des in absehbarer Zeit Möglichen (behutsamer kann man sich nicht ausdrücken), und so halte ich es für ratsam, Ihnen für alle Fälle bei Zeiten die Liste der Druckfehler zukommen zu lassen, die ich nach und nach aufgeschrieben habe, und die mich – ich weiß nicht warum – in diesem Buche mehr ärgern, als in jedem anderen. Bewahren Sie sie auf, bitte, und erinnern Sie sich ihrer in dem Augenblick, wo man sie benutzen kann.

Auch ich habe, brieflich und gedruckt, viel Freundliches, ja Begeistertes über den Roman zu lesen bekommen, – das uneingeschränkteste Lob kam charakteristischer Weise immer aus der Schweiz. In Holland etwa oder Skandinavien wird das *Abenteuer* der Verwirklichung des Goethe-Mythos begreiflicher Weise nicht so lebhaft empfunden, und darum ist der Kritik an den pedantischen Längen des Buches und an den Voraussetzungen, mit denen es belastet ist, mehr Raum gelassen. In einem Luzerner Blatt aber z. B. schrieb jemand, er habe seit den Indianergeschichten seiner Jugend kein Buch mehr so verschlungen! Ich habe eben nicht aufgehört, für Leute mit deutscher Kultur-Tradition zu schreiben. –

Ich bin froh, die 3wöchige lecture Tour hinter mir zu haben, die uns tief ins südliche Texas, nahe an den Golf von Mexiko führte. Noch müde von den Anstrengungen und den vielen Schlafwagen-Nächten, habe ich hier gleich Collegs für die boys vorzubereiten und suche außerdem die indische Novelle vorwärtszutreiben, mit der ich mich vor dem vierten »Joseph« sonderbarer Weise noch einmal für eine allerdings bemessene Weile drücke. Warum? Wenn ich mir soviel Zeit gebe, möchte ich weniger rauchen und früher zu Bett gehen.

Auch etwas Politisches, ein Gegenstück zu »Dieser Friede«: »Dieser Krieg«, habe ich ja kürzlich wieder geschrieben. Warburg & Secker wollen es auf englisch baldmöglichst herausbringen – mit begreiflichem Vergnügen, denn es ist kolossal pro-britisch. Auch eine deutsche Ausgabe der Broschüre wäre mir natürlich wichtig; aber obgleich ich Sorge trug, daß man Ihnen den Text schickt, habe ich die stärksten Zweifel, daß Sie dort den Verlag übernehmen können. Ich denke, es wird darauf hinauslaufen, daß die Schrift auch auf deutsch in England erscheint.

Viel Glück und herzliche Grüße!   *Ihr Thomas Mann*

Stockholm, d. 2. IV. 1940.

Lieber Herr Doktor,

ich habe Ihnen noch für Ihren 1. Brief vom 27. XII. zu danken, der mit gewaltiger Verzögerung hier eintraf, und nun für den vom 5. III. Inzwischen sind wohl nun auch meine Briefe und die verschiedenen Sendungen von »Lotte«-Rezensionen bei Ihnen eingetroffen.

Ihre Zustimmung zur Ausstattung der »Lotte« könnte mich geradezu unbescheiden machen. Jedenfalls hat sie aber die dankbarsten und freudigsten Gefühle bei mir erregt und war eine Hilfe in diesen letzten Wochen, die alle Bemühungen und Zielsetzungen in Frage stellten. Daß an ernstliche Arbeit, die eine einigermaßen ruhige und zu übersehende Zukunft zur Voraussetzung haben muß, nicht zu denken war, werden Sie verstehen. Und dabei waren alle Hoffnungen und Wünsche darauf gerichtet, daß man hier auf jede Weise dem »Brudervolke« zu Hilfe kommen möge und trotz aller Drohungen von Süden den Westmächten den Weg nach Finnland eröffnete. Ein Friede kam statt dessen zustande, der einem wahrhaft keine Befriedigung über die wiedergewonnene Ruhe läßt, zu der allgemeinen Niedergeschlagenheit aber die neuerliche Erkenntnis von der entsetzlichen Erbärmlichkeit der Menschen hinzufügt. Was sich hier abgespielt hat und noch abspielt, ist erbärmlich, in jeder Beziehung, politisch und moralisch. – Ein völliges Versagen der Führung, die den Frieden um jeden Preis zum Prinzip erhoben hatte, durchaus nicht in Übereinstimmung mit dem Volk; es aber ängstlich vermied, das Volk über die Vorgänge zu orientieren und die für einen ernsthaften Widerstand erforderlichen Kenntnisse zu übermitteln und Gefühle zu stärken. Die freie Meinungsäußerung wurde in erschreckendem Maße unterbunden, selbstverständlich nur in der Richtung des offen und heimlich drohenden Nazismus, und eine allgemeine Duckmäuserei hat um sich gegriffen, die schwer zu ertragen ist. Die Grundprinzipien einer alten erprobten Demokratie, des Vorbildes demokratischer Regierung, werden leichtfertig über den Haufen geworfen, aber nicht etwa, um sie aus bitterer Kriegsnot durch ein straffes System eines Kriegskabinetts zu ersetzen, sondern völlig ziel- und planlos, aus Schwäche, Feigheit, Bequemlichkeit – die typische Mißwirtschaft mit ihrem Lavieren, ihrem Nachgeben gegenüber demjenigen, der stärker schreit, und ihrem gewaltig sich in die Brust werfenden Auftrumpfen und Zuschlagen gegen alles, was sich auf Wahrheit, Recht und Demokratie beruft. Das kann nicht gut enden. – Die Bedrohung Schwedens durch Rußland ist durch den Friedensvertrag groß. Die von den Russen geforderte Eisenbahn nach Kemijäris, deren Fehlen die Finnen in die Lage versetzte, mehrere russische Divisionen dort zu vernichten, ermöglicht es den Russen, in wenigen Tagen bis nach Uleåborg, d. h. die schwedisch-finnische Grenze zu gelangen. Mit der Besetzung Hangös beherrschen sie den Finnischen und den Bottnischen Meerbusen (Ålandsinseln), und von Petsamo im Norden erreichen sie die norwegische Grenze ohne besondere Schwierigkeiten. Wenn sie also nach Fertigstellung der Eisenbahn wollen, steht nichts im Wege. – Das hat man hier immer gewußt, hat es aber vorgezogen, die Augen davor zu schließen. Dafür macht man sich lieber dadurch lächerlich, daß man sich das groß ausposaunte nordische Defensivbündnis von den Russen verbieten läßt. Aber daß man ernstlich glauben konnte, die Russen würden es zulassen, zeigt am besten die völlige Verbiesterung – man kann es kaum anders nennen – der Staatsführung. –

Was Sie aus USA berichten, ist auch nicht gerade ermutigend.

Ich möchte nur hoffen, daß die allgemeine antinazistische Tendenz auf sicherer Grundlage beruht. Van Loon schrieb mir kürzlich darüber recht optimistisch.

Die Kriegsführung und die Propaganda der Alliierten sind ja nun nicht gerade berauschend. Die allabendlichen Sendungen aus London und Paris sind schon eher ein Albdruck. Eines der wenigen erfreulichen Ereignisse war die Sendung »Thomas Mann, Goethe and Germany«. Ich habe den recht guten Vortrag, der von Walter Rilla stammt, im Manuskript hier. Falls Sie ihn nicht bekommen haben, kann ich es Ihnen gern schikken. Ich stehe mit BBC in Verbindung, aber auch mit der wichtigeren Organisation, durch die ich »Dieser Krieg« an die richtigen Plätze bringen zu können hoffe.

Die Broschüre ist bald fertig. Dank der Freundlichkeit von Secker & Warburg kann ich sie unter deren Firmenbezeichnung in deutscher Sprache erscheinen lassen.

Wie die Dinge jetzt hier liegen, wäre meine Firma der Verbreitung des Heftes nicht günstig gewesen. Ich fürchte allerdings, daß die Einfuhr in die Schweiz auf große Schwierigkeiten stoßen wird. Denn auch dort wird kräftig zensuriert. Kürzlich hat man mir eine Sendung Gumpert »Hölle im Paradies« aufgehalten. Man hat dann das Buch allerdings wieder freigegeben. Die Honorarvorauszahlung für die Broschüre lasse ich Ihnen sofort bei Erscheinen überweisen.

Ich habe diesen Ausbruch echten Zornes mit Ergriffenheit gelesen. Möge es doch den Menschen ins Gemüt gehen und sie aus ihrer Lethargie aufrütteln. – Aber ich sehe bereits die verschiedenen Zensoren der verschiedenen Außenministerien sich die Haare raufen. Mögen sie. Dann haben wir auf Vorrat gearbeitet. –

Mit der Abrechnung sind Sie hoffentlich nicht allzu unzufrieden. Es ist wohl anzunehmen, daß das Buch, die »Lotte«, weiter geht. Ein Verkauf von ca. 1000 Exemplaren in 1¹/₂ Monaten nach Weihnachten ist heutzutage nicht schlecht. – Die Druckfehler sind vorgemerkt. Ich habe selbst noch einige nicht sehr wesentliche gefunden und von anderer Seite bekommen. Wenn man bedenkt, daß nichtdeutsche Setzer am Werk waren, und den Umstand berücksichtigt, daß infolgedessen bei jeder Korrektur neue Fehler gemacht werden, muß man froh sein, daß es nicht mehr waren. Ich habe glücklicherweise eine Deutsche, zudem noch Druckerin in Nijmegen, dem Sitz der Druckerei, die an Ort und Stelle das Schlimmste verhüten kann, vor allem aber immer sofort eingreifen kann, wenn es notwendig ist.

Es würde mich sehr interessieren, Ihre Meinung über den Aufsatz von Prof. Ernst Cassirer über die »Lotte« zu hören. Mir hat diese Analyse großen Eindruck gemacht. Es sollte mich freuen, wenn sie Ihre Zustimmung fände.

Was das Rauchen und zu Bett gehen anbetrifft, so scheint mir das Letztere das Wichtigere zu sein. Sie sollten da diktatorisch vorgehen und sich nichts abhandeln lassen. Es ist schon erstaunlich genug, wie Sie das alles leisten, aber ohne Schlaf geht es nicht. Als Verlegerarzt muß ich also meine Stimme erheben. Es gilt sich zu bewahren!

Wir haben uns für 8 Tage in die schwedischen Berge geflüchtet und huldigen dem Skilauf. Hier gibt es noch Einsamkeit. Urzustand der Natur. Jetzt, Anfang April, liegt der Schnee noch meterhoch, und die Stürme brausen. In diesen Bergeseinöden gegen den Sturm anzugehen oder sich von ihm im Tal blasen zu lassen ist die richtige Erholung in diesen Zeiten.

Inzwischen arbeitet der Verlag, auch gegen den Sturm, weiter. Das Programm werden Sie wohl gleichzeitig erhalten. Ich möchte Sie auf die Broschüre von Volkmann »Die preußische Revolution« hinweisen. Der Autorenname ist ein Pseudonym für Martin Beheim-Schwarzbach, dessen Frau noch in D. sitzt. Er selbst hat D. kurz vor Ausbruch des Krieges verlassen und ist in London. In Kürze kommt das Buch von Otto Strasser »Hitler et moi«. Er scheint mir als Charakter mehr zu sein als Rauschning.

Von meiner Broschürenreihe »Beiträge zum europäischen Friedensproblem« habe ich Ihnen wohl schon erzählt. Ich habe mich mit einigem Erfolg bemüht, die im Ausland lebenden deutschen Politiker aller Richtungen zu sammeln, und habe sehr interessante Beiträge erhalten, die zur Klärung der Einzelprobleme beitragen können. Es sind viele der Allgemeinheit wenig oder gar nicht bekannte Männer darunter, wie Dr. Schiemann, Riga, die sudetendeutschen Sozialisten Hofbauer und Jaksch, aber auch Nationalökonomen wie Bonn und Roepke etc. Ich denke, daß auf diese Weise eine sachliche Grundlage zu den akuten Fragen geschaffen werden könnte.

Der zweite Teil von »Dieser Krieg« wäre sehr geeignet. Vielleicht könnte ich ihn später in dieser Reihe verwenden? – Ich werde Ihnen bald Prospekt und Programm zusenden können. Nun alles Herzliche Ihnen und den Ihren von Ihrem

Bermann Fischer

Lieber und verehrter Herr Doktor, schon lange wollte ich Ihnen Dank sagen für Ihre lieben Zeilen vom Januar, in denen Sie mir sagen, daß ich Ihnen mit dem kleinen Pergament eine Freude bereiten konnte. Sie haben mir wiederum mit Ihrem Brief eine große und anhaltende Freude bereitet. Inzwischen hat sich das Jahr 1940 schon in vieler Hinsicht und nicht nur zum Guten entwickelt und wird wohl noch viele Schrecken für uns alle bergen. Der 2. Münchner Friede war und ist ein Elend und bedrückt dieses Land physisch und psychisch ganz besonders. Wir haben recht aufregende Wochen hinter uns, in denen wir startbereit waren, mit gepackten Koffern, die übrigens dem schnellen Wechsel der Umstände angemessen, gepackt stehenbleiben.

Wir haben ein sehr schönes »Jul« (das hier noch ganz im heidnischen Brauch mit dem Julbock gefeiert wird) und inzwischen auch ein noch sehr winterliches Påsk (Ostern) mit den Kindern verbracht. Diese Bande findet das Leben so herrlich und voller Abenteuer und gewinnt allen Situationen das Beste ab, daß einem nichts anderes übrigbleibt, als das gleiche zu tun. Und so halte ich mich an Ihren schönen Ausspruch zu Ende Ihres Briefes, daß man seine Tage möglichst würdig und der Zukunft dienlich auszufüllen suchen sollte, und versuche im kleinen und kleinsten das Meinige zu tun.

Ihnen und Frau Katia alles Herzliche   *Tutti*

Princeton N. J. 9. VI. 1940
65 Stockton Street

Lieber Doktor Bermann:

Mein Kabel, worin ich Ihnen ausdrückte, wie notwendig Ihre Anwesenheit hier für mich ist, haben Sie hoffentlich erhalten. Ich verliere kein Wort über den furchtbaren Ernst der Situation und über die Empfindungen, die Ihr persönliches Schicksal uns einflößt. Es war uns aber jedenfalls eine große Erleichterung, nach wochenlanger sorgenvoller Ungewißheit über Ihr Ergehen von Ihnen zu hören, und wir wollen nun hoffen, daß Ihre Reise glücklich vonstatten geht.

In San Francisco haben wir ein paar gute Freunde, vor allem nenne ich Albert Bender, 311 California Street, einen ungewöhnlich hilfsbereiten, wohlmeinenden und mir persönlich anhänglichen Mann, der meines Wissens recht angesehen dort ist; ferner Mrs. Marcus Koshland, Washington Street 3800, eine sehr vermögende alte Dame, die jedenfalls einen ihrer Söhne oder Schwiegersöhne ans Schiff schicken könnte.

Wir haben die Absicht, für den Sommer nach Californien zu gehen und haben gerade ein Haus in der Nähe von Hollywood nahe am Meere gemietet. Die genaue Adresse weiß ich im Augenblick noch nicht, aber Briefe erreichen uns bestimmt über: Bruno Frank, 513 North Camden Drive, Beverly Hills, California. Da Hollywood für hiesige Verhältnisse ja ganz nahe bei San Francisco liegt, rechnen wir bestimmt darauf, Sie nach Ihrer glücklichen Landung gleich zu sehen. Aus Ihrem Brief geht nicht hervor, ob die Kinder Sie begleiten, aber wir hoffen doch bestimmt, daß Sie sie mitnehmen konnten.

Alles Persönliche tritt im Augenblick so zurück, daß wir es aufs Mündliche aufschieben wollen. Wir warten mit Ungeduld auf das Telegramm, das uns Ihre glückliche Ankunft in Yokohama meldet. Herzliche Grüße und Wünsche für Sie alle!

Ihr Thomas Mann

GBF war am 19. April 1940 auf Grund einer Denunziation von der schwedischen Polizei wegen antinationalsozialistischer Betätigung in Schutzhaft genommen worden. Um seine Freilassung zu fördern hatte TM ihm aus Princeton ein Telegramm gesandt, in dem er die Dringlichkeit von GBFs Anwesenheit in New York betonte. GBF wurde nach 2¹/₂ Monaten Haft entlassen und aus Schweden ausgewiesen. Er konnte mit seiner Gattin und seinen drei kleinen Töchtern Stockholm am 22. Juni 1940 verlassen, gelangte auf dem Luftweg über Riga nach Moskau und von dort per Bahn und Schiff über Japan in die USA. Frau Hedwig Fischer und ihre jüngere Tochter mußten einstweilen in Stockholm zurückbleiben. Der Verlag wurde in Stockholm von GBFs Mitarbeitern weitergeführt und von GBF von New York aus bis nach Kriegsende ferngesteuert.

DRITTES EXIL
Pacific Palisades und New York
1940–1945

Hotels Windermere
Chicago 16. XI. 40

Lieber Dr. Bermann,

anliegend das Briefchen für Abraham Flexner. Ich konnte es deutsch schreiben, da F. gut deutsch liest; aber sprechen müssen Sie wohl englisch mit ihm.

Ich habe unser Statement Borgese zu lesen gegeben; er ist sehr angetan davon und hat es unterschrieben. Ein paar Ratschläge gab er noch, die ich für gut halte. *A. McLeish*, der sehr sympathische Direktor der Library of the Congress in Washington, sollte, wie ich auch schon meinte, unbedingt zugezogen werden. Ferner meint Borgese, daß man *W. A. Neilson*, früher President vom Smith College, jetzt in Ruhestand, große Autorität auf literarischem u. verlegerischem Gebiet, dabei haben sollte. Auch *Butler* von Columbia University hält er für wichtig, weil für sehr mächtig. Das sagte ich neulich auch schon. Von deutschen Schriftstellern sollte noch *Kahler* mit unterzeichnen. Von Italienern eventuell *Sforza*, klangvoller Name.

In dem Statement sollte man die National-Literaturen alphabetisch anordnen, also Austria, Czechoslovakia, France, Germany, Holland, Italy auf einander folgen lassen.

Eine interessante Frage ist, ob man nicht manche der Bücher, namentlich klassische, mit opponierter *englischer Übersetzung* herausbringen sollte, wie, glaube ich, der Tempel-Verlag es auf deutsch z. T. getan. Der »Decamerone« z. B., heute ein verbotenes Buch, würde sich sehr gut dazu eignen; manches Deutsche auch, und namentlich bei den kleinen Sprachen wie tschechisch und schwedisch und holländisch wäre es fast notwendig und für Lehr- und Bildungszwecke praktisch. Links Original, rechts englisch.

Mir fällt noch ein: da wir, sehr richtiger Weise, Universitäts-

265

präsidenten des Ostens und des Mittelwestens hinzuziehen, sollten wir auch einen im *Westen* um seine Unterschrift angehen. Berkeley University, California, kommt am meisten in Betracht. Ich weiß nur im Augenblick den Namen des Mannes nicht.

Gute Wünsche und auf Wiedersehen.　　*Ihr Thomas Mann*

New York
Nov. 18th 194*

Lieber Herr Doktor Mann,

ich möchte Ihnen vor Ihrer Weiterreise noch Ihren Brief vom 16. ds. bestätigen mit dem beiliegenden Schreiben an Dr. Flexner. Ich werde mich sofort mit ihm in Verbindung setzen. Auch den anderen, von Ihnen vorgeschlagenen Persönlichkeiten werde ich das Exposé zur Unterschrift vorlegen. In Berkeley University meinen Sie möglicherweise den früheren Präsidenten der Universität: Deutsch. An ihn wie an die anderen darf ich wohl unter Berufung auf Sie schreiben?

10 Exemplare Ihres Buches habe ich nach Princeton senden lassen, teilen Sie mir bitte mit, an wen in Ihrem Auftrage noch Exemplare zu senden wären.

Nun komme ich noch mit einer Bitte, die Tutti und mir sehr am Herzen liegt: unser Gesuch für Frau Fischer und Hildegard Fischer, das wir vor vielen Wochen dem Emergency Rescue Committee übergeben haben, ist, wie wir erst jetzt erfahren, bei Mr. Warren hängengeblieben. Auf Anfrage sagte er Mr. Huebsch, daß ihm die Unterlagen darüber fehlten, daß es sich um einen emergency-Fall handle. Tutti möchte Mr. Warren in den nächsten Tagen aufsuchen, um ihm auseinanderzusetzen, daß im Falle einer Besetzung Schwedens durch die Deutschen, die ja jeden Tag erfolgen kann, Frau Fischer ebenso wie Hilde, die ja heute noch im Verlag aktiv arbeitet, mit dem nazifeindlichen Unternehmen identifiziert werden würden, ja daß das heute sogar vor einer tatsächlichen Besetzung des Landes schon deutlich spürbar der Fall ist. In diesem Falle könnte das Committee noch helfen, *bevor* der Weg verschlossen ist und ohne Aufwendung irgendwelcher Kosten. Ich glaube, daß Mr. Warren die Sache befürwortend weitergeben würde, wenn er von Ihnen einen Brief über die persönliche Gefährdung

Sie haben heute Ihre neue Begegnung mit Flexner. Ich bin neugierig auf das Ergebnis. Wenn ich bei praesumtiven Geldgebern brieflich irgend etwas tun kann, so stehe ich zur Verfügung. An dem Gedanken, das Verlagsunternehmen irgendwie mit der City of Man-Bewegung in Verbindung zu bringen, mit der es entschiedene innere Verwandtschaft hat, halte ich immer fest. Vielleicht sollten Sie einmal an Borgese schreiben und ihn fragen, in welcher Form der Anschluß am besten zu bewerkstelligen wäre.

Daß die »Vertauschten Köpfe« nun schon auf deutsch erschienen sind, kommt mir recht traumhaft vor. Vielleicht können auch noch einige Schweizer und Balten Vergnügen daran haben. Kann man denn ein paar hundert Exemplare herüberschaffen? Von der englischen Ausgabe verspricht Mrs. Lowe sich einen Erfolg. Die deutsche könnte doch neben ihr hier dieselbe Rolle spielen wie die deutsche »Lotte« neben der englischen. Man muß sich fragen, ob es nicht besser wäre, die Herstellung meiner Original-Ausgaben ganz in dieses Land zu verlegen, wo die Verbindung des Europäischen mit dem Amerikanischen immer stärker hervortreten wird.

Ich sehe Sie bald. Der IV. »Joseph« macht gute Fortschritte. Ich halte beim Bäcker und Mundschenk.

Herzlich   *Ihr Thomas Mann*

Wir wollen am Donnerstag Vormittag nach N. Y. fahren. Kommen Sie doch ca ³/₄ 1 Uhr ins Bedford. Wir können dann zusammen lunchen und alles besprechen.

                              Princeton, N. J. 24. I. 41
                              65 Stockton Street

Lieber Dr. Bermann,
anbei die Liste der 18 Druckfehler. Zimmers Beanstandungen waren nicht alle richtig. »Entsetzen« auf S. 175 habe ich beschlossen stehen zu lassen. Ich habe mich nun schon daran gewöhnt.

Dank noch einmal für den schönen Mittag bei Ihnen!

                                          Ihr Thomas Mann

				falsch	richtig
Seite	32	Zeile	6 v. o.:	wort	Wort
„	71	„	5 v. u.:	Seele	Sehne
„	82	„	10 v. o.:	eheliger	ehelicher
„	114	„	2 v. o.:	Mannestum	Mannestu*n*
„	119	„	7 v. u.:	muß es	muß es auch
„	123	„	8 y. u.:	daß ich ihn	daß ich ihn nicht
„	131	„	6 v. u.:	Unverletztlichkeit	Unverletzlichkeit
„	141	„	6 v. u.:	Lider	Glieder
„	154	„	5 v. u.:	fehlt Komma nach »nicht«	
„	174	„	4 v. u.:	von Sternen	mit Sternen
„	187	„	8 v. u.:	fehlt »ergriffen« zwischen »Kinde« und »hatte«	
„	189	„	2 v. o.:	Der Vollkommenheit	dieser Vollkommenheit
„	200	„	8 v. u.:	kein Komma nach »Schönen«	
„	205	„	5 v. o.:	Zusammanhängen	Zusammenhängen
„	207	„	4 v. u.:	und	von
„	224	„	11 v. o.:	Verbrennungsklötzen	Verbrennungsplätzen
„	224	„	5 v. u.:	Blutbett	Glutbett
„	230	„	10 v. u.:	Brahman*a*	Brahman*e*

Hotels Windermere
Chicago 25. 1. 41

Lieber Doktor Bermann:

Anbei das Druckfehlerverzeichnis zurück; gestern in New York war es beim besten Willen nicht mehr möglich, es durchzusehen. Die Reihenfolge ist noch nicht richtig, und die Fußbemerkung über »däutest« hat wegzufallen.

Gestern, im letzten Augenblick, besuchte mich Mopp und sprach über den Fall seines Bruders, der durch meine Empfehlung nun glücklich das Visum bekommen hat. Dagegen hat Mopp schwere Sorge wegen des Reisegeldes; ein erheblicher Teil ist zwar schon aufgebracht, es fehlen aber immer noch ca 400 Dollars (1 600 Schwedenkronen). Sie wissen ja, wie er an dem Bruder hängt, und zweifellos wird er alles tun, um dies

Geld aufzubringen. Die Zeit drängt aber, denn man weiß ja nicht, wie lange der Weg über Rußland offen bleibt, und seine Mittel sind beschränkt. Er hofft nun leidenschaftlich, daß Sie, vielleicht als Vorschuß, den Betrag auslegen, und verpflichtet sich, unter allen Umständen, falls es nicht in absehbarer Zeit einkommt, die Schuld ratenweise zurückzuerstatten. Ich meine, man kann sich auf ihn verlassen, und habe ihm versprochen, seinen Wunsch bei Ihnen zu unterstützen, was ich denn hiermit auch aufrichtig getan haben möchte. Auch mir gegenüber wird Mopp sich verpflichtet fühlen, sein Wort einzulösen, und übrigens hat er Werte, wie sein jetzt in Amerika herumreisendes Gemälde und seine kostbare Geige.

Ich bin sehr in Eile, das Briefchen für Flexner folgt alsbald.

Briefe erreichen mich unter der obigen Adresse bis Mittwoch.

Ihr Thomas Mann

Mopp meinte noch, daß es vielleicht für Sie eine Erleichterung sei, daß das Geld ja in Schweden in Schwedenkronen gezahlt werden kann.

Princeton, N. J. 30. 1. 41
65 Stockton Street

Lieber Doktor Bermann:

Vielen Dank für Ihre Zeilen und die Mitteilung Ihres Briefes an Marshall; ich finde diesen Brief außerordentlich vernünftig und einleuchtend und hoffe sehr, daß er Eindruck gemacht hat.

Was ich in der Sache jetzt tun könnte, weiß ich nicht recht, Sie erwähnen Washington, sagen aber nicht, welche Stelle in Betracht käme. Wenn ich nicht wüßte, daß der Präsident selbst sich für Literatur nicht im Geringsten interessiert, hätte ich die Angelegenheit im Weißen Haus erwähnt. Wenn Sie meinen, daß ein Brief von mir nach Washington an irgend eine offizielle Stelle von Nutzen sein könnte, müßten Sie vor allem ausfindig machen, wohin ich mich zu wenden hätte.

Mit vielen Grüßen von Haus zu Haus

Ihr Thomas Mann

Könnte ich nicht noch 5 oder 6 »Vertauschte Köpfe« haben? Ich habe alle meine Exemplare unter die Leute gebracht.

Katia Mann an GBF

Lieber Doctor Bermann:

Herr Barna, Editorial Autorjus, Calle Lavalle 379, Buenos Aires, der in Süd-Amerika für uns tätig ist, schrieb mir vor wenigen Tagen die beiliegenden Zeilen, die ich an Sie weiter gebe. Ich antwortete, daß verschiedene derartige Pläne in der Luft lägen, und wir uns daher abwartend verhalten müßten. Glauben Sie, daß die Beteiligung an einer solchen Büchergilde mit Ihren Plänen kollidiert, oder daß es jedenfalls praktisch wäre, die südamerikanischen Pläne mit den Ihren zu vereinigen? Kürzlich schrieb uns Annette Kolb; sie hat ihr Visum und denkt im März mit dem Clipper oder im April per Schiff herüber zu kommen. Natürlich ist sie geldbedürftiger als je. Der »Schubert« soll bis auf einige Seiten fertig sein, und sie fragt an, ob ich es für möglich hielte, daß Sie ihr irgend einen Vorschuß auf ihr nächstes Buch geben könnten. Ich fürchte, da kann ich wohl keine positive Antwort geben.

Mit herzlichen Grüßen   *Ihre Katia Mann*

Princeton, N. J. 27. II. 41
65 Stockton Street

Lieber Dr. Bermann,

ich wollte an McLeish schreiben, schreibe Ihnen nun aber selbst, denn ich finde mehr und mehr, daß wir den großen, internationalen Verlagsplan endgültig aufgeben sollten. Es hat sich gezeigt und würde sich immer weiter zeigen, daß die beträchtliche Geldsumme, die nötig wäre, unter den gegenwärtigen Umständen nicht aufzubringen ist. Außerdem sind die Franzosen versorgt und uninteressiert. Das Beste wird sein, wir sorgen und interessieren uns auch für uns selber. Was gehen uns schließlich die Italiener und Tschechen an? Gemacht werden sollte ein deutscher Verlag, die Erneuerung und Wiederherstellung von Bermann-Fischer plus Querido, plus de Lange plus vielleicht auch noch Oprecht, falls er herüberkommen sollte. Ich höre, daß Sie mit Landshoff dergleichen besprochen haben und freue mich darüber. Die ganze interessantere deutsche Literatur befindet sich außerhalb Deutschlands und ist nachgerade auf diesem Boden versammelt. Das ist nicht mehr Emigration und Exil alten Stils, das ist die Sprengung der Nationen. So ist, wie man mir erzählt, die ganze italienische Physik in Amerika. Was heißt da noch Nationalstaat und National-Kultur, wenn die wichtigsten Kultur-Sektoren sich loslösen und woanders sind? Die Zerstreuung ist aber zugleich Zusammenziehung; die Welt wird Eins.

Was natürlich bleibt, oder doch fürs Erste bleibt, sind nationale Bildungs-Überlieferungen und die Sprachgebundenheit des geistigen Werkes. Die Möglichkeit muß da sein, daß die deutsche literarische Produktion im Original erscheint. Ich habe zu sehr unter dem unnatürlichen Zustand gelitten, daß meine Bücher praktisch auf Deutsch nicht existierten, um nicht von dieser Notwendigkeit durchdrungen zu sein. Einem welt-deutschen Verlag in Amerika wird es an Stoff nicht fehlen. Sie können die Arbeiten Döblins und Werfels, meines Bruders, Leonhard Franks, Bruno Franks, Stefan Zweigs, Feuchtwangers bringen, auch die von O. M. Graf etwa und anderen. Sie können den unterbrochenen Neu-Aufbau meiner Sammlung wiederaufnehmen, den ganzen »Joseph« zusammenstellen, den »Adel des Geistes«, der eine sehr gute Auswahl darstellte, herausbringen. Freilich ist zu bedenken, daß dies Land unaufhaltsam und wahrscheinlich schnell in den Krieg hineingleitet, sollte er auch nie erklärt werden. Die Verbindung mit dem europäischen Kontinent kann eines Tages abgeschnitten sein, sodaß auch die Schweiz und was etwa sonst jetzt noch in Betracht kommt, nicht mehr zu erreichen sein wird – für eine Zeit. Aber deutsch lesende Menschen gibt es in dem ganzen Rest der Welt, und hoffentlich ist die Annahme erlaubt, daß sie genügen, einen solchen Verlag für eine Weile zu tragen. *Von der schließlichen Niederlage des Hitler bin ich überzeugt.* Ist sie da, so wird der Zustand Europas uns alle wohl wenig locken, wieder hinüberzugehen. Aber für unsere Bücher wird es wieder offen sein und namentlich Deutschland, so wirr und abwechslungsreich es dann dort auch zugehen möge. Ich bin der Meinung, daß das Bestehen eines welt-deutschen Verlages in Amerika auch nach dem Kriege durchaus das Richtige sein wird. Diese Meinung hängt mit dem Gefühl zusammen, daß das moderne »Exil« nicht mehr, wie die früheren, auf Rückkehr abgestellt ist.

Sie werden diese Dinge bei Ihren Verabredungen mit Landshoff erwogen haben. Haben Sie auch überlegt, ob es ratsam ist, den Bermann-Fischer-Verlag in Stockholm, am Rande der europäischen Wüste, zu lassen und ob es nicht besser wäre, die Firma ganz herüberzunehmen und mit der neuen, amerikanischen zu vereinigen? Ich will nicht urteilen, sondern frage nur.

Auf jeden Fall stimme ich für eine Beschränkung des ursprünglichen internationalen Planes auf ein rein deutsches Verlagsunternehmen, das große Bedeutung gewinnen könnte.

Ihr Thomas Mann

c/o Harcourt, Brace and Company
383 Madison Avenue
New York, N. Y.
4. März 1941

Lieber Herr Doktor,
ich stimme mit Ihrem Brief vom 27. Februar vollständig überein. Ich habe an dem internationalen Plan nicht nur die Lust verloren – solche persönlichen Gefühle wären gewiß nicht von Bedeutung –, sondern durch meine Erfahrungen bei den zahlreichen Verhandlungen eingesehen, daß er sich praktisch nicht durchführen läßt. Die Interessen der verschiedenen Nationen gehen zu weit auseinander, ihre allgemeine politische Einstellung ist allzu different, und schließlich lassen sich persönliche Interessen einzelner Gruppen nicht so weit zurückschieben, wie es für einen so idealen Plan notwendig wäre.

Es scheint mir kein Zweifel zu sein, daß nicht nur quantitativ, sondern auch qualitativ die deutsche Literatur im Exil diejenige aller anderen Nationen übertrifft. Das gilt durchaus auch gegenüber der französischen Literatur im Exil. Von der politischen Haltung ihrer Vertreter soll dabei gar nicht gesprochen werden. Wir wissen aber, welche Schwierigkeiten uns aus einer Identifizierung erwachsen.

So bin ich im Grunde über das Scheitern dieses Planes nicht traurig. Der Versuch mußte wohl gemacht werden. Wir können mit gutem Gewissen sagen, alles für diese an sich vernünftige Idee getan zu haben – vor allem recht uneigennützig unsere Erfahrungen und den good will zur Verfügung gestellt zu haben. – Die Franzosen werden noch einige Jahre brauchen, bis sie das zu würdigen wissen werden.

Wir wenden uns also nun mit allen Kräften dem Bemühen um die Erhaltung der deutschen Literatur und des deutschen Verlages im Exil zu. Dabei sind zwei wesentliche Fragen zu erwägen:

1) Das uns noch zur Verfügung stehende europäische Sprachgebiet – Schweden, Schweiz, Ungarn ist äußerst gefährdet, und es ist eine Zeitfrage, wie lange sie uns noch offenstehen. Nicht nur die direkte Kriegsgefahr bedroht diese Absatzgebiete, sondern im Augenblick viel aktueller die Zensur im eigenen Lande. Dies gilt vor allem für die Schweiz. Wir müssen uns aber darüber klar sein, daß diese europäischen Absatzgebiete für die Aufrechterhaltung eines selbständigen Verlages lebenswichtig sind. Schon heute reichen sie allein nicht mehr ganz aus, sondern nur noch ergänzt durch die Einnahmen aus außereuropäischen Gebieten.

2) Die Verkaufsmöglichkeiten in *Nordamerika* reichen zur Aufrechterhaltung eines selbständigen deutschen Verlages bei weitem nicht aus. Sie sind ein wichtiger Zuschuß zum europäischen Verkauf, aber nicht mehr.

Die Absatzmöglichkeiten in *Südamerika* lassen sich sicherlich erheblich steigern, gewiß aber nicht so sehr, daß ein selbständiges Unternehmen davon existieren könnte. Immerhin erscheint der Plan eines Buchklubs in Südamerika nicht aussichtslos. Wir haben ihn in Angriff genommen und bemühen uns, ihn so rasch wie möglich zur Durchführung zu bringen. Als Basis dient uns das etwa 12000 Bände umfassende »Forum«-Lager, das noch kurz vor dem Einmarsch nach Holland nach Schweden gerettet werden konnte. Als kleiner Beitrag zur Kultur- u. Wirtschaftsgeschichte unserer Zeit möge folgendes dienen: Diese wichtigen und schönen, außerdem billigen Bücher können in der Schweiz nicht verkauft werden. Nach irgendeinem früher abgeschlossenen Vertrag zwischen der Schweiz und Holland müssen alle in Holland hergestellten Waren von der Schweiz nach Holland bezahlt werden. Wir können somit unsere »Forum«-Bücher, die in Holland gedruckt sind, nicht mehr in der Schweiz verkaufen, da die dortigen Behörden unsere Schweizer Verkaufszentrale zwingen, die eingehenden Gelder nach Holland zu schicken, wenn auch das Geld auf diese Weise den Nazis in die Hände fällt. – Andere Schwierigkeiten aber sind es, die hinsichtlich dieses südamerikanischen Unternehmens skeptisch stimmen: seit einigen Tagen ist in Brasilien die Herstellung und die Einfuhr aller fremdsprachigen Bücher verboten. So fällt also schon zu Beginn unseres Versuches eines der beiden Länder mit zahlreicher deutschsprechender Bevölkerung aus. – In Argentinien ist eine weitere Abwertung der Währung zu erwarten und eine Devisenbewirtschaftung mit Ausfuhrverboten ernstlich zu befürchten.

So wird also im besten Falle Nord- und Südamerika ein Zuschußgeschäft ergeben, das als sehr gefährdet zu betrachten ist, fast so sehr wie das europäische Hauptgeschäft.

So sehen die Grundlagen des Verlages der deutschen Emigrationsliteratur aus. Kann auf dieser so gefährdeten Basis Ersprießliches geleistet werden? – Die Antwort kann nur lauten: Nicht ohne Stützung von außen.

Die Stützung kann von zwei Seiten kommen:

1) durch eine ausreichende Ausfallsgarantie von seiten interessierter Finanziers, die bereit wären, à fond perdu eine derartige Beihilfe zu leisten,

2) durch Entwicklung eines englischen Verlages – teils von Übersetzungen aussichtsreicher Werke der deutschen Literatur, teils von englischen Autoren. Dieser Weg ist freilich riskant und braucht Zeit. Selbst wenn ein solches Unternehmen Erfolg hätte, könnte es doch immer nur in sehr beschränktem Umfang Bücher in deutscher Sprache drucken.

Zusammenfassend ergibt sich folgendes Bild:

1) im Augenblick können wir uns gerade halten, solange wir Schweden, Schweiz, Nord- und Südamerika als Absatzgebiete haben und in Europa resp. Südamerika drucken können.

2) Wenn Europa ausfällt, läßt sich ein deutscher Verlag nur noch mit Unterstützung von außen aufrechterhalten.

3) So ergibt sich die Antwort auf Ihre Frage, ob es nicht ratsam sei, den Bermann-Fischer Verlag von Stockholm hierher zu verpflanzen, von selbst. Die *selbständige* Existenz eines deutschen Verlages hängt von der Existenzfähigkeit des Verlages in Stockholm ab. Bricht der europäische Buchmarkt zusammen, so können wir auch hier nicht mehr allein weitermachen. Die Verbringung des schwedischen Verlages nach USA wäre also nur eine, übrigens sehr schwierige, juristische Transaktion, ohne praktische Bedeutung.

Aus alledem scheint sich mir zwingend die Schlußfolgerung

zu ergeben, daß wir uns unverzüglich darum zu bemühen haben, die Finanzhilfe aufzubringen. Sie brauchte erst dann in Aktion zu treten, wenn der europäische Markt ausfällt und der schwedische Verlag seine Arbeit einstellen muß.

Ihr G. Bermann Fischer

P. S. Ich vergaß zu erwähnen, daß ich mit Landshoff neben der gemeinsamen Aktion für die südamerikanische Buchgemeinschaft vereinbart habe, die dem Querido-Verlag gehörenden neuen Bücher seiner Autoren in Schweden als Gemeinschaftsproduktion herzustellen und herauszubringen.

Princeton, N. J. 4. III. 41
65 Stockton Street

Lieber Dr. Bermann,
haben Sie wohl die Liste von Aufsätzen zur Hand, die wir für die Sammlung »Adel des Geistes« zusammengestellt hatten? Knopf will schon lange eine komplette Essay-Sammlung, als Gegenstück zu den sämtlichen Novellen in einem Bande, bringen, und der Inhalt hat mehrfach gewechselt, oder ich habe ihn vielmehr eingeschränkt, weil doch in den deutschen Bänden vieles steht, was sich für Amerika nicht eignet. Nun scheint es mir am besten, für diese englische Sammlung die Auswahl zu benutzen, die ich damals in Stockholm getroffen habe, vielleicht unter Hinzufügung einer politischen Abteilung. Ich wäre dankbar, wenn ich die Liste haben könnte.
Bestens

Ihr Thomas Mann

c/o Harcourt, Brace and Company
383 Madison Avenue
New York, N. Y.
March 27, 1941

Sehr geehrter Herr Professor:
beiliegend übersende ich Ihnen die nunmehr endlich eingetroffenen Abrechnungen aus Stockholm. Und zwar finden Sie
   1.) Abrechnung per 31. Juli 1940 mit Brief datiert vom
       8. I. 1941

2.) Abrechnung per 31. XII. 1940
3.) Kontokorrent per 1. I. 1941

Check über Kronen 1.322,78, d. s. $ 315,48 (à 23,85) liegt bei. Aus der Abrechnung per 31. Juli 1940, letzte Spalte, ersehen Sie die in Schweden verfügbaren Vorräte Ihrer Bücher. Teile dieser Bestände sind inzwischen hier auf dem Lager bei Harcourt, Brace & Co. Die in Amerika gedruckte Auflage von »Lotte in Weimar« wird extra geführt und abgerechnet. (S. meine Abrechnung vom 19. Februar 1941).

Die Verkaufsziffer von »Die vertauschten Köpfe« zeigt deshalb kein richtiges Bild, weil weitere 1000 Exemplare, die meine schweizerische Auslieferungsstelle kurz vor Weihnachten noch nachbestellte, nicht mehr rechtzeitig in der Schweiz ankamen; so erscheinen die davon verkauften Bücher erst in der nächsten Abrechnung. Fernerhin sind die Lieferungen nach USA noch nicht in der Absatzziffer enthalten, weil die Auslieferung hier erst vor wenigen Tagen beginnen konnte. Es kann also angenommen werden, daß der größte Teil der ersten Auflage verkauft ist.

Aus der Abrechnung ist am Beispiel der »Lotte« ersichtlich, welche Rolle der europäische Markt im Vergleich zum amerikanischen spielt. Es wurden seit Herbst 1939 in Europa 6000 Exemplare des Buches verkauft (ohne Berücksichtigung der nicht mehr zu erfassenden Verkäufe durch die Zentralauslieferung in Amsterdam), in Amerika in der gleichen Zeit ca. 1200, davon ca. 750 von der hier gedruckten Auflage seit November 1940.

Mit besten Grüßen   *Ihr G. Bermann Fischer*

Pacific Palisades (*nicht*
Brentwood), California
19. April 1941

Lieber Doctor Bermann:

Es ist nur, daß ich einmal von mir hören lasse. Es scheint mir lange her, daß wir uns zuletzt sahen, und eine weitläufige, erlebnisreiche Reise liegt dazwischen. Doctor of Law bin ich unterdessen ja auch geworden, aber ich merke weiter nichts davon. Hier sind wir in einem ländlich hübsch gelegenen und praktischen modernen kleinen Haus angenehm untergekommen und werden jedenfalls bis zum Herbst hier wohnen bleiben. Was dann geschieht, wissen die Götter. Denn von unseren Bauplänen hat uns die Weltlage vorläufig kuriert. Wir haben den Plan vertagt, obgleich man nicht weiß, ob bei wahrscheinlich stark steigenden Preisen später seine Verwirklichung überhaupt noch möglich sein wird. Jedenfalls schien es uns Hybris und Stumpfheit, unter Verhältnissen wie den gegenwärtigen und bei bebender Erde so zu tun, als ob alles in Ordnung wäre, und sich behaglich einzurichten.

Hören würde ich gern von Ihnen, wie es eigentlich mit der Angelegenheit der südamerikanischen Buchgemeinschaft steht. Herr Barna erkundigte sich wieder dringend danach, besorgt, Unberufene könnten sich inzwischen einschalten, und wollte wissen, ob Sie noch an dieser Sache arbeiten.

Ferner wollte ich Sie bitten, mir noch einige Exemplare der »Vertauschten Köpfe« zu bewilligen; ich habe zur Zeit kein einziges mehr und möchte ein paar Personen, die es verdienen, damit beschenken. Etwa ein halbes Dutzend davon wäre mir sehr willkommen.

Endlich, aber nicht nebensächlich, muß ich mich wirklich einmal wieder nach der Abrechnung über die Stockholmer Ausgabe der »Lotte« und auch über alle anderen Bücher erkundigen. Warum bekomme ich nie etwas darüber zu sehen, sogar wenn ich noch nichts zu gute haben sollte? Aber es müßte eigentlich in all der Zeit der Vorschuß abgedeckt und etwas für mich abgefallen sein. – Bonnier hat seine Abrechnung geschickt.

Mit Annette, die ja unterdessen eingetroffen ist, hatte ich einen ausführlichen Briefwechsel. Ich machte mir große Sorge um sie, und unter Beihilfe von Dorothy Thompson habe ich ein paar hundert Dollars für sie zurückgelassen. Etwas scheint sie auch mitgebracht zu haben, aber lange kann es unmöglich reichen, und was dann? Ich glaube, sie hofft stark auf Sie, das heißt auf eine, sei es noch so bescheidene Rente für ihre laufende Arbeit. Bei unserer alten Freundschaft für sie und angesichts der Unmöglichkeit, ihr bei meiner großen und vielfältigen Belastung noch weiter zu helfen, wäre es mir eine rechte Erleichterung, zu wissen, daß sie an Ihnen eine gewisse Stütze hat. Gewiß können Sie nicht alle Verlags-Autoren Ihres Hauses, die jetzt hier ans Land getrieben werden, am Leben erhalten, aber Annette gehört schließlich zu den Ältesten und persönlich Nächststehenden.

Ihren Reisegruß haben wir gestern erhalten. Wir dürfen also schon in wenigen Tagen auf das Eintreffen von Frau Fischer und Hilla rechnen. Meine Frau befindet sich leider in einem recht argen Ermüdungszustand nach dem Auszug, der Reise und dem nun abgeschlossenen Kampf mit dem Baugedanken. Aber wenn sie irgend kann, wird sie zum Schiff fahren.

In absehbarer Zeit sieht man Sie wohl auch hier? Bis dahin alles Gute und recht herzliche Grüße Ihnen und den Ihren!

Ihr Thomas Mann

Katia Mann an GBF Pacific Palisades, California
740 Amalfi Drive
24. V. 41

Lieber Doktor Bermann:

Heute fungiere ich wieder einmal als Sekretärin, indem ich den beiliegenden Brief an Sie weitergebe, der ja kaum eines Commentares bedarf. Die Frage ist, ob Sie oder Harcourt Brace sich entschließen könnten, das kleine Buch des verstorbenen Max Hermann Neiße unter den vorgeschlagenen Bedingungen herauszubringen und zu vertreiben. Ein großes Risiko ist ja wohl nicht dabei, obgleich es immerhin zweifelhaft ist, ob der Erlös auch nur die Einbandkosten decken würde. Etwas attraktiver könnte man den kleinen Band vielleicht durch ein Vorwort von meinem Mann machen, wobei er ein Geleitwort benützen könnte, das er für einen zum fünfzigsten Geburtstag Neißes von Oprecht herausgebrachten Auswahlband verfaßt hat (vorausgesetzt, daß dieser Band zu beschaffen ist, denn ich glaube nicht, daß wir das Manuskript besitzen). Der Witwe und den Freunden scheint an der Publikation dieser Gedichte (die übrigens wirklich sehr schön sein sollen) ungeheuer gelegen zu sein. Denn gestern bekamen wir noch ein Kabel mit Rückantwort, gezeichnet Barmerlea Book Sales, 12 Bedford Square, London WC 1, mit dem gleichen Vorschlag. Falls Sie oder Harcourt Brace sich nicht entschließen, wird doch wohl kaum ein anderer Verlag in Betracht kommen. Sich an Knopf in einer solchen Sache zu wenden, wäre doch völlig sinnlos, und ich kann mir überhaupt keinen Verlag denken, der einen Gedichtband in deutscher Sprache – denn darum muß es sich doch wohl handeln – zu veröffentlichen. Ich wäre Ihnen sehr dankbar, wenn Sie mir baldmöglichst antworteten, sowohl bezüglich Ihres Entschlusses als auch, ob Sie vielleicht sonst einen Rat wissen, falls dieser negativ ist, denn wir sollten wohl baldmöglichst das Cabel von Barmerlea beantworten.

Ihre Pläne haben wohl immer noch nicht endgültige Gestalt angenommen, der Augenblick, zwischen Krieg und Frieden – es muß und wird ja aber doch sehr bald zum Krieg kommen, hoffentlich nicht zu spät! – ist wohl ganz besonders schwierig und ungünstig. Ich fürchte, die »Transposed Heads«, die am 6. Juni herauskommen sollen, werden unter diesen Umständen auch wenig Glück haben.

Unsere Baupläne scheinen nun doch, in bescheidenerer Form, sich verwirklichen zu sollen. Die Dinge waren schon zu weit gediehen, und das Nicht-Bauen wäre zu teuer gekommen.

Frau Fischer und Hilla sehen wir natürlich öfters, und freuen uns, wie gut Frau Fischer, die ich bei der Ankunft doch recht mitgenommen und verändert fand, sich in den wenigen Wochen wieder erholt hat. Sie ist nun wieder ganz sie selbst. Das Baby ist besonders niedlich und scheint vortrefflich zu gedeihen.

Wann kommen Sie denn wohl in die Gegend? Herzliche Grüße Ihnen und den Ihren, auch von meinem Mann und Erika.

Ihre Katia Mann.

Katia Mann an GBF   17. Juni 1941
                                        Pacific Palisades

Lieber Dr. Bermann:

Darf ich um ein paar weitere Exemplare der »Vertauschten Köpfe« bitten? Sie sind schon wieder ausgegangen.

Ferner eine weitere kleine Bitte, deren Erfüllung Ihnen wohl keine Schwierigkeit machen wird. Vor einiger Zeit hatten wir einen recht rührenden Brief vom Conservateur du Musée Historique Cantonal, Lausanne, Jacques Chevalley-Hasse. Dieser Mann möchte seiner Frau zu Weihnachten eine Büste des von ihr über alles verehrten Dichters Th. M., ausgeführt von dem angeblich besten Schweizer Bildhauer Milo Martin anfertigen lassen und benötigt dazu möglichst viel photographisches Material, wenn irgend erreichbar auch eine Photographie der Schwegerle'schen Büste. Unsere Sachen sind ja alle verpackt und nicht erreichbar, und so wollten wir Sie bitten, Herrn Chevalley-Hasse, was Sie auftreiben und entbehren können, freundlichst zugehen zu lassen. Die genaue Adresse ist, wie ich eben sehe, Lausanne, Palais de Rumine.

Durch Frau Fischer hörte ich gestern, daß Sie die Reise nach Californien endgültig aufgegeben haben. Das ist ja sehr schade, wenn es auch hinsichtlich der Entwicklung Ihrer Pläne wohl eher günstig aufzufassen ist. Es wäre sehr nett, wenn Sie uns gelegentlich wissen ließen, wie alles steht. Knopf klagt ja furchtbar über die Lage des Buchhandels, und auch wegen der »Transposed Heads« war er recht pessimistisch. Die Presse, soweit wir sie gesehen haben, war recht gut, aber der Augenblick ist wohl denkbar ungünstig.

Es sieht ja nun wirklich aus, als ob dieses Land nun doch schließlich den Weg ginge, den es freilich schon so lange hätte gehen müssen, daß die Sorge, es könne nun zu spät sein, sich nicht ganz will abweisen lassen. Immerhin hatte die Austreibung des immunen Packs etwas Erfrischendes. Daß es noch vor dem 26. zum totalen Bruch kommt, ist wohl leider nicht zu hoffen. Dies ist der Tag, an dem Erika nach Lissabon fliegen will, und meine einzige Hoffnung, daß es doch nicht dazu kommt, ist eben der Kriegsausbruch. Wir haben sie gestern recht schweren Herzens ziehen lassen, aber sie zu überreden, die Reise aufzugeben, von der sie eben doch glaubt, daß sie irgend etwas Nützliches damit leisten kann, war nicht möglich.

Unser Bau ist immer noch nicht begonnen, weil die Angelegenheit mit der Hypothek auf endlose bürokratische Schwierigkeiten stößt. Dies ist ja wohl das bürokratischste aller Länder. Sollte es schließlich garnicht mehr zum Bauen kommen, ich wäre gewiß nicht unglücklich darüber, aber es wird wohl.

Sonst geht es ganz leidlich, und mein Mann arbeitet unentwegt am »Joseph«. Über Hitze haben wir hier jedenfalls nicht zu klagen, ich bade häufig im Ozean, Ihren starken Schutz freilich vermissend, und die Fischerschen Damen, einschließlich Klein-Monikas, die prächtig gedeiht, sind begeistert vom Klima.

Seien Sie und die Ihren recht herzlich von uns beiden gegrüßt.

Ihre Katia Mann

New York
June 27, 1941

Liebe Frau Mann:

Wir haben mit großer Teilnahme von dem Tode Ihres Vaters gehört. Ich muß recht gerührt daran zurückdenken, wie ich ihn das letzte Mal in Ihrem Haus in Küsnacht sah und wie frisch und interessiert er damals an unsren Gesprächen trotz seines hohen Alters teilnahm. Nehmen Sie unsre herzliche Anteilnahme entgegen.

Eine Photographie der Schwegerle'schen Büste besitze ich leider nicht, werde aber den Stockholmer Verlag bitten, Herrn Chevalley-Hasse alles an Bildmaterial zusenden zu wollen, was er besitzt.

Der überraschende Angriff Deutschlands gegen Rußland gibt uns wieder neue Hoffnungen. Zumindestens ergibt sich jetzt eine starke Entlastung Englands. Wenn nur England seine Chancen jetzt im vollen Maße ausnützen würde. Ich kann nicht begreifen, daß man es verabsäumt, Berlin Nacht für Nacht zu bombardieren. Sollte England immer noch die psychologische Wirkung derartiger Bombardements unterschätzen? Leider kann ich an eine ernsthafte Widerstandsfähigkeit der russischen Armee und der russischen Flugwaffe nach meinen russischen Erfahrungen nicht recht glauben. Es bleibt nur zu wünschen, daß es den Russen gelingt, sich intakt zurückzuziehen und dadurch die deutsche Armee für lange Zeit zu beschäftigen und zu binden. Aber auch das wird bei den chaotischen Zuständen in Rußland und den schlechten Straßen- und Bahnverhältnissen nicht leicht sein. Immerhin, die Möglichkeiten für einen guten Ausgang des Krieges sind größer geworden, und wir können wieder einmal ein wenig hoffen.

Unsere Verlagspläne sind im Augenblick, trotz sehr rascher und sehr günstiger Anfangsentwicklung, durch lästige Formalitäten etwas aufgehalten. Wir hoffen dennoch, recht bald mit unserem interessanten Programm starten zu können. Unser gemeinsames office ist ab 1. Juli: 10 East, 43rd Street, New York City. MU 2–2297.

Erika ist trotz der großen Schwierigkeiten mit den verschiedenen Ein- und Ausreisevisa heute früh abgeflogen. Die politischen Ereignisse sind ja glücklicherweise recht günstig für ihre Fahrt.

Mit herzlichsten Grüßen von uns beiden an Sie und Ihren Gatten   *Ihr G. B. Fischer*

new address: 10 East 43rd Street,
New York, N. Y. – Murray Hill 2–2009
July 28, 1941

Lieber Herr Doktor Mann:

Es wird Ihnen vielleicht Freude machen, die Besprechungen über »Die vertauschten Köpfe«, die in den Schweizer und schwedischen Zeitungen erschienen sind, zu sehen. Ich erhielt sie gestern aus Stockholm und sende sie mit gleicher Post an Sie ab.

Ich bin hier mit Landshoff immer noch von unseren Gründungssorgen stark okkupiert, bei der barbarischen Hitze keine reine Freude. Ein wenig erleichtert ist diese Arbeit mit ihren vielfältigen Abwechslungen durch die Hoffnung, die die überraschende Entwicklung des russischen Krieges uns zu geben scheint.

Seien Sie herzlichst gegrüßt von Ihrem   *Bermann Fischer*

Katia Mann an GBF   Pacific Palisades
29. Juli 1941

Lieber Dr. Bermann:

Haben Sie und Tutti vor allem herzlichen Dank für Ihr freundliches Telegramm; ich war sehr gerührt, daß Sie meines schlichten Geburtstages gedachten. Man ist ja wenig in Stimmung, solche Feste zu feiern, wenn man sich auch immer sagen muß, daß die Lage heute sehr viel hoffnungsvoller ist, als sie es vor einem Jahr war und daß wir, zum ersten Mal seit unendlich langer Zeit, glückliche Überraschungen erleben. Aber die privaten Sorgen nehmen, je länger der augenblickliche Zustand dauert, doch immer mehr zu, und man fühlt sich schon oft recht bedrückt und herabgestimmt. Sie haben es gewiß, im Kampf gegen die immer wieder sich erneuernden Schwierigkeiten und den fortwährenden Enttäuschungen, die hierzulande auf halbe oder fast ganze Zusagen folgen, noch dazu in der New Yorker Sommerhitze, auch nicht leicht. Wir sind sehr gespannt, wie Ihre Pläne sich weiter entwickeln, lassen Sie doch bitte einmal wieder von sich hören.

Das Haus auf dem schönen Platz wächst inzwischen unerbittlich heran, und man sollte sich dem nagenden Zweifel, ob es nicht ein Fehler war, es zu bauen, lieber nicht hingeben. Der Sommer ist auch lange nicht so schön als der vorjährige, der uns zu diesem Schritt verführte, immerhin haben wir es vergleichsweise ja sehr gut. Aber Tommy klagt viel über Müdigkeit, und es könnte ja auch sein, daß das Klima auf die Dauer nicht das Richtige ist. Dabei wird natürlich alles immer teurer als vorgesehen, während die Einnahmen ständig zurückgehen, und das verantwortliche Wirtschaftshaupt muß sich viele graue Haare wachsen lassen. Aber wenn die großen Angelegenheiten nur gut gehen, sollte man sich nicht zu sehr um die privaten sorgen, und, wie gesagt, da ist doch entschieden Anlaß zu einigem Optimismus, der freilich noch viel größer sein könnte, wenn dieses Land endlich, endlich die notwendigen Konsequenzen ziehen wollte.

Frau Fischer haben wir in letzter Zeit nicht so viel gesehen, wir erwarten sie nächsten Sonntag. Es scheint ja alles gut dort zu gehen, und das Kleine ist ungewöhnlich niedlich und gedeiht ausgezeichnet.

Noch eine kleine Bitte. Justizrat Georg Pinn, früher Berlin, Bülowstraße 18, hat einen längeren Brief an meinen Mann aus Capetown, S. A., 18 Ocean View Drive Green Point, geschrieben, worin er bitter klagt, daß er in Südafrika die »Lotte« nicht auftreiben könne. Wenn Sie ein Exemplar entbehren können, so schicken Sie es ihm doch bitte. Vielleicht könnte man aber auch einige Stücke der »Lotte« und der »Vertauschten Köpfe« in Capetown vertreiben.

Mit recht herzlichen Grüßen von uns beiden an Sie und die Ihren   *Ihre Katia Mann*

Pacific Palisades, California
740 Amalfi Drive
3. VIII. 41

Lieber Dr. Bermann,
vielen Dank für die Kritiken. Es ist ja lange her, daß das alles im Blättchen stand, aber Spaß hat es mir doch noch gemacht,

und fast durchweg ist es verständnisvoller, als die hiesigen reviews – nun, das ist kein Wunder. Für die Amerikaner war es vor allem »zu wenig«; die wollen wieder einen gehörigen »Joseph«-Wälzer, um mich ernst zu nehmen, und den sollen sie haben. Der Schlußband macht ganz gute Fortschritte. Auf Blatt 270 halte ich schon, und der junge Nicht-Arier ist bereits Minister, trotz der verdrießlichen Müdigkeit, unter der ich hier je länger je mehr leide. Das Klima ist ja gewiß dem östlichen unendlich vorzuziehen, und die feuchte Hitze, die Sie dort immerfort auszustehen haben, kennen wir garnicht. Aber man bekommt nicht genug Jod, das Blut wird verdünnt, der Blutdruck erniedrigt, und ich hatte einen viel zu langsamen Puls. Nun nehme ich etwas zur Anregung der Schilddrüsen-Funktion und bin wieder hochgemuter.

Dazu sollte die Kriegslage beitragen, die, glaube ich, für die Deutschen garnicht gemütlich ist, weder an der Front noch zu Hause. Das Volk soll sehr widerwillig sein, und fast hat man den Eindruck, als ob die Generäle es auch wären. Auf jeden Fall bedeutet das russische Abenteuer einen großen Verlust an Zeit, Menschen, Material. Man kann hoffen. Als ich Shirers »Berlin Diary« las und die Jahre des Elends rekapitulierte, sagte ich mir doch, daß es heute besser ist.

Ich wünsche recht aufrichtig, daß Ihre und Landshoffs Gründungsmühen von Erfolg gekrönt werden möchten. Es ist freilich leicht wünschen – so feindselig, wie alle Umstände sind. »Decision« windet sich in Todesnöten, und der arme Klaus, der – bis auf den Leichtsinn des Unternehmens selbst – seine Sache ja gut gemacht hat, klammert sich krampfhaft an die offenbar vernunftwidrige Fortführung. Es ist ja eine Schande, daß in dem ganzen, weiten, reichen Amerika nicht das bißchen Finanzierung für die Zeitschrift aufzutreiben ist, aber was soll man machen? Wir alle hier halten die Liquidierung für unumgänglich, aber Klaus, der sich schon halb aufgerieben hat, kann den Gedanken noch nicht fassen.

Frau Fischer und Hilla hatten wir heute wieder einmal zum lunch. Die alte Dame ist hier sichtlich aufgeblüht und versichert, sie »hätte nicht gedacht, daß sie es noch einmal so gut haben werde«. Rührend, wenn man bedenkt, wie sie es doch einmal gehabt hat.

Viele Grüße Ihnen und Tutti   *Ihr Thomas Mann*

Lieber Herr Doktor Mann:

Herzlichen Dank für Ihren Brief vom 3. August. Ich freue
mich, daß Ihnen die Kritiken Spaß gemacht haben. Ich hoffe,
Ihnen nun auch bald wieder eine Abrechnung schicken zu
können; ich warte selbst mit einer gewissen Spannung auf
die Berichte aus Stockholm. Es ist ja doch wohl einiges inzwischen dort und insbesondere in der Schweiz verkauft worden.
Die Abrechnung über den hiesigen Verkauf werde ich Ihnen
sehr bald schicken können, da ich sie, unabhängig von Stockholm, hier mache, auf Grund der Verkaufsabrechnungen von
Harcourt.

Durch Fritz Landshoff nehme ich indirekt lebhaft Anteil an
den »Decision«-Sorgen. Es ist wirklich recht abscheulich, daß
sich offenbar gar keine Möglichkeit einer weiteren Finanzierung bietet, nachdem Klaus es doch so gut gemacht hat. Die
Zeitschrift konnte sich wirklich sehen lassen. Aber ich weiß ja
aus eigener Erfahrung, welche Schwierigkeiten bei diesen Fi-
nanzierungsfragen zu überwinden sind. Wir hätten Klaus gern
mit unserer neuen Organisation geholfen, wenn wir nur erst
so weit wären. Leider ist das trotz aller immerhin günstigen
Aussichten noch nicht so weit, da zu allen Schwierigkeiten der
Verhandlungen auch noch diese Urlaubszeit hinzukommt, die
uns unsere künftigen Partner immer auf unabsehbar viele
Wochen entführt. Immerhin scheint es jetzt einem glückliche-
ren Ende zuzusteuern. Wir haben leichtfertigerweise sogar
schon einige Buchabschlüsse gemacht.

Ich glaube, daß ein großes Arbeitsfeld für uns vorhanden ist,
sowohl auf weltanschaulich politischem Gebiet als auch auf
dem Gebiet der allgemeinen Literatur. Daß die Übersetzung
aus dem Deutschen dabei eine große Rolle spielt, versteht sich
von selbst.

Unser Haus am Meer, das wir am 1. Juni for good bezogen haben, bewährt sich außerordentlich. Wir führen ein
richtiges Landleben dort, insbesondere Tutti und die Kinder. So war die wirklich barbarische Hitze New Yorks und
insbesondere die große Feuchtigkeit einigermaßen erträglich.

Draußen ist es doch wesentlich kühler und immer ein wenig windig.

Trotz aller Rückschläge, die in Rußland noch kommen mögen, kann man die allgemeine Kriegslage wohl mit etwas mehr Hoffnung betrachten, insbesondere die Bombardements setzen den Herrschaften in Deutschland wohl reichlich zu. Ich hörte darüber recht Ermutigendes von Leuten, die eben mit den verschiedenen Gesandtschaften aus Berlin hier eingetroffen sind. Neu waren mir die Berichte über die offenbar enormen Preis-Steigerungen, so kostet ein gewöhnliches Konfektionskleid auf Kleiderkarte 250 Mark, ein Paar gewöhnliche Schuhe 80 Mark, zu haben sind sie meistens allerdings nur noch mit Holzsohle. Auf der andern Seite wird allerdings berichtet, daß die sogenannten gebildeteren Kreise völlig unbelehrbar seien und an die Unfehlbarkeit ihres Führers nach wie vor glauben. Allerdings stammen diese Erzählungen von Anfang Juli, etwa 3 Wochen nach Ausbruch des deutsch-russischen Krieges, also aus einer Zeit, in der man in Deutschland noch an einen Blitz-sieg in Rußland glauben konnte.

Immer wieder erörtern wir die Frage, wo in Zukunft die deut-schen Bücher gedruckt werden sollen. Bis jetzt war das Ergeb-nis aller unserer Untersuchungen, sowohl hier als insbeson-dere in Südamerika, daß nach wie vor die Veröffentlichung in Schweden die günstigste Lösung darstellt. Bis jetzt scheint der Absatz in Schweden, der Schweiz und – merkwürdigerweise – Ungarn noch recht befriedigend zu funktionieren. Er übertrifft alle anderen Absatzgebiete der westlichen Hemisphäre um ein Vielfaches. Es kommt hinzu, daß die Herstellung in Schwe-den immer noch wesentlich billiger ist, so daß die Verkaufs-preise hier, selbst bei den hohen Transportkosten hierher, im-mer noch in normaler Höhe gehalten werden können. Die südamerikanischen Hoffnungen haben sich leider als trüge-risch erwiesen. Solange es in Europa noch geht, möchte ich diese Möglichkeit noch ausnutzen. Sollte es nicht mehr gehen, so müßten wir dann eben andere Wege beschreiten.

Seien Sie herzlichst gegrüßt von Ihrem

Bermann Fischer

GBF an Katia Mann new address: 10 East 43rd Street,
Murray Hill 2–2009
August 25, 1941

Liebe Frau Mann,

ich habe Ihnen noch sehr für Ihren letzten Brief zu danken;
vor lauter Gründungs-troubles bin ich noch nicht dazu gekommen, ihn zu beantworten. Leider sind wir immer noch recht
weit entfernt von »Gründung«, aber wenn alles gutgeht,
könnte es jeden Tag dazu kommen. Wir betrachten die weitere
Entwicklung der Dinge mit einem gewissen Galgenhumor,
uns friedlich in unserem office gegenübersitzend. Inzwischen
sind wir eifrig damit beschäftigt, die Produktion des neuen
Verlages vorzubereiten. Einige recht interessante Bücher liegen
bereits vor.

Wie steht es eigentlich mit den französischen Ausgaben der
»Lotte« und der »Vertauschten Köpfe«? Ich habe eine Anfrage
des Verlages Editions Bernard Valiquette, Montreal. Ist die
»Lotte« jemals in französisch erschienen? Meiner Ansicht nach
müßten die französischen Rechte beider Bücher frei verfügbar
sein. – Mit einer größeren Einnahme ist aus einer canadisch/
französischen Ausgabe wohl kaum zu rechnen, man wird wohl
nur ein Pauschal-Honorar, und zwar ein relativ kleines, bekommen können. Immerhin müßte man es wohl versuchen.
Ich möchte gleichzeitig auch mit Brentano und dem anderen
französischen Verlag, der hier in New York seinen Sitz hat,
die Verhandlungen aufnehmen. Bitte lassen Sie mich bald
Ihre Meinung wissen, damit ich den Canadiern antworten
kann.

Seien Sie herzlichst gegrüßt von Ihrem   *Bermann Fischer*

P. S. Ich habe ein Exemplar der »Lotte« nach Capetown schicken
lassen.

Katia Mann an GBF   Pacific Palisades
740 Amalfi Drive
1. IX. 41

Lieber Doktor Bermann:
Besten Dank für Ihren freundlichen Brief vom 25. August.
Daß Ihre Gründungs-Angelegenheit noch immer in der Schwe-

be ist, ist wirklich eine harte Geduldsprobe, aber ich habe das Gefühl, daß Ihre Ausdauer schließlich doch belohnt werden wird.

Was Ihre Frage wegen der französischen Ausgaben in Canada betrifft, so hatten wir mit Gallimard nicht nur einen Vertrag wegen der »Lotte«, sondern die Übersetzung war vollkommen fertig gestellt – von derselben, sehr guten Übersetzerin, die auch die »Joseph«-Bücher übertragen hat – und stand unmittelbar vor dem Erscheinen. Wie nun die Rechtslage ist, weiß ich nicht, aber sogar abgesehen von dieser wäre es, glaube ich, nicht sehr weise, jetzt eine französische Ausgabe in Canada zu veranstalten, da sich doch in absehbarer Zeit die Situation in Europa und damit auch in Frankreich gründlich ändern könnte, sodaß die Möglichkeit, eine reguläre Ausgabe in Frankreich herauszubringen wieder bestünde. Etwas Anderes wäre es natürlich, wenn der Verlag in Montreal die Rechte nur exclusive Europas (das es im Augenblick ja tatsächlich nicht gibt) erhielte, dagegen wäre garnichts einzuwenden, und wenn das Pauschalhonorar auch nicht sehr groß wäre, soll es trotzdem willkommen sein. Auch die »Vertauschten Köpfe« sollte man wohl nur mit dieser Einschränkung vergeben.

Man hat ja entschieden Grund zu einigem Optimismus, der freilich durch das immer trostloser werdende Verhalten dieses Landes stark gedämpft wird. Wenn die Vereinigten Staaten sich voll und ganz einsetzten, könnte es mit Hitler wahrscheinlich noch in diesem Jahr aus sein, aber statt dessen wird man hier ja immer lahmer und isolationistischer. Daß nach der großen historischen Ozean-Konferenz nun wieder nichts passiert ist, könnte einen doch zur Verzweiflung bringen, und die völlig allgemeinen und unverbindlichen Reden des Präsidenten können daran auch nichts bessern.

Heute haben wir Frau Fischer besucht, der es nach wie vor ja sehr hier gefällt. Sie hat nur Sehnsucht nach Ihnen allen, und scheut doch wohl die weite, weite Reise.

Das Haus wächst nun nach all dem Hin und Her recht stattlich heran, und wird gewiß hübsch werden, nur leider ruinös. Wir können wohl nur auf Ihren Verlag bauen.

Recht herzliche Grüße Ihnen allen von meinem Mann und den Kindern.

Ihre Katia Mann

new address: 10 East 43rd Street,
New York
Murray Hill 2–2009
September 12, 1941

Liebe Frau Mann,

ich habe in Ihrem Sinne an den Verlag in Canada geschrieben und erwarte nun seine Vorschläge. Ich glaube, daß gegen eine Veröffentlichung der »Lotte in Weimar« und der »Vertauschten Köpfe« in französischer Sprache an sich nichts einzuwenden ist, da ja Gallimard nicht imstande ist, den mit Ihnen abgeschlossenen Vertrag zu erfüllen. Andrerseits werden seine Interessen, falls eine Veröffentlichung in Frankreich möglich werden sollte, dadurch vollauf berücksichtigt, daß der canadische Verlag die Rechte nur exclusive Europas erhalten soll.

Mit unserem neuen Verlag sind wir nun endlich zu Rande gekommen. Unser Vertragspartner, der über das Geschäftliche hinausgehende Beziehung zum Verlagswesen hat, ist, wie wir glauben, ein verständiger und angenehmer Mann, der nicht direkt im Verlag mitarbeiten wird und uns die Geschäftsführung, mit allem was dazugehört, vollständig überläßt. Landshoff und ich sind in gleicher Weise wie der Finanzmann am Verlag beteiligt. Es versteht sich von selbst, daß wir, obwohl recht große Mittel zur Verfügung stehen, sehr vorsichtig anfangen müssen, schon um unserem neuen Freund keinen Schrecken einzujagen. Andrerseits aber haben wir für wichtige Dinge alle Möglichkeiten.

Ich brauche Ihnen nicht zu sagen, wir traurig es für mich ist, das Werk Thomas Manns in englischer Sprache, noch dazu sozusagen durch »eigene Schuld«, in anderen Händen zu sehen. Wer hätte damals wohl geglaubt, daß wir eines Tages die Möglichkeit haben würden, uns hier mit großen Mitteln für es einzusetzen.

Beiliegend sende ich Ihnen Abrechnung über den Verkauf in den Vereinigten Staaten für den Zeitraum 1. Januar bis 30. Juni 1941. Wegen der Zahlung bitte ich um etwas Nachsicht. Infolge der Blockierung sowohl meines privaten als auch des schwedischen Kontos bin ich, obwohl ich die nötige license habe, an höchst lästige Termine gebunden, die ich strikt einhalten muß. Ich werde das Geld aber wohl noch im Laufe dieses Monats überweisen können.

Seien Sie herzlichst gegrüßt von Ihrem   *Bermann Fischer*

New York Office
381 Forth Ave.
New York, N.Y.
Phone: Murray Hill 3–0893
December 2nd, 1941

Lieber Herr Doktor:

Beiliegend finden Sie einen Scheck über $ 211.80, den Ihnen der Verlag laut Abrechnung per 30. Juni 1941 (siehe Brief vom 12. September 1941) schuldet.

Ich bitte nochmals sehr um Entschuldigung, daß die Überweisung erst heute erfolgt. Ich hoffe, daß sich in Zukunft solche Verzögerungen vermeiden lassen werden.

Leider bin ich auch mit der Abrechnung aus Stockholm im Rückstand. Ich vermisse eine Clipper-Sendung schon seit einigen Wochen; ich hoffe, daß sie nicht ganz verlorengegangen ist. Neben den Abrechnungen befinden sich wichtige Zollpapiere in dieser Sendung, was so kurz vor Weihnachten sehr unangenehm ist, da ich einige meiner Bücher nicht aus dem Zoll herausbekommen kann. Es ist das erste Mal, daß eine Clipper-Sendung nicht pünktlich ankommt.

Wir haben mit großer Freude von Ihrer Frau gehört, daß es Frau Fischer offenbar besser geht. Gleichzeitig mit den Zeilen Ihrer Frau erhielten wir einen Brief von Frau Fischer selbst, der zum ersten Mal wieder etwas erfreulicher aussieht. So wird es vielleicht doch bald möglich sein, sie hierher zu bekommen.

Sehr glücklich sind wir über unsern Vertragsabschluß mit Erika. Wir versprechen uns sehr viel von diesem Buch, dessen Thema bisher noch gar nicht behandelt wurde.

Mit unserer Verlags-Arbeit kommen wir ganz gut voran, wenn auch noch alles, was begonnen wurde, im Stadium der Entwicklung ist. Ich habe diesen Zustand schon öfter durchmachen müssen; nichtsdestoweniger macht er einen recht nervös.

Seien Sie und Ihre Frau herzlichst gegrüßt von Ihrem

Bermann Fischer

Pacific Palisades, California
740 Amalfi Drive
22. XII. 41

Lieber Dr. Bermann,

Für Ihren Brief vom 2. d. Ms. bin ich Ihnen noch Dank schuldig, – verzeihen Sie, es ist immer so viel zu tun. Ich denke aber, den Check, der natürlich sehr willkommen war, wird meine Frau Ihnen bestätigt haben.

Da ich erst kürzlich eine Abrechnung von Bonnier hatte, wundere ich mich, daß Sie eine Clipper-Sendung zu vermissen haben. Es wäre betrüblich, wenn diese Verbindung zu versagen begänne – wobei ich begreiflicher Weise zuerst an den »Joseph« denke. Wie ist es, wollen wir nun eine Manuskript-Sendung wagen? Oder sollten nicht doch Mittel und Wege gesucht werden, die deutsche Ausgabe hier im Lande zu drucken? Freilich, wie soll sie denn in die Schweiz gelangen! Es ist wohl unmöglich, aber wegen des Druckes in Schweden, mit dem Hin und Her der Korrekturen, die ich doch dringend gern selbst überwachen möchte, muß man auch wohl anfangen, schwarz zu sehen.

Es würde sich ja zunächst nur um den Fahnen-Satz handeln, da ich die Haupt-Kapitel-Einteilung mit ihren Überschriften erst machen kann, wenn der Band auserzählt ist. Wie wäre es denn, wenn man die Fahnen hier drucken ließe und dann das Buch in Schweden fertig machte? Ist das ein ganz unmöglicher Gedanke?

Seitdem Sie schrieben ist viel passiert, was man lange erwartet und gewünscht hatte und was sich – wie es so geht – nun, wo es da ist, doch gänzlich anders, überraschend und selbst erschreckend präsentiert. Gegen die Gelben scheinen »wir« vorläufig so gut wie wehrlos nach dem argen Streich zu Anfang, der wahrscheinlich schlimmer war, als zugestanden. Da ist wohl noch viel Kummer zu erwarten. Desto mehr Freude hat man an Adolf. Sein Tagesbefehl bei Übernahme des Oberbefehls ist wohl das Romantischste, was seit der Jungfrau von Orléans dagewesen. Auch sieht man nicht, warum es nächstes Jahr in Rußland besser gehen sollte.

Frau Fischer ist besser, wenn auch nicht gut. Aber nun ist ja Hilla recht schlecht, auf mir nicht ganz klare Weise. Betrübend, diese Verdüsterung nach so frohem Anfang.

Um Erika's Buch ist es mir auch in der Seele leid, um ihretwillen und Ihretwillen und um der Sache willen. Es hätte wirklich interessant werden können und wäre bestimmt ein Erfolg gewesen. Aber die Engländer wollen es einmal nicht, sei es aus Spleen, oder weil H. Friedensangebote gemacht hat, die man hätte vors Parlament bringen müssen, sodaß durchaus über ihn geschwiegen werden muß.

Das »Joseph«-Problem geht mir weiter im Kopf herum. Die Hauptsache ist schließlich, daß die deutsche Ausgabe überhaupt da ist. Unter Umständen, meine ich, sollten wir auf Europa verzichten und uns vorläufig auf Amerika beschränken. Per Schiff könnte man dann immer noch ein paar Hundert Exemplare hinüberschicken. Wenn sie versenkt werden, ist es kein Unglück. Wie sehen Sie jetzt die Sache an?

Ihnen, Tutti und den Kindern frohe Festtage.

Ihr Thomas Mann

New York Office
381 Fourth Ave.
New York, N.Y.
30. Dezember 1941

Lieber Herr Doktor Mann,

herzlichen Dank für Ihren Brief vom 22. d. Ms. Die lang erwartete und schmerzlich vermißte Clippersendung ist vor einigen Tagen eingetroffen. Das Flugzeug brachte mir einen Haufen Briefe, die zu den verschiedensten Zeitpunkten in Stockholm abgeschickt worden waren und offenbar durch Ausfall oder Überlastung des Clippers in Lissabon liegengeblieben waren.

Unter anderem kam endlich die Abrechnung an. Sie ergibt einen Saldo zu Ihren Gunsten von Schwed. Kronen 2 991.31 = $ 713.43 (zum Kurs von 23.85) umgerechnet. Das Konto-Korrent umfaßt den Zeitraum vom 1. Juli 1940 bis zum 30. Juni 1941. Über die erste Hälfte dieses Zeitraums, nämlich bis zum Dezember 1940 habe ich im März 1941 abgerechnet. Der Verlag hat diesen Zeitraum noch einmal in das Konto-Korrent aufgenommen, offenbar um einen besseren Überblick zu geben.

Die Überweisung des obenstehend genannten Betrages werde

ich in der zweiten Hälfte Januar vornehmen. Ich muß meiner License-Termine wegen bis zu diesem Zeitpunkt warten. Ich bitte Sie sehr um Entschuldigung wegen dieser unangenehmen Verzögerung, die auf die recht ungerechtfertigte Blockierung unserer Konten zurückzuführen ist. –

Es sollte doch eigentlich mit der Zeit möglich sein, die Spreu vom Weizen zu scheiden, und die Frage der Blockierung der Konten sowie die Enemy Alien-Frage überhaupt in etwas weniger schematischer Weise zu ordnen. Aber wir müssen wohl froh sein, daß es bisher so vernünftig zugegangen ist und der Unfug, der in Frankreich und teilweise auch in England getrieben wurde, hier vermieden worden ist.

Ob die Verbindung mit Schweden nach Kriegsausbruch weiter funktioniert, kann ich noch nicht beurteilen. Es fehlt uns noch an Erfahrung. Die Post behauptet, daß der Verkehr mit der Schweiz und Schweden aufrechterhalten bleibt. Fragt sich, was die Nazis dazu sagen. Ich möchte aber doch einen Versuch wagen und dem nächsten Clipper eine Manuskriptsendung mitgeben. Es war ja bisher immer so, daß wider alles Erwarten gewisse Verbindungen offen blieben, und ich möchte es doch versuchen, bevor wir uns entschließen, hier zu drucken. Es würde in diesem Falle unmöglich sein, die Bücher nach der Schweiz gelangen zu lassen. – Die Fahnen hier herzustellen – um dann in Schweden fertig zu drucken, ist leider nicht möglich, da man ja den korrigierten Satz nicht nach Europa transportieren kann. Es gibt also nur diese zwei Möglichkeiten:

1) Versuch das Manuskript per Clipper nach Schweden zu bringen und die Fahnen zur Korrektur hierher kommen zu lassen, oder

2) hier zu drucken unter Verzicht auf den europäischen Markt. Diese zweite Möglichkeit sollte man aber erst in Betracht ziehen, wenn der erste Versuch gescheitert ist.

Vielleicht sollte man den ersten Versuch mit einer kleineren Sendung machen. Ich könnte diesen Teil des Manuskriptes zudem noch hier abschreiben lassen, damit kein Verlust von Manuskriptmaterial eintritt. – Ich denke, wir sollten es wagen.

Die Lage ist ja wohl trotz aller betrüblichen Verluste und Rückschläge, die eine Folge des psychischen Unvorbereitetseins noch mehr waren als des materiellen, als recht hoffnungsvoll anzusehen. Wir werden aber noch manche Enttäuschungen zu erleben haben, bevor man hier ganz erwacht ist. Die Nachrichten aus Deutschland zeigen, daß das Debacle in Rußland auch im Inneren nicht ohne Folgen bleibt. So höre ich, daß die SS in Hamburg und im Ruhrgebiet Barrikaden auf den Straßen errichtet und Maschinengewehre in den Eckhäusern aufstellt, nachdem sie von den Bewohnern geräumt wurden. Ich schenke diesen Nachrichten jetzt mehr Glauben als je zuvor, trotz alles Skeptizismus, weil ich davon überzeugt bin, daß die Nazityrannei nur solange stark ist, wie die Umwelt es glaubt. Ein plötzliches Absacken ist durchaus möglich, nachdem einmal der Glaube an die Unüberwindlichkeit zerstört ist.

Erika erwarten wir mit Ungeduld. Wir glauben, daß sich ein Ausweg finden lassen wird, um das Hess-Buch doch zu ermöglichen.

Nun lassen Sie und Frau Katia sich alles Beste für das Neue Jahr wünschen. Möge es uns den 4. Band vom »Joseph« bescheren und uns einige Schritte dem Siege näher bringen.

Ihr Bermann Fischer

Pacific Palisades, Cal.
740 Amalfi Drive
10. Januar 1942

Lieber Doktor Bermann,

Erstens vielen Dank für Ihren ausführlichen Brief und die Abrechnung. Zweitens wollte ich Sie um die Gefälligkeit bitten, an einen Mann in Afghanistan namens Alfred Plaut, der mir sehr nett geschrieben hat und hungrig nach deutscher Lektüre ist, ein Exemplar Ihrer amerikanischen »Lotte«-Ausgabe zu schicken. Die Adresse ist: Mr. Alfred Plaut, Baghban Kucha 17, Kabul, Afghanistan. Vielleicht kommt das Buch an, wenn auch durch Censur usw. noch so sehr verspätet.

Die Angelegenheit des »Joseph«-Druckes geht mir dauernd im Kopf herum, und immer wieder frage ich mich, ob wir vernünftig handeln, auch nur den Versuch zu machen, das Buch in Schweden herstellen zu lassen. Gesetzt ein oder zwei Sendungen kommen glücklich hin und zur Korrektur auch wieder zurück, so genügt ja schon das Abhandenkommen einer Sendung, um die größte Verzögerung und Verwirrung zu erzeugen. Es ist aber gerade bei diesem Buch so unbedingt notwendig, daß ich die Korrekturen selbst besorge, so daß ein dreimaliges Passieren des Ozeans für alle Sendungen notwendig wäre, damit das Experiment gelänge. Ich kann mir diesen ganzen Prozeß bei der heutigen Unsicherheit und Unabsehbarkeit des Clipper-Verkehrs nicht recht vorstellen und komme mehr und mehr zu der Überzeugung, daß wir im Interesse einer korrekten und nicht zu sehr verschleppten Ausgabe uns entschließen sollten, das Buch hier in Amerika herzustellen, hier im Land oder, wenn es etwa billiger ist, in Südamerika, unter vorläufigem Verzicht auf den europäischen Markt, soweit von einem solchen zur Zeit die Rede sein kann. Unbedingt brauchte dieser Verzicht nicht einmal zu sein, da sich vielleicht immer noch die Möglichkeit findet, eine Partie der Auflage über Portugal nach der Schweiz und Schweden gelangen zu lassen; aber selbst wenn das nicht angehen sollte, wie lange kann denn schließlich die Messe noch dauern? Zwei, drei Jahre, mehr doch höchstwahrscheinlich nicht, und dann werden sich, wie wir doch alle zuversichtlich hoffen, die Verhältnisse vollkommen zu unseren Gunsten ändern, und die Wege nach Europa auch für meine Bücher frei sein.

Bitte überlegen Sie sich die Sache noch einmal. Es ist eine literarisch heikle Sache, dies Buch zu edieren, und wie ich Ihnen schon sagte, kann ich die Kapitel-Überschriften und die Einteilung in Hauptabschnitte erst nach Abschluß des ganzen vornehmen. Die Erleichterung für mich wäre groß, wenn wir hier im Lande druckten, und bei dem Interesse, das hierzulande für den ganzen »Joseph«-Zyklus besteht, könnten Sie zumindest auf einen Absatz wie bei »Lotte in Weimar« rechnen, wenn nicht auf einen besseren.

Sollten Sie trotz meiner Argumente den Versuch mit Schweden machen und die Abschrift anfertigen lassen, von der Sie schrieben, so müßte ich jedenfalls diese Abschrift sehen, damit es nicht geht wie bei den »Vertauschten Köpfen«, die sehr von Fehlern entstellt sind.

Herzlichst
Ihr Thomas Mann

[Briefentwurf]

New York Office
381 Fourth Ave.
New York, N.Y.
January 16, 1942

Lieber Herr Doktor Mann,

beiliegend finden Sie einen Scheck über $ 500.00. Die Zahlung aus Stockholm ist leider noch immer nicht eingetroffen, ich lege den Betrag daher inzwischen für den schwedischen Verlag vor; sobald die Überweisung hier ist, lasse ich weitere $ 213.43 (Schwed. Kronen 2.991.31 zum Kurse von 23.85 umgerechnet = $ 213.43 laut Abrechnung der Bermann-Fischer Verlag A. B., Stockholm, per 30. Juni 1941) folgen.

Ich bestätige mit bestem Dank Ihren Brief vom 10. Januar 1942. Ein Exemplar von »Lotte in Weimar« werde ich an Herrn Plaut, Kabul, Afghanistan, senden; hoffentlich kommt das Buch dort an.

Auf Ihre Frage wegen des »Joseph«-Druckes möchte ich etwas später zurückkommen; ich muß ein paar Tage überlegen. Es wird mir deshalb nicht ganz leicht, mich für einen Druck hier zu entscheiden, weil wir damit dem schwedischen Verlag einen schweren Schlag versetzen, unter Umständen sogar seine Existenz endgültig gefährden. Gerade in diesem Augenblick beginnen gewisse Hoffnungen aufzudämmern, die es nicht mehr ganz phantastisch erscheinen lassen, daß der schwedische Verlag wieder in größerem Umfange in Funktion tritt. Es müßte also ein Weg gefunden werden, um eine hier hergestellte Ausgabe auf irgendeine Weise nach Europa zu bringen, sei es durch Transport der Bücher – was ich für ziemlich ausgeschlossen halte – oder durch eine Maternsendung. Ohne eine Erlaubnis der englischen Behörden wird das nicht möglich sein. Ich möchte deshalb gern mit Erika, die über die nötigen Beziehungen hier verfügt, über diese Frage sprechen, sobald sie von ihrer Lecture-Tour zurück ist, und werde bald von mir hören lassen.

Mit vielen Grüßen an Sie und Frau Katia

Ihr [Bermann Fischer]

New York Office
381 Fourth Ave.
New York, N.Y.
January 29, 1942

Lieber Herr Doktor Mann:

Ich möchte Ihnen vorschlagen, den vierten Band hier zu setzen und zunächst die Frage offen zu lassen, wo wir das Buch später drucken wollen. Es ist im Augenblick nicht zu übersehen, ob der Brief- und Paketverkehr mit Schweden wieder aufgenommen werden wird. Seit gestern scheinen sich wieder Möglichkeiten zu eröffnen.

In diesem Fall könnten wir die Matern von unserem Satz nach Schweden schicken. Sollte es nicht möglich sein, so müßten wir auf den europäischen Markt bis auf weiteres verzichten und das Buch hier fertigstellen.

Auf alle Fälle sollen Sie jetzt die Gewißheit haben, daß das Buch hier in deutscher Sprache gesetzt wird, so daß Sie selbst in der Lage sein werden, Korrekturen zu lesen.

Bitte lassen Sie mich wissen, welchen Umfang der vierte Band haben wird, gerechnet nach einer Seite von »Lotte in Weimar«. Wir müssen den Band in Antiqua-Schrift setzen, da wir hier die Fraktur-Schrift der ersten drei Bände nicht bekommen können. – Es ist nicht notwendig, das Manuskript in kleinen Teilen zu schicken. Ich würde es vorziehen, mindestens die Hälfte des Manuskriptes zu gleicher Zeit in Satz geben zu können, und zwar so, daß die Lieferung der zweiten Hälfte nicht zu lange nach Fertigstellung der ersten Hälfte erfolgt.

Mit herzlichen Grüßen

Ihr Bermann Fischer

New York Office
381 Fourth Ave.
New York, N.Y.
February 9, 1942

Lieber Herr Doktor Mann:

Soll denn wirklich gar nichts in der Enemy-Alien-Frage geschehen?

Die hier arbeitenden politischen und unpolitischen Gruppen der deutschen Emigranten tun nichts. Es ist recht deprimierend zu sehen, wie diese ehemaligen Politiker ihre Zeit auf fruchtlose Bemühungen verschwenden, als künftige Regierung anerkannt zu werden, deutsche Legionen zu bilden und das Problem der Zukunft Deutschlands nach dem Kriege zu lösen, während sie sich um diese naheliegendste und brennendste Frage nicht bekümmern.

Wenn das so weitergeht ist zu befürchten, daß die im Anfang des Krieges spürbare Bereitwilligkeit der Regierung, die Loyalität des größten Teiles der deutschen Emigration anzuerkennen, dem Einfluß der immer und überall vorhandenen bösartigen Über-Nationalisten weicht.

Die unterschiedslose Registrierung aller deutschen Emigranten als Enemy-Aliens bedeutet eine schwere moralische Belastung der Emigration, die alles andere eher erwartet hat als eine derartige Verkennung und Mißachtung ihrer Gesinnung und Haltung. Am schlimmsten ist im Augenblick die weitgehende Beunruhigung, da natürlich niemand an die beruhigenden Erklärungen des Attorney General glaubt und die Befürchtung immer weiter um sich greift, daß die Registrierung nur der Auftakt zu weitergehenden Maßnahmen ist. Die unterschiedslose Sperrung und Räumung gewisser Gebiete an der Westküste, bei der die deutschen Emigranten den Japanern gleichgestellt werden, läßt das Schlimmste befürchten. Die einzige Stimme, die sich bisher gegen die drohende Gefahr erhoben hat, kommt von Dorothy Thompson. Ich lege Ihnen den Ausschnitt aus der »New York Post« bei.

Sie sind der einzige, verehrter Herr Doktor, der die Führung in dieser Frage übernehmen könnte. Es sollte möglich sein, sich in einem von den wichtigsten Persönlichkeiten der Emigration unterzeichneten Schreiben an die Regierung zu wenden oder eine Deputation nach Washington zu schicken. Was die Österreicher erreichen konnten, sollte der für Amerika eminent wichtigen Gruppe deutscher Wissenschaftler, Dichter, Schriftsteller etc. ebenfalls möglich sein, und es sollte sich ein Weg finden lassen, um eine Unterscheidung zwischen Loyalen und Illoyalen durchzuführen. Dem jetzigen Zustand, der die Tendenz zeigt, sich ins Unerträgliche und Gefährliche zu entwickkeln, sollte ein Ende bereitet werden.

Ich wäre Ihnen für eine rasche Antwort sehr dankbar. Mit besten Grüßen Ihr ergebener   *Bermann Fischer*

1550 San Remo Drive
Pacific Palisades, Calif.
February 13th, 1942

Lieber Doktor Bermann:

Vielen Dank für Ihren Brief vom 9., für Ihren Scheck und den verheißenen *.

Sie können sich denken, daß die alien-Angelegenheit auch mich dauernd beschäftigt und deprimiert, denn die Art ihrer Behandlung spricht nicht für den guten Geist dieses Landes und erinnert aufs fatalste an Frankreich. Seit Wochen frage ich mich, was ich tun könnte und habe jetzt den gradesten und vielleicht am meisten erfolgversprechenden Weg zu President Roosevelt eingeschlagen. Mit anliegendem von Toscanini, Borgese, Sforza, Bruno Frank, Bruno Walter und mir unterzeichneten Telegramm. Hoffen wir das Beste!

Ihr Thomas Mann

* der unterdessen eintraf

Telegramm an Präsident Roosevelt

[Februar 1942]

Mr. President:

We beg to draw your attention to a large group of natives of Germany und Italy who by present regulations are, erroneously, characterized and treated as »Enemy Aliens«.

We are referring to such persons who have fled their country and sought refuge in the United States because of totalitarian persecution, and who, for that very reason, have been deprived of their former citizenship.

Their situation is such as has never existed under any previous circumstances, and it cannot be deemed just to comprise them under the discrediting denomination of Enemy Aliens.

Many of these people, politicians, scientists, artists, writers, have been among the earliest and most farsighted adversaries of the governments against whom the United States are now at war. Many of them have sacrificed their situation and their properties and have risked their lives by fighting and warning against those forces of evil, which at that time were minimized and compromized with by most of the governments of the world.

As, so far, no official announcement to the contrary has been made, these victims of Nazi and Fascist oppression, these staunch and consistent defenders of democracy, would be subject to all the present and future restrictions meant for and directed against possible Fifth Columnists.

We, therefore, respectfully apply to you, Mr. President, who for all of us represent the spirit of all that is loyal, honest and decent in a world of falsehood and chaos, to utter or to sanction a word of authoritative distinction, to the effect that a clear and practical line should be drawn between the potential enemies of American democracy on the one hand, and the victims and sworn foes of totalitarian evil on the other.

> *G. A. Borgese*
> *Albert Einstein*
> *Bruno Frank*
> *Thomas Mann*
> *Arturo Toscanini*
> *Bruno Walter*

> New York Office
> 381 Fourth Ave.
> New York, N.Y.
> Feb. 24, 1942

Lieber Herr Doktor Mann:

Ich danke Ihnen herzlichst für die Abschrift Ihres Telegramms an den Präsidenten. Man sollte meinen, daß diese eindrucksvolle Kundgebung ihre Wirkung tut.

Wie ich höre, hat die Regierung Delegierte der verschiedenen Flüchtlings-Organisationen zur Beratung der Alien-Frage einberufen. Von Seiten der jüdischen Organisationen hat man vorgeschlagen, alle Ausgebürgerten (das würde also alle deutsch-jüdischen Refugees einbegreifen) von der Klassifizierung als Enemy-Alien zu befreien. Diese an sich praktische Lösung stößt auf Widerspruch bei den Italienern. Aber auch deutsche Refugee-Kreise haben Bedenken, da viele nicht-jüdische Refugees trotz eindeutiger politischer Anti-Nazi-Betätigung nicht ausgebürgert worden sind und somit nicht automatisch aus der Klassifizierung als Enemy-Aliens herausfallen würden.

Immerhin scheint es, daß durch Ihre und andere Intervention die wichtige Frage der Enemy-Alien erörtert wird.

Ich ersehe aus Ihrer geänderten Adresse, daß Sie inzwischen Ihr neues Haus bezogen haben und wünsche Ihnen und Frau Katia alles Glück dazu. Möge es trotz aller Düsternisse dieser Tage ein dauerndes Heim für Sie und Ihre Familie werden.

Sehr erschüttert und betroffen sind wir von dem Tode Stefan Zweigs und seiner Frau. Während der letzten Tage, die ich hier zusammen mit ihm verbrachte, war er sehr umdüstert, und es war uns nicht zweifelhaft, daß er gefährdet war. Seine letzten Briefe allerdings waren wieder so hoffnungsvoll und berichten von so viel fruchtbarer Arbeit, daß wir alle glaubten, er hätte die Krise überwunden.

Seien Sie herzlichst gegrüßt von Ihrem   *Bermann Fischer*

New York Office
381 Fourth Ave.
New York, N. Y.
March 16, 1942

Lieber Herr Doktor Mann:

Mit gleicher Post sende ich Ihnen ein Heft der »Revue des Deux Mondes« vom 15. Oktober 1941. Dieses Heft enthält einen Aufsatz von Louis Gillet »Charlotte à Weimar ou la Vieillesse de Goethe«. Da nur auf die deutsche Ausgabe verwiesen ist, kann man aus der Besprechung nicht den Schluß ziehen, daß die französische Ausgabe bei Gallimard erschienen ist. Immerhin ist es verwunderlich genug, daß diese Besprechung überhaupt erscheinen konnte.

Mit besonderem Interesse las ich den Bericht über die Verhandlungen des Tolan-Ausschusses und den Text Ihrer Erklärung. Sie ist so erschöpfend und stellt die Haltung der Refugees so klar, daß man an ihrer Wirkung nicht zweifeln sollte. Welchen Einfluß aber hat die Tolan-Kommission?

Ich würde mich sehr freuen, über Ihr Ergehen, das Fortschreiten des vierten Bandes und das neue Haus zu hören.

Mit herzlichen Grüßen für Sie beide,

Ihr Bermann Fischer

Lieber Doktor Bermann,

recht vielen Dank für die »Revue des Deux Mondes«. Ich habe
den Aufsatz mit wahrem Vergnügen gelesen, ja, recht genossen, denn seit langem war nichts französisches oder überhaupt
europäisches über meine Bücher zu mir gelangt, und gerade dieses Buch, die »Lotte«, war bei der amerikanischen Kritik etwas
zu kurz gekommen. Gillet ist offenbar ein gewiegter Germa-
nist, dem dieser Stoff besonders lag. Hoffen wir, daß nach dem
Kriege, wenn dieses »nach« überhaupt schon ein denkbarer
Gedanke ist, wir noch mehr dergleichen über »Lotte« zu lesen
bekommen werden.

Auch ihre Erstlinge, die Hugenotten und die »Prisoners of
Hope« sind heute eingetroffen. Besondere Aussichten scheint
mir dieses letztere Buch zu haben, es ist ja wohl ein genre auf
den die Amerikaner fliegen wie die Bücher von Shirer und
Davies beweisen.

Das Hearing des Tolan Committee war wohl leider mehr eine
anmutige demokratische Zeremonie – auf die praktischen Wirkungen wartet man noch vergebens, mit soviel Liebenswürdigkeit unsere Aussagen entgegengenommen wurden. Diese
sind nun aber jedenfalls bei den Akten in Washington und
werden doch vielleicht auf die weitere Entwicklung noch etwas
einwirken. Das Schlimme ist, daß es zu spät scheint, den Gene-
ralen die Sache noch aus der Hand zu nehmen. Wir hatten uns
bemüht zu erreichen, daß zwar die Militärs mit enemy aliens
sollten machen können, was sie wollten, daß aber die Definition des enemy alien den Zivilbehörden vorbehalten bleiben
sollte. Aber selbst wenn nun erst einmal militärisch durchge-
griffen wird, so glaube ich bestimmt an baldige individuelle
oder sogar kollektive Korrekturen.

Beste Grüße und Wünsche   *Ihr Thomas Mann*

1550 San Remo Drive
Pacific Palisades, California
8. April 1942

Lieber Doktor Bermann,

die anliegenden beiden Briefe erhielt ich von einem in Brasilien lebenden, mir flüchtig bekannten, Schriftsteller Victor Wittkowski. Der eine Brief ist für Sie, und da Wittkowski sich wegen des Gedenk-Buches über Zweig ohnedies mit Ihnen in Verbindung setzen will, scheint es mir das Beste, die Sache en bloc an Sie weiterzugeben. Herrn Wittkowski selbst möchte ich nicht gerne antworten, weil es zu weitläufig und delikat wäre, ihm die Gründe auseinanderzusetzen, weshalb ich einen Aufsatz für das Gedenkbuch nicht gut beisteuern kann. Mein Verhältnis zu Zweigs Produktion hätte mich niemals in den Stand gesetzt, einen lobpreisenden Artikel über ihn zu schreiben, und sein Tod, den ich sogar mißbillige, kann daran nichts ändern; Sie werden verstehen, wie ich das meine. Ich glaube übrigens, daß Werfel sich sehr ähnlich verhalten wird, nach Äußerungen zu schließen, die er mir gegenüber über Zweig als literarische Erscheinung getan hat. Bitte übernehmen Sie es doch, Herrn Wittkowski die Sachlage schonend anzudeuten. Übrigens las ich gerade in der letzten Ausgabe von »Free World« einen ausgezeichneten Artikel von Klaus über Stefan Zweig und die Wiener Luft, der sich für ein solches Gedenkbuch vorzüglich eignen würde. Vielleicht weisen Sie Wittkowski darauf hin.

Für heute nichts weiter. Wir hatten einen Brief von Frau Fischer, aus dem hervorging, daß sie nun doch einiges Heimweh nach Kalifornien hat, aber das Zusammensein mit Kindern und Kindeskindern genießt sie offenbar sehr.

Herzlich Ihr   *Thomas Mann*

1550 San Remo Drive
Pacific Palisades, California
19. IV. 1942

Lieber Dr. Bermann,

seit Jahr und Tag verfasse ich regelmäßig, einmal im Monat, kurze Botschaften nach Deutschland mit Hilfe des BBC. Anfangs kabelte ich sie nach London, von wo sie von einem guten

Sprecher nach dem Continent gesendet wurden. Bald zogen wir, damit Deutsche und Schweizer mich selber hören, das Verfahren vor, daß ich den Text hier durchs Mikrophon auf eine große Platte (bis zu 8 Minuten) spreche, die nach New York geht, von da nach London auf eine andere Platte telephoniert und so gesendet wird. Die Ansprachen sollen sich technisch und auch sonst gut bewähren. Mr. Kirkpatrick (der Hess-Interviewer) vom Londoner BBC schrieb mir, daß sie aus der Schweiz und aus dem Norden zustimmende Briefe darüber bekommen haben, und daß es sogar Deutschen gelungen ist, ihren Beifall zu äußern.

Es sind zur Zeit 20 solche Ansprachen »Deutsche Hörer!« beisammen, und ich frage mich, ob es nicht ein ganz guter Gedanke wäre, sie, alle oder auch nur eine Auswahl davon, als Pamphlet zu veröffentlichen: englisch, denn die Amerikaner haben ja für alles, was underground ist, viel übrig; vor allem aber deutsch, denn ein solches Heft könnte man gewiß unter die Deutsch-Amerikaner bringen, und mehr oder weniger stehen oder fallen solche Worte ja mit dem deutschen Tonfall. Die Übersetzung muß ich Knopf anbieten. Hätten Sie Lust, die deutsche Ausgabe zu bringen? Und, wenn ja, wären Sie mehr für eine Auswahl oder für alles? Eine Sendung, auf den deutsch-russischen Vertrag bezüglich, fällt wohl jedenfalls besser weg. Ich schicke Ihnen mit gleicher Post die Texte. Dienstag den 28. muß ich wieder einen sprechen, den ich noch folgen lasse. –

Ihre Anfrage wegen einer portugiesischen Ausgabe des »Zauberberg« kann ich noch nicht beantworten. Ich muß deswegen erst an den Agenten Barna schreiben. Ich besitze den »Zbg.« auf portugiesisch nicht; trotzdem könnte es sein, daß er in Brasilien irgendwo erschienen ist.

Fragen möchte ich noch, ob aus der französisch-canadischen Ausgabe von »Lotte in Weimar« etwas geworden ist.

Mit dem »Joseph« stehe ich im letzten Drittel oder auch Viertel. An den vorigen Band würde dieser wohl nicht heranreichen, wenn er nicht eine besonders gelungene Central-Episode hätte, die ihn herausreißen mag: Die Geschichte der Thamar. Ich habe aus den wenigen Zeilen der Bibel eine Novelle von 40 Seiten gemacht, die zu meinen besten gehören.

Außerordentlich froh bin ich, daß Sie das Buch hier drucken wollen. Seit »Bernadette« war das mein einziges Begehr.

Übrigens »Bernadette«, darüber wäre viel zu sagen. Wenn wir in Deutschland lebten, würde ich einen Aufsatz darüber, oder eigentlich dagegen schreiben. Natürlich ist es ein faszinierendes Buch, durch und durch begabt. Aber einen so eklatanten Fall suggestiver Hysterie und Massen-Kontagion als Wunder und Triumph des Geistes aufzumachen, finde ich einfach unrecht und hab' es ihm auch gesagt. Ich nenne Hitler jetzt immer »Notre petit voyant«.

Herzlich   *Ihr Thomas Mann*

L. B. Fischer, Inc. Publishers
381 Fourth Avenue,
New York, N. Y.
Murray Hill 3–0893
New York, 7. Mai 1942

Lieber Herr Dr. Mann,
bitte entschuldigen Sie meine etwas verspätete Antwort auf Ihren Brief und die Zusendung des Manuskriptes. Ich freue mich sehr, endlich einmal Ihre Botschaften lesen zu können. Sie scheinen mir in ihrem Ton und Inhalt genau das zu sein, was gesagt werden muß. Und sie scheinen mir – im Gegensatz zu den meisten anderen Versuchen – überzeugend zu sein und dem Gemütszustand der Angeredeten angepaßt.

Die Herausgabe der gesammelten Ansprachen ist sicherlich nützlich und notwendig und darüber hinaus würde dieser Band ein wichtiges Zeitdokument darstellen, das über den Augenblick hinaus seine Bedeutung hat, wie Ihr Brief an den Bonner Dekan. – Wenn, was ich brennend hoffe, Knopf dazu keine Lust haben sollte, eine Übersetzung zu veröffentlichen, ist L. B. Fischer *sofort* bereit dazu. Ich wäre Ihnen sehr dankbar, wenn Sie mich das bald wissen lassen würden. (Aber Knopf wird wohl kaum nein sagen, da er weiß, daß wir es nur allzu gerne machen.) –

Wegen der deutschen Ausgabe lassen Sie mir bitte für die Ausarbeitung meiner Vorschläge noch ein paar Tage Zeit. Da ja wohl nur ein Druck hier in Frage kommt, muß ich auf meinen gerade abwesenden Vertriebsmann warten, um ein paar wichtige Fragen über Auflagenhöhe und Preis entscheiden zu können. –

Wegen der canadisch-französischen Ausgabe konnte sich der betreffende Verlag nicht entscheiden. Ich verhandele gerade hier mit Didier darüber.
Herzlichst   *Ihr Bermann Fischer*

The Library of Congress, Washington
The Consultant in Germanic Literature
Pacif. Palisades, 9. v. 42

Lieber Dr. Bermann,
Dank für Ihren Brief über die Broadcasts. Ich freue mich, daß Sie ihre Sammlung und Veröffentlichung für der Mühe wert halten und würde Ihnen ehrlich die englische Ausgabe zu der deutschen gönnen, die allein natürlich ein mageres Geschäft ist. Aber eine große Investierung bedeutet sie ja auch nicht, und vielleicht kann man das kleine Buch doch unter die Deutsch-Amerikaner und nach Süd-Amerika bringen. (Womit ich mich wohl wiederhole.) Die englische Version mußte ich Knopf natürlich zuerst anbieten, da Mareck mich nun mal für ewig und in allen Stücken an ihn gebunden hat; (außerdem noch an Brandt & Brandt, die ewig völlig sinnlose Prozente beziehen). Ich habe aber bisher nur eine Bestätigung, keine Entscheidung von ihm, und da er im Herbst einen politischen Essay-Band von mir herausbringen will, ist es nicht unmöglich, daß er es des Guten zuviel findet.
Verzeihen Sie, daß ich nachfragte, es geht manches verloren. Die Sache will natürlich überlegt sein. Als Titel nimmt man wohl einfach die stehende Anrede »Deutsche Hörer! – 20 Radiosendungen nach Deutschland«. Ein oder zwei Texte, die neuesten, werden noch folgen.
Bestens   *Ihr Thomas Mann*

GBF an Katia Mann   381 Fourth Avenue
                                                 New York, N. Y.
                                                 Murray Hill 3–0893
                                                 May 21, 1942
Liebe Frau Mann:
Herzlichen Dank für Ihren Brief vom 13. Mai. Ich schlage mich hier immer noch mit den Druckereien herum, die geradezu

märchenhafte Preise für deutschen Satz verlangen. Ich hoffe aber bald eine Möglichkeit gefunden zu haben.

Beiliegend finden Sie den mit meiner letzten Abrechnung angekündigten Scheck über $ 465.35.

Ich hoffe immer noch, daß Knopf eine negative Entscheidung fällt. Es wäre zu schön, wenn wir die »Deutschen Hörer« bei L. B. Fischer herausbringen könnten. Wir sind gerade im Begriff, die Rede von Vice President Wallace »The Price of Free World Victory« in Pamphlet-Form herauszubringen. Sie scheint mir von so außerordentlicher Bedeutung, daß man sie in Buchform festhalten muß.

Ich habe mich gestern recht sehr an dem neuen Kapitel von Erikas Buch erfreut; es scheint mir da ein hübsches Buch zu entstehen.

Frau Fischer geht es recht viel besser hier. Wir haben ihr jetzt einen kleinen Bungalow in unserer Nähe gemietet, den sie am 1. Juni beziehen wird. Sie schreiben ihr am besten an unsere Privat-Adresse: Old Greenwich/Conn. Weitere Adressen-Angaben sind nicht notwendig.

Seien Sie und Dr. Mann herzlichst gegrüßt von Ihrem

Bermann Fischer

[Telegramm]   [New York, 5. Juni 1942]
Many happy returns of your first birthday in your new house regards

Hedwig Hilla Fischer
Gottfried Tutti B Fischer

381 Fourth Avenue
New York, N. Y.
August 3, 1942

Lieber Dr. Mann:

Ich möchte jetzt das Manuskript Ihres Buches »Höre Deutschland« in Satz geben. Ich möchte aber vorher von Ihnen bestätigt haben, daß das hier vorliegende Manuskript vollständig ist. Sollte noch etwas hinzukommen, so bitte ich um Zusendung des noch Fehlenden.

Von großer Bedeutung wäre es für mich zu wissen, ob die

amerikanische Ausgabe bei Knopf erscheint oder ob wir die Möglichkeit haben, sie bei uns herauszugeben. Ich brauche Ihnen nicht zu sagen, wie wichtig diese Frage für uns ist.

Wir haben so lange nichts von Ihnen gehört, daß wir eigentlich etwas besorgt sind. Bitte lassen Sie uns doch recht bald wissen, wie es Ihnen und Ihrer Familie geht.

Mit herzlichen Grüßen,   *Ihr Bermann Fischer*

Pacific Palisades, Calif.
6. Aug. 1942

Lieber Dr. Bermann,

ich bin auf die Deutschen Sendungen nicht mehr zurückgekommen, weil ich den Eindruck hatte, daß Sie mit Ihrer Kostenkalkulation nicht recht zustandekämen, und weil mir außerdem daran lag, die englische Ausgabe von Knopf freizubekommen; denn ich verstehe ja, welche Erleichterung es für Sie wäre, auch diese bringen zu können und bin wirklich der Meinung, daß sie mit der deutschen Parallel-Ausgabe zusammengehört.

Bisher hatte ich Knopf die Freigabe nun immer nur mehr oder weniger verblümt nahe gelegt, wofür er sich taub stellte. Jetzt, nach Empfang Ihres Briefes vom 3. habe ich nochmals deswegen in klaren Worten an ihn geschrieben und ihn gebeten, dem Verleger der deutschen Ausgabe auch die englische zu überlassen, was er wirklich ruhig tun könnte, da er im Herbst einen politischen Essayband von mir bringt und im Frühjahr den »Joseph« bringen soll, sodaß für dieses Hors d'œuvre bei ihm eigentlich gar kein Raum ist.

Ich habe diesen letzten Versuch aber nur gemacht, um eben nichts unversucht zu lassen; denn ich habe geringe Hoffnung, daß Knopf weichen wird. Wir müßten uns dann zufrieden geben. Vater Sammy war in solchen Sachen auch nicht anders.

Es sind in diesen Monaten noch ein paar messages hinzugekommen. Sie folgen diesen Zeilen auf dem Fuß.

Viele Grüße an Sie und die Ihren!

Ihr Thomas Mann

1550 San Remo Drive
Pacific Palisades, California
August 17th, 1942

Lieber Doktor Bermann,

Die beiden letzten deutschen Sendungen werden Sie erhalten haben. Gerade die neueste scheint mir recht wohlgelungen, und ich dachte, sie auf Deutsch im »Aufbau« und auf Englisch vielleicht in der »Nation« abdrucken zu lassen.

Was nun die englische Parallel-Ausgabe des geplanten booklets betrifft, so sind leider all meine Bemühungen, sie Ihnen zu verschaffen, fehlgeschlagen. Sie wissen, ich habe darüber noch einmal ausführlich und sorgfältig argumentierend an Knopf geschrieben, aber er hat mir geantwortet, daß es »extremely embarrassing« für ihn sein würde, wenn auch nur ein solches Hors d'œuvre wie diese messages von mir irgendwo anders erschiene als bei ihm, und daß er »for the life of him« nicht darauf verzichten könne. Da ist nun also nichts mehr zu machen und ich habe leider nur das unlukrative Angebot der deutschen Ausgabe dieser Ansprachen an unsere lieben Deutschen zu machen. Natürlich habe ich Skrupel und Zweifel, ob Sie hier für die kleine Sammlung genügend Abnehmer finden werden. Das ist für mich sehr schwer zu beurteilen. Kann man auf Süd-Amerika einige Hoffnungen setzen? Die Schweiz und Schweden kommen wohl leider für dergleichen nicht mehr in Betracht.

Geht es Ihnen beiden und den Kindern gut, und hat sich die Stimmung Frau Fischer's in der östlichen Luft und in Ihrer Nähe gehoben?

Mit guten Grüßen und Wünschen   *Ihr Thomas Mann*

1550 San Remo Drive
Pacific Palisades, California
September 6th, 1942

Lieber Doktor Bermann,

die letzten messages werden Sie bekommen haben; ich schicke Ihnen heute die jüngst gesprochene, die die geplante kleine Sammlung von 25 abschließen soll. Die Zahl 25 ist ja hübsch und rund, und man kann sie aufs Titelblatt setzen. Das würde also lauten: Deutsche Hörer! 25 Radio-Sendungen über BBC an das Deutsche Volk.

Knopf wird die englische Ausgabe des Pamphlets wahrscheinlich noch im Herbst herausbringen, ich konnte ihn nicht umstimmen, wie gesagt. Über den Termin weiß ich noch nichts; man muß natürlich für Gleichzeitigkeit Sorge tragen.

Dann noch etwas, in fremder Sache: Ich hatte einen Brief von Paul Stefan, der mir über das Ungemach berichtete, das ihm mit der englischen Übersetzung und Bearbeitung seiner Bücher hier zugestoßen ist. Biographien von Dvořak und Bizet waren bestellt und ausgeführt, dann machte der Verleger bankrott. Stefan erzählt mir von allerlei literarischen Plänen, zu deren Verwirklichung er einer finanziellen Lebenssicherheit bedarf, unter anderem von seinem Salzburger Roman, den er in seinem Kopfe fertig hat. Wäre das nicht vielleicht etwas für Sie? Ich habe versprochen, ein gutes Wort bei Ihnen und Landshoff einzulegen. Er ist ja nicht der Erste Beste. Vielleicht lassen Sie sich wenigstens einmal von ihm über seine Pläne berichten.

Ich bin nun neugierig, wie Sie es mit den Radio-Sendungen anstellen werden, und ob Sie es bewerkstelligen können, daß der Preis durch die hiesigen Druck-Kosten nicht zu hoch wird. Lassen Sie mich bald darüber hören!

Sehr hat es mich gefreut, daß Erika's Manuskript bei Ihnen so großes Gefallen gefunden hat. Wirklich halte ich es für sehr möglich, daß diese reizende Arbeit der Verfasserin und auch dem Verleger noch viel Freude machen wird.

Ihr ergebener   *Thomas Mann*

GBF an Katia Mann   381 Fourth Avenue
                                       New York, N. Y.
                                       September 18, 1942

Liebe Frau Mann:

Vielen Dank für Ihren Brief vom 12. September. Ich beeile mich, Ihnen mitzuteilen, daß Ihre Annahme, daß die deutsche Ausgabe nicht zustande kommt, falsch ist. Als Ihr Brief eintraf, hatte ich zufälligerweise gerade das Manuskript von der Druckerei mit den Satzproben zurückbekommen und habe es – zähneknirschend – Knopf für ein paar Tage geschickt (welche Freundlichkeit er damit vergalt, daß er heute früh durch sein Büro meiner Sekretärin kurz und sachlich mitteilen ließ, sie wären jetzt mit ihrer Prüfung fertig, und wir möchten das Manuskript durch einen Boten abholen lassen, da sie keinen zur Verfügung hätten).

Der Satz beginnt nächste Woche, und Sie werden sehr bald die Korrekturfahnen erhalten. Ich habe den Preis des Buches mit $ 1.75 vorläufig festgesetzt, obwohl die Herstellungskosten völlig phantastisch sind. Würden Sie unter diesen besonderen Umständen ein Honorar von 10 % vom Ladenpreis für angemessen halten?

Wir freuen uns außerordentlich, die Aussicht zu haben, Sie bald hier zu sehen; wir haben schon rechte Sehnsucht nach Ihnen.

Mit herzlichen Grüßen an Sie, Dr. Mann und die ganze Familie von Tutti und mir,   *Ihr Bermann Fischer*

1550 San Remo Drive
Pacific Palisades, California
September 22nd, 1942

Lieber Doktor Bermann,

mit einem gewissen Erstaunen ersehe ich aus Ihren Zeilen an meine Frau, daß die deutsche Ausgabe der Radio-Sendungen nun doch Wirklichkeit werden soll. Es ist wohl ein Kunststück, das Sie da leisten und ich wundere mich nicht über die allerdings bedauerliche Höhe des Preises, den Sie auskalkuliert haben. Es war wohl nicht anders zu machen, und man muß sich damit trösten, daß die Käufer, die sich überhaupt hierzulande für die Original-Form der messages finden, wohl bereit sein werden, diesen Preis zu zahlen.

Ich habe ein kleines Vorwort zu dem Buch geschrieben, durch das es entschieden komplettiert und formal abgerundet wird. So meine ich, das Vorwort sollte auch in der deutschen Ausgabe nicht fehlen und ich lege den Text bei.

Mit 10 % Tantieme muß ich natürlich in diesem Falle einverstanden sein.

Das Buch von Klaus ist hier in mehreren Exemplaren eingetroffen und jeder liest darin. Es ist ein treuherziges und gescheites Buch, und hoffentlich führt mich die Rührung, die ich als Vater darüber empfinde, nicht irre über seinen öffentlichen Wert und die Aufnahme, die es finden wird. Ich mußte manchmal an Josephs »sträflich Vertrauen und blinde Zumutung« denken. Mit einigem kritischen Spott muß der Autor wohl rechnen, aber noch überzeugter bin ich davon, daß seine Lebensgeschichte auch warme Freunde finden wird.

Ich höre von tropischer Hitze, die Sie dort haben. Hier ist es auch nicht übel warm, aber die Trockenheit der Luft läßt die Hitze vergleichsweise leicht ertragen.

Ich bin Ihnen dankbar, daß Sie Knopf die deutschen Texte zur Korrektur überließen; zu seiner Ehre will ich hoffen, daß die Weisung, das Manuskript wieder abholen zu lassen, nicht von ihm persönlich ausging.

Auf Wiedersehen, so hoffen wir, im November!

Ihr Thomas Mann

381 Fourth Avenue
New York, N. Y.
September 23, 1942

Lieber Herr Doktor Mann:

Ich teilte vorgestern Frau Katia mit, daß das Buch »Deutsche Hörer« im Satz ist. Im Laufe dieser oder Anfang der nächsten Woche werde ich Ihnen die ersten Fahnen zuschicken können.

Beiliegend sende ich Ihnen einen Entwurf für den Schutzumschlag (von Tutti gezeichnet). Bitte lassen Sie mich wissen, ob Ihnen der Text richtig erscheint, oder welche Änderungen Sie wünschen. Ich bin mit dem Text noch nicht ganz einverstanden; vielleicht haben Sie einen besseren Vorschlag. Für eine rasche Rückäußerung und Rücksendung der Skizze wäre ich sehr dankbar.

Mit besten Grüßen   *Ihr Bermann Fischer*

Pacif. Palisades,
25. IX. 42

Lieber Dr. Bermann,

ich lasse Tutti sehr danken. Die Schrift ist schön und passend, aber den Text ändern wir besser nach Ihrem ersten Vorschlag, also:

Deutsche Hörer! (mit Rufzeichen)
25 Radiosendungen
nach Deutschland
von
Th. M.

Daß die Sendungen über BBC gingen, steht ja im Vorwort, das
Sie wohl bekommen haben.
Heute traf »American Harvest« ein, ein prächtiges Buch.
Knopfs Haß wird einen neuen Auftrieb erhalten.
Daß die Nazis aus humanitären Gründen die Einnahme von
Stalingrad verschoben haben, ist doch überwältigend!
Herzlich

Ihr Thomas Mann

381 Fourth Avenue
New York, N. Y.
October 7, 1942

Dear Dr. Mann:
I am sending herewith the first seven galleys, and correspon-
ding manuscript pages, of »Deutsche Hörer«. The balance will
follow tomorrow. I hope that you can finish the corrections by
the 14th of October, so that I could begin with the printing by
the following week-end.
It may be that some of the broadcasts aren't in the proper
order because of the lack of dates in the manuscript. Please
take particular care in checking the dates, and in putting the
single chapters into the right order.
»The Turning Point« has had a very good reception by the press.
*N. Y. Times, Herald Tribune, World-Telegram, Chicago Daily
News* and many others have published excellent reviews. We
hope to have a good sale during the next weeks.
With best regards,   *Yours Bermann Fischer*

P. S. I write in English because my secretary is out for lunch,
and I don't want to lose time.

381 Fourth Avenue
New York, N. Y.
October 9, 1942

Lieber Herr Dr. Mann:
Hier die anschließenden Galleys 8–15. Der Satz ist miserabel,
wie ich zu meinem Entsetzen gestern beim Korrekturlesen fest-
stellte. Die Druckerei behauptet, es liegt am Manuskript. Ich
kann es nicht finden.
Mit herzlichen Grüßen   *Ihr G. Bermann Fischer*

Pacific Palisades, California
7. Nov. 1942

Lieber Dr. Bermann,
wegen der Einladungen für Sie und Tutti habe ich gleich an die
Library geschrieben. Es ist sehr nett, daß Sie kommen wollen.
Wir wohnen bei den Meyers, Crescent Place, wo wir wohl
schon ein paar Tage vorher von Chicago eintreffen werden.
Dorthin reisen wir am 9. ab.
Die Korrektur mit dem Manuskript ist nicht mehr gekommen.
Die Post ist recht unzuverlässig jetzt. Hoffentlich hat Sie nun
das Duplikat, das ich schleunigst korrigiert habe, sicher er-
reicht.
Die englische Ausgabe verzögert Knopf bis nach Neujahr, –
natürlich, da gerade der Essay-Band erschienen ist. Bei Ihnen
hätte sie leicht nebenher, zusammen mit der deutschen erscheinen können. Sehr ärgerlich.
Der »Joseph« ist fast fertig, doch muß man aufpassen bis zum
Schluß. Auch mit dem werden Sie einen großen Vorsprung
haben, denn die Übersetzung ist noch weit zurück.
Auf Wiedersehen bald!
                                                        Ihr Thomas Mann

381 Fourth Avenue
New York, N. Y.
December 16, 1942

Lieber Herr Dr. Mann:
Unser Verlagsvertrag, den wir am 11. Juli 1939 in Noordwijk
abgeschlossen haben – ich denke noch oft und gerne an diese

schönen Stunden zurück, die wir dort mit Ihnen verbrachten –, ist gerade abgelaufen.

Ich möchte vorschlagen den Vertrag um weitere 3 Jahre zu verlängern und lege ein entsprechendes Schreiben bei.

Ich habe die Verbindung mit den Stellen, die mir den Transport des »Joseph«-Buches nach Schweden ermöglichen, aufgenommen. Ich denke, daß ich recht bald eine positive Antwort bekommen werde.

Hoffentlich haben Sie die anstrengende Reise gut überstanden. Ich hoffe, daß wir Sie im Verlauf Ihrer Lecture-Tour bald hier wiedersehen werden.

Mit herzlichen Grüßen an Sie und Frau Katia

Ihr Bermann Fischer

GBF an Katia Mann   381 Fourth Avenue
                                    New York, N. Y.
                                    January 25, 1943

Liebe Frau Mann,

es ist wirklich abscheulich, daß ich Ihnen immer noch nicht das längst fällige Honorar auszahlen konnte. Das Geld aus Schweden ist längst hier auf der Bank kreditiert, ich habe aber immer noch nicht die Auszahlungsgenehmigung erhalten. Auch die Honorare für die Zeit von Mai 1942 – Dezember 1942 liegen bereits da. (ca. $ 450.00)

Sollte die Genehmigung im Laufe der folgenden 4 Wochen nicht eintreffen, so werde ich Ihnen den Betrag für die Zeit von Dezember bis April von meinem Privatkonto überweisen. Bitte sagen Sie uns, ob das zeitig genug wäre. Ich hoffe aber, daß ich in dieser Zeit den ganzen Betrag freibekomme.

Der Grund für die lästige Verzögerung liegt in einer leidigen Formalität, nämlich in dem Faktum, daß meine schwedischen Aktien aus formellen Gründen meiner alten Schweizer Gesellschaft gehören. So haben nicht nur schwedische und amerikanische, sondern auch schweizerische Behörden ihren Consent zu geben. – Bitte sind Sie nicht zu böse; wir leiden selbst entsetzlich unter diesen Schwierigkeiten.

Sehr dankbar wäre ich, wenn Sie sich zu meinem Vertragsverlängerungsvorschlag äußern würden. Ich möchte dazu vorschlagen, daß eine Klausel aufgenommen werden könnte, nach der bei Wiedereröffnung des deutschen Buchmarktes neue Abmachungen hinsichtlich Vorauszahlungen etc., Neudrucken etc. zu treffen wären. Bitte lassen Sie mich bald wissen, was Sie von meinem Vorschlag halten. Ohne allzu großen Optimismus halte ich die Zeit für gekommen, die grundlegenden Vorbereitungen für den Fall des Kriegsendes zu treffen und sich über die wichtigsten Organisationsfragen klar zu werden.

Ihnen und Dr. Mann die herzlichsten Grüße

Ihr Bermann Fischer

P. S. Abrechnungen von Bonnier habe ich nicht erhalten. Ich kann mir auch nicht denken, daß sie an den Verlag in Schweden gegangen sind.

> 1550 San Remo Drive
> Pacific Palisades, California
> 6. Februar [1943]

Lieber Doktor Bermann,
heute sende ich Ihnen das »Joseph«-Manuskript und wünsche ihm gute Fahrt zunächst einmal bis zu Ihnen. Bestätigen Sie mir bitte den Empfang und lassen Sie mich wissen, wie Sie die Weitersendung zu handhaben gedenken. Bei unserem Beschluß, das Buch in Stockholm drucken zu lassen, muß es ja wohl bleiben. Natürlich ist es schwer für mich, auf die Korrektur zu verzichten, und eine korrekte erste Ausgabe wird schwerlich zustande kommen. Wir müssen uns damit trösten, daß bald einmal, etwa in zwei Jahren, ein Neudruck wird veranstaltet werden können. Vorläufig ist mir der Gedanke doch wichtig, daß die immerhin wertvollen Reste des europäischen Marktes dem Buche offen sein sollen, und es bleibt wohl dabei, daß auch hier, wie von »Lotte in Weimar«, auf photographischem Wege eine Auflage hergestellt wird. Ich würde gern von Ihnen hören, wie Sie sich die Dauer der ganzen Prozedur bis zum Erscheinen der deutschen Ausgabe in Europa und hier vorstellen. Auf den neuen Vertrag kommen wir nächstens zurück.* Seien Sie mit den Ihren vielmals gegrüßt!

Ihr ergebener *Thomas Mann*

* Machen Sie doch immer einen Entwurf!

318

Lieber Herr Dr. Mann:

Ich danke Ihnen bestens für die Zusendung des Manuskriptes
des vierten Bandes. Ich verzichte zunächst darauf es zu lesen,
um keine Zeit zu versäumen, und gebe es sofort zum Abschreiben. Ich habe dafür eine sehr zuverlässige Dame, von der
ich eine zuverlässige Arbeit erwarten kann. Die Abschrift wird
sorgfältig mit Ihrem Original verglichen werden. Ich werde
dann ein Manuskript per Flugpost und ein Manuskript durch
Mr. Åke Bonnier nach Schweden schicken.

Ich glaube, daß es eine gewisse Erleichterung für den Zensor
bedeuten würde, wenn ein persönlicher Brief von Ihnen bei-
liegen würde.

To the Censor

Here is the original manuscript, written in German, »Joseph,
der Ernährer«, the fourth volume of my tetralogy on »Joseph«.

My publisher, Mr. G. Bermann-Fischer, who is now residing
in the U. S. and whose business address is 381 Fourth
Avenue, New York, N. Y., is sending this ms. to his publishing firm in Stockholm, Sweden, the Bermann-Fischer Verlag, A. B. This publishing firm in exile which published my
previous works is going to publish this fourth volume in its
original form.

                                                    Signature

Space for notarization.

Bitte schicken Sie mir drei notariell beglaubigte Ausfertigun-
gen dieses Briefes.

Da ich selbst vor drei Tagen ein Manuskript aus Stockholm,
das vor etwa vier Wochen dort abgesandt worden ist, erhalten
habe, bin ich recht hoffnungsvoll. Ich halte es sogar nicht einmal für *ganz* ausgeschlossen, daß wir eine Korrektursendung
hierherbekommen.

Einen detaillierten Vertragsvorschlag werde ich Ihnen bald
schicken. Da Landshoff und ich seit fünf Tagen täglich sechs
Stunden und mehr bei dem Prozeß, den Kesten gegen die Zeit-

schrift »True Magazine« wegen libel angestrengt hat, verbringen müssen, werde ich erst nach Abschluß des Prozesses, der in den nächsten Tagen zu erwarten ist, dazu kommen.

Ihnen und Frau Katia die besten Grüße,

Ihr Bermann Fischer

381 Fourth Avenue
New York, N. Y.
March 16, 1943

I am going to airmail »Joseph der Ernährer« to Stockholm. The copy I am sending was typed with the greatest care on airmail paper, and was very carefully compared with your original manuscript. If you would like to compare the copy with your original manuscript yourself I would be very happy to send both of them to you.

Since I have to airmail this manuscript in 10 or 12 different envelopes I must ask you for more of these letters to the censor, written on airmail paper, if possible. The text must be changed, due to the fact that only part of the manuscript is in each of these envelopes; so I enclose a corrected letter and ask you to return 12 notarized copies as soon as possible.

I asked my Swedish firm to return proofs for correction, if possible. I hope that they will be able to do this.

Very soon I hope to be able to report to you the arrival of this manuscript; and I would be very happy to be able to publish this fourth volume before the end of this year.

With my best regards,

G. B. Fischer

381 Fourth Avenue
New York, N. Y.
April 9th 1943

Lieber Herr Dr. Mann:
Ich erhielt heute folgendes Telegramm von Tor Bonnier:
»other swedish publisher may ask Thomas Mann rights books on political or general subjects stop if he does we of course willing publish swedish edition«
Es kann sich meiner Meinung nach nur auf »Deutsche Hörer!« beziehen, vielleicht auch auf den kürzlich bei Knopf erschiene-

nen Sammelband Ihrer Essays. Ich habe vor längerer Zeit schon versucht, »Deutsche Hörer!« nach Stockholm zu schicken, ob die Bände angekommen sind, weiß ich nicht.

Ich möchte Bonnier die schwedischen Übersetzungsrechte zusichern, gegen die üblichen Bedingungen, und bitte um Ihr freundliches Einverständnis.

Ich hoffe, Ihnen in Kürze ein befriedigendes Angebot über die Verlängerung unseres Vertrages anbieten zu können. Ich stehe darüber mit Schweden in Verbindung.

Ihr 4. Band hält uns seit vielen Tagen völlig gefangen. Er scheint mir die Krone der Tetralogie zu sein und an Weisheit und Schönheit alles zu übertreffen. Wir lesen es uns jeden Abend vor und sind immer wieder glücklich, daß es Ihnen in diesem Ausmaße gelungen ist, Ihre große Dichtung zu vollenden und der Welt in dieser Zeit der Auflösung ein solches Meisterwerk zu schenken.

Ich habe vor ein paar Tagen noch ein 2. Manuskript nach Stockholm auf den Weg gebracht und warte nun auf weitere Nachrichten von dort.

[Handschriftlich fortgesetzt von Brigitte Bermann Fischer]
Da Gottfried sich von den Kindern mit German Measles (Röteln) angesteckt hat und krank ist, schließe ich diesen Brief an seiner Stelle ab mit vielen herzlichen Grüßen für Sie und Frau Katia. Unsere allabendlichen gegenseitigen Vorlesungen des 4. Bandes gehören zum Schönsten und Erhebendsten, das einem in dieser Zeit zustoßen kann. Bitte lassen Sie mich Ihnen schon jetzt danken dafür!   *Ihre Tutti B. Fischer*

Old Greenwich, April 12th, 1943
Lieber Herr Mann:
Heute kam nun das Telegramm aus Schweden von dem Verlag Natur und Kultur, das das gestrige mysteriöse von Bonniers aufklärt. Es lautet wie folgt:
»ask Professor Mann wether he would be interested writing book about the other Germany that will say about Germanys efforts for liberty humanity justice and progress in past and present time for publication in swedish our publishing house cable answer«
Bitte lassen Sie mich doch zunächst einmal wissen, ob Sie über-

haupt daran denken würden, ein derartiges Buch zu schreiben. Wenn es der Fall sein sollte, möchte ich mich über das weitere Verhalten dem schwedischen Verlag gegenüber verständigen. Ich möchte natürlich gern den Wünschen Bonniers Folge leisten. Ich bin immer noch mit dieser scheußlichen Kinderkrankheit zu Bett und lasse ausführlicher von mir hören.

Mit besten Grüßen   *Ihr Bermann Fischer*

Old Greenwich, Conn.
13. April 1943

Lieber Herr Mann:

Ich bin heute in der Lage Ihnen im Namen des schwedischen Verlages ein Angebot für die Verlängerung unseres Vertrages zu machen. Ich biete Ihnen für die Verlängerung des Vertrages auf die in den nächsten 3 Jahren entstehenden Werke eine Vorauszahlung von Sw. Kr. 8400 = $ 2000.–. Diese Vorauszahlung ist nur zu verrechnen auf die künftigen Werke und gelangt nicht zur Verrechnung auf die bisher im Verlag erschienenen Werke und den 4. Band.

Sollte in der Laufzeit des neuen Vertrages der deutsche Markt frei werden, so ist der Verlag selbstverständlich bereit, eine weitere Vorauszahlung im Rahmen der neuen Möglichkeiten zu leisten.

Ich hoffe sehr, lieber Herr Mann, daß Sie von meinem Vorschlag befriedigt sind und einer Vertragsverlängerung zustimmen werden.

Ich beurteile die künftige Arbeit des Verlages recht günstig, da bei einer großzügigen Zusammenarbeit mit dem Hause Bonniers alle Möglichkeiten, die bei der Eröffnung des deutschen Marktes vorhanden sind, auf weitester Basis ausgenützt werden können. Die ersten Vorbereitungen dazu beginne ich bereits jetzt. Bonnier, der an der Entwicklung des deutschen Verlages sehr interessiert ist, produziert jetzt bereits neben seinen schwedischen Büchern englische Ausgaben für den europäischen Markt und wird nach dem Kriege eine große Machtposition im europäischen Verlagsbuchhandel darstellen. Dieser Umstand und eine relativ günstige geographische Lage scheinen mir für die Entwicklung meines Verlages in Stockholm besonders vielversprechend zu sein. Die enge Zusammenarbeit mit Querido wird auch nach dem Kriege aufrechterhalten bleiben.

Ich hoffe, daß die jetzt beginnenden Vorarbeiten nicht auf zu optimistischer Beurteilung der allgemeinen Kriegslage beruhen. Aber wenn wir an den endgültigen Sieg glauben – und das tun wir ja alle –, müssen wir jetzt mit aller Energie an die ersten Vorarbeiten gehen, um im entscheidenden Moment am Platze zu sein.

Mit herzlichen Grüßen   *Ihr Bermann Fischer*

P. S. Die Überweisung des Betrages kann sofort erfolgen.

[Telegramm an Albert Bonniers Förlag]   [13. April 1943]
Informed Thomas Mann your interest in mentioned book Natur offer came 24 hours later Representing of course your interest shall inform you after Mann's reply

                                        Bermann Fischer

To the Censor:
This cable is in reply to one received by me from Mr. Bonnier in Stockholm NAC 243 via RCA. The book mentioned is a book which the Swedish publishers, Natur, have asked Thomas Mann to write for them. Albert Bonnier is the largest Swedish publishing house, with which the sender of this cable is in close business connection, as I am the director of Bermann Fischer Verlag A. B., Stureplan, Sweden, with my office now in New York.   *G. B. Fischer*

                                Pacif. Palisades 13. IV. 43
Lieber Dr. Bermann,
wir wüßten gern, ob es Ihnen möglich war, den Wunsch meiner Frau zu erfüllen und die Bücher von Klaus und Erika sowie »Deutsche Hörer!« nach London an die alten Cousinen zu schicken.

Auch hörte ich gern, wie sich der Verkauf von »Deutsche Hörer!« eigentlich angelassen hat; es würde mich rein der Sache wegen interessieren. Je länger je mehr habe ich bedauert, daß nicht die englische Fassung als Parallel-Ausgabe dazu erscheinen konnte. Knopf war auf keine Weise zu überreden, und dann hat er das kleine Buch, das an sich durchaus Erfolgsmöglichkeiten gehabt hätte, geradezu unterdrückt, es überhaupt nicht sichtbar werden lassen. Tatsächlich war es bei *ihm* eine Publikation zuviel. Aber er ist in solchen Dingen noch halsstarriger als der selige Pappi.

Auch auf die Gebote-Anthologie ist er natürlich sehr schlecht zu sprechen und hat verhindert, was er verhindern konnte, z. B. die Mitarbeit der Cather. Auch sonst ist das Buch durch Verleger-Eifersucht nicht das geworden, was es hätte werden können; aber die Besetzung ist immer noch gut genug, und ich halte einen Welterfolg für möglich. Robinson sagte mir, daß Sie die deutsche Ausgabe zu bringen gedenken. Trifft das zu? Wird das Buch in Schweden und der Schweiz möglich sein? Ich denke: ja, — besonders, wenn man den Namen Hitler aus dem Titel wegläßt, was sich auch sonst empfiehlt. Schon das englische »The ten commandments and a certain Mr. Hitler« ist nicht sehr schön. Das Deutsche »und ein gewisser Herr Hitler« ginge schon garnicht. Ich würde vorschlagen: »Die zehn Gebote und ihr Widersacher«, nebst einem kräftigen Unter-Titel, der das Exzeptionelle und Internationale betont, aber auch die Tatsache, daß es sich um Erzählungen handelt.

Ich interessiere mich sehr für das Buch und glaube, daß ich ihm mit der Moses-Novelle eine gute Ouvertüre gegeben habe. Ich war angenehm überrascht, daß Robinson sie nicht zu *komisch* fand. Das Pathos kommt erst ganz zuletzt zum Vorschein.

Wenn Sie eine unkorrigierte, nicht bei mir hergestellte Abschrift davon bekommen, so schicken Sie sie mir, bitte, erst zur Durchsicht! Es werden gewiß Schreib-Fehler darin sein.

Viele Grüße von Haus zu Haus!

Ihr Thomas Mann

Jetzt umkreise ich einen neuen, als Idee übrigens sehr alten Stoff, eine Art von moderner Teufelsverschreibungssache, Künstler-, Musiker-Novelle. Ist aber noch ziemlich unreif.

Den 14ten. Eben kommt Ihr Brief, den Tutti beendete. Bonnier muß wohl »Deutsche Hörer!« meinen. Der Essay-Band, der selbst aus Übersetzungen besteht, ist kein rechtes Übersetzungs-Objekt. Eine schwedische Ausgabe könnte nur nach den deutschen Originalen hergestellt werden. Aber was er auch haben will, die Rechte seien ihm mit Vergnügen zugestanden. Auch sollte er die schwedische Ausgabe der »10 Gebote« übernehmen. Sehr froh bin ich zu hören, daß der IV. »Joseph« Ihnen beiden gefällt.

Wie kindlich von Ihnen, daß Sie die Röteln bekommen haben! Ich hoffe, Sie sind schon ganz wiederhergestellt.

Pacif. Palisades, den 21. 4. 43

Lieber Dr. Bermann

vielen Dank für Ihre Briefe. Auf die Verlängerung unseres Vertrages gehe ich unter der vorgeschlagenen Bedingung – Vorauszahlung von 2000 Dollars auf die in den nächsten drei Jahren entstehenden Werke – gern ein, umso lieber, als ja für den Augenblick, wo Europa sich wieder öffnet (das wird großartig!) neue Vereinbarungen vorgesehen sind.

Sie tun sehr gut daran, sich auf »den Tag« vorzubereiten. Er kann schneller da sein, als man denkt. In München soll es tatsächlich Friedensdemonstrationen gegeben haben, und von Hitler kann man eigentlich schon sagen, wie Rochefort von Napoléon III., »cet imbécile de qui personne ne parle plus«.

Besonders freue ich mich über die Kombination Fischer–Bonnier–Querido, die mir glückverheißend scheint.

Die Anregung von »Natur und Kultur« wegen eines Buches über das »andere Deutschland« ist interessant als Symptom. Wenn ich ein solches Buch schriebe, so könnte ich es wohl nicht gut Bonnier geben, da der Gedanke nun einmal von »N. u. K.« ausgegangen ist. Ich bezweifle aber sehr, daß ich es werde tun können, denn was für ein weites Feld ist das: ein Buch über das liberale Deutschland! Es ist doch mehr die Sache eines Historikers. Mich würde es viel Studium und Arbeit kosten, und ich habe ganz andere Dinge im Kopf. Nur wenn ein ganz außerordentliches Angebot des Verlages vorläge, würde ich mir die Sache überlegen. Sie sollten ihn abschrecken durch die Mitteilung, daß ich andere mich beschäftigende Aufgaben um eines solchen Buches willen schweren Herzens zurückstellen müßte und darum *sehr* teuer sein würde.

Viele Grüße von Haus zu Haus! *Ihr Thomas Mann*

381 Fourth Avenue
New York, N. Y.
April 29th, 1943

Lieber Herr Dr. Mann:

Ich habe heute zwei Ihrer Briefe zu beantworten, nämlich Ihren Brief vom 13. IV. und vom 21. IV. Ich möchte der Reihe nach gehen. Die Bücher an die Cousinen Rosenberg habe ich seinerzeit sofort abgeschickt. Hoffentlich kamen sie an. Ich bin nicht ganz sicher, ob sie den Censor passierten. Man ist neuerdings mit »printed matter« sehr komisch.

Der Verkauf von »Deutsche Hörer!« hat sich nicht besonders gut angelassen. Trotz mehrfacher Anzeigen, die ich gemacht habe, und sehr energischer Bemühungen der hiesigen Auslieferung sind kaum mehr als 350 Exemplare bis jetzt verkauft worden. Friedrich Krause, der Auslieferer, der durch eine große Bestellung ein persönliches Obligo übernommen hatte, hat das Buch überall persönlich angeboten. Unser deutschlesendes Publikum hier aber hat uns merkwürdigerweise im Stich gelassen. Mag sein, daß die Vorweihnachtszeit mit dem ungeheuren Bücherangebot daran schuld war, vielleicht auch das gleichzeitige Erscheinen von »Listen Hans« von Dorothy Thompson und die Ankündigung Knopf's über die englische Ausgabe. Sehr schade ist es, daß es mir bisher nicht gelungen ist, das Buch nach Schweden zu bringen. Ich habe es, trotz mehrfacher Versuche, immer wieder zurückbekommen. Auch dabei handelt es sich um die »printed matter«-Situation. Ich glaube, daß die Zeit kommt, wo dieses Buch seine Leser haben wird.

Ich mache tatsächlich die deutschsprachige Ausgabe von den »10 Commandments« und bin Ihnen für Ihren Titelvorschlag sehr dankbar. Hoffentlich bekomme ich bald Ihren Beitrag zu sehen. Das Manuskript werde ich Ihnen sogleich zur Durchsicht zuschicken. Die schwedische Ausgabe der »10 Commandments« hat Bonnier erworben.

Der Telegrammwechsel mit Schweden hat sich aufgeklärt. Ich habe Herrn Hanssen mitgeteilt, daß Sie vorläufig nicht daran denken können, das Buch zu schreiben, habe aber gleichzeitig Bonniers angeregt, Ihnen von sich aus ein Angebot zu machen, wenn sie an einem aktuell politischen Buch von Ihnen interessiert sind. Ich werde Sie sofort benachrichtigen, wenn ich Antwort aus Stockholm bekomme.

Sehr froh bin ich über Ihre Zustimmung zur Verlängerung unseres Vertrages. Ich füge diesem Briefe ein entsprechendes Schriftstück bei und den Scheck über $ 2.000. Hoffentlich wird dieser Vertrag sich schon im befreiten Europa auswirken können.

Nun noch ein Wort über die Anthologie, die Klaus herausgeben wird, »Heart of Europe«. Ich finde, daß Sie durch die aus Ihrem Werk gewählten Beiträge zu einseitig vertreten sind. Der Goethe-Essay scheint mir eine richtige Wahl darzustellen, dagegen glaube ich, daß neben diesem die Wahl des Goethe-kapitels aus der »Lotte« ein Fehler ist. Wenn ich die freie Wahl hätte, so wüßte ich, was ich wählen würde: das Gottes-gespräch aus dem IV. Band. Das dürfte ja wohl aber an Herrn Knopf scheitern. Aber sollte man es nicht doch vielleicht ver-suchen? Wenn das nicht möglich ist, könnte man nicht die eine oder andere Stelle aus einem der anderen »Joseph«-Bände bringen?

Während meiner Krankheit hatte ich wunderbar Zeit, den IV. Band in aller Ruhe zu lesen. Sie haben mir vor einigen Monaten einmal geschrieben, daß Sie vergleichsweise mit die-sem Band gar nicht zufrieden seien. Als einfacher und beschei-dener Leser und Mitglied der Thomas Mann-Gemeinde muß ich in diesem Punkte dem Autor widersprechen. Ich finde die-sen IV. Band über alle Maßen vollendet und angefüllt mit so unerhört großartigen Aufschlüssen, wie eben zum Beispiel die-ses Gottesgespräch oder die Segensgeschichte, so voll von köst-lichem Humor, der einen manchmal bis zu Tränen rührt, wie in den Empfängen der Brüder und im Erzählerischen, wie zum Beispiel in der Thamargeschichte von unerreichtem Glanz.

Zu Ihren neuen Plänen wünsche ich Ihnen alles Glück.

Mit herzlichen Grüßen   *Ihr Bermann Fischer*

Pacif. Palisades, 4. V. 43

Lieber Dr. Bermann,

mit bestem Dank für Ihren Brief und den Check schicke ich den unterschriebenen Vertrag zurück.

Der Optimismus scheint im Wachsen. Allgemein rüstet man sich für die Beschickung des deutschen Marktes. Sogar in Lon-don sollen schon deutsche Bücher gedruckt werden. Eine Freun-

din in Canada, Engländerin, schrieb uns mit sonderbarer Bestimmtheit, der Krieg werde nicht mehr lange dauern. Ich halte
meine Hoffnungen im Zaum.   *Ihr T. M.*

Brigitte Bermann Fischer an TM

                                    Old Greenwich, 11. Mai 1943
Lieber Herr Mann:
welche Bereicherung bedeutet es, Ihren 4. Band »Joseph der
Ernährer« gelesen zu haben! Ich die ich ganz unverdientermaßen in diesem Schatz an Schönheit und Weisheit graben
darf, bevor er anderen Sterblichen geöffnet wird, habe das Gefühl, ich müßte es jeden sogleich wissen lassen, was ihn erwartet. Es ist wohl die innere Heiterkeit, das Lächeln, das über
dem Wissen steht, und aller Erkenntnis die tragische Schwere
nimmt, die diesem Werk etwas so Verklärtes gibt. Anmut und
Würde, Humor und Weisheit, es ist ein ganz spezielles, neuartiges Gemisch, und man muß es lieben! — Gottfried und ich
lasen uns das Buch gegenseitig vor, und es sollte eigentlich
jedem Leser empfohlen werden, laut darin zu lesen, denn die
Schönheit und der musikalische Klang der Sprache werden
einem erst so offenbar. Sich dann allerdings ins Einzelne nochmals und mehrmals zu versenken, ist doppelte Freude.
Der heutige Tag schien mir der rechte zu sein, um Ihnen zu
danken, lieber Herr Mann. Heute früh kam die gute Botschaft,
daß das Manuskript den brennenden Kriegsboden Europas
überflogen hat und sicher auf der schwedischen Insel gelandet
ist, um dort schnellstens in die Druckerei zu gehen. Es ist nicht
nur Überwindung des Raumes, der hier wunderbarerweise so
schnell gelang, es liegt wohl auch ein besonderer Sinn darin,
daß dieses Werk, in der Zeit der tiefsten Dunkelheit entstanden und geschrieben, in dem Augenblick das Licht der Welt erblicken soll, in dem die Überwindung des Bösen begonnen hat.
Was dort mit den Waffen geschieht, geschah hier im Geistigen,
und es wird wirken und dauern. Eigentlich kommt es mir vor,
als wäre Ihr Werk immer schon dagewesen, von Urzeiten her,
und so ist es im Grunde mit allem Großen, es ist immer dagewesen und wird immer da sein.
Nehmen Sie dafür allen meinen Dank,   *Tutti*

P. S. Ich bin sehr traurig, daß es mir nicht möglich war, Ihren Vortrag zu setzen und zu drucken, wie ich es mir so schon gedacht hatte. Es hat sich leider herausgestellt, daß keine, auch die größte Druckerei nicht so viel Buchstaben für einen Handsatz besitzt. Das sind die Schattenseiten des Zeitalters der Maschine. Lassen Sie mich wissen, ob Sie das Manuskript zurückgeschickt haben wollen.

1550 San Remo Drive
Pacific Palisades, California
14. Mai [1943]

Lieber Doktor Bermann,

vielen Dank für Ihr erfreuliches Telegramm. Es ist ein gutes Gefühl, daß das Manuskript glücklich in Schweden eingetroffen ist. So wird also wohl die deutsche Ausgabe der englischen, die sich durch Langsamkeit der Übersetzerin sehr verzögert, zuletzt noch ein gutes Stück zuvorkommen.

Ich weiß nicht was ich wünschen soll: ob wir den Druck möglichst ungestört durch Korrektursendungen seinen Weg gehen lassen oder ob es doch im Interesse einer korrekten Ausgabe das Wünschenswertere ist, daß ich die Korrekturen lese. Wie denken Sie darüber? Das Manuskript selbst ist, glaube ich, korrekter, als das der »Vertauschten Köpfe« war. Sitzen in Stockholm verläßliche Korrektoren?

Sehr erfreut bin ich auch durch die Nachricht von den möglich gewordenen Neudrucken des »Zauberberg«, der »Lotte« und der »Vertauschten Köpfe«. Bei »Lotte« ist mir natürlich sofort die Liste der sehr störenden – wenigstens mich sehr störenden – Druckfehler eingefallen, die ich Ihnen schon vor langer Zeit übersandte. Haben Sie sie damals nach Stockholm weitergegeben? Ich lege sie Ihnen jedenfalls noch einmal bei, denn ich denke doch, daß man die Gelegenheit des Neudrucks zur Verbesserung dieser fatalen Fehler benutzen sollte. Ist es vielleicht schon zu spät?

Wo mögen die Bücher abgesetzt worden sein? Ich habe lange Zeit nur an die Schweiz und allenfalls Schweden gedacht, höre aber zum Beispiel von Werfel, daß viele deutsche Bücher nach Italien gehen, weil die dort regierenden Nazis neugierig darauf sind.

Viele Grüße Ihr ergebener   *Thomas Mann*

381 Fourth Avenue
New York, N. Y.
May 25, 1943

Dear Mr. Mann!

Many thanks for your letter of May 14. Some months ago I asked my people in Stockholm to print the galleys on air-mail paper and to airmail them to us in order to receive your corrections. I can't predict whether this will be possible, all the more since I learned that between June 15 and August 31 the normal air traffic between England and Sweden will be stopped because of the light nights. Whether the Stockholm office will find a way to send the corrections over or not, I cannot tell, and we have no other choice than to take it as it comes.

I have several times emphasized to the manufacturing manager in Stockholm the importance of the proofreading, and I am sure that Dr. Frisch, who is responsible and who is a scientifically trained and experienced person, will do his best. At the back of my mind, I have the secret hope that Erika may be in Stockholm in time to help a little bit with the proofreading.

The »Lotte« corrections you sent me I airmailed immediately to Stockholm, although I did it some months ago without getting an acknowledgement. At the same time, I cabled asking them to hold up the printing for these corrections.

What Werfel told you about the market for our Stockholm books is true; I told him this story of how, in certain countries, there is an astonishing interest in forbidden books and that the sales to these countries have considerably increased. Of course, Switzerland is still the chief market and it is astonishing how many books can be sold to such a small population.

As to your question about Bonnier's advance for the fourth volume: these $ 300. are, of course, an advance against the usual royalties according to your contract with them. I think you will get a confirmation from Bonnier's very soon and, as I hope, the payment.

Cordially yours   *G. B. Fischer*

1550 San Remo Drive
Pacific Palisades, California
[undatiert; vermutlich
Ende Mai 1943]

Lieber Doctor Bermann:

Die Schriftleitung der »New Yorker Staats-Zeitung« schrieb mir, sie sei der Meinung, daß »Joseph der Ernährer« in der einzigen großen deutschsprachigen Zeitung dieses Landes Verbreitung finden müsse. Sie hat die Absicht, den Roman in der literarischen Sektion ihres Sonntagsblattes vollständig abzudrukken, und bittet mich um mein Einverständnis und um meine Bedingungen.

Da muß ich nun vor allem natürlich Sie hören, wie Sie zu dem Vorhaben stehen, ob es nach Ihrer Ansicht eine Störung Ihrer deutschen Buch-Ausgabe bedeuten würde, oder ob es im Gegenteil vielleicht sogar ratsam wäre, die Buchausgabe zurückzustellen, bis der Vorabdruck in der Zeitung vorgeschritten ist. Mir scheint, daß Sie jedenfalls der Mann sind, mit der Staats-Herold Corporation zu verhandeln, falls Sie nicht ausschlaggebende Bedenken gegen das ganze Unternehmen haben. Sie werden auch besser wissen als ich, welches Honorar ich fordern soll. Ich nehme an, daß Sie im Fall eines Abschlusses mit 15 % beteiligt sind.

Wie ist eigentlich die deutsche Ausgabe in Europa gegangen? Wäre nicht einmal eine Abrechnung fällig?

Mit herzlichen Grüßen von Haus zu Haus

Ihr Thomas Mann

1550 San Remo Drive
Pacific Palisades, California
20. Juli 43

Lieber Doktor Bermann,

verzeihen Sie, – ich bin nicht sicher, ob ich auf Ihren Brief vom 9. Juli eigentlich schon reagiert habe. Es ist kaum nötig zu sagen, daß ich mit Ihrem Vorschlag, die Anthologie betreffend, ganz einverstanden bin, schon weil ich einverstanden sein muß. Die Restriktion ist natürlich allgemein bedauerlich, aber ich stimme zu, daß neben dem ersten Kapitel von »Lotte« der Tod Rahels in das Buch aufgenommen wird.

331

Lassen Sie mich doch wissen, wen Sie anstelle von McLeish zu dem Vorwort aufgefordert haben.
Herzliche Grüße! *Ihr Thomas Mann*

381 Fourth Avenue
New York, N. Y.
August 2, 1943

Lieber Herr Dr. Mann:
Vielen Dank für Ihren Brief vom 20. Juli mit Ihrer Zustimmung zu der Auswahl für »Heart of Europe«.
Anstelle von McLeish haben wir auf Rat von Scherman (Book of the Month Club) Dorothy Canfield Fisher aufgefordert, die gestern zugesagt hat. Ob diese Zusage irgendeinen Einfluß auf die Wahl des Buches als eine »Dividend« haben wird, läßt sich schwer voraussagen. Jedenfalls scheint Scherman der Anthology nicht ungünstig gesinnt zu sein. Es wäre ein rechter Segen für die Beteiligten, wenn aus der Sache etwas würde.
Das rasche Verschwinden Mussolinis war mehr als wir erwarten konnten. Die Hoffnung, daß es eines Tages in Deutschland ähnlich kommt, ist keine reine Utopie mehr.
Seien Sie herzlichst gegrüßt von Ihrem
Bermann Fischer

1550 San Remo Drive
Pacific Palisades, California
1. X. 1943

Lieber Doktor Bermann:
Vielen Dank für Ihre freundlichen Zeilen vom 21. September. Es war immerhin ein Erlebnis, diese Nachricht vom ausgedruckten Vierten Band, und eine sonderbare Vorstellung ist es, daß die Bogen nun zum Binden in die Schweiz gehen.
Auf die Korrektur hatte ich ja längst verzichtet, und wenn ich auch sicher bin, daß in dem Buch nicht alles in Ordnung sein kann, so habe ich doch das Vertrauen, daß Ihre Leute in Stockholm das Mögliche getan haben. Nun liegt mir ungeheuer viel daran, und es muß doch auch möglich sein, daß ein paar Exemplare nach Amerika herüber bugsiert werden, nämlich drei,

eines für Sie, eines für mich und eines für die photostatische
Vervielfältigung, damit wir auch hier eine kleine Auflage haben. Wir werden zweifellos der amerikanischen Ausgabe zuvorkommen, da die Herstellung erst jetzt beginnt.
Wir treffen am 15. nachmittags in New York ein, wo wir
zunächst nur knappe zwei Tage bleiben, und wohnen im
Essex House, Central Park South. Hoffentlich sieht man sich
bald und tritt wenigstens gleich bei diesem ersten New Yorker
Aufenthalt, dem diverse andere folgen werden, in telepho-
nischen Kontakt.
Auf Wiedersehen und herzliche Grüße von Haus zu Haus

Ihr Thomas Mann

1550 San Remo Drive
Pacific Palisades, California
6. Januar 1944

Lieber Doktor Bermann!
Vor allem wollte ich Ihnen heute gratulieren zum Erscheinen
des schönen Bandes »Heart of Europe«, der gerade in meine
Hände kam. Trotz der Auslassungen, die notwendig wurden,
ist es ja eine recht großartige Revue des geistigen Europa dieser zwanzig Jahre geworden. Gewiß ist es schade um manches,
was fortfallen mußte, und manches davon hätte gewiß ebenso
gut aufgenommen werden können an Stelle anderer Dinge,
die hinein gekommen sind. Aber was da ist, scheint mir alles
irgendwie repräsentativ und wichtig, und die Idee des ganzen
war glücklich und zeitgemäß. Bei dem neuen Verhältnis, das
Amerika durch die historischen Ereignisse zu dem alten Erdteil nolens volens gewonnen hat, möchte ich annehmen, daß
das amerikanische Publikum für diese Sammlung Interesse
zeigen und Ihnen dafür danken wird.
Ich vermisse vieles, was sich in dem Ihnen übergebenen Bücherpaket befand. Es sind Manuskripte darunter, deren Autoren ungeduldig auf Bescheid warten. Die Sendung müßte doch
längst hier sein, wenn sie auch nur ungefähr zu dem Zeitpunkt
unserer eigenen Abreise abgesandt worden ist. Natürlich ist
durch den Weihnachtsboom alles verschleppt worden. Aber für
alle Fälle möchte ich die Sendung doch bei Ihnen anmahnen.
Recht herzliche Grüße Ihnen und den Ihren nebst Landshoff!

Es war so erfreulich, Sie alle wiederzusehen.

Um Entschuldigung muß ich noch bitten, daß ich das deutsche Manuskript der Lecture noch nicht geschickt habe. Ich mußte hier gleich eine Rede für die Reinhardt-Gedenkfeier ausarbeiten, war mit rückständiger Korrespondenz überhäuft und mußte mich doch auch in die laufende Arbeit wieder hinein finden. Andererseits ist die Herstellung eines Druck-Manuskripts für Ihre Schriftenreihe nicht so einfach, weil aus dem ursprünglichen deutschen Manuskript auf Englisch schließlich etwas ganz anderes hervorgegangen ist. Ich muß die Urschrift nach dem englischen Text umarbeiten und muß auf den günstigsten Augenblick warten, der mir erlaubt, das zu tun.

Herzlich   *Ihr Thomas Mann*

Unser Bürger-Examen haben wir neulich abgelegt, ein epochemachender Schritt. Etwas peinlich wird es mir sein der guten Tschechen wegen. Aber man hätte mir hier die Unterlassung sehr übelgenommen, und nach dem Kriege wird es viel praktischen Wert haben, civis americanus zu sein.

Katia Mann an GBF   Pacif. Palisades,
                                        10. I. 44

Lieber Gottfried:

Wir haben keine Neujahrswünsche getauscht, was nur vernünftig ist, denn was soll man in einem so überaus schicksalvollen, beklemmenden und hoffnungsvollen Augenblick wohl groß wünschen? Aber nachträglich nehmen Sie doch noch für die ganze Familie die herzlichsten Grüße und Wünsche.

Der Anlaß meines heutigen Briefes ist meine Cousine Käte Rosenberg, die mich so dringlich bat, bei Ihnen zu intervenieren, ob Sie nicht irgend welche Übersetzungsarbeit für sie hätten. Ich tue dies denn also ohne viel Hoffnung auf Erfolg. Aber wenn Sie es irgend machen können, täten Sie wirklich ein gutes Werk. Es handelt sich viel weniger um das materielle Ergebnis – das sicher nicht groß wäre – als um die Möglichkeit einer sinnvollen Tätigkeit, die für die arme entwurzelte, und dabei doch wirklich tüchtige und intelligente Frau eine ungeheure Wohltat wäre.

Neulich haben wir mit Glanz und Gloria unsere Bürgerprüfung abgelegt, es dauerte wohl vier Stunden! In drei Monaten werden wir nun am Ziel unserer Wünsche (?) sein. Das Leben verläuft ruhig und gleichmäßig; Tommy hatte einige Schwierigkeit in seine Arbeit zurückzufinden, aber scheint dies nun erreicht zu haben. Von Klaus hatten wir ein Kabel, das seine glückliche Ankunft meldet, ich weiß freilich nicht, wo. Vermutlich wird er Ihnen und Landshoff auch gekabelt haben. Einen Sohn draußen zu haben, dem der zweite jeden Augenblick folgen kann, ist natürlich bedrückend, aber es ist ja nun das allgemeine Los.

Wir sind etwas beunruhigt wegen des Bücherpaketes, das nachgerade doch längst da sein müßte. Da es unter anderen, unverantwortlicher Weise, auch anvertraute Manuskripte enthielt, wäre sein Abhandenkommen doppelt peinlich. Könnten Sie vielleicht checken?

Meinen Glückwunsch zu der so überaus stattlichen und imposanten, wie mir scheint sehr glücklich zusammengestellten Anthologie. Sie sollte doch wirklich einigen Erfolg haben. Aber mit Alfred Neumann haben Sie es nun einmal verdorben. – Wie steht es denn mit der hiesigen deutschen »Joseph«-Ausgabe? Und haben Sie irgend etwas über die Aufnahme drüben gehört?

Nochmals alles Gute Ihnen und den Ihren

Ihre Katia Mann

381 Fourth Avenue
New York, N. Y.
January 14, 1944

Lieber Herr Doktor Mann,
ich danke Ihnen herzlichst, auch im Namen von Fritz Landshoff, für die freundlichen Worte zum Erscheinen von »Heart of Europe«. Das Buch hat sehr große Besprechungen bekommen, in der »Times« haben zwei verschiedene Herrschaften an zwei aufeinanderfolgenden Tagen sich in mehr oder auch weniger günstigem Sinn darüber ausgelassen. Die »Sunday Times« brachte eine sehr positive Besprechung, »The Literary Supplement« vom »Herald Tribune« bringt nächsten Sonntag eine eher kritische Besprechung von Sigrid Undset. Die Quantität

der Besprechungen, die das Buch bekommen hat, entspricht seinem Umfang. Die Qualität des Buches wird von der amerikanischen Kritik nicht voll gewürdigt. Jeder vermißt etwas anderes, und sehr häufig widersprechen sich die Ansichten. Es bleibt die Frage offen, ob das Buch weiterhin gehen wird. Wir sind leider zu spät damit herausgekommen, um noch das Weihnachtsgeschäft mitnehmen zu können. Bisher hat es sich ganz gut verkauft, und wir rechnen damit, daß es weiter so bleibt.

Ihr Bücherpaket haben wir wegen des überbelasteten Bahnverkehrs nicht vor Ende des Jahres abschicken wollen und sind leider erst jetzt dazu gekommen, es auf den Weg zu bringen. Ich hoffe, daß es bald in Ihren Händen ist.

Mit der deutschen Ausgabe des vierten Bandes hier in Amerika bin ich wegen der Papiersituation in einer Lage, für die ich augenblicklich noch keine Lösung gefunden habe. Sie wissen, daß Verlage nur so viel Papier verdrucken dürfen, wie sie im Jahre 1942 verbraucht haben. Verleger, die mehr brauchen, hatten die Möglichkeit, für den Mehrverbrauch von einem anderen Verlag, der weniger Bedarf hatte als im Jahre 1942, zu kaufen. Da ich im Jahre 1942 für den Bermann-Fischer Verlag nur sehr wenig Papier verbrauchte, war mein »allotment« für den vierten Band viel zu gering. Ich rechnete aber damit und hatte bereits entsprechende Anordnungen getroffen, das Fehlende dazuzukaufen. Auch meine Vereinbarungen mit dem Drucker über die Photo-Vervielfältigung war getroffen, und alles für den Druck vorbereitet. Da kam vorige Woche eine Verordnung vom War Production Board, daß in Zukunft der Handel mit Papier allotments zwischen den Verlegern verboten ist. Ich muß also nun einen neuen Weg finden, und ich fürchte, daß der einzige, der mir übrigbleibt, ein Antrag beim W. P. B. ist. An einen Erfolg glaube ich nicht, nach den Erfahrungen anderer mit Büchern in fremder Sprache. Die einzige Hoffnung, die ich habe, wäre eine sehr energische und persönliche Einflußnahme von einer Persönlichkeit wie McLeish oder Vice-President Wallace, sollte es nicht möglich sein, Frau Agnes Meyer als Fürsprecherin zu gewinnen. Es handelt sich um eine so kleine Papiermenge, daß es im Gesamtverbrauchsetat keine Rolle spielt. Die prinzipiellen Einwände des W. P. B. werden schwer zu überwinden sein. Aber man sollte es doch versuchen. Ich habe vor einiger Zeit versucht, Frau Meyer zu erreichen, es ist mir aber nicht gelungen, da sie offenbar auf Reisen ist. Würden Sie ihr eventuell eine Zeile schreiben und mir sagen, was Sie über meinen Vorschlag denken?

Zu Ihrem Bürgerexamen meine herzlichsten Glückwünsche.

Herzlichst

Ihr G. B. Fischer

GBF an Katia Mann 381 Fourth Avenue
New York, N. Y.
14. Januar 1944

Liebe Frau Katia,

herzlichen Dank für Ihren Brief vom 10. Über das Bücherpaket und die deutsche Ausgabe des vierten Bandes habe ich gleichzeitig an Ihren Mann geschrieben. Ich bin über die Papierschwierigkeiten recht außer mir, da ich weiß, wie nahezu aussichtslos es ist, den War Production Board von seinen Prinzipien abzubringen. Aber vielleicht gelingt es McLeish oder irgend jemandem sonst, den W. P. B. davon zu überzeugen, daß das Vorhandensein des Bandes in deutscher Sprache hier in Amerika wichtiger ist als die geringe Papiermenge, die dafür notwendig ist.

Ich will gerne daran denken, Frau Käte Rosenberg Übersetzungsarbeiten zu geben, wenn ich eine Möglichkeit habe. Wie schwer das ist, wissen Sie ja – nicht zum wenigsten wegen der unendlichen Transportschwierigkeiten von hier nach England und von England nach Schweden, ganz abgesehen davon, daß die notwendige Korrespondenz Monate in Anspruch nimmt. Ich höre, daß Fritz Landshoff die Absicht hat, »Gang of Ten« von ihr übersetzen zu lassen. Das wäre ja nun schon etwas.

Wegen der Anthologie hat man uns schon tüchtig an den Haaren gerissen. Alles in allem müssen wir mit dem Erfolg des viel zu spät erschienenen Buches recht zufrieden sein. Ob sich unsere Hoffnung, daß es sich zu einem stetigen seller entwickelt, erfüllt, kann man heute noch nicht übersehen. Das Niveau der Kritik, die man dem Buch zuteil werden ließ, ob positiv oder negativ, ist erschreckend niedrig und zeigt, wie wenig Kenntnis und Verständnis man hier für Europa und europäische Kultur hat.

Wir hatten von Klaus noch keine Nachricht und waren sehr

erfreut, von seiner glücklichen Ankunft zu hören. Inzwischen werden Sie ja wohl schon wissen, wo er ist.

Über die Aufnahme des vierten Bandes in Schweden habe ich leider noch nichts gehört. Ich lasse es Sie sofort wissen, wenn es der Fall ist.

Seien sie herzlichst gegrüßt von Ihrem *Gottfried*

Pacif. Palisades, Calif.
22. Jan. 44

Lieber Dr. Bermann,

dies ist nur zur Nachricht, daß ich in der Papierangelegenheit an Mrs. Meyer geschrieben habe, ob sie nicht Rat und Hilfe weiß. Es wäre doch sehr schade, wenn wir hier nicht eine kleine Auflage hätten. Viele Leute warten darauf, und wenn ich sehe, wie luxuriös um ganz gleichgültiger Dinge willen noch immer mit Papier umgegangen wird, so finde ich, daß wir uns nicht zu schämen brauchen, eine kleine Korruptionsmaschine spielen zu lassen. Ich hoffe auf Erfolg.

Außer durch einen in Schweden erschienenen Artikel von Käte Hamburger habe ich aus Europa noch nichts über den »Joseph« gehört. Es sollten nachgerade doch Schweizer Kritiken da sein.

Daß die Judges des Buchclub den Band erwählt haben, ist ein erfreuliches Zeichen. Natürlich ist es auch erfreulich unter dem Gesichtspunkt des Wohllebens. Endlich kann sich das Haus einen Stutzflügel leisten.

Ihr Thomas Mann.

Pacif. Palisades,
25. Jan. 44

Lieber Dr. Bermann,

Wilhelm Herzog in Trinidad hat sich wiederholt bei mir beklagt, daß schon lange ein Manuskript von ihm, ein neuer Candide, oder Ähnliches, bei Ihnen liege, ohne daß er je von Ihnen darüber gehört hätte. Ich habe ihm versprochen, anzufragen, wie es damit steht. Ist das Ms. geprüft worden? Sind Sie entschlossen, es nicht zu bringen? Dann sollten Sie den armen Einsamen nicht länger zappeln lassen. Sind Sie noch unentschlossen und wäre Ihnen damit gedient, zu hören, was ich davon halte, so wäre ich gern bereit, es zu lesen. Natürlich nur in diesem Fall. Wollen Sie auf keinen Fall, so brauche ich es auch nicht zu sehen.

Übrigens hat Herzog ein anderes Buch geschrieben: »Menschen, denen ich begegnete«, glaube ich, heißt es: Interviews mit mir und Portraits von allen möglichen Europäern, Staatsmännern, Künstlern, Schriftstellern. Das wäre vielleicht eher etwas für Amerika, und vielleicht lassen Sie es sich kommen.

Ihr Thomas Mann

381 Fourth Avenue
New York, N. Y.
January 27, 1944

Lieber Doktor Mann,

ich habe mich inzwischen an unsere Vertreter in Canada gewandt, um festzustellen, ob es nicht das Einfachste wäre, den vierten Band in Canada drucken zu lassen. Ich erwarte in wenigen Tagen Nachricht und werde Sie dann sofort verständigen.

Einen Bericht über die Aufnahme des vierten Bandes in der Schweiz und Schweden hoffe ich bald zu bekommen, sofern der Briefverkehr wieder offen ist.

In der Zwischenzeit werde ich wohl von Mrs. Meyer hören.

Mit besten Grüßen

Ihr Bermann Fischer

Pacif. Palis. 1. II. 44

Lieber Dr. Bermann,

gehen Sie nur ahead in Canada, die Meyerin hat vollständig versagt. Die »Washington Post« habe auch kein Papier, sagt sie, das sei nun mal so, und es sei nichts zu machen. Menschen, Menschen, falsche heuchlerische Krokodillenbrut.

Ich setze nun auf Ihren Plan. Daß der vierte Band gegen die vorigen nicht abfällt, höre ich doch von denen, die ihn kennen. Ich glaube, er würde sich im Original ganz gut verkaufen.

Ihr Thomas Mann

381 Fourth Avenue
New York, N. Y.
February 7, 1944

Lieber Dr. Mann:

Vielen Dank für Ihre Briefe vom 25. Januar und 1. Februar.
Wilhelm Herzog habe ich vor mehreren Monaten schon mitgeteilt, daß ich das Manuskript leider nicht verwenden kann
und habe es auf seine Bitte an Manfred George vom »Aufbau«
weitergegeben.

Über Frau Meyer's Versagen bin ich sehr traurig, weil nämlich
auch meine canadischen Pläne inzwischen ins Wasser gefallen
sind. Fast gleichzeitig mit dem Eintreffen meines Briefes wurde in Canada eine Papier-Rationierung eingeführt, so daß es
unmöglich ist, das Buch dort herzustellen.

Ich habe jetzt nur noch zwei Möglichkeiten: 1) das Buch auf
ein vorläufig noch fragliches paper allotment von Bonnier in
New York zu drucken oder 2) es bei L. B. Fischer in deutscher
Sprache herauszubringen, was infolge unseres sehr kleinen
paper allotments vorläufig auch noch sehr schwierig aussieht.
Irgendwie hoffe ich immer noch, die Herstellung des Buches
bewerkstelligen zu können.

Vorgestern erhielt ich ein Kabel aus Schweden mit den ersten
Absatzziffern. Es wurden vom Erscheinen bis Dezember etwa
3.500 Exemplare verkauft, eine Ziffer, die angesichts einer
deutschen Leserschaft von 3 Millionen enorm hoch ist und
etwa einer Auflage von 80.000 in Deutschland oder 130.000
in Amerika entsprechen dürfte. Solche Betrachtungen sind doch
eigentlich recht tröstend, wenn sie sich auch nicht in barer
Münze auswirken.

Der Verlag hat mir die Zusendung von Kopien der zahlreichen
Kritiken angekündigt.

Herzlichst   *Ihr G. B. Fischer*

381 Fourth Avenue
New York, N. Y.
10. März 1944

Lieber Herr Mann,

ich möchte Sie kurz über recht erfreuliche Entwicklungen im
Bermann-Fischer Verlag, Stockholm, orientieren. Ich erzählte

Ihnen bei Ihrem letzten Besuch in New York, daß ich vorhabe, im schwedischen Verlag Schulbücher in deutscher Sprache herauszubringen und daneben den Verlag in seiner traditionellen Richtung weiterzuentwickeln und so weit als möglich zu vergrößern. Ich habe mit diesen Plänen nicht nur die Zustimmung von Bonniers gefunden, sondern Bonniers haben sich mit einem sehr großen Kapital hinter diese Pläne gestellt. Der Bermann-Fischer Verlag (in Kürze wieder S. Fischer Verlag) wird durch diese Beschlüsse auf eine sehr breite finanzielle Basis gestellt und in die Lage versetzt, das Werk seiner angestammten Autoren wieder aufzubauen, die wichtigsten internationalen Autoren an sich heranzuziehen und in großem Umfange seine Nachkriegspläne mit Schulbüchern, Informationsliteratur für Nachkriegsdeutschland usw. durchzuführen.

Die Durchführung des Schulbuch-Plans hat bereits begonnen mit Hilfe eines Stabes von pädagogischen Mitarbeitern wie Dr. Fritz Karsen, früher Karl-Marx-Schule Berlin, jetzt Columbia University; Dr. William Gaede, früher im Kultusministerium Berlin, jetzt Brooklyn College; die bekannte Pädagogin Dr. Susanne Engelmann. Unter Mitarbeit von Professor Uhlig, Cambridge, Professor Lips und anderen haben Dr. Engelmann und Joachim Maass die Zusammenstellung des deutschen Lesebuchs übernommen, das in vier Ausgaben für die verschiedenen Schulstufen im Manuskript vorbereitet wird. Die Arbeit an einem neuen Geschichtsbuch für die Schule, an dem ein Kreis von bedeutenden Historikern und Pädagogen mitarbeiten wird, hat ebenfalls begonnen. Die Einzelheiten dieses Planes sind noch im Werden.

Beide Bücher und auch die kommenden Schulbücher werden zunächst nicht gedruckt, so daß wir die Möglichkeit haben, sie der kommenden europäischen Umorganisierung, wenn notwendig, anzupassen.

Der Verlag in Stockholm hat inzwischen eine Serie »Bücher zur Weltpolitik« gestartet. Die ersten Bücher, die diese Serie enthalten wird, sind ein Buch über Amerika von Gunnar Myrdal, ein Buch über Rußland von John Scott (»Behind the Ural«), »Die sozialen und ökonomischen Voraussetzungen des Dritten Reiches« von Kurt Stechert, das neue, hier noch nicht erschienene Werk von Sumner Welles, und vieles andere.

Ferner beabsichtige ich, eine Serie billiger Pamphlets etwa im

Format und Umfang der Reclam-Bücherei herauszugeben, die die wichtigsten geisteswissenschaftlichen Werke der letzten Jahre enthalten soll. Die Herausgeberschaft wird wahrscheinlich von Professor Uhlig übernommen werden.

Daß der Aufbau Ihres Werkes im Mittelpunkt unseres Interesses steht, habe ich Ihnen schon oft versichert und kann es jetzt mit größerem praktischem Hintergrund tun als je zuvor.

Die Heranziehung der führenden internationalen Autoren aus allen Ländern hat ebenfalls bereits begonnen.

Ich würde sehr froh sein, wenn ich bald einmal Gelegenheit hätte, mit Ihnen über diese großen Pläne persönlich zu sprechen. Vielleicht wäre es denkbar, Ihre ständige Beratung auf dem einen oder andern Gebiet, etwa auf dem der oben erwähnten geisteswissenschaftlichen Serie, zu haben?

Über die Drucklegung des vierten Bandes hier in Amerika hoffe ich Ihnen sehr bald positiven Bescheid geben zu können.

Seien Sie und Frau Katia herzlichst gegrüßt von Ihrem

G. B. Fischer

1550 San Remo Drive
Pacific Palisades, California
10. III. 44

Lieber Doktor Bermann:

Jetzt muß ich Ihnen einmal einen Vorschlag machen, der Ihnen vielleicht nicht sehr gefallen mag, den Sie aber doch, wie ich, als vernünftig werden anerkennen müssen.

Knopf ist augenblicklich hier, und gestern, bei einem gemeinsamen dinner, haben wir die schwebenden geschäftlichen Angelegenheiten durchgesprochen. Er ist zur Zeit sehr rege und unternehmend in meinem Interesse. Nun ja, es ist ja auch das seine. Dabei sind wir auf einen Gedanken zurückgekommen, den er schon vor Jahren geäußert hat, denn immer schon war er bereit und mit Vergnügen willens, deutsche Parallel-Ausgaben von meinen Büchern hier in Amerika herzustellen. Auf diesen Gedanken nun kamen wir anläßlich von »Joseph dem Ernährer« zurück in Anbetracht der scheinbar unüberwindlichen Schwierigkeiten, die Sie in diesem Fall mit der Papierbeschaffung haben. Immer war es mir außerordentlich wichtig, auch eine kleine Auflage der Original-Gestalt des Buches hier in Amerika greifbar zu wissen, und ich brauche nicht zu sagen, daß es auch in meinen Augen das Natürlichste und Erfreulichste wäre, wenn Sie, als Verleger der deutschen Ausgabe für Europa, auch hier als Verleger fungierten. Aber da Sie nun einmal so große Schwierigkeiten damit haben, sollte ich denken, daß es Ihnen eher eine Erleichterung sein müßte, wenn Knopf die Herstellung, ausschließlich für dieses Land, übernimmt. Ihnen geschieht damit ja kein Schade, und mir ist ein dringender Wunsch erfüllt.

Wir haben dabei auch viel von Ihnen gesprochen und kamen in dem Bedauern darüber überein, daß das Verhältnis zwischen Ihnen und Knopf sich so wenig erfreulich gestaltet hat. Ich weiß ganz gut, daß sein äußeres Gebaren nicht immer das verbindlichste ist, hatte aber den deutlichen Eindruck, daß er es im Grunde nicht bös meint und es aufrichtig begrüßen würde, wenn, vielleicht gerade bei dieser Gelegenheit, eine Annäherung, die zu einer besseren Freundschaft führen könnte, zwischen Ihnen zustande käme. Überlegen Sie sich doch die Sache mit Wohlwollen und geben Sie mir bald Bescheid! Ich habe ja ein Exemplar der »Joseph«-Bogen, die ich Knopf übergeben könnte.

Viele Grüße von Haus zu Haus!   *Ihr Thomas Mann*

Hotels Windermere, Chicago
22. März 1944

Lieber Doktor Bermann:
Es sind ja aufregende Nachrichten, die Ihr Brief mir bringt. Gestern abend händigte Borgese ihn mir ein, und gleich möchte ich Ihnen meinen herzlichen Glückwunsch sagen zu diesen schönen und vielversprechenden Verabredungen. Sowohl den Gedanken mit den Schulbüchern wie auch den mit dem neuen Geschichtsbuch finde ich ausgezeichnet. Ich selbst habe oft an diese Notwendigkeiten für später gedacht, nur schweben wir ja mit solchen Plänen praktisch noch einigermaßen in der Luft, da von dem zukünftigen Europa noch niemand sich ein bestimmtes Bild zu machen wagt und auch das Ende des Krieges, das schon nahe schien, wieder ins Ungewisse verrückt ist. Kommen muß der Friede einmal, und jede gescheite Vorberei-

tung dazu ist zu loben und zu begrüßen; es fehlt anderwärts nur zu sehr daran.

Wenn ich Ihnen je bei der geisteswissenschaftlichen Bücherei mit einem Rat zur Hand gehen kann, werde ich sehr froh sein. Daß auch der Gedanke des Wiederaufbaus meines persönlichen Werkes wieder in greifbarere Nähe gerückt ist, ist mir natürlich eine große Freude. Hoffentlich können wir dieses Unternehmen wieder aufnehmen, wo wir es liegen lassen mußten, und auf den Neudruck von »Buddenbrooks« und die Verwirklichung des Essaybandes »Adel des Geistes« zurückkommen.

Daß wir für vierzehn Tage hier in Chicago sind, wissen Sie. Es wäre mir gewiß nicht in den Sinn gekommen, Sie bei dieser Gelegenheit hierher zu fordern. Sollten aber Sie, wie es aus Ihrem Brief fast hervorgeht, das Gefühl haben, daß eine persönliche Zusammenkunft wünschenswert ist, um die schwebenden Fragen zu besprechen, so wäre es wohl für die nächsten neun Monate die beste Gelegenheit dazu.*

Mit herzlichen Grüßen von Haus zu Haus

Ihr Thomas Mann

* Ein bißchen weit ist es ja, aber man fängt an, über den Raum amerikanisch leichtherzig zu denken.

381 Fourth Avenue
New York, N. Y.
March 24, 1944

Lieber Herr Dr. Mann,

herzlichen Dank für Ihren Brief vom 22. März. Wir sind uns darüber klar, daß die Vorbereitung der Schulbücher ein großes Wagnis darstellt, da wir über die künftige Entwicklung in Deutschland gar nichts wissen. Aber wie ich Ihnen schrieb, werden diese Schulbücher nur im Manuskript vorbereitet, so daß sie jederzeit umorganisiert werden können. Meine anhaltenden Bemühungen, hier in Amerika eine offizielle Stelle zu finden, die sich für unsere Pläne interessiert, sind vollständig gescheitert. Weder die entsprechende Stelle im State Department (Messrs. Ralph Turner und Kefauver) noch irgendeine andere der zahlreichen Organisationen, die mit der »Re-Education« befaßt sind, hat ein Programm oder weiß über ihr künftiges Tätigkeitsgebiet etwas Bestimmtes zu sagen. Sie sind gewöhnlich über meine Pläne sehr begeistert; das ist aber auch alles. Ich nehme an, daß die später für das deutsche Erziehungswesen verantwortlichen Behörden, wer es auch immer sein möge und welcher Nationalität auch immer, das Vorhandensein von vernünftigem Schulbuch-Material begrüßen werden.

Als ich Ihren Vorschlag las, zu Ihnen nach Chicago zu kommen, hätte ich mich am liebsten sogleich in den Zug gesetzt. Ich bin aber infolge aller der Pläne und insbesondere wegen wichtiger bevorstehender Entscheidungen im amerikanischen Verlag überhaupt nicht mehr mein eigener Herr. Wenn sich im Laufe der kommenden zwei Wochen die Möglichkeit ergeben sollte, komme ich sofort. Wenn nicht, so trage ich mich mit der kühnen Hoffnung, Sie in Californien über kurz oder lang zu besuchen. Wenn ich hier über das Gröbste in den Vorbereitungsarbeiten hinaus bin, glaube ich für einige Wochen mich freimachen zu können.

Was mich neben all diesem am meisten beschäftigt, ist die deutsche Ausgabe des vierten Bandes. Bitte glauben Sie nicht, daß ich die Sache verzögere. Ich habe auf verschiedene Möglichkeiten, das Papier zu bekommen, gewartet und sehe jetzt nur noch eine, die ich früher bereits erwähnte, nämlich das Buch im amerikanischen Verlag auf unserer Papierquote herauszubringen.

Nun stehe ich – das bitte sehr vertraulich – vor der schwerwiegenden Frage, ob ich bei den europäischen Plänen, die meine Zeit außerordentlich stark in Anspruch nehmen, in der Lage bin, den amerikanischen Verlag praktisch fortzusetzen. Ich werde voraussichtlich schon in wenigen Tagen einen endgültigen Beschluß darüber mit Fritz Landshoff fassen. Sollten wir beschließen, mit dem amerikanischen Verlag aufzuhören, so möchte ich unter keinen Umständen die deutsche Ausgabe Ihres Buches noch unter der Firma des amerikanischen Verlages begonnen haben. Ich möchte vielmehr in diesem Falle die Ausgabe mit einem andern Verlag zusammen machen, sei es mit Kurt Wolff oder eventuell mit Knopf. Mit letzterem würde ich es nicht zu gern tun, bei seiner demonstrativen Unfreundlichkeit und seiner fehlenden Bereitschaft für Zusammenarbeit. Sie können sich aber darauf verlassen, daß das Buch in kürzester Zeit in Angriff genommen und herausgebracht wird.

Haben Sie noch Ihr Programm für den Essay-Band »Adel des Geistes«? Ich bin nicht ganz sicher, ob Sie uns seinerzeit eine endgültige Zusammenstellung gegeben haben. Ich möchte das Buch im Herbst in Schweden herausbringen und wäre Ihnen dankbar, wenn Sie mir eine Abschrift des Programms schicken könnten. Den Neudruck der »Buddenbrooks« werden wir wahrscheinlich auch sogleich in Angriff nehmen, so daß wir damit noch in diesem Jahr einen ganz hübschen Anfang der Gesamtausgabe wieder in Händen hätten.

Was hielten Sie von einem Auswahlband Ihrer Novellen? Würden Sie mir einen Vorschlag machen?

Wegen der geisteswissenschaftlichen Bücherei werde ich mich in Kürze wieder an Sie wenden.

Ich bin sehr traurig, daß ich jetzt nicht kommen kann, hoffe aber, wie gesagt, es bald nachholen zu können. Bitte nehmen Sie Tuttis und meine herzlichsten Glückwünsche zum neuen Enkelkind für Sie und Frau Katia und Borgeses und seien Sie beide herzlichst gegrüßt von Ihrem

G. B. Fischer

En route
4. April 1944

Lieber Dr. Bermann,

in Chicago war ich recht busy, es gab viel Geselligkeit und allerlei zu arbeiten. So benutze ich die Faulenzerei im Zug-Abteil, um diesen Brief zu diktieren und Ihnen noch einmal zu sagen, wie sehr Ihre Nachrichten über die Vorbereitungen in Stockholm mich interessiert haben. Es war erquicklich, zu hören, daß Sie durch die Teilnahme Bonniers so schöne finanzielle Bewegungsfreiheit haben werden, und besonders hatte die Nachricht etwas wohltuend Restauratives, daß die Firma wieder den glorreichen alten Namen annehmen soll.

Natürlich bin ich schwach genug, bei all dem nicht zuletzt an die Wiederherstellung meines eigenen Werkes zu denken, von der Sie ja auch in Ihrem Brief besonders sprechen. Die Vervollständigung der Stockholmer Gesamtausgabe liegt mir sehr am Herzen, also zunächst der Neudruck von »Buddenbrooks« und dann die Essay-Sammlung, die damals zurückgestellt werden mußte. Wenn die Inhaltsangabe dieser Auswahl nicht mehr auffindbar sein sollte (ich habe Ihnen damals in Stockholm das Programm übergeben und es müßte im Verlag vorhanden sein) so wird es sich leicht wiederherstellen lassen. Ich könnte mir sogar vorstellen, daß es umfangreicher wird als der damalige Entwurf, denn ich glaube nicht, daß ich damals den Schopenhauer-Essay und die Einleitung zu »Anna Karenina« mit eingeschlossen habe, die so gut hineingehören, wie der Princetoner Vortrag über Goethe's »Faust«, und der »Werther«-Vortrag, von denen ich auch nicht sicher bin, ob sie damals aufgenommen waren. Es kommen auf diese Weise einige recht umfangreiche Stücke in die Sammlung, und nicht ganz ausgeschlossen ist, daß »Adel des Geistes« auf zwei Bände kommen könnte, was ja unter den neuen großzügigen Umständen kein Unglück wäre.

Über eine Novellen-Auswahl werde ich zuhause gleich nachdenken, und freue mich darauf, meine Wahl zu treffen, die wirklich nur das Interessante und noch heute von mir Vertretbare einschließt. Diese Auswahl sollte sich, meiner Meinung nach, unbedingt auf einen Band beschränken.

Eine besondere Frage ist, ob wir die Moses-Novelle »Das Gesetz« einfach in diese Novellensammlung aufnehmen sollen oder, ob wir nicht besser tun, sie zunächst, wie die »Vertauschten Köpfe« sich selbständig auswirken zu lassen, also ein kleines Bändchen daraus zu machen. Die Erzählung gilt allgemein als eine meiner besten, sie hat sogar in der natürlich abschwächenden englischen Übersetzung starken Eindruck gemacht, und ich glaube, sie könnte als schmuckes deutsches Bändchen einen schönen Erfolg haben. Es erscheint übrigens eben in Californien auf Subscription ein kleiner Liebhaberdruck davon.

Bei dieser Gelegenheit vielen Dank für die Sammlung Schweizer Besprechungen, die ich in Chicago bekam und mit heißen Backen las – was sehr komisch ist, da es sich ja vorwiegend um recht einfältige Äußerungen handelte, aber schließlich, es war Europa, war die Schweiz, die da zu mir sprachen, und all diese Meinungen über ein deutsch erschienenes Buch auf mich eindringen zu lassen, war doch erregend. Übrigens waren ein paar entschieden hochstehende und kritisch intelligente Äußerungen darunter, so der Artikel der Hamburger im »Bund«, dann die Basler »National Zeitung« und das »St. Gallener

Tagblatt«. Erstaunlich faul und unbegabt wieder einmal unser Korrodi. Ich schicke Ihnen die Ausschnitte nächstens zurück.

Um aber im Zusammenhang mit den Stockholmer Plänen nicht nur ausschließlich von mir zu sprechen, lassen Sie mich ein paar Vorschläge machen, die mir seit dem Eintreffen Ihres letzten Briefes durch den Kopf gegangen sind. Mit dem ersten bleibe ich in der Familie, ich denke an Antonio Borgese's jüngst erschienenes Buch »The Common Cause«, das meiner Überzeugung nach unbedingt unter die Bücher gehört, die der auferstehende S. Fischer Verlag herausbringen sollte. Es ist ein Buch von höchstem europäischen Niveau, außerordentlich geistvoll, außerordentlich brillant, das alle brennenden Probleme der Zeit berührt und mit packender Leidenschaft behandelt, und eine gute deutsche Übersetzung davon, wie die, die mein Ex-Sekretär Meisel von »Goliath« gemacht hat, müßte meiner Meinung nach in der deutsch lesenden Welt Sensation machen. Der ursprüngliche englische Titel war nicht »The Common Cause«, sondern »The Cup for All«, was viel schöner ist. Ich meine, der deutsche Titel sollte »Der Kelch für Alle« sein. Das Buch kommt übrigens auch gerade bei Gollancz in London heraus, trotz seiner stark kritischen Haltung England gegenüber.

Zweitens hatte ich kürzlich einen langen Brief aus Brasilien von meinem alten akademischen Bundesbruder Erich Koch-Weser, dem späteren Reichs-Minister; er berichtet mir von einem Buch, das er in der Muße seines Exils geschrieben hat und das eine Geschichte des deutschen Nationalismus ist. Er scheint in erster Linie an eine englische Ausgabe davon zu denken, und Knopf, dem ich davon berichtete, schien grundsätzlich recht interessiert dafür zu sein. Natürlich kann ich im Voraus über die Meriten des Buches nichts sagen, aber ein gewisses Vertrauen habe ich zu der Intelligenz, der politischen Erfahrung und dem historischen Sinn des Mannes, und wenn es sich um ein interessantes Werk handelt, was wir feststellen müßten, könnte ich es mir auch recht gut auf dem Prospekt Ihres deutschen Verlages denken.

Schließlich noch Eines. Unter den Schweizer Kritiken wird Ihnen der erwähnte, am tiefsten eingehende Aufsatz der Dr. Käte Hamburger auch aufgefallen sein. Die Kritik war aber wieder nur ein Auszug aus einer größeren Studie über das

»Joseph«-Gesamtwerk, über das sie schon früher viel Gescheites, und Anregendes zu sagen wußte. Ich glaube, es könnte hilfreich sein, wenn anläßlich des Vollständigwerdens der Tetralogie ein solches kleines Buch, eine Broschüre von 180 Seiten etwa, als erläuternde Begleitmusik bei Ihnen in Stockholm herauskäme. Das kleine Buch hätte wohl einen gewissen sicheren Absatz, angesichts der 4000 Exemplare, die immerhin vom letzten »Joseph«-Band verkauft werden konnten.

Das war alles, was ich im Augenblick zu sagen hatte. Sehr neugierig bin ich, zu hören, ob die Abwicklung Ihres amerikanischen Verlages fortschreitet, und wie es mit Ihren Reiseplänen steht.

Herzlich   *Ihr Thomas Mann*

                                        381 Fourth Avenue
                                        New York, N. Y.
                                        April 14, 1944

Lieber Herr Doktor,
herzlichen Dank für Ihren Brief vom 4. April. Ich erwarte in den nächsten Tagen Nachricht von Stockholm über das Inhaltsverzeichnis des Essay-Bandes, wie Sie es damals dem Verlag gegeben haben. Ich werde es Ihnen dann sofort mitteilen.

Der Neudruck der »Buddenbrooks« wird wohl schon jetzt in Stockholm in Angriff genommen. Fernerhin beabsichtige ich einen Nachdruck der »Joseph«-Bände, möchte aber damit noch ein wenig warten, um dem Einzelverkauf des vierten Bandes noch etwas Zeit zu lassen. Ich glaube, daß es der richtige Moment wäre, im Frühjahr 1945 mit dem Gesamt-»Joseph«-Werk in zwei Bänden herauszukommen. Die Arbeit daran würde im Spätherbst dieses Jahres beginnen.

Wegen einer Einzelausgabe der Moses-Novelle habe ich nach Schweden telegrafiert. Ich glaube, daß man diesen Vorschlag dort mit großer Freude aufnehmen wird. Störend ist dabei allerdings die Subskriptionsausgabe von Guggenheimer, der, wie ich hier zufälligerweise erfuhr, das Buch offenbar in größerer Auflage zu drucken beabsichtigt. Ich habe nichts gegen diese Subskriptionsausgaben einzuwenden und möchte diesem hübschen Unternehmen keine Schwierigkeiten machen. Da sich aber Guggenheimer in dieser Sache nicht an mich gewandt hat, weiß ich nicht, wieviel Exemplare er hier auf den Markt bringen will, und in welcher Weise er für den Copyright-Schutz Sorge trägt. Dieser Copyright-Schutz kann in vieler Hinsicht von Bedeutung sein, und es muß deshalb dafür Sorge getragen werden, daß es auf die richtige Weise getan wird. Würden Sie bitte so freundlich sein, Guggenheimer zu bitten, sich mit mir darüber unverzüglich in Verbindung zu setzen, bevor er das Titelblatt druckt?

Daß Sie den Plan einer Novellensammlung billigen, freut mich sehr. Ich habe auch das bereits nach Schweden berichtet und würde mich freuen, das Programm sehr bald zu bekommen.

Den Aufsatz von Frau Hamburger über den »Joseph« würde ich eventuell für die Zeit des Erscheinens des »Joseph«-Gesamtwerkes vorsehen.

Wegen des amerikanischen Verlages sind noch keine entscheidenden Beschlüsse gefaßt worden. Ich werde von Stockholm sehr gedrängt, dorthin zu kommen, da man sich dort für den amerikanischen Verlag interessiert, kann aber bisher keine Möglichkeit für eine solche Reise sehen.

Mit Borgeses Buch will ich mich sogleich beschäftigen. Koch-Wesers Arbeit scheint mir interessant zu sein, und ich würde mich freuen, wenn ich ein Manuskript bekommen könnte.

Seien Sie vielmals gegrüßt von Ihrem   *G. B. Fischer*

381 Fourth Avenue
New York, N. Y.
24. April 1944

Lieber Dr. Mann,

ich erhielt heute die telegrafische Bestätigung von Stockholm, daß sie den Moses als Einzelband herausbringen wollen, eine Neuausgabe der »Buddenbrooks« veranstalten und »Adel des Geistes« und einen Erzählungsband sofort herausbringen wollen. Das Inhaltsverzeichnis für »Adel des Geistes« kabeln sie in folgender Weise:

Goethe und Tolstoi
Goethe als Repräsentant
Wagner

Freud
Don Quijote
Faust

Ich kann nicht kontrollieren, ob diese Aufzählung richtig ist. Bitte schicken Sie mir doch so schnell wie möglich Ihre neue Zusammenstellung und eine Liste des Inhalts des Erzählungsbandes.
Ich bin sehr froh, daß das alles sich so schnell und reibungslos entwickelt.

Mit herzlichen Grüßen   *Ihr Bermann Fischer*

381 Fourth Avenue
New York, N. Y.
26. April 1944

Lieber Dr. Mann,

unsere Briefe haben sich gekreuzt. Ich erhielt heute früh Ihren Brief vom 10. März, in dem Sie mir über die deutsche Ausgabe des »Joseph« schreiben. Ich verstehe vollkommen, daß Sie ungeduldig auf eine endgültige Antwort von mir warten. Die Situation ist die, daß ich mit voller Sicherheit auf eine positive Entscheidung des War Production Board hinsichtlich des notwendigen Papiers für diese Ausgabe rechnen kann. Ich habe heute nach Empfang Ihres Briefes sofort noch einmal mit Mr. West in Washington telefoniert, und er hat mir nochmals bestätigt, daß spätestens nächste Woche eine generelle Freigabe für derartige Fälle erfolgen soll. Er hat mir angeboten, mir einen Brief über die Situation zu schreiben, damit ich in der Lage bin, Ihnen diesen Brief vorzulegen.

Nun, wie dem auch sei: sollte ich in der nächsten Woche die versprochene Papierzusage nicht erhalten, so werde ich mich an Knopf, der dann vielleicht schon wieder in New York ist, wenden und mit ihm eine gemeinsame Ausgabe besprechen.

Es wäre mir nichts lieber, als mit Knopf wieder in freundschaftliche Beziehungen zu treten. Daß die Verhältnisse heute so sind, wie sie sind, liegt wirklich ausschließlich an ihm. Ich würde mich sehr freuen, wenn sich bei dieser Gelegenheit eine Wiederherstellung der alten Beziehungen ergeben würde.

Ich verspreche Ihnen, daß innerhalb der nächsten Woche eine endgültige Entscheidung getroffen wird.

Seien Sie herzlichst gegrüßt von Ihrem   *Bermann Fischer*

1550 San Remo Drive
Pacific Palisades, California
4. Mai 1943 [= 1944]

Lieber Dr. Bermann:

Auf Ihren freundlichen Brief vom 24. April antworte ich erst heute, weil ich mir den Inhalt der geplanten Bände überlegen mußte. Die gekabelte Inhaltsangabe des Essay-Bandes ist sehr unvollständig. Ein Buch, das ich »Adel des Geistes« nenne, und in das ich diejenigen Aufsätze aufnehme, die ich großen Schriftstellern und ihren Werken gewidmet habe (sie sind meine besten), sollte vollständig so aussehen:

Lessing (Rede in der preußischen Akademie der Künste aus dem Bande »Forderung des Tages«)

Chamisso (Rede und Antwort)

Kleists »Amphitryon« (Forderung des Tages)

Goethe als Repräsentant des bürgerlichen Zeitalters (Leiden und Größe der Meister)

Goethe's Laufbahn als Schriftsteller (ebenda)

»Die Leiden des jungen Werther« (Vortrag für Studenten der Universität Princeton)

»Faust« von Goethe (ebenso)

Goethe und Tolstoi (Bemühungen)

»Anna Karenina« (Einleitung zur amerikanischen Ausgabe 1939)

Schopenhauer (Ausblicke, Bermann-Fischer)

Leiden und Größe Richard Wagners (Leiden und Größe der Meister)

»Der Ring des Nibelungen« (Vortrag Universität Zürich, 1936)

August von Platen (Leiden und Größe der Meister)

Theodor Storm (Leiden und Größe der Meister)

Der alte Fontane (Rede und Antwort)

Freud und die Zukunft (Ausblicke)

Meerfahrt mit »Don Quijote« (Leiden und Größe der Meister)

Sie sehen, das ist eine ganze Menge, aber wenn wir meine Essays über große Männer schon sammeln, sollte das Buch wohl so aussehen, selbst wenn es dadurch auf zwei Bände kommen sollte. Wäre dies der Fall, so würde es sich vielleicht empfehlen, die fünf Goethe betreffenden Arbeiten in den ersten Band für sich abzusondern, vielleicht zusammen mit Lessing, Chamisso und Kleist, wenn das das richtige Gleichgewicht ergibt.

Was nun den Novellenband betrifft, so fragt es sich in erster Linie, ob wir die große Erzählung »Das Gesetz« (die Moses-Geschichte) zunächst als Einzelband herausgeben und sich auswirken lassen sollen, oder ob wir sie in den Sammelband als neuestes Stück aufnehmen. Dies könnte auch dann geschehen, wenn wir den Sammelband erst in einigem Abstand auf die Einzelausgabe des Moses folgen lassen. Ich persönlich bin der Meinung, daß man der Moses-Novelle erst einzeln ihre Wirkung lassen sollte, und es fragt sich dann nur, ob man den Novellenband ohne sie herausgibt oder damit auf sie wartet.

Ferner ist die Frage, ob wir in den Band die »Bekenntnisse des Hochstaplers Felix Krull« aufnehmen (in ihrer vervollständigten Gestalt, wie sie bei Querido erschienen sind). Die gleiche Frage gilt den »Vertauschten Köpfen«. Sind diese als ein kleiner Roman anzusehen, der aus dem Novellenband herausfällt, oder gehören sie hinein? Darüber möchte ich Sie entscheiden lassen. Die drei fraglichen Stücke eingerechnet würde der Band »Ausgewählte Novellen« folgendermaßen aussehen:

Der kleine Herr Friedemann (1897)
Enttäuschung (1896)
Tristan (1912)
Tobias Mindernickel (1897)
Tonio Kröger (1903)
Der Weg zum Friedhof (1901)
Herr und Hund (1918)
Der Kleiderschrank (1899)
Felix Krull (1910)
Der Tod in Venedig (1911)
Beim Propheten (1904)
Unordnung und frühes Leid (1925)
Schwere Stunde (1905)
Mario und der Zauberer (1929)
Das Wunderkind (1903)
Die vertauschten Köpfe (1939)
Das Gesetz (1943)

Diese Anordnung ist so getroffen, daß möglichst die Kurzgeschichten abwechselnd unter die längeren Stücke eingestreut sind, ohne Rücksicht auf Chronologie. Diese wird ja klar durch unten links hinzugefügte Jahreszahlen.

Es fragt sich nun ferner, ob Sie alle diese Dinge in Händen haben, mit Ausnahme der Mosesnovelle, die ich Ihnen anbei im korrigierten Maschinen-Manuskript schicke. Und was haben Sie oder das Stockholmer Bureau von den angeführten Essays? Die beiden Princetoner Vorträge schicke ich Ihnen gleichfalls, ebenso den Zürcher Vortrag über den »Ring des Nibelungen«. Die Einleitung zu »Anna Karenina« folgt etwas später, da ich nur die Handschrift davon besitze und sie erst abschreiben lassen muß.

Was den »Schopenhauer« aus Ihren »Ausblicken« betrifft, so bitte ich, einen Druckfehler zu korrigieren, der sich auf Seite 18 findet. Der etwas komplizierte Satz unten, nach dem Verszitat, ist in der »Ausblick«-Ausgabe verdruckt. Er muß heißen »Wenn aber die Lehre Schopenhauers, auf die nun die Rede kommen soll, wenn die Dynamik ihrer Wahrheit, die niemals ganz ›abgetan‹ sein wird, sich als ebenso ›mißbrauchbar‹ erwiesen hat etc.«

Dies sind meine Vorstellungen und Vorschläge für die geplanten Bände. Sagen Sie mir nun Ihre Meinung darüber!

Mein Knopf betreffender Brief war richtig datiert und pünktlich abgegangen; die Post leistet sich jetzt manchmal Erstaunliches.

Sehr neugierig bin ich zu hören, ob der W. P. B. sein Wort gehalten hat oder ob Sie mit Knopf wegen der deutschen »Joseph«-Ausgabe Fühlung genommen haben. Wie mag das abgelaufen sein?

Herzlich   *Ihr Thomas Mann*

1550 San Remo Drive
Pacific Palisades, California
10. v. 44

Lieber Doktor Bermann:

Zunächst vielen Dank für Ihr hocherfreuliches Telegramm. Ich beglückwünsche uns beide, daß diese Sache nun in Gang gekommen ist.

Heute möchte ich meinem langen Brief von neulich noch ein Wort nachschicken, nicht in eigener Angelegenheit, sondern in eines guten Freundes Sache.

354

Bruno Frank erzählte mir neulich, daß man in Stockholm auch von seinen Sachen etwas wie eine Gesamtausgabe vorbereitet, und spontan schlug ich ihm vor, ich könnte für den ersten Band dieser Neuausgabe eine kleines Vorwort schreiben. Schließlich halten wir seit so viel Jahren gute Freundschaft, und gerade in diesem Augenblick, wo er recht krank und niedergedrückt ist – er hatte eine schwere Herzattacke – wäre es mir eine wirkliche Genugtuung, ihm dies Zeichen meiner Sympathie zu geben, besonders da ich bisher eigentlich noch nie etwas für ihn getan habe. Es treten immer so viele Leute an mich heran, denen ich aus Nachgiebigkeit literarischen Beistand nicht abschlage, und diesmal könnte ich doch, was nicht immer der Fall ist, den Wunsch mit Überzeugung erfüllen.
Bitte sagen Sie mir doch, zu welchem Termin an die Herausgabe des ersten Bandes gedacht ist, und welches Buch das sein wird. Schicken Sie mir bitte auch das Programm der ganzen Ausgabe, damit ich einen Überblick habe.
Herzlich   *Ihr Thomas Mann*

Nachschrift der Sekretärin. Könnten Sie mir bitte ein weiteres Exemplar von »Heart of Europe« zukommen lassen, da ich das unsere den Kindern in San Francisco geschenkt habe. *K. M.*

                                        381 Fourth Avenue
                                        New York, N. Y.
                                        12. Mai 1944
Lieber Herr Mann,
wegen der ungewöhnlich hohen Herstellungskosten des amerikanischen Nachdrucks des vierten Bandes vom »Joseph« muß ich Sie um Ihr Einverständnis zu einem Honorar von 10 % vom Ladenpreis des gebundenen Exemplars bitten. Ich komme sonst zu einem zu hohen Dollarpreis, der dem Verkauf des Buches abträglich wäre.
Ich hoffe Sie mit meinem Vorschlag einverstanden.
Mit besten Grüßen   *Ihr G. B. Fischer*

Lieber Dr. Mann,

vielen Dank für Ihren Brief vom 10. Mái, der soeben hier eintraf. Ihre Idee, für den ersten Band der Neuausgabe von Bruno Franks Werk ein Vorwort zu schreiben, finde ich sehr schön. Ich kann Ihnen leider noch keinen Termin angeben. Das Programm der ganzen Ausgabe wurde uns von Bruno Frank noch nicht zugeschickt. Wegen der schwierigen Transportverhältnisse würde ich es aber doch für gut halten, wenn das Vorwort innerhalb der nächsten zwei Monate verfügbar wäre.

Mit dem Erscheinen der amerikanischen Ausgabe des »Joseph« IV kann wohl im Juli gerechnet werden, wenn nicht unerwartete Stockungen in der Herstellung eintreten. Die größten Verzögerungen treten gewöhnlich beim Binden auf.

[...]

Nun zu Ihrem Brief vom 4. Mai mit den verschiedentlichen Programmen. Das Programm, das mir der schwedische Verlag kabelte, kam mir gleich etwas kümmerlich vor. Ich kann heute aus dem Gedächtnis nicht mehr sagen, wie weit es mit dem Programm, das Sie seinerzeit in Schweden ließen, übereinstimmt. Von Ihrem neuen Programm, das zweifellos zwei Bände ergeben wird, sind einige Beiträge nicht in meinen Händen, nämlich die »Leiden des jungen Werther«, »Faust«, »Anna Karenina« und der »Ring des Nibelungen«. Ich würde diese Beiträge hinüberschicken, wenn Sie sie mir zugänglich machen könnten. Wenn der erste Band sämtliche Arbeiten über Goethe enthalten soll, so müssen wir mit seiner Herausgabe warten, bis die »Leiden des jungen Werther« und Ihr »Faust«-Aufsatz in Schweden eingetroffen sind. Da ich den ersten Band sehr bald herausbringen möchte, müßte ich diese Beiträge also wenn möglich sofort bekommen.

Zu dem Novellen-Band: Ich hatte Ihnen wohl schon früher mitgeteilt, daß die Moses-Geschichte als Einzelband herauskommen soll. Da das sehr rasch der Fall sein wird, die Einzelausgabe sich also sehr schnell auswirken kann, brauchten wir mit einem Novellenband, der die Moses-Geschichte enthält, nicht länger als bis zum Frühjahr 1945 zu warten.

Ich bin mir nicht sicher, ob man die »Vertauschten Köpfe« und den »Felix Krull« hereinnimmt. Beide scheinen mir eigentlich eher aus dem Rahmen eines Novellenbandes herauszufallen. Andrerseits sollte man vielleicht diese beiden kleinen Romane nicht stiefmütterlich aus einer solchen Sammlung herauslassen. Ich möchte es, wenn es Ihnen recht ist, von der praktischen Frage des Umfangs abhängig machen. Wenn der Sammelband nicht zu gigantisch anschwillt, möchte ich versuchen, die beiden Erzählungen aufzunehmen. Über die Umfangsfrage muß ich mir erst selbst ein Bild machen.
Seien Sie herzlichst gegrüßt von Ihrem   *G. B. Fischer*

1550 San Remo Drive
Pacific Palisades, California
30. Mai 1944

Lieber Doktor Bermann!
Heute kann ich Ihnen die Maschinen-Abschriften der drei Aufsätze »Leiden des jungen Werther«, »Faust von Goethe« und »Einleitung zu Anna Karenina« schicken, nebst einem Abzug des Vortrags »Richard Wagner und der Ring des Nibelungen«.
Sie sagen, die gesammelten Essays, die ja nur eine Auswahl darstellen, d. h. meine Studien über große Künstler und ihre Werke, würden zweifellos zwei Bände ergeben. Das hat etwas Erschreckendes und entspricht vielleicht nicht Ihren Absichten. Sollten Sie es nicht für günstig halten, die geplanten Neu-Ausgaben mit einer zweibändigen Essay-Sammlung zu belasten, so hätte ich es mir doch zu überlegen, ob ich nicht einiges von dem angebotenen Material weglasse, um die Ausgabe auf einen Band zu reduzieren. Man macht freilich, wenigstens hier in Amerika, jetzt mit Hilfe eines durchaus nicht allzu dünnen Papiers Bände, die erstaunlich viel einschließen. So hat ja Knopf meine sämtlichen Novellen, mit Einschluß von »Fiorenza« und »Felix Krull« in einem Band herausgebracht. Sollte es nicht möglich sein, der Sammlung »Adel des Geistes« eine ähnliche Form zu geben und um die zweibändige Ausgabe herumzukommen, auch wenn wir mein ganzes Programm aufnehmen?
Entschließen Sie sich aber für eine zweibändige Ausgabe, so

wäre es meinen Wünschen sehr entgegen, wenn die beiden Bände getrennt in zeitlichem Abstand von einander erschienen. Ich würde dann unbedingt dafür sein, daß man nicht etwa zuerst den ersten Band heraus gibt, sondern wartet, bis beide Bände fertig sind.

Vielleicht enthält mein Programm zu viel Goethe. Es ist schließlich nach »Lotte in Weimar« nicht nötig, daß ich mit allen meinen Studien über ihn herauskomme. Um die Ausgabe zu entlasten, könnten wir uns auf die beiden Stücke beschränken, die schon in »Leiden und Größe der Meister« standen, nämlich »Goethe als Repräsentant des bürgerlichen Zeitalters« und »Goethes Laufbahn als Schriftsteller«. Die beiden Princetoner Vorlesungen über Goethe fielen dann weg.

Was die Novellen betrifft, so bin ich ganz damit einverstanden, daß wir es von der praktischen Frage des Umfanges abhängig machen wollen, ob die »Vertauschten Köpfe« und »Felix Krull« mitaufgenommen werden sollen. Vielleicht nur eines von beiden. In diesem Falle würde ich den »Felix Krull« vorziehen, weil die »Vertauschten Köpfe« doch als abgeschlossener kleiner Roman eine größere Selbständigkeit haben als jener.

Bei dieser Gelegenheit noch etwas anderes: Vor einigen Wochen schrieb mir der ehemalige Reichsminister Dr. Koch-Weser, den ich, als wir junge Leute waren, in München gut kannte, und den ich auch später in Berlin wieder getroffen habe. Er lebt jetzt auf einer »Fazenda« irgendwo in Brasilien im Urwald und erzählte mir von einem Buch, das er über die Entwicklung des deutschen Nationalismus seit den Freiheitskriegen und über die Nazi-Katastrophe in Deutschland geschrieben hat. Er hat den sehr lebhaften Wunsch, dieses Buch möge sowohl in den Vereinigten Staaten, wie auch in einem deutschen Verlage im Original erscheinen. Koch-Weser ist ja schließlich ein politisch erfahrener Mann, der auch den Nazi-Staat bei wiederholten Besuchen in Deutschland aus der Nähe studieren konnte, und so habe ich, noch ohne das Buch zu kennen, mit Knopf darüber gesprochen und bei ihm viel prinzipielles Interesse gefunden. Ein Durchschlag des Manuskriptes ist an ihn abgegangen, ein anderes hat Koch-Weser mir geschickt mit der Bitte, es Ihnen zur Prüfung vorzulegen. Ich habe in den letzten Tagen ziemlich viel darin gelesen. Es ist kein geistig bedeutendes Buch, – das hatte ich nicht erwartet – aber ein grundanständiges Buch ist es, das über den Niedergang der nationalen Idee in Deutschland seit Fichte ganz gute Dinge zu sagen weiß, gegen das deutsche Volk weder zu weich, noch zu hart ist und eine nicht uninteressante Kritik des national-sozialistischen Staates und der Unmöglichkeit seiner Fundamente bietet. Manuskripte brauchen Sie ja für den neu auf-blühenden S. Fischer Verlag, und ich halte nicht für unmöglich, daß Sie Koch-Wesers Manuskript annehmen. Solche nicht bos-haften und nicht zu komplizierten Bücher, die das deutsche Volk nicht nachträglich wegen seiner Blindheit verhöhnen, sondern ihm gewissermaßen liebevoll klar machen, wie un-möglich das Regiment war, unter dem es so lange gelebt hat, werden, glaube ich, gebraucht werden dort drüben nach dem Kriege. Ich lasse das Manuskript gleichzeitig an Sie abgehen und lege auch die kurze Rechenschaft über das öffentliche Le-ben des Verfassers bei, die er mir mitgeschickt hat, sowie ein statement des ehemaligen amerikanischen Ambassadors in in Deutschland, Schurman.

Recht herzliche Grüße an Sie und die Ihren.

Ihr Thomas Mann

381 Fourth Avenue
New York, N. Y.
12. Juni 1944

Lieber Herr Doktor:

Im Begriffe die beiden Essays »Richard Wagner und der Ring des Nibelungen« und die »Einleitung zu Anna Karenina« nach Schweden zu schicken, bemerke ich, daß der »Karenina«-Aufsatz keinen ausreichenden Titel hat. Müßte es nicht hei-ßen: Einleitung zu einer amerikanischen Ausgabe von Tolstois »Anna Karenina«? Bitte geben Sie mir einen endgültigen Titel.

Der 4. »Joseph«-Band ist Ende Juni ausgedruckt und wird hof-fentlich bis Mitte Juli gebunden vorliegen.

Die Situation des L. B. Fischer Verlages, New York, hat sich insofern geklärt, daß sich Bonniers an unserer amerikanischen Firma maßgeblich beteiligt haben. Der entscheidende Schritt zu dem von uns so oft erträumten internationalen Verlag ist damit geschehen. Wir haben nunmehr eine schwedisch-deutschholländisch-amerikanische Kombination. Ich nehme es als ein gutes Omen, daß das entscheidende Kabel aus Stockholm am 6. Juni hier eintraf, dem Tage Ihres Geburtstags und der Invasion. – Wenn Sie irgendein interessantes Manuskript auch für unseren amerikanischen Verlag wissen sollten, oder irgend etwas Geeignetes Ihnen in die Hände kommt, bitte vergessen Sie nicht, es uns vorzuschlagen.

Mit herzlichen Grüßen   *Ihr G. B. Fischer*

                                        1550 San Remo Drive
                                        Pacific Palisades, California
                                        [undatiert; vermutlich
                                        18. Juni 1944]

Lieber Doktor Bermann:

Natürlich kann es nichts schaden, wenn man dem Untertitel »Einleitung zu Anna Karenina« hinzufügt, daß der Essay für eine amerikanische Ausgabe des Essays geschrieben wurde. Es schien mir in diesem Fall nicht so nötig, wie in dem der beiden Goethe-Vorträge, die inhaltlich und formal mehr von ihrem praktisch-akademischen Zweck bestimmt sind.

Ich bin sehr froh zu hören, daß der deutsche »Joseph« nächsten Monat fertig werden soll. Ich glaube doch, daß eine ziemliche Anzahl von Menschen die Ausgabe begrüßen wird.

Herzlichen Glückwunsch zu dem neuen Arrangement Ihrer amerikanischen Firma mit Bonnier! Sie werden ein recht großartiges Dasein führen als Chef der amerikanischen und der neu erblühten europäischen Firma.

Richten Sie doch bitte Frau Fischer meinen herzlichen Dank aus für den wohltuenden, warmherzigen Brief, den sie mir gelegentlich des Liebermann-Vorwortes geschrieben hat. Es ist rührend und erfreuend zu sehen, wie intensiv die alte Dame noch immer an den Erscheinungen teilnimmt und wie lebendig sie ihre Eindrücke wiederzugeben weiß.

Herzlich   *Ihr Thomas Mann*

Pacific Palisades, California
20. Juli 1944

Lieber Dr. Bermann,

gestern kamen die beiden ersten Exemplare des »Ernährers«. Ich habe rechte Freude daran, das Buch auf Deutsch vor mir zu sehen und finde, wenn ich hineinblicke, daß es im Original viel mehr zu lachen gibt, als auf englisch, obgleich doch das Englische eigentlich eine humoristischere Sprache ist, als das Deutsche. Eine Menge kleiner Druckfehler finde ich auch immer beim Hineinsehen, aber keine sehr schlimmen. Nun wollen wir hoffen, daß man Ihnen die Herstellung dankt, und daß Sie die kleine Auflage unter die Leute bringen, obgleich die amerikanischen Kritiken zum Kaufe nicht sehr ermuntern. Sie wirken teils einschüchternd, weil sie das Buch, das ich für durchaus volkstümlich halte, als wunder wie schwierig hinstellen, teils sind sie auch gehässig, weil ich zu oft »the greatest living« genannt worden bin. Das ist eine natürliche und unvermeidliche Reaktion.

Von der deutschen Ausgabe brauche ich nun persönlich, zu Widmungszwecken, mehr als von der englischen. Es wäre gut, wenn ich noch etwa ein Dutzend Exemplare haben könnte. Ich weiß wohl, daß das viel verlangt ist, aber soviele Leute und gute Freunde erwarten das Buch von mir.

Ich bin neugierig, wie Sie sich zu dem Wunsch der »N. Y. Staatszeitung« verhalten und ob Sie mit dem Editor zu einem Einvernehmen gekommen sind. Geben Sie mir nur bald Nachricht darüber. Ein Bilderstreifen, wie von »Bernadette«, soll jetzt auch von dem Roman gemacht werden. Knopf fand es nicht undignified, und ich denke: »Ländlich, sittlich«.

Das neue Buch bringe ich regelmäßig vorwärts und habe es schon auf 250 Seiten gebracht, was wohl die Hälfte sein mag. Aber fast sieht es nun doch aus, als ob der Krieg früher zu Ende sein wird, als das Buch. In Deutschland scheint es nachgerade abenteuerlich zuzugehen, – wenn das etwas Neues ist. Eine Offiziersverschwörung! Das hat es auch in dem loyalen Lande noch nicht gegeben.

Herzliche Grüße auch an Tutti, Landshoff und das sonst befreundete New York! Zu schade, daß Gumperts »Life«-Artikel zurückgestellt worden, d. h. unter den Tisch gefallen ist. Ich hatte mich auf ihn gefreut.   *Ihr Thomas Mann*

Lieber Herr Mann:

Ich bin sehr glücklich, daß Ihnen die Reproduktion der schwedischen Ausgabe Freude macht. Sie sieht nicht ganz so hübsch aus wie die Originalausgabe, aber es ist wohl das Beste, was sich auf diesem Emergency-Wege hier hat machen lassen. Und schließlich das, was drinsteht, ist ja unverändert das gleiche Schöne.

Die Kritiken, die ich gelesen habe, sind von unerreichter Stupidität. Ich hoffe, daß sie der Verbreitung des Buches keinen Abbruch tun.

Die gewünschten 12 Exemplare habe ich heute auf den Weg gebracht. Meinen letzten Brief vom Freitag über meine Verhandlungen mit der »N. Y. Staatszeitung« haben Sie inzwischen wohl erhalten. Ich erwarte heute oder morgen die Vorschläge der Zeitung über das Honorar. Allzuviel ist wohl nicht zu erwarten, aber Sie tun das wohl auch nicht?

Daß der »Joseph«, ich nehme an seine ganze Geschichte, verfilmt werden soll, finde ich vom finanziellen Gesichtspunkt aus sehr erfreulich. Was das andere anbelangt, so wird man wohl besser nicht hinschauen.

Aus Anlaß dieser Verfilmung möchte ich Ihnen eine Bitte vortragen, die Sie hoffentlich nicht unberechtigt finden werden. Ich hatte seinerzeit unsere Beteiligungen an den amerikanischen Übersetzungsrechten und den Verfilmungsrechten, die in den alten Verträgen enthalten waren, stillschweigend nicht in die neuen Verträge übernommen. Ich hielt es für richtig, weil ich, bei der immerhin nicht ganz einfachen Situation Ihre vergleichsweise geringen Einnahmen aus den Auslandsverkäufen nicht schmälern wollte. Inzwischen hat sich die Situation in mehrfachem Sinne geändert. Auf der einen Seite macht der Verlag in Schweden außerordentliche Investitionen für den kompletten Wiederaufbau Ihres Werkes trotz der völlig unübersehbaren Situation, auf der anderen Seite hat der 4. Band durch Book of the Month Club und den Filmverkauf einen außergewöhnlichen Erfolg erzielt.

Würden Sie es in Anbetracht dieser Umstände nicht für gerechtfertigt halten, wenn der Verlag wieder in seine alten Rechte, wenn auch auf einer schmaleren prozentualen Basis eintreten würde? Sie wissen sicher, daß eine Beteiligung des Originalverlegers das Übliche ist, wie es zum Beispiel auch der Fall bei der »Bernadette«-Verfilmung war, an der der Verlag eine Beteiligung von 10 % hatte.

In Erwartung Ihrer freundlichen Stellungnahme und mit den besten Grüßen an Frau Katia und Sie

Ihr G. B. Fischer

1550 San Remo Drive
Pacific Palisades, California
29. Juli 1944

Lieber Dr. Bermann,

wenn »Joseph the Provider« an den Film verkauft wäre, müßte ich das wohl wissen. Es war eine Weile einmal die Rede von der Verfilmung, ist aber sehr still geworden davon, und die amerikanischen Kritiken, die das Buch, humoristisch und populär wie es in Wirklichkeit ist, als ein mit anspruchsvoller Philosophie überstopftes Monstrum hinstellen, werden wohl das ihre tun, die Producers davon abzuschrecken.

Wird aber der Verkauf einmal effektuiert, so sehe ich schon, wie es gehen wird. Sie bekommen 10 %, Knopf 15, der Agent 15, der Rechtsanwalt 15, und den Rest bekommt die Steuer.

In meinen Kontrakten mit S. Fischer Verlag stand nie etwas von Filmrechten, und hätte etwas darin gestanden, so hätte ich es auf jeden Fall abgelehnt, dergleichen aufzunehmen in den Vertrag, den ich dann ganz frei und voraussetzungslos wieder mit Ihnen schloß. Lieber Freund, Sie sollten mir doch nicht die Investitionen vorhalten, die Sie jetzt in Stockholm an mein Werk wenden. Solche Investitionen werden jetzt überall auf gut Glück für die Nach-Kriegszeit gemacht, und andere hätten mehr in mich investiert, als Sie getan haben. War Ihnen an meinen Büchern gelegen, oder nicht? Ich darf es den Leuten garnicht erzählen, wie billig ich mich Ihnen verkauft habe.

Die Filmfrage ist nicht im mindesten aktuell. Aber theoretisch und für alle Fälle überlegen Sie sich, bitte, die Berechtigung Ihres Wunsches noch einmal in Ruhe!

Bei dieser Gelegenheit noch etwas ganz anderes. Habe ich Sie eigentlich schon je mit dem Manuskript befaßt, das Ex-Mini-

ster Koch-Weser mir aus Brasilien sandte? Es ist eine Art von
Geschichte des deutschen Nationalismus und eine Kritik des
Nazi-Staates gewissermaßen unter dem fachmännischen Gesichtspunkt. Es könnte wohl auch ein Buch für Europa nach
dem Kriege sein. Einen Durchschlag habe ich an Knopf geschickt und Koch-Weser versprochen, auch Sie dafür zu interessieren. Wenn er nur nicht schon wieder Häuser bauen wollte
auf meine allmächtige Verwendung! Ich erinnere mich nicht
mit Bestimmtheit, ob ich ein zweites Exemplar hatte und es
Ihnen geschickt habe. Hätten Sie grundsätzlich Interesse für
das Buch?
Herzlich   *Ihr Thomas Mann*

Noch etwas fällt mir ein. Ich habe doch Bruno Frank versprochen, ein Vorwort zu seiner Gesamtausgabe zu schreiben, die,
wie er sagt, in Stockholm vorbereitet wird. Ist die Sache urgent? Ich schreibe so eifrig an meinem Roman, daß ich z. Z.
ungern etwas anderes täte. Auch kann ich nicht sehr viel lesen
und möchte mich hauptsächlich auf das Buch konzentrieren,
das zuerst herauskommen soll. Welches ist das?

381 Fourth Avenue
New York, N. Y.
August 10, 1944

Lieber Herr Mann,
[...]
In der Filmbeteiligungfrage möchte ich um alle Welt nicht
argumentieren, und wollte Sie lediglich fragen, ob nicht eine
bescheidene Beteiligung des Stockholmer Verlags eine gewisse
Berechtigung hätte, angesichts der Tatsache, daß tatsächlich in
dem S. Fischer-Vertrag diese Filmrechte enthalten waren. Ich
kann einen negativen Standpunkt in dieser Frage als Prinzip
wohl verstehen; was ich aber nicht verstehe ist, daß Sie trotz
dieses Standpunkts dem Verlag Knopf eine 15 % Provision
einräumen und einem völlig Außenstehenden, wie Herrn Robinson, alle Filmrechte und sämtliche Übersetzungsrechte an
Ihrer Erzählung übertragen haben. Aber, lieber Herr Doktor,
lassen Sie uns bitte nicht weiter über diese Frage argumentieren, es bedarf dessen wirklich nicht.

Das Manuskript von Koch-Weser habe ich inzwischen gelesen. Es ist ein lesbares Buch mit nicht uninteressantem Material über die Vor-Hitler-Zeit und den Beginn des Nationalsozialismus. Es stellt aber leider die Ursachen des Nationalsozialismus in ein so einseitiges Licht und ist so sehr bemüht, entschuldigende Gründe für den Ausbruch des Nationalsozialismus zu finden, daß ich keine Möglichkeit sehe, dieses Buch im Bermann-Fischer Verlag jetzt oder nach dem Krieg herauszubringen. Vieles an seinen Begründungen mag wahr sein, sie stehen aber heute wirklich in keinem Verhältnis mehr zu den monströsen Konsequenzen. Und am Ende hat man doch nur ein recht unbefriedigtes Gefühl und ein bißchen schlechten Geschmack auf der Zunge. Was soll ich mit dem Manuskript tun?

Zu Ihrer Frage Vorwort Bruno Frank: Als erstes Buch der Bruno Frankschen Gesamtausgabe wird der »Cervantes« erscheinen; so wäre es wohl das Beste, wenn Sie für dieses Buch ein Vorwort schreiben und auf die folgenden Bücher des Bruno Frankschen Werkes hinwiesen. Wir müssen uns aber darüber klar sein, daß eine künftige Gesamtausgabe wohl etwas anders aussehen wird, als wir es von früher her gewohnt waren. (Diese Bemerkung trifft nicht auf die Ihre zu, deren Form bereits früher festgelegt war.) Es wird sich um Einzelausgaben in einheitlicher Ausstattung handeln. Womöglich aber werden wir in der ersten Zeit überhaupt nur broschierte Bücher herausgeben können, und nur einige wenige Exemplare werden in gebundener Form existieren. So würde ich meinen, daß in Ihrem Vorwort das Faktum »Gesamtausgabe« nicht zu stark betont werden sollte.

Es dürfte Sie vielleicht interessieren, daß das Office of War Information es plötzlich sehr eilig hat, amerikanische Bücher in deutscher Übersetzung herauszubringen. Es soll eine ganze Serie, hauptsächlich politischer Bücher, unter dem Fischer Imprint in Stockholm erscheinen. Nachdem nun so viel Zeit zur Verfügung gestanden hat, kann es jetzt gar nicht schnell genug gehen, und die Bücher sollen womöglich morgen schon gedruckt in Berlin sein.

Herzliche Grüße *Ihr Bermann Fischer*

1550 San Remo Drive
Pacific Palisades, California
10. Aug. 44

Lieber Dr. Bermann,
ich schreibe schon wieder, weil ich gerade den Brief des Herrn
Guggenheim an Sie wegen des Copy-rights gelesen habe. Ich
muß mich wohl anklagen, daß ich damals in Sachen der für
die Anthologie zu schreibenden Novelle unbedacht vorgegan-
gen bin, indem ich Herrn Robinson unbeschränkte Rechte darüber einräumte. Meine Entschuldigung ist, daß man manches
unterschreibt, wenn man den Gegenstand garnicht kennt, weil
er noch nicht in der Welt ist. Ich hatte die Vorstellung einer
gleichgültigen Kurzgeschichte von 15–20 Seiten. Hätte ich vor-
hersehen können, daß eine bessere, größere Sache bei dieser
Gelegenheit zu Tage kommen würde, so hätte ich natürlich
Einschränkungen gemacht.
[...]
Viele Grüße von Haus zu Haus!   *Ihr Thomas Mann*

GBF an Katia Mann   381 Fourth Avenue
                                          New York, N. Y.
                                          August 14, 1944

Liebe Frau Katia,
ich möchte eine alte gute Verlagstradition wieder aufnehmen
und Thomas Mann zu seinem 70. Geburtstag ein Sonderheft
der »Neuen Rundschau« widmen, das vielleicht den Neubeginn der Zeitschrift darstellen könnte. Der Inhalt dieses Son-
derheftes, das einen Umfang von 160 Seiten haben kann, soll
aus Beiträgen der wichtigsten Persönlichkeiten der Zeit bestehen. Ich wäre Ihnen sehr dankbar, wenn Sie mir bei der Zusammenstellung der Namensliste helfen würden. Ich kenne
nicht die Namen der englischen und amerikanischen Wissenschaftler, die Thomas Mann nahestehen. (Mitglieder der verschiedenen Universitäten, mit denen er verbunden ist, etc.)
Vielleicht finden Sie auch in meiner beiliegenden Liste Lücken,
die ausgefüllt werden müssen, oder Namen, die gestrichen
werden könnten.
Daß mehrere Biographie-Versuche in Arbeit sind, ist mir bekannt. Die Verfasser dieser Arbeiten scheinen mir aber alle

nicht bedeutend genug, um sie vom Verlag aus zu ermutigen. Ich würde es vorziehen, von Fall zu Fall in Übereinstimmung mit Thomas Mann zu entscheiden, wenn sie mir vorgelegt werden.

Marcuse hat mich anfragen lassen, ob ich ihm den Auftrag zu einer Biographie geben würde; ich möchte das aus dem gleichen Grund nicht tun.

Sollten Sie auf diesem Gebiet etwas wissen, was Thomas Mann Freude machen würde, so lassen Sie es mich bitte wissen.

Mit herzlichen Grüßen   *Ihr Gottfried B. Fischer*

1550 San Remo Drive
Pacific Palisades, California
15. August 1944

Lieber Doktor Bermann:

Ich habe gerade telephonisch mit Robinson des Langen und Breiten über die Copy Right Angelegenheit gesprochen, denn es liegt mir so sehr viel daran, den ärgerlichen Streit, an dessen Entstehung ich eingestandener Maßen schuld bin, so rasch und gütlich wie möglich beizulegen, auch damit Guggenheim seine kleine Subscriptions-Ausgabe endlich ausdrucken kann.

Es war, wie gesagt, mein Fehler, daß ich seinerzeit Robinson gegenüber nicht darauf bestanden habe, daß das deutsche Copy Right Ihnen als meinem General-Verleger gehören müsse. Zweifellos wäre Robinson, dem damals sehr viel an meiner Beteiligung lag, auf eine solche Forderung eingegangen, ich unterließ sie wohl nur aus dem Grunde, weil es sich damals in meinen Augen um einen belanglosen kleinen Beitrag für diesen bestimmten Zweck handelte und ich an seine weitere Verwertung überhaupt nicht dachte. Nur darum habe ich auch die Verfilmungsrechte mir nicht ausbedungen. Nun hat es sich aber unerwartet gefügt, daß die Geschichte eine meiner besten größeren Erzählungen geworden ist, und daher das ganze Unglück. Denn formal hat nun einmal Herr Robinson die Rechte darauf, und der Band (den Sie ja übrigens sogar von ihm erworben haben) ist mit den zehn Beiträgen auf seinen Namen eingetragen. Er hat aber schließlich auch ein gewisses moralisches Recht darauf, insofern, als tatsächlich ohne seine Anregung diese Geschichte niemals geschrieben worden wäre.

Unüberwindliche Schwierigkeiten scheint mir die Sachlage bei beiderseitigem guten Willen doch aber nicht zu bieten. Robinson versichert mir, daß er zu jedem Entgegenkommen bereit ist, keinerlei finanzielle Forderungen zu stellen gewillt ist und nur eine Lösung wünscht, die prinzipiell sein Recht auf diese eine Geschichte anerkennt. Ich bitte Sie also herzlich, sich in versöhnlichem Sinne mit ihm in Verbindung zu setzen, und hoffe, daß damit diese unerquickliche Angelegenheit aus der Welt geschafft sein wird.

Mit besten Grüßen von Haus zu Haus   *Ihr Thomas Mann*

Ist wohl die zweite Sendung von »Joseph der Ernährer« unterwegs? Ich warte recht dringlich darauf.

Katia Mann an GBF   1550 San Remo Drive
                                       Pacific Palisades, Calif.
                                       21. VIII. 44

Lieber Gottfried:

Ihr »Rundschau«-Plan ist natürlich im höchsten Grade aufregend und faszinierend. Vor wenigen Monaten noch hätte er völlig phantastisch angemutet, aber, wie die Dinge jetzt aussehen, ist es gar keine Hybris mehr, an seine Verwirklichung zu glauben, und, nachdem Sie diesen schönen Einfall gehabt haben, die Details in Ruhe vorzubereiten. Daß ein solches Sonderheft der »Neuen Rundschau« für den Jubilar ein ganz besonders festliches Ereignis sein würde, darüber kann kein Zweifel bestehen.

Ich habe mir die Liste genau durchgesehen, und lege ein Blatt mit Ergänzungsvorschlägen bei. Selbstverständlich sind dies eben nur ganz unverbindliche Vorschläge. Ich weiß ja auch garnicht, wieviele Mitarbeiter Sie im Hinblick auf den Umfang des Heftes auffordern können.

Statt Arthur Schnabel würde ich Rudolf Serkin und Adolf Busch vorschlagen, die, wie ich weiß, beide besondere Verehrung für meinen Mann haben.

Wenn man Erika auffordert, muß man nach meiner Ansicht unbedingt auch Klaus einladen und vielleicht sogar auch Golo (obgleich er fast sicher nichts schreiben wird).

F. D. R., meine ich, kommt nicht in Betracht, man muß sich

wohl mit Eleanor und Wallace begnügen. Dagegen könnte man wohl Benesch auffordern.

Die Frage der Biographie ist nicht einfach. Unter den bedeutenden Zeitgenossen ist wohl keiner, der genügend mit dem Leben vertraut ist und der Lust hätte, sich in eine solche Aufgabe zu vertiefen. So ist am Ende Marcuse garnicht so übel. Sonst wüßte ich eigentlich nur noch Bruno Frank, der sicher etwas Hübsches machen würde. Oder vielleicht Martin Gumpert? Ein Schriftsteller namens Friedrich Walter – er hat einen Roman namens »Cassandra« geschrieben, der bei Allert de Lange erschienen ist, und mein Mann hält ihn für entschieden begabt – arbeitet auch an einem Buch über Th. M., das er voraussichtlich Ihnen anbieten wird. Möglicherweise käme auch dieses in Betracht.

Die Alliierten scheinen es diesmal ja gründlich mit Deutschland vorzuhaben, und ich finde nicht, daß man es ihnen verdenken kann. Aber ob es überhaupt in absehbarer Zeit ein kulturelles Leben dort geben wird, ob eine wiedergeborene »Neue Rundschau« eine Wirkungsmöglichkeit haben kann, das ist natürlich fraglich. – Immerhin sprechen ja die Übersetzungs-Absichten hier, von denen Sie neulich schrieben, doch dafür, daß man das kulturelle Leben aufrecht halten und beeinflussen möchte. – In diesem Zusammenhang fällt mir wieder meine Cousine Käte Rosenberg ein, die doch so leidenschaftlich gern ihre Tätigkeit als Übersetzerin wieder aufnehmen möchte und auf diesem Gebiet ja wirklich eine ausgezeichnete Kraft ist. Könnte man ihr nicht irgend einen Auftrag zukommen lassen?

[...]

Von Erika hatten wir kürzlich ein Cabel, sie ist nunmehr definitiv in Frankreich. Golo scheint, sehr gegen seinen Wunsch, in England zu bleiben, Klaus in Italien. Die Söhne sind ungeheuer optimistisch hinsichtlich des baldigen Endes, und ja nicht sie allein.

Mit herzlichen Grüßen an Sie und die Ihren

Ihre Katia Mann

Lieber Herr Mann:

Ich muß Sie mit einer mir wichtig erscheinenden Sache behel-
ligen. Es handelt sich um den neuen Roman von Joachim
Maass »Zwischen den Zeiten«. Das Buch wird in wenigen
Wochen in englischer Sprache bei uns in New York erscheinen.
Die deutsche Ausgabe erscheint gleichzeitig im Bermann-Fi-
scher Verlag, Stockholm.

Sie wissen, wie ungeheuer schwer es ist, einen für Amerikaner
neuen Autor hier einzuführen, ja, auch nur irgend jemanden
für ein Buch von diesem literarischen Standard im vorhinein
zu interessieren. Es wäre deshalb von großer Bedeutung, wenn
wir ein paar Zeilen von Ihnen bekommen könnten, um den
Roman einzuführen.

Ich weiß, daß Sie Maassen's letztes Buch »Das Testament«
hochschätzten und daß Sie viel von ihm halten. So glaube ich,
daß ich Ihnen nicht zuviel zumute, wenn ich Sie herzlichst
bitte, das Manuskript »Zwischen den Zeiten« zu lesen und uns
ein paar Worte über Ihren Eindruck zukommen zu lassen.

Wir freuen uns sehr mit Bruno und Liesl Frank. Nach seiner
schweren Krankheit ist er von erstaunlicher Frische.

Mit den herzlichsten Grüßen an Sie und Frau Katia

Ihr G. B. Fischer

P. S. Das Manuskript ist mit gleicher Post an Sie abgegangen.

Lieber Dr. Mann:

Ich danke Ihnen sehr herzlich für Ihren Brief über Joachim
Maassen's Buch. Ich freue mich, daß Sie es hochschätzen und
daß Sie ihm eine so gründliche und tiefgreifende Analyse gewidmet haben, die seine Hintergründe und seine dichterische
Schönheit in wenigen Worten sichtbar macht. Ich habe eine
Abschrift des Briefes an Joachim Maass geschickt, der Ihnen
wohl bald persönlich schreiben wird.

Mit herzlichen Grüßen   *Ihr G. B. Fischer*

Katia Mann an GBF Pacific Palisades
15. November 1944

Lieber Gottfried:

Es ist mir gelungen, drei der gewünschten Adressen ausfindig
zu machen:

> Bela Bartok, Hotel Woodrow, 35 West 64. Street, New York
> Ernst Křenek, Hameline University, St. Paul 4, Minnesota
> Ernst Toch, 811 Franklin Avenue, West Los Angeles

Lotte Lehmanns ständige Adresse ist Santa Barbara, Calif.,
wahrscheinlich ist sie so zu erreichen, obgleich es besser wäre,
die genaue Adresse zu wissen, und außerdem ist sie im Winter
auch meistens nicht dort. Sie können sicher die augenblickliche
Adresse durch Lotte Walter erfahren, die ihrerseits unter dem
Namen Rabenalt im New Yorker Telephonbuch zu finden ist.
Aufzufordern wäre vielleicht noch der hier lebende Musiker
und Philosoph, Dr. T. W. Adorno, 316 South Kenter Avenue,
West Los Angeles, früher Mitarbeiter der »Frankfurter Zeitung«
und Docent an der Frankfurter Universität. Wir sehen ihn
ziemlich oft, Tommy hält auf ihn, und sicher würde er etwas
Gescheites liefern.

Es sieht ja nun aber leider garnicht so aus, als ob Sie mit dieser
Festnummer die deutsche Ausgabe der »Rundschau« wieder aufnehmen könnten, wenn die Hoffnung, daß der europäische
Krieg im Frühsommer beendet sein wird, doch wohl nicht
überoptimistisch ist. Aber nach unser aller bestimmten Hoffnung auf Beendigung des Krieges noch in diesem Jahr fühlt
man sich doch recht deprimiert, und dieser letzte Teil des Krieges ist sicher der opferreichste und gräßlichste.

Von den Söhnen bekomme ich regelmäßig, wenn auch nicht
allzu häufige Nachrichten. Golo ist immer noch in London,
arbeitet vierzehn Stunden am Tag, und scheint mit seiner
Tätigkeit ganz zufrieden, wenn er auch viel lieber nach Frankreich gekommen wäre. Klaus scheint es in Italien recht un-
schön zu haben, sie frieren, sind schlecht genährt, und der
ganze Zustand des Landes ist trostlos. Sie hatten auch dort
mit dem unmittelbar bevorstehenden Ende gerechnet, und daß
es sich nun so unabsehbar hinzieht, ist natürlich hart.

Bibi ist nun auch gedraftet worden und muß jeden Tag einberufen werden.

Tommy hatte eine recht garstige Grippe mit 103 Temperatur,

und hat sich noch nicht recht davon erholt. Aber Adrians seltsame Geschichte schreitet ständig vor, muß aber jetzt zu Gunsten eines Vortrages unterbrochen werden für die lecture tour im Januar, die wir allerdings in Anbetracht der jetzigen Reiseverhältnisse möglichst abkürzen wollen. Im Wesentlichen werden wir uns wohl auf Washington und New York beschränken.

Von Erika haben wir auch seit Monaten nichts gehört, sie scheint prinzipiell nicht zu schreiben. Glücklicher Weise kam nun endlich ein Kabel, das lange Briefe in Aussicht stellt. Ende des Jahres wollte sie wohl auf alle Fälle zurück sein.

Die neuen Exemplare des »Ernährers« trafen ein. Besten Dank. [...]

Mit herzlichen Grüßen von Haus zu Haus   *Ihre Katia Mann*

381 Fourth Avenue
New York, N. Y.
December 13th, 1944

Dear Mr. Mann:

[...]

One chapter of the world history, one of the textbooks I am preparing for postwar Germany, is nearly completed that I can show it in its present form to persons interested in the enterprise in order to get their criticism and suggestions for changes. This chapter covers the period from 1848 to 1890. I would be very grateful if you would look at it and let me have your criticism and ideas. The first volume, »Ancient History«, is almost finished, as is the part on »Medieval History«.

The »Lesebücher« in six volumes for children from 7 to 16 years of age are also almost finished and ready for printing. I am now working on a plan for a modern biology.

Recently my textbook program got considerable publicity through the »New York Times«, which published a long article about it and an editorial, and through a nationwide Associated Press release. The idea was received favourably, as far as I know, although up to now no official acceptance has been possible.

On the other hand, during the last few days I have taken a step of considerable importance in the educational field in connection with the publications of Bermann-Fischer Verlag.

I hope I shall be able to inform you about this at greater length in the near future.

Besides all this, during the Spring of 1945 there will be a Stockholmer Gesamtausgabe of eight volumes containing »Buddenbrooks«, »Adel des Geistes«, »Erzählungen«, »Lotte in Weimar«, »Zauberberg« and »Joseph« in two volumes.

I heard from Frau Fischer that you have been ill during the last weeks. I know these ugly trigeminus pains and can only hope that you are now free of them.

I am especially sorry that we can't expect you here in January and I shall have to wait as patiently as possible until May.

Sincerely yours,

G. B. Fischer

P. S. Please let me know whether the French translation rights of your short stories mentioned in the enclosed letter from Professor Meylan are available.

381 Fourth Avenue
New York, N. Y.
December 15th, 1944

Dear Dr. Mann:

I mentioned in my letter of December 13th a step of considerable importance in the educational field.

I now have permission to inform you about it, if only in general terms which you will, nevertheless, understand.

We are going to print for the War Department twenty-four titles of our books; 10,000 copies each as a first printing but more may follow.

The books will not appear on the open market. They are to be made available only to a special class of German-speaking persons now residing in this country whose reading matter is furnished by the War Department. (That is the explanation I have been authorized to give.)

The retail price of the books will be 25c and the format will be like that of Pocket Books. The Infantry Journal is handling the books without profit and the authors' royalties are to be 1c per copy sold – the same as the royalties für the Armed Services Editions, also distributed by the War Department.

I should like to have your permission on this basis for »Zauberberg« in two volumes, »Lotte in Weimar« and »Achtung, Europa!«. This is the first time the Army uses modern German literature for this special purpose. It is a big step ahead. Besides that, I expect from this connection of the publishing house with the Army, certain facilitation of the postwar handling of the introduction of our books into Germany.

In addition to your books mentioned above, there are included in our list works by Carl Zuckmayer, Franz Werfel, Leonhard Frank, Eve Curie, Ernest Hemingway, Arnold Zweig, Remarque, Joseph Roth, Heinrich Heine, Saroyan, Wendell Willkie, Stephen Vincent Benet, our Romantiker and Musiker Briefe, and others.

Please let me know whether you agres to the royalty mentioned above.

Sincerely yours,

G. B. Fischer

1550 San Remo Drive
Pacific Palisades, California
20. Dezember 1944

Lieber Doktor Bermann!

Es waren ja erfreuliche Nachrichten, die Ihre beiden letzten Briefe mir brachten! Aufrichtig beglückwünsche ich Sie zu diesen Abmachungen mit dem War Department und brauche kaum hinzuzufügen, daß ich mit den Tantième-Bedingungen für meine Bücher einverstanden bin. Unter diesen Büchern befindet sich auch »Lotte in Weimar«, und da möchte ich doch daran erinnern, daß es gut wäre, wenn die »special class of German speaking persons now residing in this country« eine von Druckfehler befreite Ausgabe des Romans zu lesen bekommen könnten. Ich glaube, ich habe Ihnen einmal eine Liste der Druckfehler in der Stockholmer Ausgabe geschickt. Zur Sicherheit lege ich Ihnen noch einmal eine Abschrift meiner Notizen bei. Da es sich ja diesmal nicht um eine photographische Reproduktion, sondern um einen Neudruck handelt (wie es aus Ihrer Beschreibung der Ausgabe hervorgeht), so sollten diese Korrekturen bei dieser Gelegenheit möglich sein.

Noch einmal herzliche Wünsche und beste Grüße an Sie und

die Ihren. Frau Fischer habe ich gern versprochen, ihr das Affidavit zu geben. Sie hat mir aber ihrerseits zugesagt, daß die, so viel ich weiß recht umständliche Schreiberei in Ihrer Office besorgt werden soll, und ich habe nur gebeten, mir eine Liste von Fragen zu schicken, die nur wir beantworten können.
Herzlichst   *Ihr Thomas Mann*

Pacif. Palisades, den 9. II. 45

Lieber Dr. Bermann,
an eine Neusammlung der deutschen Sendungen bis zur Gegenwart hatte ich auch schon manchmal gedacht. Natürlich ist trotz der längeren Pause, die ich gemacht habe, eine Menge ungedrucktes Material vorhanden. Ich brauche nur etwas Zeit für die Ordnung und Durchsicht und einige neue Abschriften. Bitte, weisen Sie die Herren in Stockholm an, daß sie darauf warten.
Einem Brief aus der Schweiz entnehme ich, daß dort »Das Gesetz« auf dem Markte ist und eine besonders gute Presse hat. Wenn Sie Schweizer Kritiken bekommen können, würde ich sie sehr gerne lesen.
Wie steht es sonst mit Neuausgaben? Die Russen tun ihr Bestes, damit wir bald »Lotte in Weimar« und den »Joseph« nach Deutschland einführen können. Ich gehe aber nicht mit.
Gut wäre es, einmal wieder eine Abrechnung und etwas Geld zu bekommen. Oh ja!
Meine Vorlesung in der Library of Congress ist auf den 29. Mai angesetzt. Wenige Tage später werden wir dann nach New York kommen.
Viele Grüße von Haus zu Haus!   *Ihr Thomas Mann*

Pacif. Palisades, den 21. II. 45

Lieber Dr. Bermann,
hier schicke ich die restlichen Abschriften der deutschen Ansprachen, [die] bis zum Januar dieses Jahres reichen. Alles zusammen gibt es nun, denke ich, ein ganz lustiges, streitbares Buch, das immer neu ansetzt, um dasselbe zu sagen, und dabei doch eigentlich nicht monoton wirkt. Wenigstens nur momentweise.

Meine Sorge ist nur, daß die Schweiz die Sprache zu stark finden könnte gegen eine benachbarte und befreundete Regierung. Aber schließlich war ja das Tönchen schon in den ersten 25 kein anderes.

Die ganze Zeit kränkle ich etwas. Ich konnte mich immer nicht recht von der Grippe erholen und das verlorene Gewicht nicht wiedergewinnen durch Schuld einer Zahn-Krise, die mir auch nach ihrem Abschluß noch beschwerlich fällt. Aber der Roman hat doch fast gleichmäßige Fortschritte gemacht, und ich hoffe: gute. Jetzt unterbreche ich mich darin, um erst einmal den Vortrag für Washington und New York auszuarbeiten.

Ihr Thomas Mann

1550 San Remo Drive
Pacific Palisades, California
4. III. 45

Lieber Dr. Bermann,
ich habe gedacht, ich sollte Ihnen diese beiden jüngsten deutschen Ansprachen noch nachträglich für die vermehrte Neu-Ausgabe schicken. Ein besonderer Grund dafür ist, daß die letzte einen Trost-Zuspruch für das deutsche Volk darstellt und dem Buch einen guten Abschluß geben würde.

Bestens   *Ihr T. M.*

381 Fourth Avenue
New York, N. Y.
5. März 1945

Lieber Herr Mann,
vielen Dank für Ihren Brief vom 21. Februar und das Manuskript der restlichen deutschen Ansprachen. Der so vervollständigte Band ist von hohem dokumentarischen Wert, und ich finde es gut und richtig, daß man ihn jetzt herausbringt. Ich möchte Sie aber bitten, wenn Sie Ihre Radio-Ansprachen fortsetzen, mir jeweils sofort eine Abschrift zu schicken. Diese Ergänzungen könnten während der Herstellung des Buches bis zum letzten Augenblick der Fertigstellung immer noch eingefügt werden.

Fernerhin bitte ich Sie, zu erwägen, ob Sie dieser endgültigen

Ausgabe nicht ein Vor- oder Nachwort anfügen würden, in dem von einem allgemeinen Gesichtspunkt aus die Idee dieser Vorträge zusammenfassend kurz dargestellt wird. Ich glaube, das wäre gut, um dem dokumentarischen Wert des Buches noch mehr Nachdruck zu verleihen.

Die Schweizer Regierung scheint unter dem Druck der Ereignisse ihre Zensur-Politik geändert zu haben. Nach dem letzten Wechsel im Auswärtigen Amt der Schweiz hat man plötzlich einige der bis dahin gesperrten Bücher freigegeben. So zweifle ich eigentlich kaum daran, daß man dem »Deutschen Hörer« keine Hindernisse in den Weg legen wird.

Wir sind recht besorgt wegen Ihres Kränkelns, von dem Sie schreiben. Ich hoffe, daß die guten Nachrichten und der Frühling zu Ihrer baldigen Erholung beitragen. Der europäische Krieg scheint ja tatsächlich nun zu Ende zu gehen. Der Wahnsinn, ihn fortzusetzen, wird immer größer.

Ich hoffe, daß sich an Ihren Reiseplänen nunmehr nichts mehr ändert und wir Sie Ende Mai hier erwarten können.

Seien Sie herzlich gegrüßt von Ihrem   *G. B. Fischer*
[...]

GBF an Katia Mann   381 Fourth Avenue
                                        New York, N. Y.
                                        8. März 1945

Liebe Frau Katia,
ich sah soeben Del Vayo und Miss Kirchway. Beide waren von der Idee eines Empfanges und Dinners für Thomas Mann sehr entzückt und schlugen, zunächst ganz unverbindlich, vor, die Einladung ergehen zu lassen von den »Associates of the Nation, in honor of Thomas Mann, for the benefit of the Friends of the Spanish Republic«.

Wie Sie wahrscheinlich wissen, plant die »Nation« eine große Veranstaltung für Republican Spain. Thomas Mann gehört dem Sponsoring Committee an. Das Committee ist auf einer sehr breiten Basis aufgebaut, so daß man die ganze Unternehmung nicht mit einem engeren politischen Zweck oder einer engeren politischen Party identifizieren kann.

William L. Shirer ist Chairman oder Vice-Chairman. Zu Ihrer Orientierung lege ich eine Liste bei.

Bitte lassen Sie mich *umgehend* wissen, ob Sie mit einer derartigen Veranstaltung einverstanden wären. Meine Anfrage ist völlig inoffiziell. Ich habe durchaus die Möglichkeit, ohne daß Sie in irgendeiner Weise hereingezogen werden, den Vorschlag abzulehnen.

Knopf, mit dem ich vorgestern nur telephonisch gesprochen habe, um eventuell mit ihm zusammen etwas zu organisieren, hat, wie gewöhnlich, versagt. Ich sehe ihn zwar morgen nachmittag noch einmal in seinem Office, verspreche mir aber nach seiner ersten Reaktion nichts davon.

Mit herzlichen Grüßen   *Ihr Gottfried*

GBF an Katia Mann   381 Fourth Avenue
                                               New York, N. Y.
                                               9. März 1945

Liebe Frau Katia,
ich habe über den gestrigen Vorschlag noch einmal nachgedacht und finde, daß die Kombination nicht gut ist. Trotz der schönen Sponsor-Liste ist der Charakter der Veranstaltung in Verbindung mit dem Geburtstag zu politisch und würde zweifellos einen falschen Eindruck hervorrufen. Nichtsdestoweniger lassen Sie mich bitte wissen, wie Sie darüber denken.
Mit herzlichen Grüßen

                                                    Ihr Gottfried

                                   1550 San Remo Drive
                                   Pacific Palisades, California
                                   9. III. 45

Lieber Doktor Bermann:
Die beiden nachträglich gesandten deutschen Sendungen werden Sie inzwischen erhalten haben; Sie sehen, ich hatte denselben Gedanken wie Sie. Mir scheint zwar die jüngste Ansprache als Abschluß des Buches ganz passend, aber ich lasse mir immerhin die Möglichkeit offen, während des Druckes noch Weiteres zu senden.
Heute etwas ganz Anderes. Vor einiger Zeit baten mich die Herausgeber der »Pacific Press« in Los Angeles, die die Luxus-Ausgabe der Moses-Geschichte gebracht haben, um ein Ma-

nuskript, das sie in beschränkter bibliophiler Ausgabe zur Feier meines Eintrittes ins Greisenalter veröffentlichen könnten. Ich wußte ihnen zunächst nichts anzubieten. Gelegentlich aber kamen mir Tagebuch-Aufzeichnungen wieder vor Augen, die ich zu Anfang unserer Emigration, in den Jahren 33 und 34, gemacht habe, und die mir beim Wiederüberlesen den Eindruck machten, daß sie gerade jetzt in dem Augenblick des Zusammenbruches des Nationalsozialismus eine ganz erregende und erinnerungsvolle Lektüre abgeben könnten. Es handelt sich nur um etwa achtzig Schreibmaschinen-Seiten, bestehend aus zum Teil sehr kurzen, zum Teil etwas auführlicheren Aufzeichnungen über die Erlebnisse von damals, das ganze Leiden an den deutschen Zuständen und an der entmutigenden Haltung der übrigen Welt. Gerade eine beschränkte Form der Veröffentlichung, ein halbprivates Erscheinen kommt mir besonders geeignet vor für dieses persönliche Dokument, und darum bin ich im Begriff, das Manuskript der »Pacific Press« anzubieten. Ich würde es aber nicht für loyal halten, dies zu tun, ohne das Manuskript auch Ihnen vorzulegen, für den Fall, daß Sie über sein Recht auf Öffentlichkeit anderer, weitgehenderer Meinung sind als ich. Ich erwarte dies kaum, besonders, da gerade die Publikation der deutschen Ansprachen bevorsteht und auch die umfangreiche Essaysammlung in Vorbereitung ist. Es ist gewiß unratsam, dem Publikum zu viel auf einmal anzubieten. Jedenfalls aber haben Sie das Recht auf die Möglichkeit, selbst zu entscheiden.

Ich möchte noch darauf aufmerksam machen, daß es sich um Tagebuch-*Auszüge* handelt, die ich damals kreuz und quer im Hinblick auf eine geplante, zusammenhängende politische Arbeit gemacht habe, und daß es in der Anordnung der Aphorismen mit der Chronologie noch keineswegs stimmt. Diese wäre zu berichtigen, und auch Striche, die gewisse Wiederholungen beseitigen könnten, kämen in Betracht. Ich würde eine solche Überarbeitung des Manuskripts am liebsten den Herausgebern überlassen.

Ich schicke also das Manuskript morgen ab und bin neugierig auf Ihre Eindrücke.

Mit den besten Grüßen von Haus zu Haus

Ihr Thomas Mann

Pacific Palisades, 12. III. 45

Lieber Gottfried:

Ihre Briefe vom 7. und 8. März kamen gleichzeitig in meine Hände und ich beeile mich, sie umgehend so genau wie möglich zu beantworten.

Die Veranstaltung in der Library of Congress soll am 29. Mai stattfinden. Ich denke mir, daß wir, wie gewöhnlich bei Meyers wohnend, ungefähr eine Woche dort bleiben werden, etwa vom 27. Mai bis 3. oder 4. Juni. An einem dieser beiden Tage würden wir also in New York ankommen, wo wir – man muß wohl schon demnächst seine reservation machen – nach altem Brauch im Bedford zu wohnen denken. Am 8. Juni findet ein Vortrag – Wiederholung des in Washington gehaltenen – in Hunter College statt.

Von den Plänen der »Nation« hatten wir bis jetzt noch nicht gehört. Der Gedanke ist Tommy durchaus sympathisch, und es wäre bestimmt eine sehr würdige und erfreuliche Ehrung. – Er möchte aber trotzdem nicht, daß ich heute schon fest zusage, und zwar mit Rücksicht auf Freund Knopf. Sie wissen ja, wie er ist, und mit einem gewissen Recht beansprucht er, als der bei weitem bessere Kenner der amerikanischen Verhältnisse, in solchen Dingen um Rat gefragt zu werden. Tut man es nicht und die Sache erweist sich als nicht glücklich – wie im unseligen Fall Robinson – so hat er eine vernichtende Art zu fragen: »Why did you not ask me, Tommy?« – Wir haben ihn also telegraphisch um seine Meinung gefragt, und wenn er nicht schwerwiegende Gegengründe vorbringt, was ich mir allerdings in diesem Fall kaum vorstellen kann, werde ich Ihnen in einem Telegramm, das wahrscheinlich diesen Brief noch überholt, definitiv zusagen. Möglicher Weise haben Sie ja auch schon bei dem in Ihrem Brief angekündigten Besuch die Angelegenheit des »Nation« Dinners mit ihm besprochen, und wenn er nicht strikt dagegen war, können Sie auch ohne mein Telegramm abzuwarten mit Dank die Einladung annehmen.

Auf das »Rundschau«-Heft bin ich gespannt, und es wird gewiß eine große Freude für den Jubilar sein. Wenn es auch nicht rechtzeitig zur Stelle sein sollte, so werden ja die Manuskripte dafür eintreten. [...]

In Spanien stehen wir seit einer Reihe von Monaten mit einem

uns von früher bekannten Agenten, Dr. Oliver Brachfeld,
3 Riera Baja, Barcelona, in Verbindung, der uns einen recht
günstigen Vertrag mit der Firma Lara vorgelegt hat, den wir
auch bereits prinzipiell angenommen haben. Vor dem Krieg
waren die spanischen Angelegenheiten in Spanien ja immer
höchst unbefriedigend, und ich kann mich nicht erinnern, daß
nennenswerte Zahlungen je eingegangen wären. Dieser Mann,
mit dem wir schon im Jahre 36 korrespondiert hatten, scheint
zum Mindesten recht eifrig zu sein. Er hat sich übrigens, wie
er schreibt, auch mit Ihnen in Verbindung gesetzt.
Ihre Sorge um die Gesundheit meines Mannes ist leider nicht
völlig unbegründet. Das heißt, es scheint ja organisch gottlob
nichts vorzuliegen, aber er hat wesentlich abgenommen, was
in seinem Alter doch recht unerwünscht ist, und sein Nerven-
zustand ist ziemlich labil. Dabei arbeitet er die ganze Zeit sehr
intensiv. Natürlich sollte er einmal ganz ausspannen, bringt
das ja aber nicht fertig.
Das Manuskript der Tagebuch-Auszüge habe ich vor zwei
Tagen an Sie abgeschickt.
Mit herzlichen Grüßen   *Ihre Katia Mann*

                              1550 San Remo Drive
                              Pacific Palisades, California
                              12. III. 45
Lieber Doktor Bermann:
[...] Übrigens habe ich Ihnen noch nicht den Empfang eines
Exemplares von »Das Gesetz« bestätigt. Ich finde das Bänd-
chen sehr hübsch, nach Einband, Druck und Papier. Bei dieser
Gelegenheit eine Liste von Druckfehlern, die mir beim bloßen
Durchblättern des Bändchens aufgefallen sind, und die ich nach
Stockholm weiterzugeben bitte für den Fall, daß ein Neudruck
erfolgen sollte.
    Seite 36, Zeile 5 von unten muß es heißen: *zum* sammeln-
    den, formenden Mittelpunkt statt: *zu*
    Seite 80, Zeile 3 von oben: des Krie*gers* statt des Krie*ges*
    Seite 99, Zeile 7 von unten: mit seinen *weit stehenden
    Augen*, nicht »*stechenden*«.
    Seite 100, Zeile 8 von unten: fehlt Komma nach »im Gro-
    ben«.

Seite 104, Zeile 10 von unten: Wenn ein Weib *ihre* Krankheit, nicht »eine«.

Seite 115, Zeile 8 von oben: fehlt »*werden*« nach »froh«.

Seite 119, Zeile 8 von unten: daß ihr *mir* meine Lust mißgönnt (mir fehlt)

Seite 140 sind *die Gebote* nicht gut gesetzt; das erste steht ganz abgesondert. Es müßten je die ersten fünf und die zweiten fünf zusammengestellt werden, womöglich mit Linien eingerahmt, getrennt durch: »Und auf die andere Tafel schrieb er«: Jetzt sind die Zwischenräume nach dem ersten und vor dem neunten Gebot, was keinen Sinn hat und sich schlecht ausnimmt.

Seite 148, Zeile 10 von oben: *böckelst*, nicht blöckelst.

Letzte Seite: Ein *Tal* der Notdurft, nicht ein Teil!

Sie sehen, manche Verbesserung wäre sehr dringend, wobei ich sicher noch Verschiedenes übersehen habe.

Sehr dringend ist auch eine Verbesserung in der letzten *Deutschen Ansprache,* die ich Ihnen sandte, vom 4. März. Es heißt da, ziemlich am Anfang: »Die Geschichte des französischen Königtums hat nur fünfhundert Jahre gedauert.« Das ist nicht richtig. Der Satz muß lauten: »Das ganze französische Königtum hat, schlecht gerechnet, eintausend Jahre gedauert, eine außerordentlich lange Frist, wie sie in Deutschland nicht vorkommt.« Bitte auch dies, wenn Sie die Manuskripte schon abgeschickt haben, *nach Stockholm weiter zu geben!*

Der Plan Del Vayos und der Miss Kirchway hatte anfangs etwas recht Anziehendes für mich. Aber ich teile Ihre Besorgnis, daß mein unschuldiger Geburtstag dadurch doch zu sehr in die politische Sphäre gezogen werden könnte, und dieser Ansicht wird wohl auch Alfred Knopf sein, den ich um seine Meinung fragte. Ich nehme fast an, daß Ihr heutiger Brief nach der Unterredung mit ihm geschrieben wurde.

Es rührt mich sehr, daß Sie an unseren bevorstehenden Besuch und die Feier meines Geburtstages so viel Gedanken und Tätigkeit wenden. Ich habe gewiß nicht verlangt und nicht erwartet, daß man aus dem Tage viel Wesens macht, aber man soll die Freundlichkeit guter Freunde auch wieder nicht von sich weisen.

Bestens   *Ihr Thomas Mann*

Ich lege ein Angebot, das mir Brandt und Brandt übermittelten, bei. Ich bin nicht genau über die holländischen Übersetzungen orientiert, aber Sie werden das feststellen können und etwaige Verhandlungen führen.

[Telegramm] [Pacific Palisades, 13. März 1945]
Agreeing with you and Knopf that it would not be desirable to give birthday celebration too outspoken and special political character Cordially *Mann*

GBF an Katia Mann 381 Fourth Avenue
New York N. Y.
15. März 1945

Liebe Frau Katia,
Vielen Dank für Ihren Brief vom 12. März.
[. . .]
Mit den Geburtstagsfeier-Plänen verhält es sich folgendermaßen:
Ich habe zweifellos einen taktischen Fehler insofern gemacht, als ich versuchte, Knopf zu einer gemeinschaftlichen Veranstaltung zu veranlassen. Ich habe Knopf so viele Jahre nicht mehr gesehen und gesprochen, daß ich seine Reaktion auf meinen wohlgemeinten Vorschlag ganz falsch einschätzte. Wie mir während meiner Unterredung mit ihm klar wurde, war er einfach gekränkt darüber, daß ich, der lästige Ausländer und Eindringling in amerikanische Verlagsgefilde, mich überhaupt mit dieser Angelegenheit beschäftige. So war er meinem Vorschlag gegenüber, eine Feier zu veranstalten, ungeheuer ablehnend. Seine Hauptgegenbegründung war immer, daß er doch eine derartige Feier erst veranstaltet hätte, was ja nun freilich recht komisch ist, da das etwa elf Jahre zurückliegt. Unter anderm fragte er mich, wen ich denn hier eigentlich einladen wolle, und als ich auch den Namen Gaus nannte, sagte er, den könne er unmöglich einladen, da er schon auf dem letzten Dinner eine Rede gehalten hätte. Die ganze Sache war so unsagbar komisch, daß ich mich nur amüsieren konnte, und schließlich mich freundlich wieder verabschiedete, mit dem Gefühl einer völligen Niederlage. Von den Absichten der »Nation

Associates« habe ich ihm nichts gesagt, da ich inzwischen mir darüber klar geworden war – unabhängig von meinem Gespräch mit Knopf –, daß die Verquickung des Geburtstages mit den unvermeidlichen politischen Aspekten nicht günstig sei, und deshalb meinen zweiten Brief an Sie geschrieben hatte.

Knopf rief mich zwei oder drei Tage nach meinem Besuch an und teilte mir mit, daß die Sache aus unseren Händen genommen sei, da Sie inzwischen das Angebot der »Nation« akzeptiert hätten. Er sagte mir aber nicht, daß er Ihnen abgeraten hätte. Immerhin stimmen Knopf und ich wenigstens in diesem Punkt überein. Meine beiden ersten Versuche sind ja nun also gescheitert. Ich habe es aber keineswegs aufgegeben und werde Sie bald verständigen, welche anderen Möglichkeiten sich bieten.

Über die Tagebuch-Auszüge, die hoffentlich bald hier eintreffen werden, werde ich mich sogleich nach Empfang äußern.

Mit herzlichen Grüßen

Ihr Gottfried

[...]

Inzwischen hat mich Freda Kirchway von der »Nation« angerufen, mit dem Vorschlag, das Dinner unabhängig von Republican Spain zu machen. Sie fände es selbst auch zu politisch. Ich werde näheres darüber bald berichten können. – Daneben scheint es, daß die New School an einer Feier interessiert ist, zugunsten europäischer Scholars. Das wäre ein schöner und neutraler Zweck.

381 Fourth Avenue
New York, N. Y.
16. März 1945

Lieber Herr Mann,
ich denke, daß die Tagebuch-Aufzeichnungen von 1933 und 1934 ein recht wichtiges und bedeutungsvolles Büchlein ergeben würden, und ich möchte Ihnen deshalb den Vorschlag machen, es hier mit dem Imprint des Bermann-Fischer Verlages zu veröffentlichen, und zwar in einer trade edition von 2.000 Exemplaren und einer handsignierten Luxus-edition von 300 Exemplaren. Da ich kaum erwarte, noch im Laufe des

Sommers Exemplare der letzten Neudrucke in Schweden hierher zu bekommen, wäre es doch recht schön, zu Ihrem Geburtstag wenigstens diese kleine Neu-Veröffentlichung hier herausbringen zu können.

Die Anordnung der Notizen und die redaktionelle Arbeit, die zu tun wäre, könnte ich hier machen lassen. Das endgültige Manuskript würde ich Ihnen selbstverständlich vorlegen, bevor es in Satz geht.

Ich hoffe, daß Sie mit meinen Vorschlägen einverstanden sind, und bitte um rasche Antwort, da ich die Arbeit sogleich beginnen möchte.

[...]

Die Druckfehler-Liste gebe ich sofort nach Stockholm weiter. Ich bin schon recht ungeduldig wegen der Abrechnung von dort, die mir längst angekündigt ist. Es ist zu dumm, daß immer wieder diese Druckfehler auftreten; dafür gibt es natürlich viele Gründe, insbesondere fremdsprachige Setzer und, falls Bücher in der Schweiz gesetzt werden, die Schwierigkeiten des Transports und der Korrespondenz.

Zu dem Brief von Brandt und Brandt:

Der holländische »Verleger«, der nach den holländischen Übersetzungsrechten von »Joseph der Ernährer« und »Lotte in Weimar« fragt, ist, wie ich höre, kein Verleger. Er ist der Inhaber einer großen Druckerei und hat bisher nur eine Zeitschrift verlegt. Ich würde raten, mit endgültigen Beschlüssen über holländische Übersetzungen zu warten, bis Holland befreit ist und man etwas klarer sieht, welche Verleger in Holland wieder anfangen. Wenn Sie einverstanden sind, werde ich in diesem Sinne Brandt & Brandt antworten.

Ich hoffe, daß es Ihnen gesundheitlich wieder besser geht und begrüße Sie herzlichst als

[...]

Ihr G. B. Fischer

381 Fourth Avenue
New York, N. Y.
20. März 1945

Lieber Herr Mann,
in den letzten Tagen haben sich die Pläne für eine Feier Ihres

Geburtstages in New York zu folgenden Vorschlägen verdichtet:

1. Dr. Staudinger, der Dean der New School of Social Research, mit dem ich vorige Woche eine Besprechung in dieser Angelegenheit hatte, teilte mir heute vormittag mit, daß Alvin Johnson von der Idee ganz begeistert sei. Er schlägt eine lecture vor, vor einem Auditorium von etwa 400 eingeladenen Personen in den Räumen der New School, mit einem nachfolgenden dinner, an dem etwa 300 Gäste teilnehmen sollen. Das Thema der lecture sollte in Zusammenhang stehen mit dem Abschluß der San Francisco-Konferenz und einen Ausblick geben auf die neue Welt, die wir erwarten.

Eingeladen würden hauptsächlich Schriftsteller, Wissenschaftler und Künstler. Eventuelle Überschüsse aus den Einnahmen würden verwendet werden für Austausch-Professoren der befreiten Gebiete Europas.

Diese Feier würde einen eher exklusiven Charakter haben.

2. Als ich vor einigen Tagen Miss Kirchway sehr vorsichtig absagte, erklärte sie mir sogleich, daß sie die Idee nicht gerne aufgeben wolle, und kündigte mir den Besuch des Head of the Nation's Associates, Mrs. Lilly Schultz, an. Diese außerordentlich effektive Dame erklärte mir soeben, daß sie eine ganz große Feier mit etwa 2000 Teilnehmern veranstalten wolle. Die Idee, die Feier mit Republican Spain zu verbinden, wurde völlig fallen gelassen.

Die Einladungen würden erfolgen »in honor of Thomas Mann« und für eine allgemeine Idee, wie etwa »to advance the cause of human freedom«. Ein Honorary Committee sollte die Nobelpreisträger einbeziehen, sowie führende Wissenschaftler und Politiker.

Diese Feier könnte erst in der dritten Woche Juni, also etwa am 25. Juni stattfinden. Man erwartet von Ihnen eine Ansprache über das Thema von weltpolitischer Bedeutung, eventuell auch im Zusammenhang mit der abschließenden San Francisco-Konferenz.

Ich habe beiden Parteien auseinandergesetzt, daß die Entscheidung völlig bei Ihnen läge und daß es mir fraglich erscheine, ob Sie neben dem Vortrag, den Sie in der Library of Congress und, in Wiederholung, im Hunter College New York halten, noch einen zweiten großen Vortrag in der relativ kurzen Zeit vorbereiten können. Insbesondere scheint es mir, was den »Nation«-Vortrag anbetrifft, fraglich, ob Sie Ende Juni noch in New York sein werden.

Beide Parteien warten auf Ihre schnellste Entscheidung, um sogleich mit den Vorbereitungen beginnen zu können.

Die Vorschläge scheinen mir beide akzeptabel, sofern Sie diese zusätzliche Belastung eines neuen Vortrages auf sich nehmen wollen. Ich habe eine Entscheidung im Laufe der jetzt folgenden Woche versprochen.

Mit herzlichen Grüßen   *Ihr G. B. Fischer*

1550 San Remo Drive
Pacific Palisades, California
20. III. 45

Lieber Doktor Bermann:

Ich bin Ihnen sehr dankbar für Ihr freundliches Vorhaben mit den Tagebuch-Notizen. So aber können wir es nun leider nicht mehr machen. Schließlich waren die Leute von der »Pacific Press« die Ersten, sich an mich zu wenden um Material für einen hübschen Druck zu meinem Geburtstag, und nur das brachte mich auf den Gedanken dieser Tagebuch-Veröffentlichung. Ich fühlte mich aber natürlich verpflichtet, unter diesen Umständen auch Ihnen das kleine Buch anzubieten, an dessen Veröffentlichung ich sonst nie gedacht hätte, und an dessen Recht auf breite Öffentlichkeit ich, wie gesagt, meine Zweifel habe. Nun habe ich mit der Möglichkeit gerechnet, daß Sie gegen den Druck durch die »Pacific Press« etwas einzuwenden haben würden, und habe absichtlich die Leute, nachdem ich Ihnen geschrieben, volle sechs Tage hingehalten. Warum haben Sie mir nicht ein Night Letter geschickt oder sogar mich angerufen, wenn Sie erwogen, die Sache selbst zu machen? Als nichts kam, habe ich den Herren freie Hand gelassen: Papier ist bestellt, der Druck angeordnet, und unmöglich kann ich ihnen das Manuskript wieder wegnehmen.

Die reguläre Veröffentlichung, sei es in Stockholm oder in New York, bleibt Ihnen natürlich unbenommen. Die kleine Auflage, den sogenannten Luxus-Druck müssen wir der Pacifischen Presse überlassen, die darauf ja auch speziell eingestellt ist. Sie werden etwas nach dem Muster des »Thamar«- und des

Moses-Druckes daraus machen, aus technischen Gründen übrigens nicht unerheblich gekürzt, was Ihrer allgemeinen Ausgabe zustatten kommen würde. Außerdem werde ich dafür sorgen, daß Ihr Copy Right auch in die Luxus-Ausgabe gedruckt wird. –

Tutti hat uns freundlich eingeladen zu einem geburtstäglichen Zusammensein mit Ihnen und anderen Freunden in Ihrem Haus. Wir freuen uns darauf und nehmen die Einladung gern an. Es ist wohl nicht genau an den 6. Juni gedacht. Am 8. spreche ich in Hunter College, so wäre vielleicht der 9. oder 10. der rechte Tag für unser Zusammensein.

Über die Szene mit Knopf haben wir uns ebenso amüsiert, wie Sie. Unser Alfred ist ein widerspenstiger Kauz, wir wissen das längst. Übrigens finde ich es rührend und beschämend, daß man sich in New York wegen meines Besuches im Juni so viel Gedanken macht und Pläne wälzt. Es ist das eigentlich garnicht nach meinem bescheidenen Sinn, und wir kommen nicht nach New York, um es zu meinem Geburtstag auf den Kopf zu stellen, sondern einfach, um nach dem Besuch in Washington ein paar Wochen dort zu verbringen. Daß wir gerade zu meinem Geburtstag da sind, ergibt sich daraus, daß die Library of Congress meinen Vortrag dort möglichst nahe an den Geburtstag heranzubringen wünschte.

Nun bin ich doch recht erleichtert, daß auf den Plan eines dinners zu Gunsten der spanischen Republik verzichtet worden ist. Das hätte der Sache doch einen gar zu speziellen politischen Charakter gegeben. Wenn nun aber, wie Sie mir schreiben, die »Nation« von sich aus darauf verzichtet, der Veranstaltung einen solchen speziellen Charakter zu geben, so ist mir das natürlich durchaus recht und lieb, und ich bin Miss Kirchway aufrichtig dankbar dafür.

Ihre Äußerungen über den holländischen Vorschlag habe ich zur Kenntnis genommen. Die Tatsachen, die Sie mir mitteilen, bestimmen mich natürlich, auf diesen Vorschlag zur Zeit nicht einzugehen, und ich bitte Sie also, im angegebenen Sinn an Brandt & Brandt zu schreiben.

Bestens   *Ihr Thomas Mann*

Lieber Herr Mann,

ich bin, offen gestanden, sehr traurig darüber, daß es mit den Tagebuch-Notizen nicht klappt. Ich war mir nicht bewußt, daß es solche Eile mit der Antwort hatte, so daß ein Telegramm oder Telephonanruf notwendig gewesen wäre. So habe ich, nachdem das Manuskript am Nachmittag in meinem Büro eintraf, am nachfolgenden Vormittag meine Luftpost-Antwort abgeschickt.

Es tut mir besonders deshalb leid, weil ich gerne selbst zu dem Anlaß etwas hier in New York herausgebracht hätte, da ja leider keines der in Stockholm inzwischen herauskommenden Bücher in genügender Menge hierher transportiert werden kann. Ich hatte inzwischen schon die Probeseite vorbereitet und mit der Bearbeitung des Manuskripts begonnen. – Ich bin ja nun schon sehr abgeklärt und lasse der Friedlichen Presse ihren Spaß.

Ich habe, neben meinem Wunsch das Copyright 1945 by Bermann-Fischer Verlag, Stockholm, in der Ausgabe zu sehen, nur eine Bitte, die Sie sicherlich verstehen werden. In dem Manuskript ist ein gegen den Verlag gerichteter Angriff im Zusammenhang mit der Veröffentlichung der Rede von v. Hofmannsthal. Die Veröffentlichung dieser Rede als Einzelausgabe wurde damals von Zimmer angeregt, wenn ich nicht irre, sogar bevor Hitler zur Macht kam. Die Absicht, die mit der Veröffentlichung verfolgt wurde, war durchaus Opposition gegen die Nazis. Der Begriff der »Konservativen Revolution« wurde von den Nazis, und insbesondere von Herrn Papen und seinem Kreis, als eigene Erfindung plötzlich auf den Markt gebracht und völlig korrumpiert verwendet.

Die Erwähnung der Veröffentlichung in Ihren Tagebuch-Aufzeichnungen in der vorliegenden Form wirkt sehr aggressiv gegen den Verleger und muß bei dem Leser den Eindruck hervorrufen, daß Sie ihm die Veröffentlichung aus unlauteren Gründen zum Vorwurf machen. Es mag sein, daß die Veröffentlichung ein Fehler war und mißverständlich ausgelegt werden konnte – der Beweggrund aber war jenseits jeden Zweifels.

Das Erscheinen dieser Aufzeichnungen in einem anderen Verlag als dem meinen könnte zu ganz falschen Rückschlüssen auf Ihr Verhältnis zu dem Verlag und zu Ihrem Verleger führen. Ich hoffe deshalb, daß Sie meinen Argumenten zustimmen können.

Wir freuen uns sehr, daß Sie unsere Einladung nach Old Greenwich annehmen, und sehen den 9. Juni, einen Samstag, dafür vor. Sollte ein wichtiges offizielles Ereignis eine Verschiebung notwendig machen, so läßt sich das im Laufe des Monats April oder Mai noch leicht ändern.

Seien Sie herzlich gegrüßt von Ihrem   *G. B. Fischer*

1550 San Remo Drive
Pacific Palisades, California
23. März 1945

Lieber Dr. Bermann,

heute kam Ihr Brief wegen der erwogenen Feierlichkeiten. Das alles lacht mir garnicht. Wie ich Ihnen schon sagte, komme ich nicht nach New York, um es eines Geburtstags wegen auf den Kopf zu stellen. Es ist mir nicht im Geringsten darum zu tun, mich feiern zu lassen. Wenn etwa die »Nation« oder die New School (die erstere würde ich vorziehen) beschlossen hätte, anläßlich meines Besuches ein Dinner zu veranstalten, bei dem jemand etwas Freundliches über meine Arbeit gesagt hätte und mir Gelegenheit gegeben worden wäre, mit einigen Worten, die gewiß nicht von mir gehandelt hätten, zu danken, so hätte ich nicht den Spielverderber gemacht. Aber warum ich zu meinem Geburtstag einen Vortrag über die hohe Politik ausarbeiten und halten soll, sehe ich nicht ein. Seien wir doch ehrlich: Diese Leute wollen, daß ich ihnen und ihren Instituten Vorspanndienste leiste, und wenn ich diese Absicht merke, bin ich sofort verstimmt.

Viel besser lassen wir die Affaire im Intimen, Familiären und Freundschaftlichen. Es wäre mir zu peinlich, den Anschein des Prätentiösen zu erwecken.

Herzlich   *Ihr Thomas Mann*

Lieber Dr. Bermann,
selbstverständlich soll die Stelle über Hofmannsthal wegfallen. Ohnedies muß das Manuskript für diesen Druck gekürzt werden, und jener Abschnitt ist der erste, gestrichen zu werden. Auch den »Haß« auf den armen G. Hauptmann, der schließlich soviel schöne Dinge gemacht hat, lasse ich weg. Ich war damals wütend auf ihn, aber das hat sich längst geglättet.
Ich hatte nicht gedacht, daß Sie für solche deutschen Drucke in New York überhaupt die facilities haben. Und schließlich hatte die »P.P.«, die ja darauf eingestellt ist, zuerst den Wunsch geäußert. Immerhin hatte ich mit der Möglichkeit gerechnet, daß Sie mir abraten und selbst einspringen würden. Aber länger als einige Tage konnte ich Guggenheim nicht warten lassen. Daß Ihr Copyright hineinkommt, dafür werde ich sorgen. G. fragte schon danach.
Die Moses-Affaire ist das Dümmste und Konfuseste, was mir je mit einer Arbeit zugestoßen. [. . .]
Sie können sich damit trösten, daß Knopf mit seiner englischen Ausgabe jetzt in derselben Bredouille ist, kompliziert noch dadurch, daß er die Geschichte von der Lowe-Porter hat neu übersetzen lassen. Robinson schreit Zetermordio, sagt aber nicht, was man tun soll, damit er still ist.
Und an allem bin ich schuld, weil in dem Sack, in dem ich die Katze verkaufte, ein kleiner Löwe war!
Hoffentlich habe ich mit meiner Ablehnung der Festivitäten niemanden verletzt. Wirklich werde ich froh sein, wenn garnichts Öffentliches geschieht. Ich habe nur Anstrengung und Aufregung davon.

Ihr Thomas Mann

GBF an Katia Mann   381 Fourth Avenue
                                                         New York, N. Y.
                                                         4. April 1945

Liebe Frau Katia,
ich würde sehr gern mit Tutti dem Vortrage in Washington beiwohnen. Liegt es in Ihrer Macht, uns Karten dafür zu besorgen, oder an wen müssen wir uns wenden, um welche zu bekommen?

Es wäre natürlich besonders nett, wenn wir einem eventuellen Empfang bei Meyers beiwohnen könnten.

Was die Feier in New York anbetrifft, so geht es hoch her damit. Ich glaube, es wird sich eine für Sie befriedigende Lösung finden lassen. Ich kann Sie jedenfalls versichern, daß die in Frage kommenden Kreise in jeder Weise bemüht sind, den Wünschen Thomas Mann's Rechnung zu tragen.

Seien Sie herzlich gegrüßt von Ihrem   *G. B. Fischer*

381 Fourth Avenue
New York, N. Y.
4. April 1945

Lieber Herr Mann,

wir haben vor einiger Zeit beschlossen, die »Neue Rundschau« wieder ins Leben zu rufen. Ich hatte Sie nicht davon benachrichtigt, weil das erste Heft, das Anfang Juni erscheint, eine Überraschung für Sie darstellen sollte, die ich nicht vorzeitig enthüllen wollte. Die besonderen Umstände aber zwingen mich dazu, Ihnen schon heute mitzuteilen, was Ihnen vielleicht kein Geheimnis mehr sein wird, daß dieses erste Heft ein Sonderheft zu Ihrem Geburtstag ist.

Ich hoffe, daß ich es Ihnen bei Ihrem Besuch in New York überreichen kann. Ich sage, ich hoffe das, weil man nicht wissen kann, ob es rechtzeitig hier eintreffen wird. Alles was zu diesem Heft noch zu sagen ist, geht aus ihm selbst hervor, und ich möchte hier nicht mehr darüber erzählen.

Das Sonderheft bildet den Auftakt zu der Wiederaufnahme der Zeitschrift. Im Laufe des Jahres 1945 möchte ich mindestens zwei oder drei Hefte erscheinen lassen. An Material dürfte es nicht fehlen, und zu sagen ist wohl genug in diesen verwirrten und chaotischen Zeiten.

Der Hauptzweck dieses Briefes ist es, Sie zu bitten, die Herausgeberschaft der Zeitschrift zu übernehmen oder, wenn Ihnen das lieber sein sollte, einem kleinen Herausgeberstab vorzustehen, für dessen Auswahl ich, falls Sie diesen Weg vorziehen sollten, Ihre Vorschläge und Ihren Rat erbitte.

Ich wäre Ihnen sehr verbunden, wenn Sie mir eine prinzipielle Antwort schon jetzt geben könnten. Einzelheiten der Richtung der Zeitschrift, ihren Aufbau und ihre allgemeine redaktionelle

Gestaltung könnten wir bei Ihrer Anwesenheit hier besprechen.
Mit herzlichen Grüßen   *Ihr G. B. Fischer*

1550 San Remo Drive
Pacific Palisades, California
8. IV. 45

Lieber Doctor Bermann:

Nun sind sie also da, die Abrechnung und der Check, ein großer Tag! Es ist doch ein schönes Gefühl, wieder einmal für die
Original-Bücher etwas klingenden Lohn zu empfangen. Mir
ist tatsächlich, so sentimental es klingt, dieses Geld lieber als
das aus fremdsprachigen gezogene. Nicht alles ist mir ganz
klar in der Abrechnung. Vor allem fällt mir auf, daß auf dem
Teil, der sich auf die schwedischen Verkäufe bezieht, keiner
der »Joseph«-Bände, weder der letzte, noch die früheren, figu-
riert. Sind denn alle vergriffen? Und habe ich das Honorar für
die verkauften Exemplare des »Ernährers« der Stockholmer
Ausgabe schon voll erhalten? Ferner fällt es mir auf, daß von
dem amerikanischen Druck des »Ernährers« nur 1905 Exemplare verrechnet sind. Ich meine doch, mich zu erinnern, daß
die ersten 2000 Exemplare sofort vergriffen waren, sodaß
wir bei Nachbestellung längere Zeit warten mußten, und daß
Sie weitere 2000 druckten. Es wäre doch schlimm, wenn die
alle liegen geblieben wären.

Nun zu dem Hauptgegenstand Ihres Briefes. Ich gebe zu, daß
ich von der Festausgabe im Juni schon hatte läuten hören. Ich
war über den Gedanken sehr gerührt und erfreut, und würde
mir recht herzlich wünschen, mein Exemplar in New York
schon in Empfang nehmen zu können. Die Idee war reizend,
aber ich habe sie immer nur so verstanden, daß es sich dabei
um eine wohlerdachte, sinnige und an die Vergangenheit er-
innernde Einkleidung für eine Sammlung freundlicher Glückwünsche handelte, nicht um eine ernstliche Wiedererweckung
der Zeitschrift. Dieser Gedanke frappiert mich als vollkommen
neu, und was ich mich natürlich frage, ist, ob denn die »Neue
Rundschau« in Berlin ihr Erscheinen eingestellt hat. Hat sie
es nicht getan, so wird auch nach der völligen Unterwerfung
Deutschlands kaum ein Grund für sie bestehen, sich aufzulösen. Denn ausgesprochen nazistisch ist die Zeitschrift ja nicht

geworden, und von ihrem escapistischen Charakter könnte sie sich wohl ohne Schwierigkeit auf das Maß von Freiheit umstellen, das es nach der Niederlage in Deutschland geben wird. Ist es Ihre Absicht, Besitz von der Zeitschrift zu ergreifen und sie weiter in Berlin erscheinen zu lassen? Denn es kann doch nicht gut eine »Neue Rundschau« in Berlin und die »Wahre« in Stockholm erscheinen.

Sie sehen, die ganze Situation und Ihre Absichten sind mir nicht ganz klar, und was nun meine Herausgeberschaft betrifft, so habe ich gewisse Hemmungen dem guten Oprecht gegenüber, der außerordentlich an unserer Zeitschrift »Maß und Wert« hängt, sie nur widerstrebend eingestellt hat und noch kürzlich das stark betonte Vorhaben äußerte, diese Zeitschrift, die gewissermaßen *meine* Zeitschrift war, wieder ins Leben zu rufen. Er deutete dabei die Hoffnung an, daß eine Zusammenarbeit zwischen den beiden Verlagen bei der Herausgabe einer Zeitschrift möglich sein könnte. Wie denken Sie über diese Frage? – Wollen wir nicht diese recht komplizierte Angelegenheit, bei der natürlich auch das Problem meiner praktischen Leistungsfähigkeit für die Zeitschrift eine Rolle spielt, noch vertagen bis zu unserem nun ja schon baldigen Wiedersehen? Der Gedanke eines kleines Herausgeberstabes, in den ich eingeschlossen wäre, und der eine geteilte Verantwortung schüfe, hat in meinen Augen viel für sich. Nur finde ich es nicht richtig und wünschenswert, daß die Zeitschrift nur von Emigranten oder Schriftstellern, die Emigranten gewesen sind, herausgegeben würde. Man sollte doch hoffen dürfen, daß nach Einstellung der Feindseligkeiten für eine literarische deutsche Zeitschrift sich auch Mitarbeiter in Deutschland selbst finden lassen. Das zeigt so recht, daß es im Grunde voreilig ist, schon heute definitive Beschlüsse in dieser Sache zu fassen. Wir werden doch aller Voraussicht nach in wenigen Wochen oder, sagen wir, Monaten viel klarer sehen, was Deutschland noch ist und was man in und für Deutschland tun kann.

Das Telegramm der Miss Kirchway war ja überwältigend und machte es mir ganz unmöglich, mich abweisend zu verhalten. Ich habe ihr herzlich zugesagt und sehe, zwar mit Beklemmung, aber auch mit im Voraus dankbaren Gefühlen, diesen Veranstaltungen entgegen.

An die Library of Congress schreibe ich morgen mit der Bitte,

Ihnen Karten zu schicken. Sollte bei Meyers irgend ein Empfang sein, so sind Sie und Tutti selbstverständlich willkommen. –

Zur Abrechnung wollte ich noch bemerken: Sie schreiben mir 407 Dollars, laut Cabel, für »Das Gesetz« gut; aber 50 % dieser Einnahmen kommen doch Herrn Robinson zu. Haben Sie denn inzwischen Mr. Jaffe gesehen, oder wie steht die unglückliche Angelegenheit? Ich lege Ihnen einen Brief von Knopf bei, woraus Sie seinen Standpunkt ersehen. Ich fürchte, es ist der richtige. Auch wegen der Schlußbemerkung, die sich auf meinen Geburtstag bezieht, schicke ich Ihnen den Brief. Es scheint, daß wir uns zu einer gemütlichen kleinen Fête bei Knopf zusammenfinden sollen.

Ferner lege ich einen Brief bei mit einer Anfrage wegen deutscher Ausgaben von »Bemühungen« und »Leiden und Größe der Meister«. Seien Sie doch bitte so freundlich, den Briefschreiber mit ein paar Zeilen ins Bild zu setzen.

Vielen Dank noch für Ihren Anruf und herzliche Grüße!

Ihr Thomas Mann

381 Fourth Avenue
New York, N. Y.
April 12, 1945

Dear Doctor Mann:

In this letter I only want to answer your questions about the statement.

The Statement I received a few days ago from Stockholm showed sales of only 88 copies of the fourth volume of »Joseph«. I immediately asked them by cable about this very low figure. It seems that the fourth volume is sold out and that they are waiting now for the publication of the entire work in two volumes, which is in preparation and should be finished very soon. At the moment I have no other explanation until I get an answer from Stockholm.

The first printing of the American edition of the fourth volume amounted to only 1846 copies; so that my statement shows 61 copies sold from the second edition. The second edition is selling satisfactorily.

Sincerely yours,   *G. B. Fischer*

Lieber Herr Mann,

gestern abend, nachdem die furchtbare Nachricht durch das Radio gekommen war, versuchte ich, Sie telefonisch zu erreichen. Es meldete sich aber niemand in Ihrem Haus.

Ist es nicht ein entsetzliches Unglück, das uns allen, der Demokratie, der Welt widerfährt? Für Roosevelt war es wohl ein schöner Tod im rechten Augenblick – bevor noch die unvermeidlichen Enttäuschungen der kommenden Periode ihm den Siegestriumph beeinträchtigen konnten. Die Welt aber hat den genialen Staatsmann verloren, dessen einzigartige Fähigkeit es war, die auseinanderstrebenden Kräfte der Welt zusammenzuhalten und zu einheitlicher Wirkung zu bringen. Zumindest darin war er wohl eine säkulare Erscheinung. Wohin geht es mit uns nun, da diese Kraft dahin ist?

Diese trüben Betrachtungen nützen gewiß nichts. Es ist nicht ganz leicht, den Mut zum Weitermachen aufrechtzuerhalten. – Sie fragen mich nach dem Schicksal der »Neuen Rundschau«. Soweit ich unterrichtet bin, hat die Zeitschrift ihr Erscheinen im Jahre 1943 eingestellt. Es ist wohl kaum zu erwarten, daß dem sogenannten »Peter Suhrkamp Verlag« in absehbarer Zeit die technischen Mittel zur Verfügung stehen werden, sie wieder zu eröffnen. Ich würde übrigens dagegen Einspruch erheben, wenn es versucht werden sollte. Ich rechne also nicht damit, daß es eine innerdeutsche Zeitschrift dieses Namens neben der in Stockholm erscheinenden geben wird.

Den Herausgeberstab möchte ich gewiß nicht einseitig besetzen. Aber auch da sehe ich eigentlich nicht recht, wie, in der ersten Zeit zumindest, mit irgendeiner Mitarbeit von der anderen Seite her gerechnet werden kann. Es ist aber gewiß Zeit, über alle diese Dinge bei Ihrem Besuch in New York zu sprechen und endgültige Entscheidungen bis dahin aufzuschieben.

Ihnen und Frau Katia die herzlichsten Grüße Ihres   *GBF*

Lieber Dr. Bermann,

wie gut kann ich Ihren Kummer verstehen! Ich teile ihn ja ganz und gar und kann wohl sagen, ich bin selten im Leben so traurig gewesen. Eine Epoche endet, und das Amerika, in das wir kamen, ist es nicht mehr. Er hatte sein Land über dessen eigentliches Niveau gehoben, und ich fürchte, es wird rasch auf das gewohnte zurücksinken. Man spürt sogar, daß es ihm eilig damit ist.

Uns wird viel fehlen. Die Freundwilligkeit an der Spitze ist fort. Die Wallace und McLeish werden gewiß auch bald verschwinden.

Ich habe hier zu seinen Ehren gesprochen und auch etwas für »Free World« geschrieben, nur um mir das Herz etwas zu erleichtern. Wir haben einen mächtigen Freund verloren – und die Welt auch. Die Schande ist, daß *der* gehen mußte und Hitler noch lebt, wenn auch gottlob schon tödlich zugerichtet. Als ich das erste Mal mit F. D. R. gesprochen hatte, wußte ich, daß das Scheusal drüben verloren sei.

Wir sehen uns bald. Sie bekommen Ihre Plätze für Washington. Ich glaube, ich habe eine ganz schöne lecture vorbereitet, die sich von Apologie und Verleugnung gleich fern hält.

Herzliche Grüße Ihnen und all Ihren Damen.

Ihr Thomas Mann

WARTEZEIT
Pacific Palisades und New York
1945–1947

381 Fourth Avenue
New York, N. Y.
April 23, 1945

Lieber Herr Mann:
Ich sprach gestern mit Erika und Fritz Landshoff über meinen Vorschlag, Ihren Nachruf auf den Präsidenten in der deutschen Ausgabe der Roosevelt-Reden zu verwenden. Niemand hatte Einwendungen, der Vorschlag fand volle Zustimmung.
Da Eile geboten ist, möchte ich Sie sehr bitten, mir das Manuskript mit den kleinen Änderungen, die notwendig sind, möglichst rasch zuzusenden.
Der Aufsatz wird am Anfang des Buches erscheinen, etwa mit der Überschrift: »Nachruf auf President Roosevelt, Rede gehalten von Thomas Mann in Santa Monica, Kalifornien, am 13. April 1945.«
Herzliche Grüße   *Ihr G. B. Fischer*

P. S. Soeben traf das Manuskript ein, vielen Dank. Bitte lassen Sie mich nur noch wissen, ob Sie mit der vorgeschlagenen Überschrift einverstanden sind.

Pacif. Palisades, Calif.
den 25. IV. 45

Lieber Dr. Bermann,
man druckt am besten einfach: *Roosevelt*. Und als erklärende Fußbemerkung: »Rede, gehalten bei der Trauerfeier am 13. April 1945 im Municipal Auditorium, Santa Monica, Californien.«
Mir ist übrigens eingefallen, daß man den Aufsatz auch als Schlußstück in die Sammlung »Adel des Geistes« aufnehmen

könnte, wenn noch Zeit dazu ist. Der Text im »Aufbau« ist fehlerfrei, aber Sie werden wohl auch für die Buchausgabe die neue Variante, ohne San Francisco, vorziehen.
Bestens   *Ihr Thomas Mann*

                                                     381 Fourth Avenue
                                                     New York, N. Y.
                                                     May 11, 1945
Dear Doctor Mann:
Here is the first copy of »Bücherreihe Neue Welt« – »Achtung, Europa!«
Faithfully yours   *G. B. Fischer*

                                                     Pacif. Palisades
                                                     den 11. v. 45
Lieber Dr. Bermann,
die letzten Ansprachen schicke ich hier. Es fehlt aber nun die eigentlich letzte, abschließende, die ich nächstens machen will. Denn ich will BBC mitteilen, daß es nach VE wenigstens mit den regelmäßigen Sendungen ein Ende haben kann, und daß ich höchstens noch gelegentlich einmal wieder sprechen will.
Im Interesse der Abrundung des Buches empfehle ich, daß man nun in Stockholm auch gleich noch auf diese abschließende message wartet. Auf 14 Tage mehr kommt es nun auch nicht mehr an.   *Ihr Thomas Mann*

Zueignung zum 6. Juni 1945 (Thomas Mann-Heft der »Neuen Rundschau«)

Ich blättere die alten »Rundschau«-Hefte durch – 1889–1933 – herausgegeben von S. Fischer. Mit welcher Liebe hing er an dieser Zeitschrift, seiner »Neuen Rundschau«. Mehr als alles, was mit seinem Imprimatur in die Welt hinausging, war jedes dieser Monatshefte seinem Herzen nahe, seinem Geist verwandt.
Er hat es nicht mehr erlebt, wie sie in fremden Händen langsam den Geist, seinen Geist aufgab.

                                                                        399

Menschen tauchen in meinem Gedächtnis auf: Moritz Heimann, der Freund und Helfer der Dichter – er starb, bevor er sehen mußte, wie so manche, die er geliebt, das Werk verrieten.

Oskar Loerke, der, krank und verzweifelt am Leben, das Land, an dem er mit seiner Seele hing, nicht mehr verlassen konnte und, aufgerieben in hoffnungslosem Widerstand, einsam und verlassen dahinschied. Samuel Saenger, der mit Gesinnungstreue sein politisches Ideal durch viele Jahrzehnte hindurch auf den Seiten der Zeitschrift verfocht und wenigstens noch die letzten zwei Jahre seines Lebens in der Freiheit Amerikas, die es verkörperte, verbringen konnte.

Manche erinnere ich, die nicht genannt sein können, weil sie dort blieben, wo das Leben starb, ihrer Überzeugung, wenn auch schweigend nur, die Treue haltend.

Ich blättere die alten Hefte durch. Wieviel Haltung und Gesinnung, welche Freiheit des Geistes, wieviel Schöpfertum spricht in ihnen. Es ist schwer zu fassen, daß all dies dahingegangen sein soll. Aber es ist dahin.

Nur eine dünne Decke war es über dem Abgrund.

Eine Welt des freien Geistes hatten wir uns aufgebaut. Als die bösen Gewalten mit harter Hand zugriffen, da stob sie auseinander. Draußen sammelte sich nur ein kleiner Kreis von Übriggebliebenen.

Was sie vereint hatte, war zerstört. Für die fremde Umwelt aber waren sie etwas fragwürdige Geister, mit dem Makel der Erfolglosigkeit behaftet. Die Fremde ist hart.

Da aber erhob sich eine Stimme, Thomas Manns Stimme. Und die Welt hörte. Was als eine Masse von entwurzelten Existenzen erschienen war, hatte plötzlich einen Namen und einen Ausdruck. Emigration, bis dahin ein etwas anrüchiger Begriff, hatte eine sichtbare, bewunderte, verehrungswürdige Repräsentation. Ein jeder konnte sich darauf berufen und war von einem Schimmer seiner Aura noch umstrahlt.

Wenn es heute eine Literatur in deutscher Sprache gibt, wenn heute noch eine Tradition existiert, welche die geistig-sittlichen Werte eines Deutschland, das einstmals der Welt etwas bedeutete, überliefert, so ist das Thomas Mann in hohem Grade zu danken, seinem Werk und seiner Haltung, seiner menschlich-sittlichen Existenz.

Das »Volk der Dichter und Denker« hat sich sein Urteil im

Mai 1933 auf dem Opernplatz in Berlin gesprochen, als es widerspruchslos die Bücherverbrennung zuließ. Seit diesem Tage gibt es kein geistiges, an die nationalen Grenzen gebundenes Deutschland mehr.

Das wahre Deutschland in einem höheren Sinne – das sind diejenigen, die für Freiheit und Recht ihr Land verlassen haben, die in den Konzentrationslagern elendig litten, die heute als Amerikaner oder unter englischer Flagge gegen »Deutschland« kämpfen. – Man müßte ein anderes Wort für den Begriff finden, der das repräsentiert, was einstmals der Welt das Wort Deutschland bedeutete – Goethe – Beethoven – und heute Thomas Mann.

Welches Glück für die Welt und für Deutschland, daß es ihn gibt. Eben das hebt seine Bedeutung weit über den Tag hinaus, daß er das, was in der deutschen Kultur universale Bedeutung hat, in die Welt des freien Geistes hinüberrettete, indem er es durch sein Werk und sein Wirken repräsentierte.

Es schien von schöner, symbolischer Bedeutung zu sein, Thomas Mann zu seinem 70. Geburtstag ein Sonderheft der »Neuen Rundschau« zu widmen; diese »Tribüne eines freien Geistes« in deutscher Sprache, seiner Sprache, an diesem Tage wieder auferstehen zu lassen.

Wie diese Zeitschrift einstmals die Tribüne eines freien deutschen Geisteslebens war, so ist dieses Heft ein Symbol dafür geworden, daß trotz Exil, trotz Not und Leiden, ein freies Schrifttum deutscher Sprache nicht nur lebt, sondern auch in Blüte steht und sich einer größeren geistigen Gemeinschaft angeschlossen hat, mit der es in enger Verbundenheit gegen Ungeist und Barbarei für eine neue Humanität und eine neue Freiheit kämpft.   *Gottfried Bermann Fischer*

Katia Mann an Gottfried und Brigitte Bermann Fischer
            Lake Mohonk Mountain House
            Mohonk Lake, Ulster County, New York
            16. Juni 1945
Liebe jungen Freunde:
Ich wende mich an Sie in einer etwas lästigen Situation, aus der Sie uns vielleicht helfen können. Sollte es aber allzu zeitraubend und opfervoll sein, so tun Sie es bitte ja nicht!

Wir sitzen ja also hier seit zwei Tagen bei den frommen Brüdern, mit etwas zwiespältigen Gefühlen. Es ist ein recht anmutiger und friedlicher Ort, zum Ausruhen nach den Feststrapazen wohl geeignet, arg heiß freilich auch hier und schlapp von Luft, aber immerhin doch wesentlich besser als in New York, und ich hoffe, daß der Aufenthalt seinen Zweck ganz gut erfüllen wird. Das Hauptärgernis sind eben die frommen Brüder. Nicht nur, daß sie einem den Alkohol und das Rauchen im Speisezimmer entziehen – was wir ja vorher wußten, – nicht nur, daß sie einem schlechthin abscheuliches Essen vorsetzen, wofür es keinerlei religiöse Entschuldigung gibt, stellt sich nun auch heraus, daß sie am Tag des Herrn ihr Auto nur einmal zur Station schicken, und das zu einem Zug, der gegen fünf Uhr aus St. Louis in Poukipsie eintreffen soll, möglicher Weise natürlich erheblich später und fast sicher völlig überfüllt, ohne daß man irgend eine Möglichkeit für Pullman-Reservationen hat. Auf der Hinreise, wo wir vom Grand Central abfuhren, konnten wir doch wenigstens rechtzeitig da sein und bekamen noch Sitze, aber in umgekehrter Richtung bleibt nichts übrig, als es darauf ankommen zu lassen, und unter Umständen wird es eine für würdige alte Herrschaften recht unbequeme Reise werden. Die Abreise verschieben können wir auch nicht, weil ja doch im St. Regis vor dem ausgemachten Datum keinerlei Unterkunft zu haben ist.

Da sind wir denn auf den Ausweg verfallen, ob Sie uns am Ende mit dem Wagen hier abholen könnten. So weit ich die Geographie beherrsche, scheint mir Old Greenwich doch schon ein gutes Stück auf dem Weg nach Poukipsie – gewiß buchstabiere ich den exotischen Namen ganz falsch – von wo es noch 14 Meilen hierher sind, zu liegen. Wie viele Meilen es sind, weiß ich allerdings durchaus nicht, und die störrischen frommen Brüder werden es bestimmt nicht für uns ausfiguren. Wenn die Entfernung derart ist, daß die Fahrt unsinnig wäre, wollen wir natürlich den Gedanken fallen lassen, und wir werden mit Gottes Hilfe schon nach New York gelangen. Sollten es aber nur ca 50 Meilen sein und sollten Sie nicht bereits anders über Sonntag den 24. verfügt haben, so wäre es eine reizende Lösung. Ich dachte dann, daß Sie im Laufe des Vormittags hier eintreffen, wir können auch im See baden, zusammen lunchen – das Sonntagsmahl ist vielleicht ganz fein – und dann nach Tisch die Rückfahrt antreten, wobei wir natürlich nur bis Old Greenwich fahren würden, von wo uns ja reichlich Züge zur Verfügung stehen. Eine letzte Schwierigkeit ist vielleicht noch, daß Sie nicht genug Platz im Wagen haben, weil wir ja nämlich, mit Moni, zu dritt sind mit drei Handkoffern. Benzin-Marken könnte ich ja beisteuern.

Für alle Fälle wollte ich Ihnen diesen Vorschlag unterbreiten, und es wäre zweifellos eine nette Art, den Tag zusammen zu verbringen. Ich bin aber vollkommen darauf gefaßt, daß er sich nicht realisieren läßt.

Auf baldiges Wiedersehen jedenfalls und herzliche Grüße von uns an das ganze Haus.   *Ihre Katia M.*

381 Fourth Avenue
New York, N. Y.
July 9th, 1945

Lieber Herr Mann:

Ich hoffe, Sie sind ohne zu große Komplikationen und in erträglicher Temperatur wieder zu Hause angelangt. Ich kann mir vorstellen, welche Briefmengen Sie erwartet haben, und fasse mich in Geduld, von Ihnen zu hören. Ich möchte Ihnen bei Gelegenheit dieses aus anderen Gründen geschriebenen Briefes sagen, wie glücklich wir waren, Sie hierzuhaben, und wie tief wir beeindruckt waren von den Kapiteln Ihres neuen Buches, die Sie uns vorgelesen haben.

Ich erzählte Ihnen von dem Erfolg der »Bücherreihe Neue Welt« in den War Prisoners Camps. Der Provost Marshal General hat um einen Nachdruck aller 24 Titel mit einer Auflage von 15 000 Exemplaren gebeten zu den gleichen Bedingungen wie bisher, d. h. 1 c per Kopie. Das betrifft Ihre Bücher »Achtung, Europa!«, »Zauberberg« (zwei Bände) und »Lotte in Weimar«. Ein Exemplar von »Achtung, Europa!« und die Zahlung von $ 100.– haben Sie vor einiger Zeit empfangen. Die Zahlung für »Zauberberg« 1. Band liegt in Form eines Schecks über $ 100.– bei. Ein Exemplar geht mit gleicher Post an Sie ab. »Zauberberg« 2. Band und »Lotte in Weimar« habe ich noch nicht bekommen. Die Zahlungen für diese zwei Bücher, sowie die Exemplare hoffe ich Ihnen in Kürze schicken zu können.

Um es noch einmal zu wiederholen, die Bände werden ausschließlich in den Kriegsgefangenen-Lagern in USA verkauft und kommen nicht auf den offenen Markt, weder hier noch in Europa.

Mit herzlichen Grüßen an Sie und Frau Katia

Ihr G. B. Fischer

P. S. Knopf habe ich inzwischen gesehen. Wir hatten eine freundschaftliche Besprechung, in der ich ihm alles Wissenswerte über die neue Gesamtausgabe, besonders über »Adel des Geistes« berichtete und ihm ein Inhaltsverzeichnis dieses Bandes gab. In der Copyright-Frage herrscht Einverständnis zwischen uns. Ich werde einen Weg finden, um Ihre neuen Bücher hier rechtzeitig zu schützen.

In der Angelegenheit der für Deutschland zu druckenden Bücher habe ich von O. W. I. bis jetzt nichts Neues gehört.

381 Fourth Avenue
New York, N. Y.
10. Juli 1945

Lieber Herr Mann:

Ich möchte Ihnen das Manuskript meiner kurzen Einleitung zum Oktoberheft der »Neuen Rundschau« vorlegen, bevor ich es nach Schweden schicke. Darf ich Sie um Ihre Meinung und Ihre Kritik bitten und um Änderungsvorschläge, falls Sie solche für notwendig erachten.

Der Inhalt des Heftes sieht mittlerweile folgendermaßen aus:
Einleitung des Herausgebers,

»Deutschland und die Deutschen«, Thomas Mann's Vortrag, gehalten in der Library of Congress, Washington,

3 Gedichte von Oskar Loerke (ich lege Abschriften bei, bitte aber um frdl. Rücksendung),

»Die Zeit bricht ins Knie«, ein Romankapitel aus dem neuen Buch von Joachim Maass,

»Seine Worte leben fort«, Auszüge aus Reden und Schriften von F. D. Roosevelt 1933–1945,

»Philosophischer Rückblick«, von Nicolai Berdjajew,

»Wie wir denken werden«, von Vannevar Bush, Director of the Office of Scientific Research and Development (ein ungemein interessanter Aufsatz über die Nutzbarmachung der Technik für den modernen Wissenschaftler).

Der letzte Akt aus dem neuen Stück von Carl Zuckmayer »Die Generale«.

Diesem Hauptinhalt des Heftes folgen etwa 20 Seiten »Betrachtungen zur Zeit« mit einem kurzen Aufsatz von Malraux über Frankreich, einem Aufsatz von Martin Gumpert über medizinische Entdeckungen während des Krieges und ihre Auswirkung auf die künftige Medizin, einem kurzen Aufsatz über San Francisco von Percy Corbett aus »The Nation«: »Der neue Völkerbund«.

Ich habe mich bemüht, dem Heft eine einheitliche Form zu geben. Nicht nur die philosophischen und essayistischen, sondern auch die literarischen Beiträge haben eine starke, wenn auch manchmal nur indirekte Beziehung zur Zeit.

Ich wäre Ihnen sehr dankbar, wenn Sie mir Ihre Meinung über die prinzipielle Einleitung recht bald sagen könnten.

Seien Sie sehr herzlich gegrüßt von Ihrem

G. B. Fischer

P. S. Ich habe den »Aufbau« mit Ihrem Nachruf auf Bruno Frank noch nicht gesehen, aber schon viel Schönes darüber gehört. Würden Sie es mir erlauben, ihn ev. in der »Neuen Rundschau« abzudrucken?

1550 San Remo Drive
Pacific Palisades, California
15. Juli 1945

Lieber Dr. Bermann!

Vielen Dank für Ihre Mitteilungen über das nächste »Rundschau«-Heft, das ja sehr vielversprechend ist, und auf das ich mich aufrichtig freue.

Gegen Ihre Einleitung habe ich gar nichts zu erinnern. Das ist ja alles ganz richtig und gut. Die Gedichte des armen Loerke sind schön. Mit dem dritten freilich, »Was du verachtest«, stimme ich garnicht überein. Die Aufstellung, daß man das Verächtliche nicht hassen soll, ist sehr bestreitbar. Ich habe in diesen Jahren redlich und leidenschaftlich gehaßt, und wenn es mehr Haß auf das Verächtliche in Deutschland gegeben hätte, so hätten die Dinge vielleicht einen anderen Verlauf genommen. Ich finde, das Verächtliche, das zur Macht, und zwar zu einer weltbedrohlichen Macht gelangt, soll und muß man hassen. Verachtung genügt da nicht. Sie schadet dem mächtigen Verächtlichen nicht, während unser Haß ihm tatsächlich geschadet hat. Der meine, so bilde ich mir ohne Überhebung ein, hat dazu beigetragen, es zur Strecke zu bringen.

Den Titel meines Beitrages formuliert man wohl am besten so: »Deutschland und die Deutschen, Vortrag gehalten am 29. Mai in der Library of Congress, Washington, von ...« usw. Mein kleiner Nachruf auf Bruno Frank ist harmlos persönlich und unbedeutend. Ich habe aber nichts dagegen, wenn Sie ihn an bescheidener Stelle in der »Neuen Rundschau« wiedergeben. Ich sende Ihnen die Beilagen zurück.

In Chicago, wo die feuchte Hitze ebenfalls gräßlich war, gab es auch noch ein Dinner, aber ein viel kleineres und intimeres, veranstaltet von Mitgliedern der Universität, namentlich James Franck und Antonio Borgese. Dann kam die Heimreise, die langwierig und anstrengender war als beinahe alles Vorhergehende. Man mußte zwei Stunden anstehen, um eine warme Mahlzeit zu erhalten. Ein Herr vor mir wurde ohnmächtig, während ich mich nur leicht beleidigt fühlte.

Es waren liebe und gute Tage in New York. Ich war ganz glücklich, daß die vorgelesenen Romankapitel Ihnen alle so gut gefielen. An den reichen Nachmittag und Abend in Ihrem Hause denken wir auch noch oft mit Freude zurück.

Viele Grüße Ihnen und den Ihren Ihr ergebener *Thomas Mann*

Ich freue mich über den Erfolg der War Prisoner Camps-Ausgaben. Danke für den Check.

Katia Mann an GBF   Pacific Palisades.
                                                        21. VIII. 1945

Lieber Gottfried:

Entschuldigen Sie, daß ich erst heute Ihren Brief vom 10. beantworte; es gibt immer so gräßlich viele Abhaltungen. [...]

Es hat sich in den letzten Wochen so phantastisch viel ereignet, daß einem der Atem wegblieb. Daß die Potsdamer Abmachungen die Grundlage zum Aufbau einer besseren und gerechteren Weltordnung bilden können, scheint wenig wahrscheinlich. Wird dieser karthaginensische Friede nicht auch eine katastrophale Wirkung auf alle das deutsche Buch betreffenden Pläne haben? – Es ist gewiß eine ungeheuere Erleichterung, daß dieser Krieg nun jedenfalls einmal ein Ende hat, aber die Zukunft ist von zu vielen Problemen belastet als daß es zur rechten Freude kommen könnte.

Von meinen überseeischen Kindern habe ich noch nichts gehört, nehme aber doch an, daß sie in absehbarer Zeit wieder im Lande sein werden. Augenblicklich erwarten wir den Besuch der Familie Bibi, der wegen des völligen Transport-Niederbruches an der Westküste unausführbar schien. Aber nun können sie ja stolz zu Wagen kommen.

Wie steht es mit Ihren schwedischen Plänen? Und mit dem beabsichtigten Besuch in Californien?

Mit herzlichen Grüßen von uns beiden an Sie und die Ihren

Ihre Katia Mann

381 Fourth Avenue
New York, N. Y.
21. August 1945

Lieber Herr Mann:

Beiliegend sende ich Ihnen zwei Kopien einer kleinen Programmschrift, die der Verlag in Stockholm anläßlich seiner Festveranstaltung zu Ihrem 70. Geburtstag herausgebracht hat.

Der für »Typografi« zeichnende Justinian Frisch, der Leiter unserer Herstellung in Stockholm, ist der Vater des in der Presse häufig erwähnten jungen Physikers Dr. Robert Frisch, der persönlichen Anteil an der Atomspaltung hat, zusammen mit seiner Tante Prof. Lise Meitner, die mit den Frischs zusammen in Stockholm lebt.

Das »Rundschau«-Heft schreitet rüstig vorwärts. Es scheint bald möglich zu sein, wieder Bücher und also auch »Die Neue Rundschau« hierher zu transportieren.

Viele Grüße

Ihr G. B. Fischer

Ich erwarte mein Exit- und Reenterpermit Ende dieser Woche und werde wahrscheinlich im Laufe der nächsten 4 Wochen nach Stockholm fahren. Ich nehme an, daß ich schon nach 4–6 Wochen wieder zurückkehren kann. – Wir haben uns jetzt entschlossen, die sofortige Wiedereröffnung des Verlages in Deutschland zu beantragen, und zwar unter der Leitung entweder eines unserer schwedischen Angestellten oder eines zuverlässigen akzeptablen deutschen Verlegers. Es scheint, daß dieser Weg gangbar ist. Die schwedische Firma würde dabei als Hauptfirma für das Gebiet außerhalb Deutschlands wie bisher weiterarbeiten. Offen bleibt dabei die Frage, ob und wie es möglich sein wird, Beträge aus Deutschland herauszubekommen.

Den von O.W.I. übermittelten Plan, gewisse Nachdrucksrechte an einen deutschen Verleger in Deutschland zu übertragen, lehne ich ab.

Eine größere Büchersendung ist inzwischen von Schweden aus hierher auf den Weg gebracht worden.

In Holland hat sich ein großer Teil unseres alten Lagers vorgefunden. Nähere Angaben darüber stehen noch aus. – In Deutschland wurde das Archiv des S.F.V., viele Matrizen und 8000 verbotene Bücher in einem Versteck entdeckt. Ich bemühe mich, unsere Ansprüche geltend zu machen.

Pacif. Palisades, Calif.
den 28. Aug. 45

Lieber Dr. Bermann,
schönsten Dank für Ihren Brief und die hübschen Stockholmer Prospekte. Es wäre schön, wenn bald auch die dort erschienenen Bücher, von mir und über mich, einträfen.

Ihre Nachrichten sind höchst interessant. Wir wollen nur hoffen, daß es keine allzu großen Verschleppungen mit der Aus- und Wiedereinreise-Erlaubnis gibt. Und dann glückliche Reise! Möge sich drüben alles nach den neuesten Entschlüssen, die ich nur herzlich begrüßen kann, arrangieren lassen. Die Wiedereröffnung des Verlages in Deutschland unter einem Leiter, der Ihr Vertrauen hat, wäre das Allerbeste. Die Bücher-Einfuhrfrage fiele weg, Sie produzierten an Ort und Stelle, und ich glaube beinahe versprechen zu können, daß wir auch Geldbeträge werden herüberbekommen können. Dazu müßten die amerikanischen Behörden, wenigstens in individuellen Fällen, doch zu bringen sein. Aber wird die Lage nicht durch die z. T. russische Okkupation von Berlin kompliziert? Oder denken Sie garnicht an Berlin, sondern an eine rein amerikanisch besetzte Stadt?

Wir müssen jetzt auch anfangen, uns um das zu kümmern, was von unserem Münchener Eigentum übrig ist. Das Haus ist zwar kaputt, aber reparabel, und jedenfalls ist doch das wertvolle Grundstück da. Das O. W. I. weist mich an, mich wegen der Rückerstattung an den Secretary of State zu wenden, der die Sache an das War Department weitergeben wird, dieser an die Army's Civil Affairs Division and so on until it reaches the person who has the answer. Sollte man nicht glauben, daß es praktischer wäre, sich gleich an diese Person zu wenden? Vorlaute Frage!

Mit allen guten Wünschen   *Ihr Thomas Mann*

381 Fourth Avenue
New York, N. Y.
5. September 1945

Lieber Herr Mann:

Vielen Dank für Ihren Brief vom 28. August. Ich kann im Augenblick noch nicht sagen, ob die Dinge, die den deutschen Verlag betreffen, sich rasch entwickeln oder auch nur, ob sie einen günstigen Verlauf nehmen. Nur so viel steht fest: daß ich inmitten sehr aufregender Entwicklungen und Entscheidungen stehe, über deren letzte Folgen sich wenig sagen läßt.

Die Verwaltungsbehörden in Deutschland scheinen sehr stark an der Wiedereröffnung von Verlags-Unternehmen interessiert zu sein. Dabei haben sie offenbar weniger Interesse an der Wiederbelebung eines alten Verlagshauses wie es der S. Fischer Verlag ist, als daran, daß ihnen genehme Bücher produziert und vertrieben werden. Nach meinen neuesten Feststellungen scheint der einfachste Weg zum Ziele der zu sein, daß man einen den Behörden genehmen Deutschen um die Bewilligung zur Eröffnung eines Verlages nachsuchen läßt, um ihm im Falle der erteilten Genehmigung die Organisation der Verlags-Filiale sowie den Druck und den Vertrieb der in Deutschland nachgedruckten Bücher zu übertragen.

Über das letzte Wochenende erhielt ich durch den Provost Marshal General Gelegenheit, einen in Kriegsgefangenschaft befindlichen früheren Verlagsangestellten der Fa. Diederichs zu sprechen. Er gehört zu 80 speziell ausgewählten zuverlässigen Anti-Nazis, die demnächst nach Deutschland entlassen werden. Der Mann macht auf mich einen zuverlässigen und guten Eindruck, und ich habe deshalb den entsprechenden Antrag beim Provost Marshal General gestellt, mit der Bitte, mein Gesuch an General McLure in Frankfurt a. M., den Leiter des Control Council in Deutschland, zu übermitteln. Ich hoffe sehr, daß ich diese Genehmigung bald erhalten werde, da das Gesuch von einflußreichen Stellen unterstützt wird. In diesem Falle würde die Wiedereröffnung des Verlages unter Umständen recht bald erfolgen, und zwar in einem in der amerikanischen Zone gelegenen Ort, nicht zu weit entfernt von Druck- und Papier-Möglichkeiten. Aber wie gesagt, diese ganze Entwicklung ist so ungewöhnlich und kann so viele unerwartete Überraschungen bringen, daß ich nicht wage, irgend etwas Definitives im voraus zu sagen.

Meine Begegnung mit diesen Kriegsgefangenen und einigen anderen war ein recht eindrucksvolles Erlebnis. Ich sprach etwa eine Stunde lang zu ihnen über die Entwicklung des Verlages während der Immigration und über das Schicksal unserer Autoren. Das größte Interesse galt Ihnen und Ihrem Werk und der Frage, ob und wie Sie wohl auf den offenen Brief von Herrn von Molo antworten würden. Ich versuchte den Gefangenen klarzumachen, daß sich das Erlebnis der letzten 12 Jahre nicht so einfach abtun ließe und daß man Ihre Stellungnahme aus Ihren Broadcasts kenne. Zu meinem Erstaunen hörte ich, daß fast alle Ihre Radiosendungen gehört haben. Diese ausgewählten Kriegsgefangenen ergeben natürlich kein Bild über die wirkliche geistige Situation, da es sich bei allen um überzeugte Anti-Nazis handelt, die lange Zeit in Konzentrationslagern gesessen haben und meistens freiwillig bei der ersten Gelegenheit übergelaufen sind.

Das Lager, in dem nur 80 ausgewählte Gefangene leben, ist nicht zu vergleichen mit einem der anderen Kriegsgefangenen-Lager. Diese Gefangenen werden für wichtige Aufgaben in

Deutschland geschult und genießen eine bevorzugte Behandlung. Die Möglichkeiten, die ihnen zur Erlernung der Sprache, zur Information auf allen Gebieten geboten werden, sind bewunderungswürdig. Die Zeitschrift »Der Ruf« die sie mit eigenem Redaktionsstab herausgeben, haben Sie wohl in letzter Zeit erhalten. Eine der nächsten Ausgaben wird eine Thomas Mann-Sondernummer sein, die einen dem Manuskript beiliegenden offenen Brief an Sie enthalten wird. Der Verfasser, der sich in einem anderen Lager befindet, ist mir nicht bekannt.

Einer, der an erster Stelle verantwortlich für dieses Special Project Camp ist, ist ein Col. Davison, ein Scotch Poet, der mit viel Energie und Überzeugungskraft etwas ganz Ausgezeichnetes ins Leben gerufen hat. Die Zeitschrift »Der Ruf« ebenso wie die »Bücherreihe Neue Welt« sind von seinem Adjutanten Captain Walter Schönstedt (früherer deutscher Schriftsteller) befürwortet worden, und insbesondere die Zeitschrift wird unter seiner ständigen Überwachung und Mitarbeit herausgegeben. Captain Schönstedt ist mir in besonderer Weise bei den Problemen der Wiedereröffnung behilflich.

Er hat mich gebeten, Ihnen seine verehrungsvollen Grüße zu übermitteln, und ich würde es schön finden, wenn Sie ihm nach Erhalt der Sondernummer des »Ruf« eine Zeile zukommen ließen. Seine Adresse ist:

> Captain Walter Schönstedt
> Special Project Branch
> Provost Marshal General
> 50 Broadway
> New York N. Y.

Mein exit-Permit habe ich immer noch nicht erhalten; die Investigations-Mühlen mahlen langsam.

Mit der Frage der Rückerstattung des Eigentums in Deutschland befasse ich mich ebenfalls. Wo Ansprüche anzubringen sind, konnte ich bisher noch nicht in Erfahrung bringen. Ich habe mich vor ein paar Tagen an Morris Ernst, den bekannten New Yorker Anwalt gewandt und will gern mit ihm auch über Ihre Angelegenheit sprechen, wenn Sie mir dazu die Erlaubnis geben. Jedenfalls werde ich Sie sofort verständigen, wenn ich von ihm in meiner Sache etwas erfahre.

Herzliche Grüße, *Ihr G. B. Fischer*

381 Fourth Avenue
New York, N. Y.
17. September 1945

Lieber Herr Mann:

Beiliegende Abschrift eines Briefes, den ich heute erhalten habe, mag Sie interessieren. Ich habe an Suhrkamp's Haltung der Familie gegenüber nie gezweifelt. So kommt mir sein Vorschlag nicht überraschend. Wie weit sich praktisch seine Bereitschaft mit den von mir schon inzwischen in die Wege geleiteten Wiedereröffnungsvorbereitungen werden vereinen lassen, kann ich noch nicht übersehen. Ich fühle mich Suhrkamp durch seine Hilfe in den Tagen der Verlags-Auflösung und -Transferierung, in der er uns selbstlos zur Seite stand, verbunden. Seine Tätigkeit habe ich nach dem Verlassen Deutschlands nicht verfolgt, glaube aber, daß er alles versucht hat, um eine Nazifizierung des Verlages, soweit es unter den Umständen möglich war, zu vermeiden.

Nach meinem letzten Brief wissen Sie, auf welche Weise der Verlag wieder ins Leben gerufen werden soll. Im Prinzip hat sich durch das Auftauchen Suhrkamps daran nichts geändert. Es stellt sich jetzt nur die Frage, ob und wie weit man Suhrkamp in diese Pläne einbeziehen soll. Ich neige dazu, es zu tun, da er mir zu den relativ wenigen zu gehören scheint, die nicht nur innerlich dem Nazismus abgeneigt waren, sondern auch für ihre Überzeugung gekämpft und gelitten haben. Seine Bemerkung, daß er seine Tätigkeit die ganze Zeit über nur als Statthalterschaft betrachtet hat, ist sicherlich keine leere Phrase.

Ich wäre Ihnen sehr dankbar, wenn Sie mich Ihre Meinung wissen ließen. Die Schritte, die jetzt getan werden müssen, sind von großer Bedeutung. Es läßt sich schwer voraussagen, wohin der 2. Schritt einen führt, nachdem der 1. getan ist. Man kann sich in vielen der auftauchenden Fragen nur von seinem Gefühl leiten lassen, und deshalb bedarf ich Ihres freundschaftlichen Rates.

Von großer Bedeutung würde die Rückkunft des Professor Lehmann-Haupt sein, der in wenigen Tagen hier erwartet wird. Er ist sicherlich über alle Einzelheiten orientiert. Ich werde Sie sofort verständigen, sowie ich Näheres weiß.

Bitte lassen Sie mich wissen, ob ich hier etwas in der Frage

Ihrer persönlichen Forderungen in Deutschland tun kann. Ich stehe jetzt, nachdem der Anwalt sich nicht sehr bewährt hat, mit einem anderen Anwalt in Verbindung, der offenbar schon hat einiges erreichen können und in allen diesen Fragen sehr bewandert ist.

Mit herzlichen Grüßen

Ihr G. B. Fischer

Pacif. Palisades,
den 21. Sept. 45

Lieber Dr. Bermann,

nehmen Sie in aller Kürze meinen Dank für Ihre Mitteilungen vom 17ten und für den Brief von Suhrkamp. Ich kann nur sagen, daß es mich freuen würde, wenn es gelänge, S. in Ihre deutschen Pläne einzubeziehen. Er verdient es durch sein Leiden, und der Verlag hätte gewiß Nutzen davon. Bitte, halten Sie mich auf dem Laufenden über die Entwicklung der Dinge, zunächst über das, was Sie von Prof. Lehmann-Haupt hören! Ich wollte, der Verlag in Deutschland wäre erst wieder in Gang gesetzt, und ich kann mir Suhrkamp sehr gut als Direktor-Statthalter denken. Als ob ich nicht den ehrlichsten Respekt hätte vor denen, die dageblieben sind und gekämpft und gelitten haben! Aber wenn Thiess und Ebermayer sich jetzt in der deutschen Presse als Märtyrer der inneren Emigration empfehlen und mit ihrer heroischen Treue zum Vaterlande prahlen, die doch nur aus Dummheit und Bequemlichkeit bestand, so ist das eine schwer erträgliche Unverschämtheit.

Ihr Thomas Mann

381 Fourth Avenue
New York, N. Y.
25. September 1945

Lieber Herr Mann:

Ich danke Ihnen bestens für Ihren Brief vom 21. September und freue mich, daß wir im Prinzip übereinstimmen, was die Wiedereröffnung des Verlages in Deutschland unter Einbeziehung Suhrkamps angeht. Ich lege Ihnen die Abschrift eines an mich gerichteten Briefes von Suhrkamp bei, der inzwischen hier eingetroffen ist. Dieser Brief bestätigt noch mehr als der erste an Lochner gerichtete mein Vertrauen, das ich immer in Suhrkamp gesetzt hatte.

Ich habe gestern Lehmann-Haupt gesprochen, der nach zweijähriger Abwesenheit hierher zurückgekehrt ist. Er war seit zwei Jahren Captain in der Intelligence Division of the U. S. Army und seit dem Ende des Krieges ununterbrochen in Deutschland mit der speziellen Aufgabe »Buch- und Verlagswesen«. Lehmann-Haupt ist bereits 1929 nach USA gekommen und ein Fachmann im Buchhandel und, wie ich glaube, der Mann, der am besten unsere Bemühungen für die Wiedereröffnung des Verlages unterstützen kann.

Er hat Suhrkamp persönlich öfters gesehen und volles Vertrauen in seine Zuverlässigkeit. Nach seinen Berichten ist Suhrkamp physisch schwer geschädigt. Er hat im Konzentrationslager eine Wirbelsäulen-Verletzung davongetragen und mußte zwei Monate flach in Gips liegen. Außerdem hatte er, wie Sie aus dem einliegenden Brief ersehen, eine schwere Lungen- und Rippenfellentzündung. Während er in Potsdam, also der russischen Zone wohnt, befindet sich das Verlagsbüro in der britischen Zone. Das macht die Durchführung meiner Pläne etwas schwieriger, da es zweifelhaft ist, ob die British Control Commission, die an Suhrkamp und dem Verlag stark interessiert ist, ihn freigeben wird. Die Engländer denken an eine Kombination Suhrkamp und Claassen (früherer Geschäftsleiter und Mitarbeiter von Goverts-Verlag in Hamburg). Ich würde es gewiß vorziehen, Suhrkamp in die amerikanische Zone zu bringen und den Verlag in Frankfurt a. M., Bad Homburg oder Wiesbaden zu eröffnen, während die Engländer ihn nach Hamburg bringen wollen, um dort in Kombination mit Claassen zu starten. Lehmann-Haupt bemüht sich nunmehr, eine Klärung der Situation herbeizuführen. Da er mit dem verantwortlichen englischen Offizier, einem Major Furth, persönlich sehr gut steht, hofft er noch vor meiner Abreise nach Schweden die Angelegenheit so weit zu klären, daß ich unter Umständen in England mit den britischen Behörden verhandeln könnte oder Gelegenheit bekommen würde, die verantwortlichen Offiziere in Stockholm zu treffen. Ich bemühe mich gleichzeitig darum, die Erlaubnis zur Einreise nach Deutschland zu bekommen. Ich werde aber das Eintreffen dieser Erlaubnis hier nicht abwarten, sondern meine Reise nach London und Schweden antreten, so rasch die Umstände es mir erlauben. Ich habe mein am 3. Juli bereits beantragtes Exit- und Reenter Permit immer noch nicht erhalten, obwohl die Untersuchung der F.B.I. bereits positiv erledigt ist. Nach Aussagen meines Anwalts, der mit der zuständigen Behörde in Washington in ständiger Verbindung steht, kann ich das Visum bald erwarten. Dann sind leider noch sehr viele Formalitäten zu erledigen wie Steuer, englisches Visum und vor allem Reservations in Flugzeug oder Schiff.

Wie ich wohl in früheren Briefen schon erwähnte, kann der in Deutschland neueröffnete Verlag vorläufig nur in völliger finanzieller Trennung vom schwedischen Hauptverlag arbeiten, d. h. der Verlag muß sich innerhalb Deutschlands zunächst selbst finanzieren, was, wie ich glaube, nicht schwierig sein wird. Er wird aber zunächst kein Geld nach dem Ausland überweisen können. Das bedeutet, daß alle Royalties vorerst in Deutschland nur gutgeschrieben und auf ein zu eröffnendes Autoren-Konto überwiesen werden müßten. Wie sich das später weiter entwickeln wird, kann man jetzt noch nicht voraussagen. Man sollte aber wohl annehmen, daß nach ein oder zwei Jahren eine Regelung der Währungs- und Im- und Exportfragen geschaffen werden wird, so daß es uns schließlich wohl auch ermöglicht wird, in einem gewissen Grade über diese Gelder entsprechend zu verfügen.

Ich finde es im Augenblick wichtig, die Lösung dieser komplizierten Fragen zurückzustellen und den Hauptwert darauf zu legen, den Verlag wieder einzusetzen und seine Werke, soweit wir es als opportun erachten, dem deutschen Lesepublikum innerhalb Deutschlands zugänglich zu machen. Wir laufen dabei kein Risiko, wenn dafür Sorge getragen wird, daß diese Bücher nicht aus Deutschland herausgenommen werden, und haben es außerdem noch in der Hand, jederzeit zu stoppen, wenn es uns nötig erscheint.

Der schwedische Verlag wird unabhängig vom deutschen Verlag weitergeführt und richtet nunmehr sein Hauptaugenmerk auf die Wiedererschließung der durch den Krieg und die dadurch entstandenen Transport-Sperren unzugänglich gewordenen Länder. Die ersten Sendungen nach USA sind auf dem Wege. Es sind immer noch unerwartete Schwierigkeiten zu überwinden, die diese Sendungen verzögern, aber es handelt sich dabei mehr um red tape und momentan auftauchende Transportverzögerungen. So kann man also erwarten, daß der schwedische Verlag in Kürze wieder mit befriedigenden Verkaufsziffern aufwarten kann.

Die in Paketen eingetroffenen Probeexemplare Ihrer Gesamtausgabe habe ich am 17. September hier abgeschickt. Ich hoffe, daß sie Sie zufriedenstellen und erwarte Ihren Bericht, ob alles in Ordnung ist. Ich hoffe, daß nicht irgendwelche Teufel Unordnung hervorgerufen haben. Die Gesamtausgabe umfaßt jetzt acht Bände. Es fehlen nur noch die ersten drei Bände des »Joseph« sowie die politischen Essays und »Königliche Hoheit«. Ich würde gern von Ihnen hören, wie Sie sich die weitere Ausgestaltung der Gesamtausgabe vorstellen. Ich selbst möchte am liebsten eine zweibändige Ausgabe der Tetralogie in Angriff nehmen.

Da ich hier dauernd nach Ihrer Stellungnahme zu den zahlreichen Einladungen nach Deutschland gefragt werde, bitte ich Sie recht dringend, mich Ihren prinzipiellen Standpunkt wissen zu lassen und mich über Ihre persönlichen Entschlüsse auf dem laufenden zu halten. Ich lehne selbstverständlich irgendwelche weitergehenden Auskünfte ab, da aber, wie Sie wissen, gewisse Gerüchte entstanden sind und auch dumme Angriffe, wie der in der »Neuen Volkszeitung«, möchte ich selbst gern im Bild sein, um Entstellungen entgegentreten zu können.

Lehmann-Haupt hat mir mit großem Nachdruck versichert, wie groß das Interesse an Ihrer Rückkehr und Ihrem Werk in weiten Kreisen Deutschlands ist. Er erzählte, daß er ständig nach Ihrem persönlichen Ergehen und Ihrer Arbeit gefragt worden ist. Das Verlangen, Ihre Bücher wieder erwerben und lesen zu können, ist immens.

Mit herzlichen Grüßen, *Ihr G. B. Fischer*

Pacif. Palisades
28. IX. 1945

Lieber Dr. Bermann,
gestern kamen die Stockholmer Ausgaben, »Buddenbrooks«, »Adel des Geistes« und »Ausgew. Erzählungen«. Schöne Bände!

Lassen Sie uns hoffen, daß sie bald in Deutschland gekauft werden können!

Mein Vergnügen wurde arg beeinträchtigt durch die Entdeckung, daß im »Gesetz« die idiotischen Druckfehler (»ein Teil der Notdurft«, statt »Tal« u. s. w.) sorgfältig bewahrt sind. Nützt es denn garnichts, daß ich Ihnen immer fleißig aufgereihte Listen von Fehlern schicke? Die von »Lotte in Weimar« und »Joseph der Ernährer« (der böse aussieht) konnten wohl noch nicht benutzt werden. Aber die Moses-Geschichte und die »Vertauschten Köpfe« hätte man in dem neuen Bande doch reinigen können. Wenn ich denke, wie im alten Fischer-Verlag Korrektur gelesen wurde! Da gab es philologisch korrekte Ausgaben. Diese können später alle nicht bestehen.

Auch im »Schopenhauer« war in der Einzel-Ausgabe ein ganz verdorbener Satz, den ich bestimmt moniert habe. Nun steht er wieder geradeso da.

Sind denn auch Exemplare der »Rundschau« herübergekommen? Gehofft hatte ich, daß die Sendung die in Schweden erschienenen Bücher über mich, das von der Hamburg etc., ebenfalls enthalten würde. Vielleicht sind sie separat unterwegs!

Wie steht es mit Ihrer Reise?

Viele Grüße   *Ihr Thomas Mann*

1550 San Remo Drive
Pacific Palisades, California
3. Oktober 1945

Lieber Dr. Bermann!

Ihr heute eingetroffener Brief war außerordentlich interessant. Der Brief von Suhrkamp hat mich ergriffen. Ich will nun nur hoffen, daß Ihnen Ihre Ausreise bald ermöglicht wird. Von geschäftlichen Vorteilen in Deutschland verspreche ich mir noch auf längere Zeit kaum irgend etwas. Die Hauptsache ist, daß der Verlag wieder in Gang gebracht wird, und freilich wäre zu wünschen, daß Ihnen die Engländer erlauben, ihn in der amerikanischen Zone wieder zu eröffnen.

[...]

Mit herzlichen Grüßen   *Ihr Thomas Mann*

Acht Bände hat die Gesamtausgabe einschließlich von »Joseph der Ernährer«, der aber ein anderes Gewand hat. Ich bin *sehr* an einer zweibändigen Gesamtausgabe unter Eliminierung der Druckfehler und Ausfüllung von Weglassungen interessiert. Ich bin gern bereit Ihnen die Fehlerliste noch einmal zusammenzustellen, wenn die vorige verloren gegangen ist. Scheue keine Mühe.

Mit Ihnen halte ich den »Joseph« für entschieden vordringlich. Er sollte die braune Ausstattung der 7 früheren Bände bekommen. »Königliche Hoheit« und die politischen Essays können warten. Bei diesen letzteren bin ich mir über die Auswahl noch garnicht klar. Vielleicht ist die von »Order of the Day« noch die beste. *T. M.*

381 Fourth Avenue
New York, N. Y.
October 17th, 1945

Lieber Herr Mann:

Mehrere tausend Bücher von Schweden sind auf dem Wege hierher und wahrscheinlich schon im New Yorker Hafen, infolge des Streiks aber noch nicht ausgeliefert. Ich lasse Ihnen Exemplare von allen Ihren Büchern, die Sie noch nicht erhalten haben, und alles, was Sie sonst noch interessieren mag, schnellstens zugehen.

Mrs. Lowe-Porter habe ich mein Handexemplar von »Adel des Geistes« sowie eine Prisoner of War-Ausgabe von »Achtung, Europa!« gesandt, nachdem ich einen Brief von ihr erhielt. Sie hat damit alles, was sie zur Übersetzung braucht, in Händen.

Meine Bemühungen zur Wiedereröffnung des S. Fischer Verlags in Deutschland sind entsetzlich behindert durch die Schwierigkeiten des Postverkehrs und eine vollständig unverständliche Geheimnistuerei der verantwortlichen Stellen. Da ich auf meine Briefe an Suhrkamp und an die verschiedenen Behörden in Frankfurt a. M. noch keine Antwort erhalten habe (das alles ist gerade 14 Tage her), kann ich über einen Fortschritt noch nicht berichten.

Interessieren mag Sie ein Abschnitt aus einem Brief von Manfred Hausmann, der noch in seinem Haus in Worpswede bei

Bremen lebt. (Bremen nebst Worpswede ist amerikanische Enklave.) Seine Darstellung gehört zu den offensten und deprimiertesten, die ich bisher von dort gehört habe.

Ihr offener Brief hat großen Widerhall gefunden. Ich frage mich, ob man nicht eine Sonderausgabe davon in Pamphlet-Form veranstalten sollte.

Mit herzlichen Grüßen, *Ihr Bermann Fischer*

381 Fourth Avenue
New York, N. Y.
25. Oktober 1945

Lieber Herr Dr. Mann:

Das Sonderheft der »Neuen Rundschau« ist glücklicherweise in mehreren hundert Exemplaren hier eingetroffen. Leider dauert es nun wieder zwei Wochen bis die Sendung aus dem Hafen herauskommt. Durch den Dockarbeiterstreik sind enorme Massen von Gütern festgehalten.

Das Oktoberheft ist auf dem Wege hierher; ich erwarte seine Ankunft in Kürze. Das Januarheft wird folgendermaßen aussehen:

1. In memoriam Franz Werfel
   Joachim Maass . . . .   Essay
   Friedrich Torberg . . . .   Essay
   Carl Zuckmayer . . . .   Essay
   Gedichte . . . .   Veni Creator Spiritus
                                      Der Mensch ist stumm
                                      Ich bin ja noch ein Kind
                                      Streng persönlich

   Auszüge aus Theologumena
2. Nicolai Berdjajew . . . . . .   Über den Mangel an Konsequenz in meinem Denken
3. Albrecht Haushofer . . . . .   Moabiter Sonette
4. Martin Anderson Nexö . .   Lebenslänglich
5. Harry Martinson . . . .   Calaboza
6. Hermann Hesse . . . .   Zwei Gedichte
7. Vannevar Bush . . . .   Wie wir denken werden
8. Erich Kahler . . . .   Richard Beer-Hofmann

Betrachtungen zur Zeit

Die »Moabiter Sonette« sind ein merkwürdiges Dokument. Albrecht Haushofer ist der Sohn von Karl Haushofer. Er wurde wegen seiner Teilnahme am Hitlerkomplott zu einer langen Freiheitsstrafe verurteilt. Einen Tag vor der Besetzung Berlins durch die Russen haben ihn die Nazis aus seiner Zelle geholt und vor dem Moabiter Gefängnis erschossen. Am nächsten Tag fanden ihn seine inzwischen von den Russen befreiten Freunde tot auf der Straße mit einem Manuskript in der Hand, einer Sammlung von 78 Sonetten, die er während seiner Gefängniszeit geschrieben hatte. Ich veröffentliche diese Sonette wegen ihrer dokumentarischen Bedeutung.

Für das Aprilheft sind folgende Beiträge vorgesehen:

André Gide . . . .   Einführung in Goethes
                                           dramatisches Werk

Eine Sammlung von neuen Gedichten von Walter Mehring, Richard Friedenthal, Werner Bukofzer, Carl Zuckmayer, Friedrich Torberg, Joachim Maass, Hans Sahl

Antonio Borgese . . . .   The Concept of Russia

Shalom Asch . . . .   Vom Antichrist

　　　Betrachtungen zur Zeit

Nachruf auf Saint-Exupéry

Nachruf auf Romain Rolland

Buchbesprechungen

Als einzigen Prosabeitrag dachte ich an einen Abdruck eines Kapitels aus Ihrem neuen Roman. Ich würde mich sehr freuen, wenn Sie meine Einladung zu diesem Beitrag akzeptieren könnten. Was das Honorar anbelangt, so erwarte ich Ihre Forderungen. Über die Auswahl kann ich schwer Vorschläge machen, da ich zu wenig kenne, aber jedes von den Stücken, die ich kenne, würde ich mit Freuden akzeptieren. Das »Gespräch mit dem Teufel« würde an erster Stelle in meiner Wunschliste stehen, wenn es nicht zu umfangreich ist.

Mit herzlichen Grüßen,   *Ihr G. B. Fischer*

381 Fourth Avenue
New York, N. Y.
1. November 1945

Lieber Herr Mann:

Vielen Dank für die Zusendung der englischen Buchhändler-Zeitschrift.

Ich bin inzwischen in direkter Verbindung mit Goverts in Hamburg, resp. in Vaduz. Suhrkamp hat die erste britische Verlegerlizenz erhalten und hat bereits angeblich den Verlag schon wieder eröffnet; ich habe aber keine Nachricht darüber. Es ist wirklich unglaublich, daß die zuständigen Behörden hier nicht einmal fertigbekommen, mich in direkte Verbindung mit Suhrkamp zu setzen, und ich immer noch darauf angewiesen bin, über amerikanische Freunde in Deutschland mit ihm zu korrespondieren. Die Zustände bei O. W. I. und den entsprechenden Behörden in Frankfurt und Berlin sind unbeschreiblich. Darauf ist es auch zurückzuführen, daß Suhrkamp schließlich die britische Lizenz bekommen hat. Schwierigkeiten werden dadurch für mich nicht entstehen. Ich glaube, daß die Dinge dadurch eher leichter und sich wahrscheinlich schneller erledigen werden.

Inzwischen sind die neuen Schulausgaben sowohl von den britischen als auch von den amerikanischen Behörden angefordert worden und sind auf dem Wege nach Deutschland. Ich lege Ihnen ein Photo bei; ich habe Photographien anfertigen lassen, um den Umfang dieses Unternehmens sichtbar zu machen.

Was meine Reise anbetrifft, so warte ich immer noch auf Transportation. Vielleicht wird es Mitte November endlich das direkte Flugzeug geben.

Von dem Broker, dem ich die mysteriöse Sendung übergeben habe, erfahre ich soeben, daß es sich offenbar um eine Kiste handelt, die fünf Jahre in Holland auf Abtransport gewartet hat. Ich werde Ihnen bald berichten können, worum es sich handelt.

Mit herzlichen Grüßen,   *Ihr G. B. Fischer*

1550 San Remo Drive
Pacific Palisades, California
8. XI. 1945

Lieber Doktor Bermann:
Vielen Dank für Ihren Brief vom 25. Oktober. Das Programm der »Rundschau« hat mich außerordentlich interessiert und macht einen sehr vielversprechenden Eindruck. Über meinen Beitrag zur Aprilnummer muß ich noch nachdenken. Das Teufels-Kapitel, aus dem ich damals die Anfänge vorlas, ist viel zu lang und führt viel zu weit für diesen Zweck. Dagegen glaube ich, daß aus den Anfängen einige Abschnitte, die Sie auch kennen, über die mystisch-naturwissenschaftlichen Spekulationen des alten Leverkühn, sich wohl eignen könnten. Glauben Sie, daß man wenn das räumlich zu wenig ist, ein zweites, musikalisches Bruchstück, nämlich den Excurs über Beethoven, Opus 111, den Sie ja auch kennen, hinzufügen könnte? Das war das Programm unserer ersten Vorlesung aus dem Manuskript.
Ich lege eine Besprechung bei der neuen Auflage von »Deutsche Hörer!« aus der »Politischen Information«, von Walter A. Berendsohn. Vielleicht können Sie sie für die Propaganda gebrauchen. Wenn ich nur selbst erst das Buch zu sehen bekommen könnte!
Bestens   *Ihr Thomas Mann*

381 Fourth Avenue
New York, N. Y.
16. November 1945

Lieber Herr Mann:
Beiliegend finden Sie den Scheck für $ 796.62.
Das Honorar für den »Rundschau«-Beitrag folgt in den nächsten Tagen nach Freigabe durch die Federal Reserve Bank.
Ihrem Vorschlag, die zwei Stücke aus dem neuen Roman in der April-Nummer der »Neuen Rundschau« zum Abdruck zu bringen, stimme ich gern zu. Den ersten vorgeschlagenen Teil kenne ich wohl noch nicht. Der Exkurs über Beethoven ist mir nach der Vorlesung unvergeßlich geblieben. Ich finde ihn sehr geeignet, zumal er auch noch in sich abgeschlossen wirkt.
Mit vielen Grüßen   *Ihr G. B. Fischer*

Joachim Maass wollte gern eine kurze Entgegnung zu den vielen »Äußerungen« zu Ihrem Antwortbrief an Molo schreiben, wenn Sie zustimmen. Er würde Ihnen seinen Artikel vor Veröffentlichung zeigen. Könnten Sie ihm das Geschreibe von Frank Thiess senden? Wenn Sie keine solche Stellungnahme wünschen, so lassen Sie es mich bitte wissen.

1550 San Remo Drive
Pacific Palisades, California
19. November 1945

Lieber Doktor Bermann:

Vielen Dank für Ihren Brief vom 16. mit dem inliegenden Check. Lassen Sie mich gleich anfügen, daß mir leider Ihre letzte Abrechnung abhanden gekommen ist und daß ich gerne einen neuen Durchschlag davon hätte. Ohne sie im Augenblick vor Augen zu haben, möchte ich sagen, daß ich etwas überrascht war über die ungewöhnlich niedrigen Verkaufsziffern der in Schweden neu herausgekommenen Ausgaben: soviel ich mich erinnere 125 Exemplare! Wenn sich das auch wohl nur auf einen kurzen Zeitraum bezieht, so ist es als Anfangserfolg denn doch recht deprimierend. Vielleicht sagen Sie mir bei wiederholter Zusendung der Abrechnung ein erläuterndes Wort.

Ich freue mich, daß Sie mit meinen Vorschlägen betreffend meinen Beitrag für die April-Nummer einverstanden sind. Bis wann müssen Sie das Manuskript haben? Schreiben Sie mir zur Sicherheit doch auch noch, wie groß Sie sich den Umfang des ganzen Beitrags denken und zwar ungefähr in Maschinen-Seiten oder in Wortzahl ausgedrückt.

Ich habe gewiß nichts dagegen, wenn Joachim Maass etwas über die zum Teil recht sonderbaren Reaktionen auf meinen Offenen Brief nach Deutschland sagen will. Als eine solche Reaktion kann man den Artikel von Thiess ja nicht bezeichnen, da er vor dem Erscheinen meiner Antwort an Molo geschrieben und gedruckt ist. Einen kleinen Gipfel der Unverschämtheit stellt er allerdings dar. Unbedingt falsch ist auch, daß ich in Ebermayer, als er mich in Küsnacht besuchte, gedrungen hätte, Deutschland zu verlassen. Dazu schien es mir immer viel zu gleichgültig, wo Ebermayer seine »Nächte in

Warschau« beschrieb. So ist auch die glänzende Antwort, die er mir nach Thiess gegeben haben soll, sicher erfunden. Es wäre mir bestimmt in humoristischer Erinnerung geblieben, wenn er mir gesagt hätte, er »als deutscher Schriftsteller, brauche den deutschen Raum, die deutsche Erde und den Widerhall deutscher Menschen«, – wo ich ja das alles gerade verloren hatte. – Eine eigentliche Replik stellt das Stück von dem Volksmann A. Enderle im »Weser-Kurier« dar. Auch diesen Ausschnitt lege ich bei.

Meine Frau hat Ihnen kürzlich ein Kabel aus Dänemark zugesandt. Heute bekam ich via Knopf den inliegenden Brief. Da ich das Telegramm nicht mehr habe, weiß ich nicht, ob dies Angebot von der gleichen Stelle kommt. Mir macht der Brief keinen schlechten Eindruck. Vor allem könnte man offenbar auf einer sehr beträchtlichen Anzahlung bestehen.

Bestens   *Ihr Thomas Mann*

381 Fourth Avenue
New York, N. Y.
26. November 1945

Lieber Herr Mann:

Die letzte Abrechnung zeigt freilich recht kleine Ziffern über den Verkauf der neuen Bände der Gesamtausgabe. Die Erklärung dafür ist leider sehr einfach. Zur Zeit des Erscheinens der Bücher in Europa war die Besetzung Deutschlands in vollem Gange und die Verbindung mit der Schweiz vollständig unterbrochen. Die Ziffern in der Abrechnung zeigen also lediglich den Verkauf in Schweden.

Leider ist eine geordnete Verbindung zwischen Schweden und der Schweiz immer noch nicht wiederhergestellt, und ich habe auch noch keine Nachricht, wann und welche Regelung zu erwarten ist. Schließlich wird es ja nicht lange mehr angehen, daß die skandinavischen Länder für so lange Zeit von den west- und südeuropäischen abgeschnitten sind.

Eine Abschrift der Abrechnung lege ich bei.

Der »Rundschau«-Beitrag aus Ihrem Roman könnte gern 12.000 Worte umfassen. Das sind etwa 40 Maschinenseiten. Wenn der Zusammenhang des Stückes es verlangen würde, könnte

dieser Umfang etwa um fünf Schreibmaschinenseiten über-
schritten werden.

Auf die dänische Anfrage habe ich sofort durch unseren schwedischen Agenten die Verhandlungen aufnehmen lassen. Ich
glaube, daß ich Ihnen bald Nachricht geben kann.

Kürzlich fragte mich ein aus Deutschland zurückgekehrter
amerikanischer Offizier, der in hoher Stellung im Intelligence
Service gearbeitet hat, ob ich etwas über Klaus Pringsheim,
den Sohn Ihres in Japan lebenden Schwagers wüßte. Dieser
junge Klaus Pringsheim soll angeblich nicht in Japan gewesen,
sondern bei seiner Mutter in Deutschland verblieben und ir-
gendwann angeblich durch Ihre Vermittlung nach Amerika gekommen sein. Könnten Sie mich bitte wissen lassen, ob irgend
etwas an dieser Darstellung stimmt und ob Sie etwas über den
jungen Menschen wissen.

Viele Grüße   *Ihr G. B. Fischer*

                                        381 Fourth Avenue
                                        New York, N. Y.
                                        3. Dezember 1945

Lieber Herr Mann:

Beiliegend sende ich Ihnen einen Scheck von $ 250.– für Ihren
Aufsatz »Deutschland und die Deutschen« im Oktoberheft der
»Neuen Rundschau«.

Die Hefte sind nun endlich hier eingetroffen und aus dem um-
ständlichen Zollverfahren gerade entlassen. Ein Heft ist heute
an Sie auf den Weg gebracht worden.

Herzliche Grüße   *Ihr G. B. Fischer*

                                        Pacif. Palisades, Calif.
                                        19. Dez. 45

Lieber Dr. Bermann,

das »Rundschau«-Heft ist gekommen und präsentiert sich sehr
gut, finde ich. Der Clou ist der Aufsatz der Meitner – sehr nett
schreiben kann sie auch noch, das Teufelsweib! Mein eigener
Beitrag wird in Deutschland wohl wieder Ärgernis erregen
und zu hart gefunden werden, wie schon der Brief an Molo.

Um es nicht gänzlich mit denen drinnen zu verderben, habe ich James Francks Appeal gestern unterzeichnet – mit nicht ganz gutem Gewissen. Aber wie man's macht, ist es falsch.

Übrigens sollten Sie versuchen, für die »Rundschau« einmal etwas aus Deutschland zu bekommen, etwa von Jaspers.

Auch für das Exemplar der 55 Sendungen danke ich. Das Buch ist weniger elegant ausgestattet, als die erste Auflage, aber das ist wohl richtig und zeitgemäß. Sind denn nur gerade 2 Copien herübergekommen, für Sie und mich? Oder könnte ich nicht doch noch eine oder zwei davon haben zum Verschenken? Ich finde, diese Haßgesänge lesen sich auch heute noch ganz wohltuend.

Ich sekkiere Sie ungern, aber Sie haben mir nicht geantwortet auf meine Frage nach dem ii. Band der »Zauberberg«-Ausgabe für Kriegsgefangene. Ich habe weder einen Beleg noch die zugehörigen hundert Dollars bekommen.

In der Schweiz, höre ich, ist nicht ein Buch von mir zu haben. Kann wohl nicht anders sein. Man hat sich das alles anders vorgestellt. Geschäftlich gesprochen, wird in Deutschland und außerhalb eine *Konjunktur* versäumt.

Wie steht es mit Ihren Reise-Aussichten? Keine Fortschritte?

Bestens

Ihr Thomas Mann

381 Fourth Avenue
New York, N. Y.
4. Januar 1946

Lieber Herr Mann:

Nachstehend sende ich Ihnen das vorläufige Inhaltsverzeichnis des Aprilheftes der »Neuen Rundschau«:

1. André Gide	Einführung in Goethes dramatisches Werk
2. Thomas Mann	Zwei Stücke aus dem neuen Roman (darf ich Sie bitten, mir die beiden ausgewählten Stücke so rasch wie möglich zu schicken, da wir schon in etwa 14 Tagen mit dem Satz beginnen)

3. G. A. Borgese   Rußland – Versuch einer Umwertung
                          (Concept of Russia)
4. John Berryman   Der imaginäre Jude (übersetzt aus
                          dem Englischen von Erich Kahler)
5. Neue deutsche Lyrik   Gedichte von Mehring, Friedenthal,
                          Bukofzer, Maass, Sahl, Torberg, Zuck-
                          mayer, Stefan Andres u. a.)
6. Kurt Schuschnigg   Die Begegnung von Berchtesgaden am
                          12. Februar 1938 (persönliche Auf-
                          zeichnung aus seiner bisher unveröf-
                          fentlichten Autobiographie – die Auf-
                          zeichnung des Dr. Auster)

                    Betrachtungen zur Zeit
Jean-Gerard Fleury   Antoine de Saint-Exupéry
Jochim Maass   Romain Rolland
Besprechung Broch   Vergil   ⎫
Besprechung Hesse   Glasperlenspiel   ⎬ Joachim Maass
Besprechung über moderne Bildhauerkunst   ⎭
Autorenliste

Herzliche Grüße   *Ihr G. B. Fischer*

Katia Mann an GBF   1550 San Remo Drive
                                 Pacific Palisades, California
                                 8. Januar 1946
Lieber Gottfried:
Das sind ja aufregende Nachrichten, daß die so oft verschobene
Europareise nun Ende des Monats wirklich von statten gehen
soll, und wir wünschen Ihnen und Tutti aufrichtig Glück dazu!
Darf ich hinzufügen, daß wir auch hoffen, daß unsere eigenen
Angelegenheiten günstig von dieser Reise beeinflußt werden,
denn daß die geschäftlichen Ergebnisse der letzten Zeit wenig
erfreulich waren, brauche ich kaum zu sagen. Natürlich trägt
wesentlich die allgemeine Situation daran schuld, und trotzdem bleibt das Ergebnis noch hinter den bescheidensten Erwartungen zurück. Man hätte doch wirklich denken sollen,
daß die beiden neuen Publikationen, »Adel des Geistes« und
die »Erzählungen«, schon in Schweden und Dänemark allein

mehr als 130 Vorbestellungen hätten erreichen können, und ein gewisser Absatz, solange die Schweiz ausscheidet, ist doch gewiß in England und Holland möglich. Wir bekommen fortwährend Briefe aus England und auch diesem Lande, in denen geklagt wird, daß man absolut nicht die Möglichkeit habe, irgend ein Buch von Th. M. im Original zu kaufen. Der Wunsch, daß Ihre Europa-Reise unter anderem auch neue Absatzgebiete eröffne, wird Ihnen begreiflich sein.

Hauptsächlich aber schreibe ich heute, weil ich mich gelegentlich der Steuererklärung mit den Abrechnungen des letzten Jahres befassen mußte und dabei auf Punkte gestoßen bin, die ich gerne klären möchte. Vor mir liegen die Abrechnungen umfassend Januar bis December 1944 und die letzte, von Januar bis 30. Juni 45, und meine Ungewißheit gilt der Verrechnung von »Joseph der Ernährer«. Das Buch erschien hierzulande, soviel ich mich erinnere, etwa Juni 1944 und die erste, zwei Tausend betragende Auflage war nach wenigen Wochen vergriffen, sodaß ich das Buch eine Weile nicht erhalten konnte. Auf der Abrechnung des Jahres 1944 figurierten aber nur 1902 Exemplare, und ich habe Sie damals gleich gefragt, ob denn die gesamte zweite Auflage plus 98 Exemplare der ersten Ihnen liegen geblieben sei, aber Sie meinten, der Verkauf gehe ganz befriedigend weiter. Nun stehen auf der neuesten Abrechnung (bis Juni 30. 1945) 264 Exemplare des vierten »Joseph«-Bandes. Ich habe aber den Eindruck, daß es sich dabei nicht um die amerikanische, sondern um die schwedische Ausgabe handelt, da der Preis in Kronen angegeben ist, und so scheint mir der weitere Absatz der amerikanischen Ausgabe noch garnicht berücksichtigt worden zu sein. Außerdem aber habe ich erst eben festgestellt, daß auf der Abrechnung Januar 1944 bis Dezember 1944 die Tantieme nur $ 0.375, also 10% beträgt, was ganz bestimmt ein Versehen ist, da doch die Romane durchweg mit 15 % honoriert werden. Bitte prüfen Sie die Angelegenheit doch nach und teilen Sie mir Ihre Ansicht mit!

Mit den besten Grüßen und Wünschen   *Ihre Katia Mann*

Ich lege noch ein Cabel bei, mit dem ich nichts anzufangen wußte. Vielleicht authorisieren Sie die Leute zu einem Nachdruck.

Ferner: Könnten wir noch ein Exemplar der »Zauberberg«-Ausgabe für Kriegsgefangene haben?

Ich muß doch noch einen Nachtrag hinsichtlich der Abrechnung machen, mit der ich mich, wie ich zugebe, längst hätte beschäftigen sollen. Erst eben wird mir Folgendes klar: in der Abrechnung Januar – Dezember 1944 kommt die schwedische Ausgabe des »Ernährers« überhaupt nicht vor – wieso eigentlich nicht, da sie doch längst vor der amerikanischen erschienen ist? –, in der letzten, Januar – Juli 1945, sind 264 Exemplare verrechnet. Das heißt also, der *europäische Gesamt-Absatz* des vierten »Joseph«-Bandes, der überall mit Spannung erwartet wurde, der in der Schweiz, die damals, fast ein Jahr lang noch, offen stand und, wie Sie uns einmal erzählten, auch nicht wenig an die Nachbarländer lieferte, als wichtigste Neuerscheinung von der ganzen Presse gewürdigt wurde, soll 264 Exemplare betragen haben! Das ist eine solche Unmöglichkeit, daß ich mich wirklich wundern muß, offenbar die Erste zu sein, die daran Anstoß nimmt, und wenn mir schon die niedrigen Verkaufsziffern der letzten Neuerscheinungen nicht einleuchten wollten, so liegt hier offenbar eine bedenkliche Fehlleistung in der Buchführung des schwedischen Hauses vor.

GBF an Katia Mann   381 Fourth Avenue
                                                      New York, N. Y.
                                                      14. Januar 1946

Liebe Frau Katia:
Ich beeile mich, Ihren Special Delivery Brief vom 8. sofort zu beantworten. Ich habe seinerzeit anläßlich der fehlenden Absatzziffern des »Joseph« im Jahre 1944 sofort in Stockholm protestiert. Die Antwort lautete ungefähr, daß das Buch in der Schweiz auf Schwierigkeiten stoße, ja, die Kirche dagegen Stellung genommen hätte und daß der Absatz infolgedessen stark leide. Damals hatte der Buchhandel, d. h. unsere Auslieferungsstelle in der Schweiz, 3500 Exemplare vorausbestellt und auf Lager. Infolge des schwachen Verkaufs wurde nicht nachbestellt. Dazu kommt noch, daß im Laufe des Jahres 1944 die Belieferung anderer Länder vollständig aufhörte. So ist der Absatz in der Schweiz kaum größer als er hier ist, wie Sie

aus der in den nächsten Tagen folgenden Abrechnung, an der eben gearbeitet wird, ersehen werden. Die Ziffern des letzten Quartals werde ich in Kürze haben. Der Gesamtabsatz hier ist also sicherlich über 3000 Exemplare. Ich nehme an, daß insgesamt von dem Buch etwa 7.800 Exemplare abgesetzt sind. Das ist angesichts der besonderen Umstände, die nahezu prohibitiv für den Buchhandel waren, immerhin nicht ganz schlecht.

Daß die Schweiz das einzige europäische Absatzgebiet, das uns 1944 zur Verfügung stand, nach dem ersten Anlauf zur Zeit des Erscheinens des Buches so kläglich versagte, bleibt natürlich abscheulich.

Die in der letzten Abrechnung erscheinenden Ziffern für »Adel des Geistes« und »Erzählungen« sollten Sie zunächst nicht bewerten. Sie stellen keineswegs die ganzen Vorbestellungen dar, sondern beziehen sich ausdrücklich auf die Anzahl der tatsächlich gelieferten Bücher; da z. Zt. nicht nach der Schweiz geliefert werden konnte, besagen diese Zahlen also nichts. In dem Zeitabschnitt, den diese Abrechnung umfaßt, war auch die Belieferung anderer Länder noch nicht möglich. Die erste kleine Sendung traf hier erst im Oktober 1945 ein. Inzwischen haben wir hier ausreichende Vorräte erhalten. Über den Verkauf dieser Vorräte rechne ich ebenfalls in Kürze ab. Sie werden dieses Mal zwei Abrechnungen erhalten, einmal eine Totalabrechnung über den amerikanischen Verkauf bis zum 30. September 1945 und etwas später dann eine Abrechnung über den amerikanischen Verkauf vom 1. Oktober bis 31. Dezember 1945. In Zukunft werden Sie Ihre Abrechnung wieder innerhalb von zwei Monaten nach dem 30. Juni und 31. 12. erhalten, nachdem nunmehr der Postverkehr wieder einigermaßen regelmäßig funktioniert.

Niemand kann jetzt mehr sagen, daß er die Bücher von Thomas Mann hier nicht erhalten kann. Sie sind in allen Buchhandlungen, die überhaupt deutsche Bücher führen, erhältlich. Sie sind in den einschlägigen Zeitungen regelmäßig angezeigt mit genauen Angaben, wo sie zu bekommen sind.

Ungünstiger verhält es sich immer noch mit England, Holland und Palästina. In allen drei Ländern macht die Einfuhr noch Schwierigkeiten, teils infolge mangelnder Transportmöglichkeiten, teils infolge von Restriktionen bei der Einfuhr. Die

Bezieher brauchen Einfuhrlizenz und Zahlungserlaubnis, die schwer und nur mit größtem Zeitverlust erhältlich sind. Aber auch das wird sich in Kürze ändern.

Der Hauptzweck meiner Reise neben der Deutschland-Frage ist die Neuregelung unserer Auslandsvertretungen. Ich werde bei dieser Gelegenheit sorgfältig die Verkaufsziffern der letzten Jahre prüfen und Ihnen nach meiner Rückkehr im März eingehend berichten.

Über die Honorarreduktion auf 10 % für die amerikanische Ausgabe des »Joseph« IV hatte ich Ihnen im Frühjahr 1944 geschrieben, als ich den Nachdruck hier begann, da ich angesichts der hohen Herstellungskosten in USA nicht imstande bin, ein höheres Honorar zu kalkulieren. Ich bin aber gern bereit, vom vierten Tausend an das Honorar wieder zu erhöhen, auf 15 %.

Sie werden aus den kommenden Abrechnungen ersehen, daß die Verkaufsziffern 1945 wenigstens hier in Amerika nicht enttäuschend sind. Die Abrechnungen aus Schweden über das zweite Halbjahr 45 werde ich selbst mitbringen; ich hoffe, daß auch die befriedigend ausfallen werden.

Was Deutschland selbst anbetrifft, so hat mir Suhrkamp gerade wieder geschrieben, daß wir im Augenblick nichts überstürzen sollen. Wie die Dinge liegen, versäumen wir nichts und können mit Übereile nur Fehler machen. Nach meinen Erfahrungen mit den amerikanischen Behörden und bei den hier bekannten chaotischen Zuständen in Deutschland müssen wir uns in Geduld fassen. Ich gebe Suhrkamp in Kürze Vollmacht, unsere Interessen wahrzunehmen, d. h. bei den zahlreichen illegalen Nachdrucken unsere Forderungen geltend zu machen. Wenn das zunächst auch nur Papierwert hat, so muß es doch geschehen. Dagegen zögere ich immer noch, ihm die Nachdrucksrechte gewisser Bücher endgültig zu übertragen, obwohl wir im Prinzip einig sind, daß er sie bekommen soll. Ich möchte es aber aus prinzipiellen Gründen nicht tun, ohne den Segen der britischen und amerikanischen Behörden; sonst gefährden wir unsere Ansprüche für die Zukunft. Ich bin nicht der Ansicht, daß wir in Deutschland dadurch eine Konjunktur versäumen, diese Konjunktur wird sehr lange anhalten.

Mit vielen herzlichen Grüßen

Ihr Gottfried

381 Fourth Avenue
New York, N. Y.
14. Januar 1946

Lieber Herr Mann:

Herzlichen Dank für die Zusendung der beiden Romanfragmente, die beide einfach wundervoll sind. Das erste, »Der Vater«, das mir unbekannt war, hat mir, der ich mich doch immer mit biologischen Problemen beschäftigt habe, ganz neue tiefe Einsichten vermittelt. Es ist wirklich erstaunlich, wie Sie scheinbar spielerisch, aber eben doch mit tiefster Erkenntnis eins der wesentlichsten Probleme der biologischen Wissenschaft anrühren und Lebensvorgänge dem Leser fühlbar machen, an die er sonst niemals herankommt. Welch' köstliche Figur ist dieser Vater, welch' köstlicher Humor durchzieht dieses Anfangskapitel, das dennoch schon Tragisches ahnen läßt.

Auf Seite 24 ist sicherlich ein Schreibfehler, eine Auslassung geschehen, die ich, bevor ich die Manuskripte wegschicke, aufklären muß. Im zweiten Absatz heißt es: »Wir Knaben Adrian und ich...« So wie ich es verstehe, fehlt dort das abschließende Verbum. Bitte lassen Sie mir schnellstens Ihre Korrektur zukommen.

Das zweite Fragment, »Opus 111«, hat mich wieder so stark berührt wie das erste Mal, als ich es von Ihnen in Santa Monica hörte. Es ist für mich die schönste Interpretation eines Musikwerkes.

Sie haben mir Ihren Honorarwunsch, nach dem ich Sie seinerzeit fragte, nicht mitgeteilt. Ich schlage wieder $ 250.– vor wie beim letzten Mal.

Ihren Wunsch habe ich an Joachim Maass weitergeleitet. Mit herzlichen Grüßen   *Ihr G. B. Fischer*

Pacif. Palisades, Calif.
den 17. I. 46

Lieber Dr. Bermann,
der Satz heißt:

»Wir Knaben, Adrian und ich, sahen uns wohl mit halbem und verdutztem Lächeln an bei solchen Bemerkungen des Vaters wie dieser über die Eitelkeit des Sichtbaren.«

432

300 Dollars, denke ich, wäre das Richtige für diesen Beitrag, der in jedem Sinn ausgiebiger ist, als der vorige.

Ihr T. M.

1550 San Remo Drive
Pacific Palisades, California
18. Januar 1946

Lieber Dr. Bermann,

ich *hasse*, wie man im Englischen sagt, I hate, Ihnen diesen Brief zu schreiben in dem Augenblick, wo Sie den Kopf voll haben müssen von den Vorbereitungen für Ihre Reise, von der ich mir viel Förderliches verspreche. Aber was soll ich machen und an wen mich wenden, wenn nicht an Sie, mit meinem Kummer, um nicht zu sagen: meinem Gram über die Unbegreiflichkeiten, die alles Vertrauen erschütternde Unordnung und Unstimmigkeit in unseren geschäftlichen Beziehungen. Sie stören und verstören mich tief, gerade weil ich ein Mensch bin, der, in seine Arbeit vertieft und nur um sie besorgt, nach diesen Dingen nicht ausblickt, weil er sie und sich in guten, unbedingt zuverlässigen Händen glaubt, und natürlich ganz verwirrt und unglücklich sein muß, wenn sich herauszustellen scheint, daß dies nicht der Fall ist, und daß er sehr unrecht tut, unaufmerksam zu sein.

Sie können sich denken, daß meine Frau die Beanstandungen, die sie gegen Ihre Abrechnungen der letzten Jahre zu richten hatte, mit mir besprochen hat. Glauben Sie nun wirklich, daß die Antwort, die Sie ihr auf ihre Vorhaltungen gegeben, danach angetan war, mich zu befriedigen und zu beruhigen? Das Gegenteil ist der Fall, ich muß es Ihnen sagen. Denn das alles trägt ja bereits den peinlichen Charakter haltloser Ausflucht. Auf der Abrechnung von 1944 fehlt die Absatz-Ziffer für »Joseph« iv. Das fällt Ihnen selber auf, wie Sie sagen, und Sie reklamieren in Stockholm. Man erklärt Ihnen, dank dem feindseligen Verhalten der katholischen Kirche, sei der Absatz in der Schweiz sehr unbefriedigend gewesen. Und das ist alles, was man Ihnen sagt? Wieviel denn nun eigentlich verkauft worden ist, das sagt man Ihnen nicht? 3500 Exemplare waren bestellt worden. Es hat keine Nachbestellung gegeben, und auch von den 3500 ist offenbar ein Teil liegen geblieben. Aber

wenn nicht 3000 Exemplare verkauft worden sind, so waren
es 1500, waren es meinetwegen 1000. Wo ist die Abrechnung
darüber und wo das mir dafür zustehende Honorar? Die späte-
ste Gelegenheit, es noch auszuzahlen wäre der Zeitpunkt der
folgenden, bis 1. Juli 45 reichenden Abrechnung gewesen, auf
der, skandalös und sinnlos, jene »264« Exemplare figurieren.
Unsere Reklamation entlockt Ihnen die Angabe, es seien, von
der amerikanischen Auflage abgesehen, 4 bis 5000 Exemplare
des »Ernährers« verkauft worden. Aber dieser Absatz muß
doch ganz wesentlich in den von den beiden vorliegenden Abrechnungen umfaßten Zeitraum fallen, und ich frage mich, ob
und wann ich, ohne besonderes Insistieren, überhaupt davon
erfahren hätte.
Was für eine Art der Rechnungslegung ist das und was für
ein Sorgen dafür, daß ein Autor, auf dessen Zugehörigkeit zu
Ihrem Hause Sie Wert legen, doch nicht ganz ohne Entgelt für
seine Arbeit bleibt! Es steht ja mit der amerikanischen Ausgabe von »Joseph der Ernährer« nicht besser. Schon nach
Empfang der Abrechnung für 1944 haben wir nachgefragt,
warum denn von der zweiten Auflage, die wenige Wochen
nach der ersten gedruckt werden mußte, nicht darin die Rede
sei. Sie antworteten, sie werde schon noch berücksichtigt werden. Aber nie, weder im Lauf des Jahres 45 noch bei der
Schlußabrechnung für dieses Jahr ist sie berücksichtigt worden. Gibt es denn eine Verkaufsziffer, klein genug, daß sie bei
geordneter Buchführung überhaupt nicht verrechnet wird? Das
frage ich auch in Bezug auf die amerikanischen Ausgaben von
»Lotte in Weimar« und »Deutsche Hörer!«, von denen ich seit
Jahren nichts gehört habe.
Die Tantieme für die amerikanische Ausgabe des »Joseph« haben
Sie auf 10 % herabgesetzt. Ist das eine einseitige Maßnahme
Ihrerseits oder habe ich eingesehen, daß es so sein müsse? Ich
kann mich nicht erinnern. Haben Sie einen Zustimmungsbrief
von mir bei Ihren Akten? Dann möchte ich ihn sehen, denn
ich bin einfach mißtrauisch geworden gegen die geschäftliche
Behandlung, die Sie mir angedeihen lassen. Ich sage Ihnen
offen, daß schon der unscheinbare Vorfall mit der Kriegsgefan-
genen-Ausgabe des »Zauberberg« mich unangenehm berührt
hat, – nicht so sehr der armen hundert Dollar wegen, als weil
ich zweimal insistieren mußte, bis ein Übersehen gut gemacht

wurde, das immerhin in einem so wenig ausgedehnten Betrieb, wie dem Ihren, schwer erklärlich ist.

Davon nur nebenbei. Ich hatte mich hier über schwerere und unbegreiflichere Unstimmigkeiten zu beklagen, mußte es tun, um nicht Ihr Verantwortungsgefühl mir gegenüber durch Stillschweigen völlig einzuschläfern, und weil es meine Pflicht ist, mich gegen Vernachlässigung und Verkürzung zu wehren. Ich bitte Sie um der Fortdauer unserer guten Freundschaft willen, die beanstandeten Fehlleistungen sofort zu berichtigen. Ihr ergebener

Thomas Mann

381 Fourth Avenue
New York, N. Y.
22. I. 1946

Lieber Herr Dr. Mann,

Ihr Brief vom 18. Januar trifft mich sehr tief. Nichts könnte mich mehr treffen, als von Ihnen zu hören, daß Ihr Vertrauen erschüttert sei und daß in unseren geschäftlichen Beziehungen »Unordnung und Unstimmigkeit« herrsche. Ich kann im Augenblick nur die Zahlen, wie ich sie habe, sprechen lassen.

Im Herbst 1943 wurden von der schwedischen Ausgabe des 4. »Joseph« 3265 gebundene und 249 broschierte Exemplare insgesamt verkauft. Diese Verkäufe sind abgerechnet in der Abrechnung vom 7. August 1944 für die Zeit vom 1. Juli bis zum 31. Dezember 1943.

Die Zahlung von $ 2019.60 wurde am 20. September 1944 überwiesen, nach Abzug der früher vereinbarungsgemäß vorausgezahlten $ 1.000.–, mit $ 1019.60.

Von diesen 3514 Exemplaren, die zum größten Teil in die Schweiz verkauft wurden (ein anderes Absatzgebiet gab es damals nicht), konnte offenbar nur ein Teil durch den Schweizer Buchhandel abgesetzt werden, denn es kamen keine Nachbestellungen mehr auf das Buch.

Über diese Exemplare ist also abgerechnet und Ihre Tantiemen sind an Sie gezahlt worden.

Ihre zweite Frage bezieht sich auf die *amerikanische* Ausgabe des 4. »Joseph«-Bandes. Die Antwort auf Ihre Frage nach den Verkaufsziffern dieser Ausgabe, sowie von »Lotte« und

»Deutsche Hörer!« finden Sie in den Abrechnungen vom 1. Januar 1945 – 31. Dezember 1945.

Sie fragten in Ihrem Brief vom 8. April 1945, warum in der voraufgehenden Abrechnung nur 1902 Exemplare der amerikanischen Ausgabe des 4. »Joseph«-Bandes abgerechnet worden seien, da doch 2000 nachgedruckt worden sind. Ich verweise auf meine Antwort vom 12. April 1945: »The first printing of the American edition of the fourth volume amounted to only 1846 copies, so that my statement shows 61 copies sold from the second edition. The second edition is selling satisfactorly.«

Ich lege Ihnen die beiden Rechnungen der Binderei bei, aus der Sie ersehen, daß zuerst 1846 Exemplare und später am 31. Oktober 1944 vom Nachdruck 1540 Exemplare gebunden worden sind. Infolge des oft erwähnten Papiermangels und der Rationierung, eines Problems, das ich nur, wie ich Ihnen dargestellt habe, unter Aufbietung aller meiner Verbindungen und auch persönlicher Bittgänge nach Washington lösen konnte, haben wir beim Erstdruck die vollen 2000 bei der ersten Auflage nicht erreicht. Es wurden mithin insgesamt von den beiden amerikanischen Auflagen 2950 Exemplare verkauft und abgerechnet, und die Ihnen zustehenden Tantiemen wurden an Sie abgeführt. (Die kleine Differenz von 5 Exemplaren entsteht durch die Lieferung von Freiexemplaren.)

Sie können mir zum Vorwurf machen, ich hätte schon per 31. Juli 45 abrechnen sollen. Ich bitte aber zu bedenken, daß ich selbst die endgültigen Verkaufsabrechnungen von den verschiedenen Auslieferungsstellen erst 2–3 Monate nach dem Fälligkeitsdatum bekomme und daß ich gerade in den Monaten September–Oktober in einer Weise überbeschäftigt war, hauptsächlich durch meine aufreibenden Versuche, hier und in Washington die Verbindung mit Deutschland herzustellen, daß ich vieles, auf das ich sonst in sorgfältigster Weise mein Augenmerk richtete, vernachlässigte. Ich hoffe, daß Sie ein wenig verstehen möchten, was jetzt alles auf mir lastet und welche weittragenden Entschlüsse, die letzten Endes der gemeinsamen Sache dienen, mich manchmal über das Erträgliche hinaus occupieren. Dann werden Sie in der Unterlassung der Abrechnung per 31. 7. nicht etwas sehen, das geeignet wäre, »Ihr Vertrauen zu erschüttern«.

Über diese von mir erbetene Honorarreduktion auf 10 % für die amerikanische Ausgabe des 4. »Joseph« habe ich Ihnen am 12. Mai 1944 geschrieben, aber niemals eine Antwort erhalten. Ich habe später mit Ihnen und Ihrer Frau darüber gesprochen, und zwar im Zusammenhang mit der billigen Ausgabe der »Deutschen Hörer!« unter Hinweis auf die viel höheren hiesigen Herstellungspreise.

Hier sind also nun die Antworten zu Ihren Fragen, die, wie ich hoffe, Ihnen Ihre Zweifel nehmen. Ich hoffe es wirklich und ernstlich, da es mir ziemlich sinnlos erscheinen würde, in diesem aufreibenden Kampf um eine im Augenblick zum mindesten fragwürdig erscheinende Rückgewinnung einer Position für unseren Verlag in Deutschland aus, wie mir scheint, unzureichenden Gründen das Vertrauen dessen zu verlieren, der während der vergangenen 20 Jahre im Zentrum meiner Verlagstätigkeit stand.

Ihr G. B. Fischer

1550 San Remo Drive
Pacific Palisades, California
20. [!] Januar 1946
(diktiert)

Lieber Doktor Bermann:

Nochmals Dank für Ihren Anruf und Dank nun auch für Ihren Brief, der Manches aufklärt.

Warum haben Sie das nicht gleich gesagt? Warum haben Sie meiner Frau, die es für ihre Pflicht hält, dafür zu sorgen, daß ich nicht zu kurz komme, nicht in Erinnerung gebracht, daß vor der Aufstellung der beiden von ihr beanstandeten Abrechnungen schon ein größerer Posten von »Joseph der Ernährer« honoriert worden war? Statt dessen haben Sie so unheimlich und unverständlich um die Sache herum geredet, daß ich ganz erschrocken war und das Gefühl hatte, ich müßte endlich einmal aufs Ernstlichste mit Ihnen reden.

Es tut mir aufrichtig leid, daß ich Sie gekränkt und geängstigt habe, aber ich selbst war gekränkt und geängstigt; und da dies Mißverständnis nun geklärt ist, hat es vielleicht sein Gutes, daß bei dieser Gelegenheit einmal die gesamte Situation zur Sprache kommt, die mich seit Langem nicht so recht befriedigt.

In einem, ich gebe zu, dem wesentlichsten Punkt, war ich im Irrtum, aber so Manches bleibt, worüber zu reden wäre.

Es bleibt zum Beispiel die Tatsache, daß für den Zeitraum vom 1. Januar 1944 bis 30. Juni 1945 alles in allem 264 Exemplare der europäischen Ausgabe von »Joseph« IV verrechnet wurden, und das ist schwer zu verstehen, um so mehr, als doch, wie Sie selbst meiner Frau geschrieben haben, der europäische Gesamtabsatz 4 bis 5 Tausend betragen hat.

Eine verwandte Unstimmigkeit liegt bei der amerikanischen Ausgabe vor. Sie zitieren einen Brief, den Sie uns anläßlich unserer ersten Reklamation in dieser Sache geschrieben haben. Er wurde schon damals nur eben hingenommen, aber gebilligt wurde er nicht. Sie erklärten darin, die erste Auflage habe sich nur auf 1846 Exemplare belaufen, und so seien also noch 61 Exemplare der zweiten Auflage in dem Verrechnungsjahr abgesetzt worden. Daß nun aber von einem Buch, das gleich nach Erscheinen vergriffen war, in den folgenden Monaten nur noch 61 Stück verkauft werden, im nächsten Jahr aber dann nahezu 1000, mußte mir das nicht unwahrscheinlich vorkommen? Offen gesagt haben wir stillschweigend angenommen, es sei Ihnen lieber, die Zahlung noch etwas hinauszuschieben. Aber die hätte dann eben doch wenigstens pünktlich zum nächsten Termin erfolgen müssen.

Sie geben diesen Fehler ja zu, entschuldigen ihn aber mit den verworrenen und anstrengenden Umständen, Ihrem beständigen Hin und Her zwischen New York und Washington und so weiter. Aber gerade das, ich muß es aussprechen, erschreckt mich wieder etwas. Natürlich ist Ihr hiesiger Verlag kein menschenreicher Betrieb, aber Sie haben doch einige Angestellte, und ich hatte die Vorstellung, daß eine vertrauenswürdige Person bei Ihnen die Bücher führt und die Rechnungen auszieht, die Ihnen dann nur zur letzten Kontrolle vorgelegt werden. Zu solcher Kontrolle sollte doch auch eine ermüdend beanspruchte Zeit ausreichen.

Lassen Sie mich, nur der Ordnung halber, auch auf die Frage der 10% der amerikanischen »Joseph«-Ausgabe noch einmal zurückkommen. Sie schreiben, Sie hätten uns diese Reduzierung mitgeteilt, aber keine Gegenäußerung erhalten. Das heißt also, daß Sie den Abzug ohne meine Zustimmung vorgenommen haben, was ich nicht ganz korrekt finde. Wenn Sie

wirklich geschrieben und nicht etwa vergessen hatten, es zu
tun, mußten Sie sich versichern, ob Ihr Brief bei mir eingetroffen sei. Sie wissen wohl, daß ich mich immer lebhaft ge-
wehrt habe, wenn erhöhte Herstellungskosten, als ob das
selbstverständlich wäre, auf Rechnung des Autors gehen sollten. Auch kann ich mich nicht erinnern, daß im Fall der amerikanischen »Lotte« eine solche Herabsetzung erfolgt wäre. Es
fällt mir auch noch auf, daß in der Abrechnung einzig und
allein bei der amerikanischen Ausgabe von »Joseph« IV die
Höhe der Tantieme nicht ausdrücklich vermerkt ist, und so
konnte es, bei flüchtig-vertrauensvoller Durchsicht der Abrechnung, leicht geschehen, daß die Änderung übersehen wurde.
Sie werden sagen, das alles sind keine Katastrophen, und gewiß, es sind keine. Aber das Verhältnis zwischen Autor und
Verlag muß auf unbedingtes Vertrauen gegründet sein, und es
sollte garnicht dahin kommen können, daß beim Anblick einer
Zahl in der Rechnung irgend welche Zweifel sich regen. Ich
war in dieser Hinsicht durch meine lebenslange Zusammenarbeit mit dem S. Fischer Verlag und auch mit Alfred Knopf ver-
wöhnt. Glauben Sie mir, daß ich volles Verständnis habe für
die Schwierigkeiten Ihrer Lage und für den Kampf, den Sie zu
führen haben. Fast möchte ich daran erinnern, daß ich es war,
der Ihnen in Voraussicht der Hindernisse und Schwierigkeiten,
die sich Ihnen in den Weg stellen würden, seinerzeit abriet, die
Verlags-Tätigkeit wiederaufzunehmen. Sie haben das Unternehmen tapfer durchgeführt, und wir dürfen jetzt wohl hoffen,
daß Sie das Schwerste hinter sich haben und daß bei zuneh-
mender Normalisierung der Verhältnisse ein neuer Aufstieg
des Bermann-Fischer Verlages beginnen wird. Dazu soll und
wird Ihre Europa-Reise beitragen, zu der ich Ihnen von Herzen
Glück wünsche. Strapaziös und aufregend genug wird sie unter allen Umständen sein. Mir wird von allen wohlwollenden
Seiten geraten, meine geplante Europa-Reise doch ja nicht zu
überstürzen, und ich werde diesen Rat auch befolgen. Desto
mehr Bewunderung habe ich für Ihren Unternehmungsgeist
und wünsche von Herzen, daß er belohnt werden möge durch
das Wiedererstehen und Gedeihen eines Unternehmens, an
dem wir beide das gleiche Interesse haben.

Ihr Thomas Mann

381 Fourth Avenue
New York, N. Y.
23. Januar 1946

Liebe Frau Katia:

Inliegend finden Sie die Abrechnung für 1945 über den Verkauf in Amerika und den dazugehörigen Scheck über $ 1372.24.

Die Preisunterschiede der Bücher bei der Abrechnung der ersten drei Quartale und des vierten Quartals entstehen teils dadurch, daß es sich um Bücher handelt, die mit einem Preisaufschlag für Transport und Versicherungsspesen aus Schweden geliefert sind, teils wie bei »Deutsche Hörer!« um die in Schweden gedruckte broschierte Ausgabe, die billiger ist als die hier gedruckte Ausgabe.

Mit besten Grüßen, *Ihr G. B. Fischer*

1550 San Remo Drive
Pacific Palisades, Cali.
1. Februar 1946

Lieber Doktor Bermann:

Schönsten Dank für die Abrechnung und den stattlichen Check! Man sieht doch wieder einmal die Frucht seiner Arbeit. Ich weiß es besonders zu schätzen, daß Sie nicht nur die Abrechnung bis Oktober honoriert haben, sondern auch das letzte, eben abgelaufene Quartal, das noch nicht fällig war. Gerade die amerikanischen Verkaufsziffern dieser beiden letzten Monate bieten dank den Neuerscheinungen ein ganz erfreuliches Bild, und so wollen wir also vertrauensvoll in die Zukunft blicken.

Mit Ihrer Abreise muß es ja nun wohl bald ernst werden. Wir haben noch nie recht in Erfahrung gebracht, ob Tutti eigentlich mit Ihnen fährt? Für Sie würde das sicher das Reiseabenteuer mildern, aber andererseits, solange Sie übersee sind, [ist] Tuttis Anwesenheit im Verlag wohl wünschenswert.

Nochmals herzliche Wünsche von uns beiden.

Ihr Thomas Mann

381 Fourth Avenue
New York, N. Y.
February 3rd, 1946

Lieber Herr Mann:

ich danke Ihnen sehr für Ihren Brief vom 20. Januar. Ich möchte die zwei Fragen aufzuklären suchen, die Ihnen noch nicht geklärt erscheinen. Offen gestanden verstehe ich nicht ganz, wo noch eine Unklarheit ist. Der europäische Gesamtabsatz hat nach den von Schweden übermittelten Zahlen betragen: 3265 gebundene und 249 broschierte Exemplare, die im August 1944 abgerechnet und bezahlt wurden. Späterhin wurden nur noch 264 Exemplare verkauft, so daß der Gesamtabsatz in Europa also 3778 Exemplare betragen hat. Ich werde diese Ziffern bei meiner Anwesenheit in Schweden nachprüfen und Ihnen berichten.

Der Verkauf der amerikanischen Ausgabe des »Joseph« IV verlief folgendermaßen: vom Erscheinen im zweiten Halbjahr 1944 bis Dezember 1944 wurden 1902 Exemplare verkauft, von denen 61 schon der zweiten Auflage entstammten, vom Januar 1945 bis Dezember 1945 wurden 948 Exemplare verkauft. Diese insgesamt 2850 Exemplare wurden mit den Abrechnungen per Dezember 1944 und per Dezember 1945 abgerechnet und bezahlt.

Ich weiß nicht, warum es Ihnen so unwahrscheinlich vorkommt, daß im Jahre 1944 von der ersten Auflage 1846 und von der zweiten Auflage 61 Exemplare verkauft wurden und in dem darauffolgenden Jahre 1945 948 Exemplare. Ich habe Ihnen in meinem letzten Brief sogar die Binderechnungen zugeschickt, damit Sie sich mit eigenen Augen davon überzeugen können, wieviele Exemplare gebunden worden sind. (Bitte schicken Sie mir die Binderechnungen zurück.)

Zu der Honorarherabsetzung des »Joseph« IV: daß ich Sie um diese Herabsetzung gebeten habe, hatte seinen Grund in den ungemein erhöhten Preisen, die durch die anormale Situation bei den Druckereien und Papierfabriken im Jahre 1944 hervorgerufen waren. Es war zu dieser Zeit schon ungemein schwer, die amerikanischen Bücher rechtzeitig geliefert zu bekommen. Die Herstellung des deutschen Buches war nur durch Preiszuschläge zu erreichen. Ich habe damals Ihre Zustimmung unter den durch die Kriegsrestriktionen hervorgerufenen Schwierigkeiten als selbstverständlich angenommen. Eine negative Antwort hätte einen so hohen Verkaufspreis zur Folge gehabt, daß die Publikation des Buches unmöglich geworden wäre. Bitte erinnern Sie sich doch an die damaligen Zustände, die dem amerikanischen Verlag schon große Lasten auferlegten und es einer ausländischen Firma nahezu unmöglich machten zu produzieren. – Für die amerikanische Ausgabe der »Lotte in Weimar« habe ich niemals um eine Reduktion zu bitten brauchen, weil dieses Buch noch zu einer Zeit gedruckt wurde, als es keine derartigen Restriktionen gab.

Ich reise in vier Tagen und bin ganz gegen meine Natur und meinen Willen ungemein aufgeregt. Diese Reise bedeutet einen Abschluß und einen Neubeginn.

Ich habe viel über Ihre eigenen Reisepläne nachgedacht. Ich glaube auch, daß es noch verfrüht ist, jetzt eine Vortragsreise durch Deutschland zu unternehmen. Es schiene mir aber eine gute Vorbereitung für eine spätere Reise, wenn Sie über das Radio zu den positiv gerichteten Kreisen um Jaspers, Weber, Eucken, Suhrkamp und diesen vielen wirklich um einen Neuaufbau Bemühten sprechen würden. Wäre das nicht ein Weg, die dummen Angriffe der minderen Geister unwirksam zu machen? Man könnte dann diese Radiorede dem Suhrkamp Verlag zur Veröffentlichung übergeben und damit den Neudruck Ihrer Werke innerhalb Deutschlands einleiten. Ich könnte mir denken, daß auch die amerikanischen Besatzungsbehörden eine solche Aktion unterstützen würden.

Nur noch ein Wort zu den Nachdrucken in Deutschland: Suhrkamp bittet mich dringend um die Erlaubnis für die »Lotte«. Ich habe ihm bereits Exemplare geschickt. Ich zögere aber immer noch mit der Lizenzerteilung, solange die amerikanischen Behörden sie nicht legalisieren. Es ist ein Skandal, daß, obwohl die zuständigen Behörden und die deutschen Leser über alle Maßen an derartigen Nachdrucken interessiert sind, dennoch das State Department noch nicht fähig war, eine legale Grundlage für derartige Rechtsübertragungen zu schaffen. Augenblicklich stellt eine Lizenzerteilung immer noch einen Verstoß gegen den »Trading with the enemy Act« dar, so daß ich befürchten muß, daß wir aller Rechtsansprüche verlustig gehen, wenn es irgendeinem Beamten im Treasury Department einfällt, uns anzugreifen. Außerdem machen wir uns auch noch strafbar. Ich habe alles unternommen, um endlich eine Entscheidung zu bekommen und habe die Hoffnung noch nicht aufgegeben, daß sie unter dem Druck der nun schon zahllosen an diesem Problem arbeitenden Armerikaner bald erfolgen wird.

Ihnen und Frau Katia die herzlichsten Grüße   *Ihr G. B. Fischer*

TM an Brigitte Bermann Fischer

> 1550 San Remo Drive
> Pacific Palisades, California
> 17. Februar 1946

Liebe Tutti:

Ich bin dem Verlag noch Dank schuldig für die Übersendung der Galleys von Kestens neuem Roman. Ich habe das Buch mit großem Interesse und großer Spannung gelesen. Ich finde, der Verlag ist zu beglückwünschen, daß er dieses Werk des begabten und mit jedem Buch wachsenden Autors, dem amerikanischen Publikum vorlegen kann. Es ist eine faszierende Mischung von phantastisch-grotesk-märchenhaften Elementen und grellster gegenwärtiger Wirklichkeit, und ich glaube, daß viele tausend Leser diese mit packenden Geschehnissen gefüllten Seiten mit Erregung und wachsend leidenschaftlicher Anteilnahme durchfliegen werden.

So viel für den Verlag. Telegraphische Abschiedsgrüße für Gottfried konnten wir wegen des Strikes nicht mehr schicken. Wir wissen nicht einmal, ob er eigentlich geflogen oder per Schiff gefahren ist. Im ersten Fall müßte er ja schon seit Tagen in Schweden sein. Bitte halten Sie uns doch wenigstens in großen Zügen über den Gang seiner Reise auf dem Laufenden. Sie können sich denken, mit welcher Anteilnahme wir sie begleiten.

Mit herzlichen Grüßen von uns beiden   *Ihr Thomas Mann*

Könnten Sie bitte veranlassen, daß mir ein oder sogar zwei Exemplare der kleinen Ausgabe des »Zauberbergs« für Kriegsgefangene zugehen?

Brigitte Bermann Fischer an TM Old Greenwich, Conn.
20. Februar 1946

Lieber und verehrter Herr Doktor:

vielen Dank für Ihren freundlichen Brief vom 17. Februar mit den schönen Zeilen über Kestens neuen Roman, der hoffentlich, wie Sie es ihm prophezeien, seinen Weg zu vielen tausend Lesern finden wird. –

Gottfried ist am 9. Februar hier abgeflogen und am 12. Februar in Stockholm eingetroffen. Schon sein Abflug wurde durch die Sonnenflecke und dadurch hervorgerufene atmosphärische Störungen auf 48 Stunden verschoben. Auf der Strecke mußte er in Neufundland 12 Stunden unterbrechen, weil ein Unwetter über dem Atlantischen wütete. In Irland wurde er in einem offenbar seltsamen und sehr verlassenen Nest abgesetzt, wo es abermals galt Geduld zu üben, denn da war es die Maschine, die nicht in Ordnung war und ihn wieder 8 Stunden Verspätung kostete. Aber dann war er in offenbar sehr ruhigem Flug in Kopenhagen und schon 2 Stunden später in Stockholm.

Nach seinen ersten Berichten aus Stockholm liegt ein riesiger Berg von Arbeit vor ihm, denn es gilt ja den ganzen Verlag von Kriegs- auf Friedenszustände oder wenigstens friedensähnliche umzustellen. Das erste interessante Angebot kommt von einem englischen Legationsrat der dortigen Gesandtschaft, der sich für unsere Bücher interessiert, die er für das britische Reich und den britisch besetzten Teil von Deutschland kaufen und, was das wichtigste dabei ist, in schwedischer Währung in Stockholm bezahlen will. Es klingt so phantastisch, daß man es besser noch nicht für bare Münze nimmt, aber immerhin ist es ein eventuell erster Schritt nach Deutschland hinein. – Außerdem kam Gottfried mit dem russischen Gesandten in Stockholm zusammen, der einen Lunch für ihn und Bonniers gab und ihm, nachdem er ungeheure Alkoholmengen hatte trinken müssen, sein großes Interesse an den deutschen Schulbüchern, die hier vorbereitet wurden, zeigte.

Gottfried versucht nun mit allen Mitteln und der Hilfe der britischen sowie der amerikanischen Militärleute nach Deutschland fahren zu können. Auch Prinz Folke Bernadotte, der Leiter des schwedischen Roten Kreuzes, ist gebeten worden, ihm zu helfen. Jedenfalls werden die Stimmen aus Deutschland immer heftiger und lauter, die nach Büchern verlangen, und schon unter dem allgemeinen Druck werden die Militärbehörden etwas zur Klärung der Lage in allernächster Zeit tun müssen. Ich werde Sie jedenfalls alles sofort wissen lassen, was sich auf diesem Gebiet ereignen sollte.

Die von Ihnen gewünschten zwei Exemplare der kleinen Ausgabe des »Zauberberg« sind heute an Sie abgegangen.

Wie gefällt Ihnen das Januarheft der »Neuen Rundschau«? Eine Kritik von Ihnen wäre unerhört lehrreich und wichtig für die am Hefte Arbeitenden. Die »Rundschau« wird von nun an vom Stuttgarter Sender aus regelmäßig für Deutschland besprochen und zitiert werden.

Wie sehr wir und vor allem auch ich selbst uns mit Medi und den ihren gefreut haben und wieviele schöne Stunden wir gemeinsam verbrachten, auch eine sehr altmodisch-deutsche Sylvesternacht zum Beispiel, haben Sie sicher inzwischen schon gehört. Medi lebt wirklich ein dreifaches Leben und vereint die Arbeit und die Fülle von Erlebnissen von zehn Menschen in einem bis zur letzten Minute erfüllten Tag. Ich habe sie sehr bewundert und finde beide Kinder einfach reizend und heute schon kleine, sehr besondere Persönlichkeiten.

Ihnen beiden alles Herzliche   *Ihre Tutti*

Stockholm, den 14. März 1946
Stureplan 19

Lieber Herr Mann!

Ich habe jetzt vier Wochen in Europa verbracht, davon drei in Stockholm und eine in Amsterdam. Man kann sich kaum größere Gegensätze vorstellen. Stockholm ist für den oberflächlichen Beobachter völlig unverändert, Amsterdam nur noch ein Schatten seiner selbst.

Der Flug nach Europa war trotz einer Verspätung von 48 Stunden angenehm und überraschend ruhig. Unangenehm war nur das Warten auf den Weiterflug, als wir in Irland einen Maschinendefekt hatten und für etwa 8 Stunden nicht wußten, wann wir fortsetzen können.

Der rasche Wechsel von Amerika nach Europa, dieser sich fast ereignislos abspielende Sprung, bringt einen völlig unvorbereitet in diese gänzlich verschiedenen Verhältnisse. Es fiel mir in den ersten 8 Tagen recht schwer, mich wieder einzugewöhnen.

Im Verlag erwartete mich sehr viel Arbeit, ich mußte mich mit vielen mir durch die lange Abwesenheit unbekannten Problemen auseinandersetzen. Es ist mir aber gelungen, das durch die Kriegsverhältnisse zerstörte Netz unserer Auslandsverbindungen wieder zusammenzuflicken. Die Auslandsorganisation in allen bis jetzt zugänglichen Ländern hat wieder zu funktionieren begonnen. Besonders erfolgreich in dieser Beziehung war mein kurzer Besuch in Holland. Entgegen meiner Befürchtung, daß man nach den furchtbaren Kriegserlebnissen wenig oder gar kein Interesse für das deutsche Buch haben würde, konnte ich ungewöhnlich große Verkaufsabschlüsse machen und fand bei der großen holländischen Auslieferungsstelle Meulenhoff das lebendigste Interesse für die Bücher des Verlages und größte Bereitwilligkeit, sich für den Vertrieb unserer Bücher einzusetzen. Holland ist im Augenblick ein Absatzgebiet geworden, das sich mit der Schweiz messen kann, ja vielleicht größere Möglichkeiten bietet. Das wird die Zukunft lehren.

In England, das naturgemäß wegen der Sprache weit geringere Absatzmöglichkeiten bietet, hat der Verlag Secker & Warburg ebenfalls und vergleichsweise akzeptable Verpflichtungen übernommen. Da ich glaube, daß in England besondere Anstrengungen gemacht werden müssen, um unsere Bücher dem deutschlesenden Publikum bekannt zu machen, habe ich Dr. Richard Friedenthal in London beauftragt, die Leitung der Propaganda für die Verlagsauslieferung in England zu übernehmen.

In allen anderen im Augenblick zugänglichen Ländern, die Sie aus der beiliegenden Liste ersehen, haben wir Auslieferungsstellen errichtet, die reichlich mit Propagandamaterial versehen werden, und die ersten Resultate dieser Arbeit sind bereits zu verspüren.

Amsterdam hat, insbesondere unter dem letzten Kriegsjahr vor der Befreiung Entsetzliches durchgemacht. Die Menschen sehen unterernährt und müde aus, sie sind auffallend schlecht und ärmlich gekleidet. Die Stadt ist am Abend spärlich erleuchtet. Die durchschnittliche Ernährung ist ausreichend, aber sehr vitaminarm (so gibt es seit einem Jahr überhaupt kein

Obst). In den Restaurants kann man ausgezeichnet und mehr als reichlich essen, muß aber dafür selbst für Dollar-Amerikaner unerschwinglich hohe Preise bezahlen, umgerechnet zwischen $ 6 bis $ 12 für ein nicht übertriebenes Dinner. Höchstes Zahlungsmittel ist die amerikanische Zigarette! Für ein Päckchen von 20 Zigaretten werden hfl. 6 bis 8, d. i. $ 4 bis $ 6, bezahlt.

Dennoch spürt man, daß das Land sich zu erholen beginnt und große Anstrengungen macht, um aus der Misere herauszukommen. Die ersten Exporte haben wieder angefangen. Die Druckereien beispielsweise arbeiten mit Hochdruck, und im Verlagswesen wird sehr viel Interessantes, insbesonders auf wissenschaftlichem Gebiet, vorbereitet.

Landshoff fand ich mit seiner Rini sehr wohl und glücklich. Sie werden Ende April in New York sein. Der deutsche Querido-Verlag, für den ich bisher die wichtigsten Bücher herausbrachte, fängt wieder selbständig zu arbeiten an, und die beiden Verlage Bermann-Fischer und Querido werden wie früher in freundschaftlicher Konkurrenz mit- und nebeneinander arbeiten.

Unsere gemeinschaftliche amerikanische Firma, die L. B. Fischer Publishing Corp., habe ich kurz vor meiner Abreise nach Europa verkauft. Sie existiert vorläufig unter dem gleichen Namen weiter, mit dem gleichen Bureau und den gleichen Angestellten. Nach meiner Rückkehr nach New York werde ich entscheiden, wie weit ich mit der Firma selbst zu tun haben werde. Ich bin über diese rasche Verkaufsmöglichkeit sehr glücklich, da ich während des letzten Jahres sehr stark darunter gelitten habe, daß ich mich infolge der mehr und mehr zunehmenden Arbeit für den deutschen Verlag, dem New Yorker Hause fast überhaupt nicht mehr widmen konnte. Die Nervenbelastung, die die Folge dieser großen Inanspruchnahme war, war schließlich untragbar geworden, insbesonders nachdem auch noch Fritz nach Europa zurückgekehrt war.

Es ist meine Absicht am 24. März nach New York zurückzukehren und die Zeit von Ende Oktober bis Anfang Dezember wieder in Stockholm zu verbringen. Meine Anwesenheit in Amerika ist für die innerdeutschen Verhandlungen von größter Wichtigkeit. Man ist hier von Deutschland vollständig abgeschnitten. Korrespondieren ist unmöglich und die amerikanischen und britischen Gesandtschaftsbeamten, so hilfreich und nett sie sein mögen, sind eben doch nur Vermittler nach den in London oder Washington sitzenden Zentralstellen. Obwohl man sich die größte Mühe gegeben hat, von hier aus meine Einreise nach Deutschland zu erreichen – neben den amerikanischen und britischen Behörden hat sich auch Graf Folke Bernadotte darum bemüht –, habe ich bis jetzt vergeblich auf Antwort gewartet und es im Grunde genommen aufgegeben. Seit einigen Tagen bedaure ich es nicht einmal, daß es zu keiner positiven Entscheidung gekommen ist, da die politische Lage sich so entsetzlich zugespitzt hat, daß mir eine Reise nach Deutschland schon fast zu riskant erscheint.

Von diesem Gesichtspunkt aus werden Sie wohl auch die an Sie ergangene Einladung des schwedischen PEN-Clubs betrachten. Man hofft hier sehr, daß Sie kommen werden, und man hat mir auch in Amsterdam von verschiedenen Seiten gesagt, wie sehr man sich freuen würde, Sie dort zu sehen. Kann man sich aber, wie die Dinge heute liegen, auf eine Europareise einlassen? Ich denke noch mit Schrecken an Ihre Reise von Stockholm am 3. oder 4. September 1939.

Die Abrechnung über die Europa-Verkäufe vom 1. 7. bis 31. 12. 1945 liegen diesem Brief bei. Die Überweisung des Betrages von $ 1.074.37 ist hier beantragt und wird in den nächsten Tagen auf das Verlagskonto in New York erfolgen, so daß ich unmittelbar nach meiner Ankunft die Überweisung des Betrages vornehme, wenn das Geld dort von der Federal Reserve Bank freigegeben ist. Da schwedische wie auch Schweizer Guthaben immer noch in Amerika blockiert sind, glaube ich, daß dieser Weg der Überweisung der bequemste ist und Ihnen unangenehme Lauferein erspart.

Ich habe die zurückliegenden Abrechnungen genauest geprüft. Ich habe die hiesige Buch- und Lagerführung in tadelloser Ordnung gefunden. Was aber unvorstellbare Schwierigkeiten bereitete und sehr unangenehme Verzögerungen in der Buchführung und in der Abrechnung hervorrief, war der Verkehr mit der Schweiz, nachdem die Verbindung durch die Besetzung Deutschlands für viele Monate vollständig unterbrochen war. Wenn ich sagte, daß unsere Lagerführung hier in Ordnung war, muß ich das insofern einschränken, als jetzt immer noch von den verschiedenen Schweizer Buchlagern Fehlmeldungen und Lagerkorrekturen kommen. Wir haben in der Schweiz bei drei verschiedenen Druckereien und Bindereien gearbeitet, die mehr oder weniger zuverlässig die Bücher an unsere Hauptauslieferungsstelle in Olten abzuliefern hatten. Es ist vorgekommen, daß fehlerhafte Sendungen erst 3–4 Monate nach erfolgter Lieferung zu unserer Kenntnis gelangten. Dazu kam der offenbar große Arbeitermangel in der Schweiz und die angeborene Schweizer Uninteressiertheit und Nachlässigkeit, die meine Angestellten hier oft zur Verzweiflung getrieben hat.

Es mag Sie interessieren zu hören, wieviele Ihrer Bücher ich bei meinem Besuch in Holland verkauft habe. Diese Ziffern werden Sie in der nächsten Abrechnung per 30. 6. finden.

Achtung Europa	100 Stk.
Schopenhauer	200 „
Problem der Freiheit	200 „
Zauberberg	500 „
Lotte in Weimar	500 „
Tonio Kröger	500 „
Die vertauschten Köpfe	500 „
Joseph der Ernährer	500 „
Das Gesetz	300 „
Buddenbrooks	500 „
Adel des Geistes	300 „
Ausgewählte Erzählungen	300 „
Deutsche Hörer	100 „

»Schopenhauer« und »Problem der Freiheit«, beide in der Schriftenreihe »Ausblicke« erschienen, gehören zu dem kleinen in Holland geretteten Lager, das uns eben wieder zugestellt worden ist.

Die Vorräte des Erstdruckes von »Joseph« neigen sich jetzt ihrem Ende zu, und wir werden bald einen Neudruck vornehmen müssen. Nach diesem Verkauf in Holland sind nur noch rund 500 Exemplare vorhanden, die sich auf mehrere Lager verteilen.

Da im Mai der letzte Verlängerungsvertrag abläuft, lege ich einen neuen Verlängerungsvertrag bei mit der Bitte um Ihre Unterschrift. Können Sie schon übersehen, wann mit der Drucklegung des neuen Buches gerechnet werden kann?

Mit herzlichen Grüßen an Sie und Frau Katia   *Ihr G. B. Fischer*

381 Fourth Avenue
New York, N. Y.
29. März 1946

Lieber Herr Mann:

nach einem fast ereignislosen Flug bin ich vor zwei Tagen wieder in New York eingetroffen. Das wichtigste über meine Arbeit in Stockholm habe ich Ihnen in meinem letzten Brief berichtet. Ich möchte noch hinzufügen, daß wir eine dreibändige Ausgabe des »Joseph« vorbereiten. Es hat sich gezeigt, daß die zuerst geplante zweibändige Ausgabe wegen des großen Umfanges des 3. Bandes nicht möglich ist. Die Herstellung wird einige Zeit dauern, weil die ersten drei Bände, die fraktur gesetzt waren, neu gesetzt werden müssen.

Ich lege einen Aufsatz aus der Basler »Nationalzeitung« bei, der Sie interessieren dürfte. Ich habe die Meinung sehr vieler Menschen über Ihren Brief in Schweden und Holland gehört, die Meinung von Deutschen und Nichtdeutschen. Die weitaus überwiegende Majorität ist völlig auf Ihrer Seite und versteht und teilt Ihren Standpunkt. Es ist aber hier wie immer in derartigen Fällen, daß die Bösartigen die Gelegenheit wahrnehmen, ihr Gift zu verspritzen, während die entgegengesetzte Meinung der Majorität keinen Ausdruck findet. Ich bin jetzt doch sehr traurig darüber, daß wir in der »Rundschau« keine Stellung genommen haben. – Ich lege Ihnen einen vollständigen Abdruck der Rede Niemöllers bei. Die Reaktion eines Teiles der Studentenschaft in Erlangen gehört zu demselben Thema. –

Die »Neue Rundschau« hat inzwischen eine feste Abonnentenzahl von 2500 erreicht. Die Nachfrage ist noch im Steigen begriffen. Wenn man in Rechnung zieht, daß Länder wie Tschechoslowakei, Österreich, Ungarn noch nicht beliefert werden können und daß ein so wichtiges Gebiet wie Palästina noch starke Einfuhrrestriktionen hat, die eine volle Ausschöpfung des Marktes nicht gestatten, kann man mit dieser Ziffer wohl ganz zufrieden sein. Die Zeitschrift wurde überall mit ungewöhnlichem Enthusiasmus aufgenommen. In London hat gerade Harold Nicolson im »Spectator« einen Aufsatz über die Zeitschrift geschrieben. Ich lege auch ihn bei.

Darf ich Sie sehr bitten, mir die drei Beilagen wieder zurückzuschicken.

Sollten wir nicht Ihren Dostojewsky-Essay in einem der nächsten Hefte zum Abdruck bringen? Im Falle Ihrer Zustimmung lassen Sie mir bitte das Manuskript bald zugehen.

Von Antonio Borgese, den wir gestern in New York trafen, hören wir, daß es Ihnen gesundheitlich nicht zum besten geht. Bitte lassen Sie mich doch etwas Näheres über Ihr Ergehen wissen, auch über Ihre Entscheidungen Ihre Europareise und Ihre lecture-Pläne hier betreffend. Falls Sie an eine Reise nach dem Osten diesen Sommer nicht denken sollten, fänden wir es schön und wünschenswert, ein Zusammentreffen in Californien zu arrangieren.

Mit vielen herzlichen Grüßen an Sie und Frau Katia,

Ihr G. B. Fischer

1550 San Remo Drive
Pacific Palisades, California
1. IV. 46

Lieber Doktor Bermann,

willkommen zurück im alten gemütlichen New York!

Vor allem danke ich für Ihren ausführlichen und interessanten Bericht aus Stockholm, der denn doch trotz allen erwartungsgemäßen Verschleppungen und Hindernissen ganz ermutigende Perspektiven eröffnete. Das tut auch Ihr heute in Empfang genommener Brief vom 29. März, dessen Beilagen ich mit bestem Dank zurückgebe. Den Artikel aus der »Nationalzeitung« hatte man mir schon zum Trost geschickt, aber Nicolsons Artikel war mir neu und Niemöllers Rede auch.

Die Wirkung meines Offenen Briefes an Molo konnte wohl nicht anders sein. Die übliche Neigung der Deutschen, sich beleidigt zu fühlen, ist natürlich durch die gegenwärtigen Leiden in mimosenhafte Empfindlichkeit ausgeartet, und man merkt an jeder Äußerung, daß sie auf die zwölf Jahre garnichts kommen lassen wollen. Darum glaube ich auch, daß die fünfundfünfzig Kriegs-Radio-Ansprachen, wenn sie nach Deutschland gelangen, dieselbe Verstimmung hervorrufen werden, ungeachtet der Tatsache, daß sie vielen Tausenden von gequälten Menschen in dunkelsten Tagen Trost und Stärkung geboten haben. Das weiß ich bestimmt.

Sehr interessiert hat mich natürlich Ihre Nachricht über die neue Ausgabe der »Joseph«-Tetralogie. Ich nehme also an, daß man die Jaakobs-Geschichten mit dem »Jungen Joseph« zusammenbindet und »Joseph in Ägypten« und »Joseph der Ernährer« in Einzelbänden daneben stellt. Wir wollen nur zu Gott hoffen, daß bei dem Neudruck der ersten Bände sich nicht wieder so garstige Druckfehler einschleichen, wie das leider im vierten Band der Fall war. Ich stelle Ihnen noch einmal die Liste der Fehler und Auslassungen in »Joseph der Ernährer« zusammen und bitte Sie, in Stockholm Weisung zu geben, daß die Liste genau beachtet wird. Es wäre von größter Wichtigkeit, daß ein zuverlässiger deutscher Corrector die Neuausgabe beaufsichtigt; um die anderen Bände der Stockholmer Ausgabe steht es schlimm genug.

»Dostojewsky« für die »Rundschau« ist eine gute Idee. Ich schicke Ihnen das Manuskript in den nächsten Tagen.

Antonio Borgese hat Sie schon recht berichtet. Ich war garnicht recht auf dem Damm in den letzten Wochen, und nun hat sich eine kleine Lungenaffektion (Infiltration des rechten Unterlappens) herausgestellt, die durch eine vor vier Wochen attrapierte Grippe aktiviert wurde. Ich werde die nächsten Monate sehr ruhig leben müssen, und die Frühjahrsreise nach dem Osten ist stark in Frage gestellt, schon weil ich aus Mangel an Energie wahrscheinlich mit der Ausarbeitung des Vortrages »Nietzsche und das Deutsche Schicksal« nicht rechtzeitig fertig werden könnte. Sicher ist es noch nicht, aber ich gewöhne mich an den Gedanken, daß wir die Reise auf den Herbst verschieben. Darum also wäre es sehr hübsch, wenn Sie und Tutti zwischendurch hier vorsprächen. Wir müßten rechtzeitig für Unterkunft sorgen, denn damit steht es schlimmer denn je, und unser Haus wird durch diverse Kinder voll besetzt sein.

Noch zwei Kleinigkeiten, um die ich zu bitten habe. Erstens ist da in Palästina der sehr begabte Lyriker und Schriftsteller Heinz Politzer, der uns damals für »Maß und Wert« schöne Gedichte geliefert hat. Jetzt hat er mir das Manuskript eines größeren Buches über die Geschichte der deutsch-jüdischen Symbiose geschickt. Er hat der »Neuen Rundschau« einen Beitrag (wahrscheinlich aus diesem Buch) angeboten und ist damit von Pontius (richtiger Herodes) zu Pilatus geschickt worden. Kümmern Sie sich doch bitte um den Beitrag, der meiner ziemlich sicheren Vermutung nach sehr der Mühe wert ist.

Die andere Bitte betrifft meine alte Anhängerin Ida Herz (Herzchen genannt) in London, die mir ans Herz legt, Sie zu bitten, daß doch alle Nummern der »Rundschau« für sie aufgehoben werden, bis die Versendung nach England möglich ist.

Das ist alles für heute. Recht herzliche Grüße von uns beiden.

Ihr Thomas Mann

381 Fourth Avenue
New York, N. Y.
1. April 1946

Lieber Herr Mann:

Beiliegend ist der Scheck über $ 1.074.37 laut der von Stockholm übersandten Abrechnung vom 31. Dezember 1945 über den Verkauf Ihrer Bücher in Europa.

Mit besten Grüßen

Ihr G. B. Fischer

Shephard Stone an Dana Schmitt

[Telegramm]   [New York, 22. April 1946]
Dana Schmitt
Nyktimes Correspondent
Frankfurt
Would appreciate if you transmit following urgent message to Golo Mann son of Thomas Mann whos working Radio Frankfurt quote uncertain whether you received previous messages about fathers illness hell be operated Chicago Thursday next day may be critical therefore your presence desired Erika here Klaus enroute love mother unquote Thanks

Shep Stone

Katia Mann an GBF

[Telegramm]   [Chicago, 25. April 1946]
Operation successful General condition very good though critical days ahead

Katia

GBF an Katia Mann   381 Fourth Avenue
                                              New York, N. Y.
                                              26. April 1946

Liebe Frau Katia:
Ich habe soeben ein einziges Exemplar der »Neuen Rundschau«
per Luftpost von Stockholm bekommen. Ich beeile mich, es
Ihnen zuzuschicken, weil ich hoffe und glaube, daß es Herrn
Mann Freude machen wird, Teile des neuen Romans zum
ersten Mal gedruckt zu sehen.
Ich werde in den nächsten Tagen mehr Exemplare von Schwe-
den bekommen und dann sofort auch an Borgese schicken, bei
dem Sie mich bitte entschuldigen wollen.
Herzliche Grüße   *Ihr Gottfried*

GBF an Katia Mann   381 Fourth Avenue
                                              New York, N. Y.
                                              1. Mai 1946

Liebe Frau Katia:
Ich sprach eben mit »Dial Press« wegen des Dostojewski-Essays.
Der dortige Editor versicherte mir, daß sie eine fertige englische Übersetzung bekommen hätten, so daß meine Hoffnung,
von ihm das deutsche Original erhalten zu können, fehlgeschlagen ist.
Wer hat die englische Übersetzung gemacht? Könnte man vielleicht das Original durch diesen Übersetzer bekommen? Wir
haben jedenfalls das deutsche Manuskript bis heute nicht erhalten, und ich bin ein bißchen nervös, weil wir nicht mehr
furchtbar viel Zeit mit der Drucklegung haben.
Vielleicht fällt Ihnen doch etwas ein, wie man das Manuskript
beschaffen kann.
Wir warten mit Spannung auf weitere Nachrichten über das
Ergehen unseres verehrten Patienten. Ich kann Ihnen gar nicht
sagen, wie glücklich wir über den bisher so guten Verlauf der
Operation sind.
Ich hoffe, daß er bald so weit wiederhergestellt sein wird, daß
ich ihn besuchen kann. Bitte lassen Sie mich auch darüber etwas
wissen, damit ich rechtzeitig die nötigen Reservations machen
kann. Es ist ja immer noch recht schwer, hinüberzukommen.
Mit herzlichen Grüßen,   *Ihr Gottfried*

381 Fourth Avenue
New York, N. Y.
1. Mai 1946

Lieber Herr Doktor:

Heute nur eine Zeile mit den herzlichsten Glückwünschen zu
der überstandenen Operation und mit unseren Wünschen für
eine schnelle komplette Heilung.

Ich brenne darauf, Sie besuchen zu dürfen, und warte nur auf
Nachricht, wann es Ihnen recht und lieb wäre.

Auf bald also.

Herzlichst

Ihr G. B. Fischer

P. S. Tutti und sämtliche Kinder schließen sich meinen Wünschen an.

Katia Mann an GBF

Billings Hospital
University of Chicago
Chicago, 7. Mai 1946

Lieber Gottfried:

Es geht weiter sehr befriedigend: Die vor drei Tagen gemachte
Röntgen-Aufnahme soll den ausgezeichneten objektiven Be-
fund durchaus bestätigen, und auch das subjective Befinden
bessert sich stetig, besonders seit das Penicillin weggefallen
ist. Dr. Adams denkt, daß wir vier Wochen nach der Operation, das wäre also um den 22., die Heimreise antreten könnten, gesetzt daß es nicht doch noch Rückschläge gibt, was theoretisch immer noch möglich ist, wofür aber gottlob eigentlich
garnichts spricht. Wir haben jedenfalls Reservations für diesen
Zeitpunkt bestellt – ich weiß noch nicht genau, an welchem
Tag die »City of Los Angeles«, die wir am liebsten benutzen
würden, fährt, – abbestellen können wir sie ja immer noch.

Ihr Besuch für dieses oder das nächste Wochenende wäre durchaus willkommen – ganz, wie es Ihnen besser paßt.

Ich möchte Sie heute bitten, uns, am einfachsten hier in die
Klinik, ein Exemplar von »Lotte in Weimar« und »Adel des
Geistes« zu schicken. Tommy möchte diese Bücher dem sehr
netten behandelnden deutschen Arzt, Dr. Bloch, dedizieren.

Auf Wiedersehen und herzliche Grüße dem ganzen Haus.

Ihre Katia Mann

Frau Fischer hat meinem Mann einen so netten Brief geschrieben, wollen Sie ihr bitte ausrichten, daß er sich besonders darüber gefreut hat.

Katia Mann an GBF   Pacific Palisades
                                       29. v. 46

Lieber Gottfried:
Ich wollte Ihnen eigentlich gleich ein night letter mit der Nachricht von unserer glücklichen Heimkehr senden, habe es aber dann im Trouble der Ankunft leider tatsächlich vergessen. So sollen diese Zeilen Ihnen melden, daß alles ausgezeichnet verlaufen ist und wir seit zwei Tagen, bei strahlendem Sonnenschein, uns darüber freuen, Molos Einladung doch nicht voreilig gefolgt zu sein. Die letzten Tage in Chicago waren wir ja noch ins Hotel Windermere gezogen, wo Tommy sich recht wohl fühlte und den Hotel-Comfort nach fünf Wochen Hospital entschieden genoß. Einen Tag wurden wir dort noch durch den strike aufgehalten, und die Abreise, von deren Möglichkeit wir erst eine Stunde vor Abfahrt des Zuges erfuhren, war noch ein bißchen aufregend, aber das alles konnte dem Patienten nichts anhaben, und die Reise, in dem übrigens dreiviertel leeren Zuge, verlief ausgezeichnet. Hier fanden wir alles in bester Ordnung vor, der Garten, von unserem unschätzbaren Nachbarn bestens betreut, ist in dieser Jahreszeit wirklich paradiesisch, und Tommy freut sich rührend an der gewohnten und ihm so lieben Umgebung. Wir gehen täglich mehrfach im Garten spazieren, sind schon nach Santa Monica gefahren und er fängt sogar schon an, sich mit seinem Manuskript zu beschäftigen, wobei Ihr Federhalter ihm besonders gute Dienste leistet. Der Hausarzt Dr. Rosenthal war auch schon da, und geradezu begeistert von der herrlichen Narbe. Er hat von Dr. Adams über das Ergebnis der Untersuchungen der herausgenommenen Gewebe einen so günstigen Bericht bekommen, daß wir wirklich hoffen dürfen, diese schlimme Episode endgültig hinter uns zu haben. Recht mager und ermüdbar ist Tommy natürlich noch, aber wenn man bedenkt, daß die Operation heute erst genau fünf Wochen zurückliegt, können wir wirklich nicht froh und dankbar genug sein, so weit zu sein wie wir sind. Und es ist sicher anzunehmen, daß die Erholung

bei den günstigen häuslichen Verhältnissen stetig fortschreitet.

Ich gebe nun also keine Bulletins mehr aus, muß nur wegen der ungebührlichen Verspätung des vorliegenden um Nachsicht bitten.

Seien Sie mit Tutti und den Kindern von uns beiden und auch von Erika herzlich gegrüßt.

Ihre Katia Mann

GBF an Katia Mann

381 Fourth Avenue
New York, N. Y.
den 5. August 1946

Liebe Frau Katia,

[...] Ich glaube mich zu erinnern, daß ich Ihnen in Chicago erzählt habe, daß demnächst die »Lotte« und der Essay »Vom kommenden Sieg der Demokratie« bei Suhrkamp erscheinen wird. Suhrkamp teilt mir mit, daß er die Genehmigung erhalten hat, das Honorar von 10 % auf das Spezialkonto der amerikanischen Armee bei der Reichsbank Berlin einzuzahlen. Es besteht eine gewisse Hoffnung, daß wenigstens ein Teil der dort angesammelten Beträge wird transferiert werden können. Die Erteilung weiterer Nachdruckslizenzen möchte ich von den gesammelten Erfahrungen abhängig machen.

Der Berliner Verlag hat ein sehr schönes Programm, das zum Teil Bücher innerdeutscher Autoren vorsieht, wie Rudolf Alexander Schröder, Penzoldt, Hausmann und mehrere bisher unbekannte Autoren, zum anderen Teil Bücher des Bermann-Fischer Verlags, wie die beiden obengenannten, sowie »Bernadette«, Zuckmayer und Hofmannsthal.

Der Berliner Verlag hat fernerhin mit dem Druck der von mir vorbereiteten Weltgeschichte für den Schulgebrauch begonnen. Von der britischen Armee wurde ihm das Papier für 300.000 Exemplare Erstdruck zur Verfügung gestellt. (Der zweite Band Weltgeschichte, vom Mittelalter bis 1890, wird übrigens auch in der französischen Zone gedruckt und wird Anfang September dort in den Schulen eingeführt werden.)

Frau Feuermann, die ich gestern traf, erzählte mir, daß Sie viele Manuskripte aus Deutschland erhalten. Ich wäre sehr daran interessiert, sie zu lesen und für eine Veröffentlichung in Betracht zu ziehen. Können Sie mir diese Manuskripte nicht zur weiteren Erledigung hierherschicken? Ich nehme Ihnen damit wahrscheinlich auch eine unangenehme Arbeit ab.

Ich habe von Frau Feuermann zu meiner Freude auch gehört, daß es Ihrem Mann weiterhin gut geht und daß er wieder an Gewicht zugenommen hat.

Bitte bestellen Sie ihm meine herzlichsten Grüße und seien Sie selbst herzlichst gegrüßt von Ihrem

Gottfried

381 Fourth Avenue
New York, N. Y.
den 7. August 1946

Sehr verehrter Herr Mann,

die Erhöhung der schwedischen Krone um ca. 15 %, der zweifellos sehr bald auch eine Erhöhung anderer Währungen folgen wird, würde uns zu einer Erhöhung unserer Ladenpreise zwingen, die in den meisten Ländern, in denen unsere Verlagswerke zur Zeit verkauft werden können, nahezu prohibitiv wirken würde. Die Abbestellungen, die in Vorwegnahme der zu erwartenden Preiserhöhung aus England und Holland eingegangen sind, bedeuten fast eine völlige Stillegung unseres Absatzes in diesen Ländern.

Da ich den enorm angestiegenen Herstellungskosten sowohl in der Schweiz als auch in Schweden nicht durch entsprechende Preissteigerungen im letzten Jahr nachgekommen bin, habe ich keine andere Möglichkeit mehr, mich den so plötzlich veränderten Verhältnissen anzupassen, als die Autoren um eine Reduktion der Honorarsätze zu bitten. Die von mir vorgeschlagene Herabsetzung von 15 % auf 10 % vom gebundenen respektive broschierten Exemplar gerechnet, gleicht den Verlust, den wir durch die Vermeidung einer wesentlichen Preiserhöhung erleiden, keineswegs völlig aus, sondern bedeutet eine Verteilung der Neubelastung auf beide Teile, Autor und Verlag. Daß die Reduktion vom 1. Januar 1946 an erfolgen muß, ergibt sich daraus, daß die seit dieser Zeit abgeschlossenen Verkäufe besonders von der Währungserhöhung betroffen werden. Die Bücher, die im Laufe der letzten Monate geliefert worden sind, sind gerade diejenigen, die von den verschiedenen Vertriebsstellen zum Verkauf gelangen sollen und deren Preise zuerst erhöht würden, wenn keine Regelung erfolgt.

Ich versichere Ihnen, daß der Verlag außerstande ist, die Belastung allein zu tragen. Ich würde sonst nicht mit diesem Vorschlag, mit dem zu Ihnen zu kommen mir nicht leichtfällt, an Sie herantreten.

Da die Entscheidungen, die ich wegen der Preisgestaltung zu treffen habe, äußerst dringlich sind, bitte ich um beschleunigte Antwort und, wenn Sie Ihre Zustimmung zu geben bereit sind, um die Unterschrift des beiliegenden Formulars.

Mit besten Grüßen

Ihr G. B. Fischer

P. S. Ich möchte noch darauf hinweisen, daß sich die Honorar-Reduktion zum Teil wieder dadurch ausgleicht, daß Ihre schwedischen Honorare bei der Auszahlung in Dollars zu dem neuen günstigeren Kurs umgerechnet werden. Es beträgt z. B. die Differenz zwischen einem Honorar von 15 % zum alten Kurs umgerechnet und dem reduzierten Honorar zum neuen Kurs umgerechnet nur 8 Cents bei einem Buch mit einem Ladenpreis von 10.– Schwedenkronen.

Der Verlust, den der Verlag dabei in Kauf nimmt, da eine entsprechende Preiserhöhung nicht stattfinden kann, beträgt bis zu 30 Cents. Nur in wenigen Fällen kann ein Ausgleich bis zu einem Verlust bis zu 12 Cents erfolgen.

1550 San Remo Drive
Pacific Palisades, California
13. August 1946

Lieber Doktor Bermann,

ich habe den Inhalt Ihres Briefes vom 7. August sorgfältig erwogen und bin durchaus einverstanden, daß ein Teil der durch die Valuta-Erhöhung in Schweden dem Verlag erwachsenden Verluste von den Autoren getragen werden soll. So, wie sie mir vorliegt, kann ich mich jedoch nicht entschließen, die Ergänzungs-Klausel zu unserem Vertrag zu unterschreiben.

Erstens finde ich eine Herabsetzung um 33 $^1/_2$ % denn doch etwas zu heftig, und schlage 20 %, das heißt also eine Tantieme von 12 % vor.

Zweitens aber kann ich eine solche Einschränkung nicht, wie sie jetzt abgefaßt ist, generell und für alle Zeiten bindend, unterschreiben. Stellen Sie sich vor, Ihr Verlag ginge in andere Hände über, so wäre meine Tantieme eben ein für alle mal 10 %. Der *temporäre* Charakter dieser Reduktion muß zum Ausdruck kommen, das heißt ich willige in sie ein, solange die schwedische den anderen europäischen Währungen gegenüber erhöht ist. Dies wird, Ihren eigenen Mitteilungen zufolge, wahrscheinlich nur vorübergehend der Fall sein, da, wie Sie sagen, die anderen Länder voraussichtlich bald folgen werden. Wenn der Schweizer Franken und der holländische Gulden entsprechend aufgewertet sind, liegt ja gar kein Grund mehr vor, meine Tantieme zu verkürzen, wobei hinsichtlich Englands ja immer noch eine andere Regelung getroffen werden könnte.

Ich bitte Sie also, mir das entsprechend abgeänderte Formular möglichst bald zukommen zu lassen, ich werde es Ihnen dann umgehend unterschrieben zurückstellen.

Mit den besten Grüßen   *Ihr Thomas Mann*

1550 San Remo Drive
Pacific Palisades, California
18. August 1946

Lieber Doktor Bermann,
anbei der unterschriebene Zusatz zu unserem Vertrag. Ich habe allerdings den von Ihnen vorgeschlagenen Text noch etwas abgeändert, entsprechend den Vorschlägen meines Briefes vom 13. August. Das Verhältnis der Schweden-Krone zum Dollar scheint mir nicht maßgebend, da ja ein Export deutscher Bücher nach den USA so gut wie nicht stattfindet, und die Honorarreduktion auf Grund der erhöhten Herstellungskosten ist nur berechtigt, solange die schwedische Währung im Verhältnis zu den wesentlichen europäischen Währungen erhöht ist.

Mit besten Grüßen   *Ihr Thomas Mann*

[Beilage]

Pacific Palisades, California
18. August 1946

Ich erkläre mich damit einverstanden, daß mein vertraglich mit dem Bermann-Fischer Verlag A. B. in Stockholm vereinbartes Honorar aus dem Verkauf meiner Bücher auf 12 % vom Ladenpreis jedes verkauften, entweder gebundenen oder broschierten, Exemplares meiner Bücher herabgesetzt wird.

Diese auf Grund der augenblicklichen Währungsverhältnisse von mir bewilligte Reduktion soll jedoch außer Kraft treten, sowie die schwedische Währung gegenüber denjenigen der wichtigsten europäischen Absatzgebiete (vor allem also Holland und der Schweiz) nicht mehr erhöht ist.

Außerdem gilt die Abmachung zunächst nur für die ersten 5.000 Exemplare jedes der im Verlag erschienenen Bücher, die vom 1. Januar 1946 an verkauft wurden, sowie für die 5.000 ersten Exemplare jedes neuerschienenen Buches. Nach Verkauf von 5.000 Exemplaren müssen unter allen Umständen neue Verhandlungen über die künftige Honorargestaltung zwischen Autor und Verlag erfolgen.

Alle anderen Bestimmungen des Vertrages bleiben unberührt.

Thomas Mann

381 Fourth Avenue
New York, N. Y.
den 15. August 1946

Lieber Herr Dr. Mann,

ich danke Ihnen vielmals für Ihr verständnisvolles Eingehen auf meinen Brief vom 7. August. Ich akzeptiere Ihren Gegenvorschlag einer Herabsetzung der Tantieme von 15 % auf nur 12 %. Ich muß aber in diesem Falle für meine amerikanischen Preise annähernd den Umrechnungsschlüssel in Anwendung bringen, den die Schweizer Verleger seit langer Zeit schon anwenden und der erheblich höher ist als der von mir benutzte. Ich werde dabei in den meisten Fällen immer noch unter den Schweizer Preisen bleiben. Ich glaube, daß das hinsichtlich der Dollarpreise tragbar ist. Durch diese Umrechnung gleichen wir unsere Preise den bisher höheren Schweizer Buchpreisen an, ohne daß wir die Währungsdifferenz ganz ausgleichen können. Immerhin bedeutet Ihr Entgegenkommen eine große Erleichterung in der äußerst schwierigen Situation.

Den von Ihnen vorgeschlagenen Zusatz, der den temporären Charakter dieser Reduktion feststellt, nehme ich gerne auf.

Sollte sich jedoch das Verhältnis der schwedischen Währung in Zukunft zu einzelnen der für den Buchhandel wichtigen Valuten verschieben, so müßten Sondervereinbarungen zwischen uns getroffen werden.

Mit bestem Dank und vielen Grüßen   *Ihr G. B. Fischer*

381 Fourth Avenue
New York, N. Y.
23. August 1946

Lieber Herr Mann:

Vielen Dank für die Zusendung des unterschriebenen Vertrages. Ihre Annahme, daß das Verhältnis der Schweden-Krone zum Dollar bedeutungslos ist, ist aber nicht richtig.

Seit der Wiedereröffnung der Transporte zwischen Schweden und den USA exportieren wir wieder deutsche Bücher hierher. Die Verkaufsziffern, die hier in Amerika erzielt werden, können Sie aus den Abrechnungen unschwer ersehen. Ich behalte mir deshalb vor, falls eine Angleichung der schwedischen Währung an die anderen europäischen Währungen erfolgen sollte, ohne daß das Verhältnis zum amerikanischen Dollar geändert wird, mich erneut in dieser Frage an Sie zu wenden.

Ich hatte gestern zu meiner Freude von Bruno Walter einen erfreulichen Bericht über Ihr Ergehen. Bruno Walter's Buch habe ich mit großem Vergnügen gelesen und werde es in deutscher Sprache veröffentlichen.

Mit vielen Grüßen   *Ihr G. B. Fischer*

1550 San Remo Drive
Pacific Palisades, California
27. August 1946

Lieber Dr. Bermann,

heute schreibe ich Ihnen (mit dem Ever sharp) in einer literarischen Angelegenheit, die mich ernstlich interessiert. Es handelt sich um ein Manuskript des Dr. Adorno-Wiesengrund, früheren Privatdozenten in Frankfurt a. M., das er mir kürzlich zu lesen gab, und das einen starken Eindruck auf mich machte. Es heißt »Minima Moralia« und ist eine Sammlung von z. T. ausgedehnteren Aphorismen kulturkritisch-philosophisch-soziologischen Inhalts und von großer intellektueller Schärfe und Hochspannung. Adorno sähe das Buch gern im Bermann-Fischer Verlag erscheinen, und ich unterstütze seinen Wunsch umso lieber, als ich dem musikalischen Gespräch des Autors (er ist auch Musiker und Musikolog) viel Anregung und Förderung danke, dann aber auch, weil ich der radikalen Gesellschaftskritik des Buches, seiner oft spröden und bitteren, aber reinen Geistigkeit, seinen glänzend scharfen Formulierungen die Veröffentlichung durch einen angesehenen Verlag aufrichtig wünsche.

Das Mt. dürfte ein Buch von kaum mehr als 200 Seiten ausmachen – es bedeutet für Sie also keine große Investierung. Natürlich kann es kein großes Publikum haben, aber eine bestimmte intellektuell trainierte Leserschaft wird es bestimmt finden, und sie braucht der der Aktualität seiner Probleme nicht einmal so sehr eng begrenzt zu sein. Auch behandelt der Mann die aphoristische Form, die nicht gedanken-splitterhaft, sondern oft, wie bei Nietzsche, kurz-essaymäßig ausgeführt ist, mit großer Meisterschaft.

Adorno fährt nächstens nach New York und will Ihnen sein Mt. bringen. Ich lege Wert darauf, daß Sie dann diesen Brief schon haben und sein Angebot mit der Aufmerksamkeit empfangen, die es verdient. Nach meiner Meinung handelt es sich nicht nur um ein würdiges Verlagsobjekt, sondern auch um eine gelegentliche Stoffquelle für die »Neue Rundschau«.

Etwas über »mich«, das Sie amüsieren wird, aus einer deutschen Zeitung, lege ich bei: So wird jetzt manchmal über mich geschrieben. Merkwürdig! Immer bekam man Kröten zu schlucken, und ganz unvermittelt ist man zu einer Art von Merlin, altem Goethe und fernhin schauendem Meister-Greisen geworden.

Bestens   *Ihr Thomas Mann*

381 Fourth Avenue
New York, N. Y.
29. August 1946

Lieber Herr Dr. Mann:

Vielen Dank für Ihren Brief vom 27. August. Ich erwarte mit Spannung Herrn Dr. Adorno-Wiesengrund und werde sein Manuskript mit großem Interesse in meine Obhut nehmen. Bestände wohl eine Möglichkeit, sofort Teile aus dem Manuskript für das nächste Heft der »Neuen Rundschau« zu bekommen? Es müßte aber innerhalb der Woche nach Labour Day hier eintreffen, da wir um den 12. herum Redaktionsschluß haben. Sollte Herr Dr. Adorno-Wiesengrund etwa erst nach diesem Termin hierherkommen, so veranlassen Sie ihn doch bitte, sogleich geeignete Teile aus dem Manuskript per Luftpost hierher zu schicken. Der Umfang könnte 6–8000 Worte betragen.

Die beigelegte Besprechung aus »Der Schweinfurter Volkswille« zeigt, daß es auch andere Stimmen im weiten deutschen Reiche gibt als die, die sich vor einem Jahr so heiser geschrien haben.

Mein Verlag in Stockholm hat gerade eine Einladung erhalten, an einer Verlegersitzung in Wiesbaden teilzunehmen. Tor Bonnier und einer meiner leitenden Angestellten werden der Einladung Folge leisten und so Gelegenheit haben, mit Suhrkamp persönlich zu sprechen. Ich selbst muß leider noch warten, da ich meine Einbürgerungspapiere noch nicht habe. Da der reguläre Termin meiner Einbürgerung gerade in die Zeit vor den Wahlen fällt, muß ich zwei Monate länger warten als vorgesehen war, da in dieser Zeit keine Papiere ausgegeben werden dürfen. Ich hoffe, daß es dann klappt und ich sofort abreisen kann. Das War Department selbst hat Antrag für meine Einreise nach Deutschland gestellt, so daß ich hoffe, teilweise auch im Auftrag des War Department fahren zu können. Was an »Red tape« in diesen Dingen zu überwinden ist, können Sie sich kaum vorstellen.

Viele herzliche Grüße   *Ihr G. B. Fischer*

1550 San Remo Drive
Pacific Palisades, California
18. September 1946
Lieber Doktor Bermann:

Knopf erzählte mir, daß Sie die Absicht haben, eine deutsche Ausgabe der Hersey Reportage über Hiroshima im »New Yorker« zu veranstalten, und daß der Verfasser den Wunsch ausgedrückt hat, ich möchte die Übersetzung herstellen. Das wäre an sich eine ganz reizvolle Aufgabe. Ich kann mich aber aus dem Grund durchaus nicht dazu entschließen, weil ich nicht das leiseste Interesse daran habe, daß die Deutschen dieses Stück amerikanischer Selbstkritik lesen, dessen moralischer Wert für Amerika selbst unbestreitbar ist. Die Deutschen haben ohnedies nichts Besseres zu tun, als sich über die Dummheiten, Fehler und Sünden der übrigen Welt zu freuen, und ich sehe nicht ein, warum man ihnen neuen Stoff dazu bieten sollte, indem man ihnen die ausführliche Beschreibung einer amerikanischen Kriegshandlung zugänglich macht, in der viele moralisch empfindliche Leute ein nicht zu entschuldigendes Verbrechen sehen.

Übrigens ist anzunehmen, daß die deutsche Ausgabe insofern ein Fehlschlag sein würde, als diese Publikation gewiß das letzte wäre, was die Alliierten nach Deutschland hineinlassen würden.

Mit besten Grüßen und Wünschen   *Ihr Thomas Mann*

381 Fourth Avenue
New York, N. Y.
19. September 1946
Lieber Dr. Mann:

Ich habe heute noch einmal die Copyright-Frage für Ihr neues Buch mit Alfred Knopf diskutiert.

Nachdem ich das Copyright-Gesetz sorgfältig gelesen habe, bin ich der Meinung, daß ein Copyright-Schutz nur dann erreicht werden kann, wenn

> entweder die deutsche Ausgabe hier gesetzt, gedruckt und gebunden wird, oder, wenn die amerikanische Ausgabe mit ihrem Copyright-Schutz *vor* einer in Schweden hergestellten deutschen Ausgabe erscheint.

465

Die erste Möglichkeit stößt auf große Schwierigkeiten. Der deutsche Satz ist hier schwer zu bekommen, insbesondere, wenn es sich auch noch darum handelt, ihn in einer der Gesamtausgabe angepaßten Form zu bekommen. Die Kosten sind, wie ich fürchte, um ein Vielfaches höher als in Europa, und das wäre bei den an sich schon sehr hohen Preisen für den Verkauf mehr als abträglich. Dazu kommen dann noch die enormen Schwierigkeiten des Transports einer ganzen Auflage nach Europa. Wie weit sich diese Schwierigkeiten dennoch überwinden lassen, untersuche ich noch.

Wegen der zweiten Möglichkeit stellt Knopf die notwendigen Erhebungen seinerseits an. Wir sind uns im Augenblick nicht ganz klar darüber, ob das frühere Erscheinen einer amerikanischen Ausgabe auch tatsächlich genügenden Schutz für die deutsche Ausgabe und deren Mißbrauch in Amerika darstellt.

In diesem Zusammenhang wäre es mir nicht unlieb zu wissen, wann Sie glauben das Manuskript für die Herstellung abliefern zu können. Diese Frage ist wichtig im Zusammenhang mit Punkt 2, d. h. also wann mit der Übersetzung begonnen werden könnte und welchen Aufschub es für die deutsche Ausgabe bedeuten würde, wenn wir auf die amerikanische warten müßten.

Ich bin sicher, daß wir eine befriedigende Lösung finden werden, und wollte Sie mit diesem Schreiben nur darüber informieren, daß wir an dem Problem arbeiten.

Wie ich von Knopf höre, wird er sehr bald in Kalifornien sein und Gelegenheit nehmen, persönlich mit Ihnen darüber zu sprechen.

Mit herzlichen Grüßen   *Ihr G. B. Fischer*

                                            1550 San Remo Drive
                                            Pacific Palisades, California
                                            21. IX. 46

Lieber Dr. Bermann,
ich hatte der Lowe das schon großen Teils übergebene Manuskript noch einmal weggenommen, um Streichungen und Verbesserungen daran vorzunehmen. Sie ist aber jetzt wieder im Besitz von 250 Seiten, denen bald ebenso viele folgen werden, und kann mit der Übersetzung beginnen.

Das Gesetz scheint wirklich zu verbieten, daß die deutsche Ausgabe, wenn sie nicht hier gedruckt wird, was klar unmöglich ist, vor der amerikanischen erscheint. Darum mutete mich Ihre Anzeige des Buches für das Frühjahr oder gar für die Jahreswende recht sanguinisch an. Im Frühjahr hoffe ich fertig zu sein, kann das sogar ziemlich sicher versprechen, und mit dem Druck in Stockholm kann man dann immerhin beginnen, damit man bereit ist für den Augenblick, wo Mrs. Lowe mit der Übersetzung nachgekommen ist und die amerikanische Ausgabe erscheinen kann. Leider muß man wohl rechnen, daß es Hochsommer 47 wird bis dahin. Ich muß aber auch gleich sagen, daß ich diesmal die deutschen Korrekturen unbedingt selber lesen will. In den früheren Büchern waren viele Fehler, an denen offenbar nicht der Setzer, sondern der Korrektor schuld war. Ich meine solche, wie im »Joseph« »titanisch« statt »tanitisch« (Nilmündung). Er wußte es besser.

Aber das findet sich. Vor allem heißt es einmal: fertig werden, und das ist nicht so einfach. Es ist sogar recht unheimlich, ein Buch schon angezeigt zu sehen, das einem noch garnicht in Sicherheit scheint, sondern tägliche Sorge ist.

Ihr Thomas Mann

381 Fourth Avenue
New York, N. Y.
25. September 1946

Lieber Herr Doktor Mann:

Besten Dank für Ihren Brief vom 18. September über die Frage einer deutschen Ausgabe der Hersey-Reportage. Ich hatte selbst vor, Ihnen darüber zu schreiben, nachdem Alfred Knopf mir kürzlich Ihre Antwort zu Hersey's Übersetzungsvorschlag gezeigt hat.

Die Veröffentlichung des Artikels im »New Yorker« hat überall großes Aufsehen erregt und mußte notwendigerweise die Schweizer Verleger auf den Plan rufen. Bei der dokumentarischen Bedeutung der Arbeit war natürlich mein Interesse sogleich erwacht, und ich wandte mich an Knopf, um mir die Übersetzungsrechte gegen die Schweizer Konkurrenz zu sichern.

Über das politisch-psychologische Problem, das bei einer Veröffentlichung in deutscher Sprache sich ergibt, war ich mir von vornherein klar, und ich stimme mit Ihnen völlig überein, soweit es sich um eine Veröffentlichung innerhalb Deutschlands handelt. Wie Sie wissen, bin ich aus vielen Gründen nicht sehr stark daran interessiert, Lizenzdrucke der in Stockholm erscheinenden Bücher an deutsche Verleger zu vergeben. Ich habe das nur bisher in einigen wenigen Fällen getan, nämlich dann, wenn aus bestimmten Gründen eine Veröffentlichung wichtig und wünschenswert erschien, wie im Falle der »Lotte«, Ihres Essays über Demokratie und in ähnlichen Fällen. Bei Hersey's Buch habe ich an einen derartigen Lizenzvertrag mit einem deutschen Verleger nicht gedacht. Vielmehr beabsichtigte ich eine deutsche Ausgabe für den außerdeutschen Buchmarkt, auf dem wir während der letzten Jahre unsere Bücher verkauft haben. Es läßt sich nicht leugnen, daß einige Exemplare einer deutschen Ausgabe nach Deutschland eingeschmuggelt werden können. Es kann sich dabei aber nur um einige wenige Exemplare handeln, die praktisch bedeutungslos sind, da die Einfuhrsperre der Besatzungsarmeen die Einfuhr größerer Mengen unmöglich macht.

Die Frage konzentriert sich also darauf, ob es vertretbar und wünschenswert erscheint, eine Übersetzung für das deutschlesende Publikum außerhalb Deutschlands zu veröffentlichen. Diese Frage kann, wie mir scheint, nicht mit den gleichen Argumenten verneint werden wie die Frage einer Veröffentlichung innerhalb Deutschlands. Wenn Sie sich entschließen könnten, für dieses vergleichsweise kleine Lesepublikum die Übersetzung zu übernehmen (ich erwähne das, weil Sie in Ihrem Brief selbst die Übernahme dieser Übersetzung als eine reizvolle Aufgabe bezeichnen), so könnten Sie dadurch am allerbesten Einfluß darauf nehmen, daß die Übersetzung nicht nach Deutschland eingeführt werden darf, was ohne Ihre Mitwirkung à la longue nicht verhindert werden könnte, wenn ein Schweizer Verlag die Rechte erwirbt.

Bitte, lassen Sie mich wissen, wie Sie zu der Frage einer deutschen Übersetzung unter diesen neuen Gesichtspunkten stehen. Sollten Sie die Übernahme der Übersetzung doch noch in Erwägung ziehen, so würde ich es gern übernehmen, Verhandlungen mit Knopf und dem Autor zu führen, unter besonderer Berücksichtigung des Ausschlusses von Deutschland.

Mit besten Grüßen   *Ihr G. B. Fischer*

381 Fourth Avenue
New York, N. Y.
27. September 1946

Lieber Herr Doktor Mann:

Vielen Dank für Ihre Informationen über den neuen Roman. Um nichts zu versäumen, möchte ich bei einer mir befreundeten Druckerei eine Kalkulation über die Herstellung hier in New York einholen. Können Sie mir dafür den ungefähren Umfang in Manuskriptseiten angeben? Ich nehme an, daß Ihre Seite ungefähr 300 Worte enthält. Den noch nicht geschriebenen letzten Teil werden Sie sicherlich ziemlich genau schätzen können.

Wenn es mir gelingen würde, eine annehmbare Vereinbarung hier zustande zu bringen, so wäre das die einfachste Lösung auch hinsichtlich des Korrekturlesens, sowohl für den Copyright-Schutz als auch für die Vermeidung des herausgeschobenen Erscheinungstermins. Ich bin sehr zweifelhaft, ob es mir gelingen wird, eine solche Abmachung zustande zu bringen. Die großen Vorteile, die er bieten würde, sind aber einen Versuch wert.

Auf alle Fälle aber möchte ich vorschlagen, mir das Manuskript gleichzeitig mit der Übersendung an die Übersetzerin zuzuschicken. Der deutsche Satz wird sowohl hier als auch in Schweden oder in der Schweiz wegen der Unterkapazität der Druckereien sehr lange Zeit in Anspruch nehmen. Es kommt dann noch hinzu, daß die Korrekturfahnen hierher geschickt werden müssen. Ich möchte also so zeitig mit dem Satz beginnen wie es möglich ist. Wenn wir dann zu zeitig fertig werden, so schadet das nichts.

Mit allen herzlichen Wünschen   *Ihr G. B. Fischer*

Pacif. Palisades, Calif.
den 27. Sept. 46

Lieber Dr. Bermann,

ich antworte umgehend, damit Sie Bescheid wissen. Ich möchte die Übersetzung *nicht* machen. Es wäre ja das überhaupt erste Mal, daß ich mich als Übersetzer versuchte, und dazu scheint mir dies doch nicht die rechte Gelegenheit. Wenn es sich um eine Botschaft handelte, von der ich wünschte, daß alle Deutschen sie läsen, so wäre es etwas anderes. Aber warum soll ich meinen Namen so auffallend mit einer Sache verbinden, die ich den Deutschen am liebsten vorenthielte? Das hat keinen Sinn. Sie werden es doch nicht von meiner Beteiligung oder Nichtbeteiligung abhängig machen, ob Sie das Objekt der Schweizer Konkurrenz aus der Hand nehmen wollen oder nicht. Übersetzen kann die Reportage jeder, Sie selbst, oder Tutti, oder ein anderer.

Ich laboriere an einem juckenden Hautleiden, recht qualvoll und schlafraubend. Man wendet X-rays und Calcium-Injektionen an und probiert Salben. Aber ein Mittel gibt es eigentlich nicht gegen das Leiden. Es will einfach seine Zeit haben, wie vor 8 Jahren die scheußliche Ischias, an die ich mich sehr erinnert fühle. Ich schrieb unter ihrer Geißel die besten Kapitel von »Lotte in Weimar«.

Aus diesem Buch drucken die deutschen Blätter viel ab, meistens den Passus mit dem groben Anachronismus vom »verzückten Schurken«.

Herzlich   *Ihr Thomas Mann*

381 Fourth Avenue
New York, N. Y.
30. September 1946

Lieber Herr Doktor Mann:
Bitte lassen Sie mich doch wissen, ob Sie den Aufsatz von Dolf Sternberger »Thomas Mann und der Respekt« in der deutschen Zeitschrift »Die Wandlung« gelesen haben.
Ich habe den Aufsatz bei einem Freund, der das Heft besitzt, gesehen und würde es gern für Sie besorgen, falls man es Ihnen nicht zugeschickt hat. Der kluge und respektvolle Aufsatz wird Ihnen sicher Freude bereiten.
Mit besten Grüßen   *Ihr G. B. Fischer*

381 Fourth Avenue
New York, N. Y.
2. Oktober 1946

Lieber Herr Doktor Mann:
Die Diskussion über ein Erscheinen einer deutschen Ausgabe

der Hersey-Reportage ist dadurch überflüssig geworden, daß »Die Neue Zeitung«, das von der amerikanischen Armee in München herausgegebene Blatt, einen großen Teil des Berichtes in zwei aufeinanderfolgenden Nummern zum Abdruck bringt.

Wegen einer Veröffentlichung außerhalb Deutschlands stehe ich mit Knopf in Unterhandlungen. Es scheint aber, daß Hersey selbst über die Vergebung der Rechte verhandelt. Bei der etwas unklaren Situation bin ich gar nicht sicher, ob ich sie bekommen werde.

Daß Sie selbst die Übersetzung nicht machen wollen, verstehe ich. Ich wäre gar nicht auf die Idee gekommen, wenn Sie selbst nicht zuerst Ihr Wohlgefallen über Hersey's Vorschlag ausgesprochen hätten.

Sehr betrübt bin ich über Ihren Bericht über Ihr Hautleiden. So ungefährlich diese Art von Erkrankung ist, so sehr quält und belästigt sie.

Suhrkamp wird in Kürze mit der »Lotte« fertig sein. Ich hoffe, daß er unsere korrigierten Exemplare bekommen hat und als Vorlage verwendet.

Mit vielen herzlichen Grüßen   *Ihr G. B. Fischer*

1550 San Remo Drive
Pacific Palisades, California
3. Oktober 1946

Lieber Doktor Bermann:

Haben Sie vielen Dank für Ihre freundlichen Mitteilungen vom 27. und 30. September. Die »Wandlung« mit Sternbergers Aufsatz ist mir schon vor längerer Zeit durch Golo zugegangen. Ich habe mich über den Artikel aufrichtig gefreut.

Ihr Wunsch, mit dem Druck des Romanes möglichst bald anzufangen, um in Bereitschaft mit der deutschen Ausgabe zu sein, ist sehr berechtigt und vernünftig. Es sind noch einige Verbesserungen aus dem Manuskript in die Durchschläge zu übertragen. Sowie das geschehen ist, schicke ich Ihnen einen ebenso großen Teil des Manuskriptes, wie die Übersetzerin ihn schon empfangen hat.

Die Wortzahl der Maschinen-Manuskript-Seite beträgt nur ca 240; rund und roh geschätzt, wird das gesamte Maschinen-

Manuskript wohl auf 1.000 Seiten kommen, das wären also etwa 240 000 Worte.

Natürlich wäre es außerordentlich günstig, wenn das Buch hier statt in Schweden hergestellt werden könnte. Hoffentlich läßt es sich rechnerisch ermöglichen.

Für den letzten »Rundschau«-Beitrag, den Dostojewsky-Aufsatz, möchte ich, im Gegensatz zu dem Roman-Vorabdruck, nicht mehr als 150 Dollars verlangen. Diese lassen Sie mir vielleicht gelegentlich zukommen.

Bestens   *Ihr Thomas Mann*

> 381 Fourth Avenue
> New York, N. Y.
> 10. Oktober 1946

Lieber Herr Dr. Mann:

Mein Brief mit der Anfrage wegen der Abrechnung war gerade abgegangen, als die Abrechnung und die Überweisung Ihrer Royalties hier anlangten. Offenbar infolge der Abwesenheit beider Direktoren der Stockholmer Firma (beide sind seit vier Wochen in Deutschland) hat man die Abrechnung an mich geschickt.

Ich werde Ihnen in Kürze eine zweite Abrechnung über den gleichen Zeitraum mit den Lagerziffern zugehen lassen. Bei den verbesserten Postverhältnissen läßt sich das wieder durchführen, und ich möchte, daß es in Zukunft so gehandhabt wird.

Die Verrechnung des Debets – der Vorauszahlung auf neue Bücher – ist ohne meine Anweisung erfolgt. Sollte es Ihnen so nicht recht sein, so bitte ich, mir das zu sagen. Ich werde dann die Auszahlung sogleich veranlassen. Tatsächlich dürfte es aber kaum eine Rolle spielen, da im Frühjahr sowieso die Vorauszahlung auf den neuen Roman fällig wird.

Wenn Sie diese Abrechnung mit der Abrechnung Januar bis Juni 1945 vergleichen, so werden Sie eine erfreulich starke Absatzsteigerung feststellen. Aber was ist das alles gegenüber den Verkaufsmöglichkeiten in Deutschland, die wir vorläufig noch nicht ausnutzen können.

Ich gehe jetzt eben daran, den Bermann-Fischer Verlag in Wien wieder zu eröffnen, und hoffe in Kürze dort drucken zu können.

Mit herzlichen Grüßen   *Ihr G. B. Fischer*

Lieber Dr. Bermann,
dem Dr. Adorno haben Sie wegen seiner Aphorismen ziemlich
ausweichend geschrieben. Er hat mir seine Antwort auf Ihren
Brief gezeigt und mich gebeten, ihm doch auch weiter meine
Unterstützung nicht zu versagen. Ich würde nun gern einmal
direkt von Ihnen hören, wie Sie und Joachim Maass, der Sie
wohl für die »Rundschau« berät, über das Adorno'sche Angebot
denken. Daß Maass nicht allzu gut davon denken mag, habe
ich erwartet und verstehe es auch ganz gut. Es ist ja zuzuge-
ben, daß diese Dinge etwas »Ätzendes«, Überscharfes, Über-
intellektuelles, oft im Urteil etwas, ich möchte fast einfach sagen: Unbescheidenes haben. Dadurch können sie abstoßen.
Aber sie haben doch auch ihr Anziehendes und Imponierendes
durch strenge Gescheidtheit und einschneidende Kritik der
Epoche, auch oft durch sprachliche Energie, und ich finde immer
noch, daß Sie sich nicht ablehnend dazu verhalten sollten.
Natürlich glaubt Adorno, daß, wenn ich ein Vorwort zu dem
Buch schriebe, Sie es ohne Weiteres bringen würden. An die
Heilswirkung eines Vorwortes von mir glauben ja alle. Sein
direkt ausgesprochener Wunsch war mir nicht gerade lieb,
denn so nahe steht diese Kritik mir ja wieder nicht, daß es
mich drängte, mich essayistisch dafür ins Zeug zu legen. Auch
habe ich ihm gesagt, daß der Roman, den ich unbedingt bis
Februar-März fertig haben will, all meine Kraft und Aufmerksamkeit beansprucht. Aber, wie gesagt, ich glaube weitgehend
an den geistigen Wert dieser Produktion, und einen kurzen
Brief, den man allenfalls als Vorwort in das Buch aufnehmen
könnte, wäre ich schon bereit dem Verfasser zu schreiben. Soviel wollte ich Sie wissen lassen, für den Fall, daß es Ihre Entschlüsse beeinflussen kann.

Ihr Thomas Mann

Brigitte Bermann Fischer an TM   Old Greenwich, Conn.
                                                    d. 2. November 46

Verehrter Herr Dr. Mann,
zehn volle Tage laufe ich nun herum, mit einem Brief an Sie

im Kopf oder vielmehr mit Briefentwürfen zu dem Manuskript von 713 Seiten des »Doktor Faustus«. Schließlich habe ich sie noch einmal, ein zweites Mal gelesen. Aber ich sehe voraus, daß es mir auch danach nicht glücken wird. – Und wie könnte es auch.

Es mutet mich wie Vermessenheit und höchste Unbescheidenheit an, zu diesem Werk, das mich in tiefstes Nachdenken, höchste Bewunderung und erschrecktes Staunen gestürzt – von Widerspruch zu Zustimmung und von Zustimmung zu Widerspruch – das Denkgrundlagen erschüttert und neue aufgerichtet hat – irgend etwas wie Bewunderung oder Lobpreisung zu äußern.

Ich möchte Sie selbst oder besser Adrian zitieren: »Sag, was hältst Du von der Größe? Ich finde es hat sein Unbehagliches, ihr so Aug' in Aug' gegenüberzustehen, es ist eine Mutprobe – kann man den Blick denn eigentlich aushalten? Man hält ihn nicht aus, man hängt an ihm.«

Und so ergeht es mir jetzt – ich hänge an ihm, er macht mir zu schaffen und wird es nun wohl mein lebelang tun – und so jedem, der in seinen Bereich gerät.

Aber ich möchte Ihnen doch sagen, was mich am meisten gepackt hat: Kapitel xxv, das Teufelsgespräch; das geradezu phantastisch Anmutende, daß Sie ein Musikwerk in Worten geschaffen haben, das niemals in Tönen gesetzt wurde und dennoch als Musik so lebendig geworden ist, daß niemand seine Existenz bestreiten könnte; die Gestalt Serenus Zeitblom's und seine stille duldend-verzweifelte Auseinandersetzung mit dem Wahnsinn, der Deutschland befallen hat, die liebenswerteste Figur des Buches, die vieles des besten Deutschland repräsentiert; opus 111; die Schilderung Rüdiger Schildknapps, die mich laut lachen ließ; die Gespräche bei Kridwiss-Preetorius – mein Gott, wo anfangen, wo aufhören bei der unerschöpflichen Fülle der Gestalten, Betrachtungen, Diskussionen und Untersuchungen, die den geistigen Bau unseres Jahrhunderts durchleuchten.

Ich stehe voller Ergriffenheit vor Ihrem neuen Werk, dessen Vollendung uns bald vergönnt sein möge.

Ihre Brigitte Bermann Fischer

381 Fourth Avenue
New York, N. Y.
19. November 1946

Lieber Herr Dr. Mann:
[...]
In der Frage des Copyrights Ihres neuen Romans hat sich mein
Standpunkt etwas geändert. Die Registrierung des Copyrights
für die deutsche Ausgabe ist von Bedeutung als Schutz gegen
eine Verfilmung oder einen unberechtigten Nachdruck in deutscher Sprache oder gegen eine unberechtigte Übersetzung. Da
eine Verfilmung des Buches doch wohl nicht in Erwägung zu
ziehen ist, und die amerikanische Ausgabe sicherlich nur wenige Monate nach dem Erscheinen der deutschen Ausgabe fertiggestellt sein wird und den vollen Copyright-Schutz haben wird,
sehe ich eigentlich nicht recht ein, warum wir die deutsche Ausgabe nicht ruhig ohne den Copyright-Vermerk erscheinen lassen
sollten. Sie wissen, daß die deutsche Ausgabe in allen europäischen Ländern automatisch durch die Berner Konvention geschützt ist. Ich werde die ganze Angelegenheit noch einmal
unter diesem Gesichtspunkt mit Knopf besprechen.
Wir haben inzwischen die notwendigen Vorbereitungen für
den Satz bei der Druckerei Zollikofer, St. Gallen, getroffen
und fangen an, sowie das Manuskript dort eingetroffen ist.
Die Korrekturfahnen werden Ihnen in kleinen Portionen direkt von der Druckerei zugehen mit Anweisungen, wohin sie
zurückzuschicken sind. Die Schwierigkeiten, mit denen wir bei
den schwedischen Setzern zu rechnen hatten, fallen bei der
Schweizer Druckerei fort. – Ein zuverlässiger Korrekturenleser
ist in Stockholm damit beschäftigt, die bisher erschienenen
Bände vollständig durchzukorrigieren, so daß die Druckfehler
bei den kommenden Neuauflagen eliminiert werden können.
Wenn Sie dazu noch besondere Anweisungen geben wollen, so
lassen Sie es mich bitte wissen.
Ich warte immer noch auf meine Citizenship. Der Einbürge-
rungstermin für Enemy Aliens nach den Wahlen ist noch nicht
festgesetzt, und ich bin recht ungeduldig, da ich unmittelbar
nach der Einbürgerung nach Europa fahren will. Aus Berlin
habe ich spärliche, aber gute Nachrichten. Daß ich im Begriff
bin, den Wiener Verlag wieder zu eröffnen, sagte ich Ihnen

kürzlich am Telefon. So zwingen mich die Verhältnisse in Europa, unsere Bücher an drei verschiedenen Plätzen zu publizieren.

Über die Erteilung des Nobel-Preises haben wir uns sehr gefreut. Hesse hat es zweifellos Ihnen und Ihrer Insistenz zu verdanken, daß es schließlich dazu gekommen ist. Nun wird er im Juni 1947 70 Jahre alt. Ich möchte in der »Rundschau« ein paar Aufsätze über ihn und sein Werk bringen und wende mich zuerst an Sie mit der Anfrage, ob Sie uns etwas für die »Rundschau« schreiben würden. Der Aufsatz könnte gleichzeitig auch in deutschen Zeitschriften verwendet werden. Ich würde Suhrkamp bitten, für die Unterbringung in deutschen Zeitschriften Sorge zu tragen.

Viele Grüße   *Ihr G. B. Fischer*

1550 San Remo Drive
Pacific Palisades, California
21. XI. 1946

Lieber Doktor Bermann,

für Ihren Anruf von neulich und den ergänzenden Brief, der darauf folgte, möchte ich Ihnen noch vielmals danken, und habe herzlich zu danken nun auch für Tutti's Brief, der mir über das Manuskript so Gutes und Tief-Empfundenes sagt. Daß Sie beide von dem Buch, so weit es vorliegt, diesen Eindruck haben, ist mir eine rechte Freude und Beruhigung, denn ein fragwürdiges Buch ist es natürlich, aber im Herzen halte ich es für das interessanteste, das ich geschrieben; in dem Sinn etwa, wie der »Parsifal« Wagners Interessantestes ist. Hoffen wir, daß es eines Tages auch den Lesern, besonders den deutschen, interessant erscheinen wird.

[...]

Zur Frage des Erscheinens der deutschen Ausgabe des Romans vor der amerikanischen möchte ich lieber noch einmal fragen: wäre es nicht doch vielleicht etwas gewagt, sich der Möglichkeit einer schnellen unautorisierten Übersetzung in irgend eine Sprache, sagen wir die französische, auszusetzen? Ich gebe die Unwahrscheinlichkeit einer Verfilmung zu, aber selbst diese Möglichkeit sollte man nicht ganz und gar außer Acht lassen. Es werden die überraschendsten Stoffe gekauft, und ich würde mich tatsächlich etwas davor fürchten, das Buch auch nur einige Monate lang ungeschützt zu lassen. Daß Sie die Sache noch einmal mit Knopf besprechen, ist mir natürlich durchaus lieb. Er ist gewiß ein besonnener Mann, und ich glaube, wenn er keine Bedenken hat, könnten wir es wagen.

Die Nachricht über den Druck in St. Gallen hat mich sehr gefreut und beruhigt. Ein gar so zuverlässiger Korrekturen-Leser bin ich ja auch nicht, aber eine bessere Ausgabe als die Stockholmer werden wir diesmal sicher zustande bringen.

Ebenso erfreulich ist mir die Nachricht, daß endlich die Fehler aus den in Stockholm gedruckten Bänden verschwinden sollen. Die Fehlerliste für »Joseph der Ernährer« habe ich Ihnen wiederholt geschickt und bin sicher, daß Sie sie weitergegeben haben. Denn Sie schrieben mir, daß man den Empfang dort bestätigt hat und die Liste bereit hält. Ich bin nicht ebenso sicher, wie es mit »Lotte in Weimar« steht. Ich habe auch davon eine Fehler-Liste in meinem Hand-Exemplar liegen, lasse sie noch einmal abschreiben und schicke sie Ihnen für alle Fälle. Ebenso die Listen für die »Vertauschten Köpfe« und »Das Gesetz«. (Diese Aufstellungen folgen bald.)

Über Hesse's endliche Preiskrönung habe auch ich mich aufrichtig gefreut. Er verdient sie, hätte sie vielleicht schon früher verdient, aber das »Glasperlenspiel« scheint nun doch auch für die Herren in Stockholm das Maß voll gemacht zu haben.

Einen größeren Aufsatz über ihn werde ich wohl nicht schreiben können, aber wenn Sie seine Auszeichnung in der »Rundschau« begehen, wird es auch mir lieb sein, ihn öffentlich zu beglückwünschen, wenn ich auch nur ungefähr werde wiederholen können, was ich vor zehn Jahren zu seinem sechzigsten Geburtstag in der »Neuen Zürcher Zeitung« gesagt habe. Welches »Rundschau«-Heft wird es denn sein und welches ist der Termin?

Ich brauche immer wieder Exemplare meiner Bücher und möchte Sie bitten, mir doch so bald wie möglich einen kleinen Vorrat zukommen zu lassen, etwa drei Exemplare von »Joseph der Ernährer«, drei von »Lotte in Weimar« und je sechs von den »Vertauschten Köpfen« und dem »Gesetz«. Wenn nötig lassen Sie die Bücher doch bitte telegraphisch aus Stockholm kommen!

[...]

Aufrichtig wünsche ich Ihnen, daß Sie Ihre citizenship bald einheimsen und Ihre Reise antreten können. Die drei verschiedenen Publikations-Orte haben ja etwas Diffuses, aber auch Imposantes. Wie steht es denn mit Suhrkamps Ausgabe von »Lotte in Weimar«? Was ist übrigens Suhrkamps Adresse? Ich bin aus Deutschland danach gefragt worden.
Recht herzliche Grüße! *Ihr Thomas Mann*

381 Fourth Avenue
New York, N. Y.
27. November 1946

Lieber Herr Dr. Mann:
Der Fall Adorno macht mir recht viel Kopfzerbrechen. Ganz offen gesagt bin ich es, dem die Aphorismen nicht gefallen. Ich habe einen inneren Widerstand gegen ihre Superklugheit, die häufig nicht davor sich scheut, Falsches zu behaupten, um witzig zu sein, und häufig statt Klärung Verwirrung der Gedanken schafft. Ich bin sehr unglücklich darüber, daß ich mich mit meinem Urteil offenbar im Gegensatz zu dem Ihren befinde, obwohl ich auch in Ihrem Brief gewisse Wendungen finde, die sich mit meinem Eindruck decken.
Ich habe mich nun damit beschäftigt, einige Aphorismen herauszusuchen, die für eines der nächsten »Rundschau«-Hefte in Frage kommen könnten. Ich werde sie demnächst Herrn Adorno vorschlagen.
Eine Buchausgabe aber scheint mir im Augenblick nicht diskutabel, nicht nur aus den oben angegebenen Gründen, sondern deshalb, weil es uns im Augenblick wirklich unmöglich ist, unser Programm über unsere vielfältigen literarischen Verpflichtungen hinaus auszudehnen. Wenn Sie bedenken, was jetzt alles an Vernichtetem und Verlorenem des Nachdrucks harrt – Schnitzler, Werfel, Hofmannsthal und was daneben noch an gewissen belletristischen Werken aus geschäftlichen Gründen nicht ausgelassen werden darf, so werden Sie verstehen, wie schwer wir es gerade jetzt haben. Denn die Absatzgebiete für das deutsche Buch sind ja keineswegs geöffnet, und wir werden auch recht lange wohl warten müssen, bis wir die Ernte einheimsen können.

Ich hoffe, Sie sind mir nicht böse, daß ich in diesem Falle Adorno eine Lösung mit faulen Kompromissen suche.

Die Fehlerliste zu »Joseph der Ernährer« ist in Stockholm und wird dort sorgfältig berücksichtigt. Wenn es Ihnen keine Mühe macht, die Fehlerliste der »Lotte« noch einmal zu schicken, so würde ich das begrüßen, ebenso die Listen für »Vertauschte Köpfe« und »Das Gesetz«, obwohl ich sicher bin, daß sie seinerzeit in Stockholm angekommen sind.

Der Aufsatz zu Hesse's 70. Geburtstag soll im nächsten »Rundschau«-Heft schon erscheinen, das dieses Mal aber statt im Januar erst im März erscheinen wird. Wir müßten Ihren Beitrag also etwa am 10. Januar haben.

Die benötigten Bücher lasse ich Ihnen vom hiesigen Lager zugehen.

[...]

Suhrkamps's Adresse lautet:

Peter Suhrkamp, Peter Suhrkamp Verlag, Berlin-Zehlendorf West, Forststraße 27. Ich habe aus mir unbekannten Gründen seit zwei Monaten keine direkte Nachricht von ihm. Ich kann mir das nur so erklären, daß seine Briefe irgendwo festgehalten sind (es gibt ja immer noch eine Zensur, die sogenannte »Geschäftsbriefe« nicht durchläßt), ohne daß er etwas davon erfahren hat. Ich weiß von dritter Seite, daß der Verlag erfolgreich arbeitet und daß die »Lotte« und der Essay bereits erschienen sind. Ich habe aber trotz vielfacher Bemühungen noch keine Exemplare erhalten können. Ich bin sehr erstaunt, daß Sie noch keins bekommen haben; denn in seinem letzten Brief vom 17. September erwähnt Suhrkamp, daß er Ihnen ein Exemplar des damals gerade erschienenen Essays gesandt hätte.

Mit herzlichen Grüßen   *Ihr G. B. Fischer*

1550 San Remo Drive
Pacific Palisades, California
22. Dez. 1946

Lieber Dr. Bermann,

ich tue wohl am besten, Ihnen das Manuskript von Löser zurückzuschicken, denn dem Verfasser müßte ich ausführlicher darüber schreiben, und das kann ich nicht gut, denn ich habe nur gerade »Kontakt« damit genommen und mich schon dabei gelangweilt. Sagen Sie ihm das nicht, sondern sagen Sie ihm, ich hätte es mit Interesse gelesen, sähe aber ein, daß Sie unmöglich jetzt ein weiteres Buch über mich bringen können und glaubte überhaupt nicht, daß die Aussichten für eine solche Veröffentlichung jetzt günstig seien, denn auch Oprecht in Zürich hat gerade das Buch von Lion herausgebracht. Auf die Dauer verloren braucht Lösers Arbeit darum nicht zu sein. Vielleicht braucht er nur zu warten, bis ich 75 werde, oder es bringt mein seliges Hinscheiden eine prächtige Hausse auch für die lahmsten Versuche über mich.

Ein heiteres Weihnachten Ihnen und den Ihren und ein gutes neues Jahr! Möge es uns beiden, wenn sonst keine, einige Freude bringen an dem neuen Büchlein, das seine Zahl tragen wird. Den Januar werde ich schon noch brauchen dafür, aber nicht viel mehr. Ob die St. Galler schon mit dem Druck begonnen haben?

Bestens   *Ihr Thomas Mann*

1550 San Remo Drive
Pacific Palisades, California
11. Januar 1947

Lieber Dr. Bermann:

Den Brief an Hilding Rosenberg habe ich eben an Mr. Ivar Philipson in Stockholm abgehen lassen.

Ein Exemplar der deutschen »Lotte«-Ausgabe habe ich gesehen. Sie war nicht für mich bestimmt sondern für meinen Bruder und kam von einem Berliner Bekannten. Ich finde das Buch relativ sehr anständig ausgestattet. Man hat sich offenbar Mühe damit gegeben. Gewiß wird mir der Verlag noch ein Exemplar zukommen lassen.

Der gebundene Sammelband der »Neuen Rundschau«, Jahrgang 1945–46, ist in meinen Händen. Es ist mir eine wirkliche Freude, diesen schönen Band zu besitzen, der überraschend viel Gutes, Anregendes und geistig Hilfreiches enthält und für die Entwicklung der Zeitschrift das Beste verspricht. Wie schade, daß ich den Band nicht all den Jahrgängen der »Neuen deutschen Rundschau« und der »Neuen Rundschau« anreihen kann, die ich in München besaß! Aber die sind alle von den

Nazis gestohlen und verauktioniert worden. Auch in diesem Sinne also fangen wir wieder von vorne an.

Seien Sie bestens gegrüßt von Ihrem ergebenen   *Thomas Mann*

1550 San Remo Drive
Pacific Palisades, California
14. Febr. 47

Lieber Dr. Bermann,

Dank für Ihren Brief. Alma Mahler hatte uns die böse Geschichte schon erzählt. Wir haben nun klarere Einzelheiten. Was für ein Mißgeschick ausgefallenster Art; wenigstens für mich, der ich nie von dieser Art Bedrohung eines jungen Lebens gehört hatte. Ein Glück noch, daß man sie rechtzeitig festgestellt hat, – wobei aber der Laie schwer versteht und kaum glauben will, daß die Medizin zur Beseitigung eines überhohen Blutdrucks keinen anderen Weg kennt, als eine komplizierte und wiederholte Operation. Beruhigend wieder ist, daß diese Operation bekannt und eingeübt und daß ein Mann wie Nissen darauf spezialisiert ist. Und um einen jungen, intakten Organismus handelt es sich auch! Sie dürfen sich nicht wundern, daß meine Erfahrungen mit der modernen Chirurgie mich optimistisch stimmen. Hat sie es mit einem leidlichen Herzen zu tun, so kann sie alles. Aber wie schwer und ängstlich muß bei alldem euch Eltern zu Mute sein! Schon wie man sich dem Kind gegenüber verhält und ihm die Sache erklärt, ist ein Problem. Natürlich sprechen wir nach außen hin nicht darüber. Aber in unseren Herzen und unserem Gespräch sind wir immer wieder damit beschäftigt und werden unendlich froh sein, wenn alles glücklich vorüber ist. Wir wollen und können an einem guten Ausgang nicht zweifeln!

Die letzten Teile des Romans werden abgeschrieben. Ich schicke sie sehr bald.

Aus unserer Europa-Reise wird am Ende garnichts werden. Wir sind zu spät daran und bekommen keine Schiffsplätze mehr. Mag sein, daß wir fliegen.

Mit herzlichen Grüßen und Wünschen von uns beiden an Sie und Tutti, der wir recht guten Mut zusprechen,

Ihr Thomas Mann

1550 San Remo Drive
Pacific Palisades, California
4. April 1947

Lieber Doctor Bermann,

Mit Ihrem Brief in Sachen des Manesse Verlages bin ich nun in aller Freundschaft garnicht einverstanden. Es ist doch offenkundige Hypochondrie von Ihnen, wenn Sie sagen, durch einen solchen Lizenzdruck einzelner meiner Novellen werde Ihre ganze Gesamt-Ausgabe gefährdet. Ja, wenn Sie auch nur der Meinung sind, daß auf die Dauer Ihre umfassende Ausgabe meiner Erzählungen dadurch entwertet sei, so ist auch das schon eine große Übertreibung.

Diese zweimal sechstausend Exemplare einer schmucken Taschenausgabe im Rahmen einer Klassiker-Bibliothek wird doch aller Voraussicht nach in kurzer Zeit von der Schweiz selbst absorbiert sein, und allenfalls in diesem einen Lande könnte vorübergehend Ihre Ausgabe dadurch zurückgedrängt werden; durch einen wahrscheinlichen Propagandaeffekt für das gesamte Œuvre wird das aber kompensiert, und wie sich mir die Absatzziffern im Allgemeinen und besonders für den vierten »Josephs«-Band in der Schweiz darstellen, spielt dieser Ausfall für uns beide überhaupt kaum eine Rolle.

Daß Verlage sich hinter Ihrem Rücken an mich wenden, kommt alle acht Tage vor, ohne daß jemand sich etwas Ungehöriges dabei denkt. Ich bekomme oft die naivesten Angebote, die ich einfach unter den Tisch fallen lasse. Wenn aber der Morgarten Verlag sich mit seinem Wunsch direkt an Sie gewandt hätte, so hätte ich ja davon überhaupt nichts erfahren, und er hat sich offenbar gesagt, daß ich bei Ihnen einen Stein im Brett habe und schon einen Wunsch durchzusetzen wissen werde. Es ist doch unrichtig, wenn Sie meinen es könnten dann von jedem Autor solche Forderungen kommen. Sie haben das volle Recht zu antworten: »In dem Fall mußte ich nachgeben, bei Ihnen tue ich es nicht. Punctum!«

Der Verlag ist von selbst nicht auf die Idee gekommen; es war ein guter Freund von mir in der Schweiz, ein braver anhänglicher Mensch, namens Otto Basler, der angesichts der hübschen Ausgaben auf diesen Gedanken verfallen ist, und dem Verlag nahe gelegt hat etwas von mir aufzunehmen. Dieser hat mir dann allerdings geschrieben, und ich weiß bis heute noch nicht, ob er meine Bedingungen, nämlich 10 % vom gebundenen Exemplar der beiden Auflagen während unseres Aufenthaltes in der Schweiz, annehmen wird. Tut er es aber, so ist mir das aus den einfachsten Gründen sehr angenehm, nicht nur weil diese in meinen Augen völlig harmlose Nebenausgabe meiner Erzählungen mir Freude machen würde, sondern auch, weil dadurch unser Aufenthalt in der Schweiz aufs Beste finanziert wäre.

Erinnern Sie sich doch, wie widerspruchslos wir auf die Herabsetzung der Tantième eingegangen sind, die Sie für notwendig erklärten, und bedenken Sie auch, daß ich Sie mit solchen Zumutungen wirklich nicht überhäufe. Sie bringen demnächst den »Doktor Faustus« heraus, Sie haben unterdessen die »Joseph«-Bücher, den »Zauberberg«, »Buddenbrooks«, was alles wirklich nicht durch dieses Bändchen entwertet wird, und Sie werden binnen kurzem auch die »Erzählungen« wieder ausschließlich haben. Ich vertraue, daß Sie, wenn auch nun doch erst »nach einiger Besinnung«, mir diesen plausiblen und ungefährlichen Wunsch gewähren werden. Wenn ich im Stande wäre, zu glauben, daß es wirklich für Sie ein solcher Schlag ins Kontor wäre, wie Sie es darstellen, so können Sie sicher sein, daß ich nicht nur nicht darauf bestehen würde, sondern ihn garnicht erst vorgebracht hätte.

Für Ihren Bericht über die zweite Operation schulden wir Ihnen noch Dank. Wir hatten den Eindruck, daß Nissen seiner Sache sicher und die Operation gelungen ist. Wir wären froh und dankbar, bei nächster Gelegenheit zu hören, daß das Kind nun außer aller Gefahr und endgültig in der Genesung ist.

Bestens   *Ihr Thomas Mann*

Zu seinem 100. Geburtstag
Das Gesamtwerk Thomas Manns in Dreizehn Bänden.
Ein Ereignis für die literarische Welt.

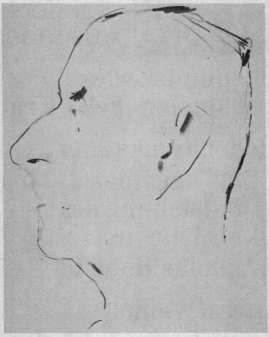

Thomas Mann
Gesammelte Werke in Dreizehn Bänden
Neudruck der 12bändigen Ausgabe von 1960, erweitert um einen Nachtragsband, der ungedruckte und bisher in Buchform nicht veröffentlichte Texte und Reden aus den Jahren 1893–1955

sowie ein Personen-, ein Werk- und ein Sachregister enthält. Gesamtumfang ca. 12 200 Seiten. Es wird nur geschlossen abgegeben, ausgenommen Band XIII.
Leinen in 2 Kassetten
Leder in 2 Kassetten

 **S.FISCHER**

FISCHER
TASCHENBÜCHER

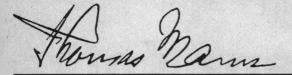

Franz Kafka

FISCHER
TASCHENBÜCHER

Arno Schmidt

Golo Mann

Deutsche Geschichte des 19. und 20. Jahrhunderts
1958. Revidierte und ergänzte Ausgabe, 72.-83. Tsd., S. Fischer
Verlag, Frankfurt am Main 1966

Deutsche Geschichte 1919-1945
1961. Überarbeitete Ausgabe, 163.-182. Tsd., Fischer
Taschenbuch Verlag, Band 6196, Frankfurt am Main 1973.

Geschichte und Geschichten
1961. Sonderausgabe, 20.-24. Tsd., Fischer Verlag,
Frankfurt am Main 1973.

Wallenstein. Sein Leben erzählt von Golo Mann
1971, 101.-125. Tsd., S. Fischer Verlag,
Frankfurt am Main 1972,
Fischer Taschenbuch Verlag, Band 1600
Frankfurt am Main 1974.

Zwölf Versuche
S. Fischer Verlag, Frankfurt am Main 1973.

Wallenstein. Bilder zu seinem Leben
Mit Rudi Bliggensdorfer. S. Fischer Verlag,
Frankfurt am Main 1973.

Georg Büchner und die Revolution
Rede, gehalten anläßlich der Verleihung des
Büchner-Preises 1968. Langspielplatte,
S. Fischer Verlag, Frankfurt am Main 1970.

FISCHER
TASCHENBÜCHER

S. FISCHER

S. Fischer.
Der Verlag. Seine Autoren.
Seine Geschichte.
Hintergründe für Leser.

Gottfried Bermann Fischer
Bedroht — Bewahrt
Weg eines Verlegers
428 Seiten, Leinen
(auch als Fischer Taschenbuch 1169)

Peter de Mendelssohn
S. Fischer und sein Verlag
1487 Seiten, Leinen im Schuber

Thomas Mann
Briefwechsel mit seinem Verleger Gottfried Bermann Fischer 1932-1955
Herausgegeben von Peter de Mendelssohn.
Mit einem Vorwort von G. B. Fischer und Vorbemerkungen
des Herausgebers.

 S.FISCHER